INSTRUCTOR'S RESOURCE MANUAL

VORSPRUNG

Updated Edition

An Introduction to the German Language
and Culture for Communication

Lovik / Guy / Chavez

Instructor's Guide

Zieltexte

Audio Program Tapescript

Unterwegs! **Video Transcript**

Test Bank (with Testing Cassette Tapescript and Answer Key)
prepared by Charlotte Antibus

Answer Keys to *Arbeitsbuch*

Transparency Masters: *Anlauftexte*

Houghton Mifflin Company
Boston   New York

Components of Vorsprung

Student Text
Instructor's Annotated Edition
Arbeitsbuch: Workbook/Laboratory Manual/Video Workbook
Instructor's Resource Manual with Instructor's Testing Cassette
Unterwegs! Video
Unterwegs! Demo Video
Audio Program (Audio CDs and Audio Cassettes)
Multimedia CD-ROM

Vorsprung Web Site

Director, World Languages: Beth Kramer
Sponsoring Editor: Randy Welch
Development Editor: Angela Schoenherr
Project Editor: Harriet C. Dishman
Senior Manufacturing Coordinator: Jane Spelman
Marketing Manager: Annamarie Rice

Illustrations by Tim Jones except illustrations on pages 214, 239 (bottom right), and 266 by Len Shalansky.

Printed in the U.S.A.

ISBN: 0-618-14252-5

1 2 3 4 5 6 7 8 9 - VG - 06 05 04 03 02

Contents

Answer Keys to *Arbeitsbuch*

Transparency Masters: *Anlauftexte* 367

•INSTRUCTOR'S GUIDE•

INSTRUCTOR'S GUIDE

Vorsprung uses a five-skills approach for teaching German (speaking, listening, reading, writing, and culture acquisition) that emphasizes communication as well as attention to formal accuracy. A complete first-year program designed for college and university students, *Vorsprung* offers a communicative introduction to the German language and culture; it also provides beginning students with the necessary skills for successful communication in today's rapidly changing world by exposing them to a wealth of spoken and written authentic textual materials. These materials and the corresponding activities emphasize the acquisition of communicative as well as cultural competence without sacrificing attention to formal and structural patterns in the language. The materials contained in *Vorsprung* have been selected and developed to enable students to understand authentic German — both informal speech and formal texts — and to produce appropriate German on their own. This Instructor's Guide offers some helpful suggestions based on the authors' and the profession's ideas about a communicative approach to teaching German.

General Principles of Language Learning

The following notions about language teaching and language learning are integral to teaching with *Vorsprung* and have been reprinted here from the Instructor's Annotated Edition and expanded to provide a foundation for using *Vorsprung*.

1. *Language instruction should focus initially on comprehension.* **Vorsprung** begins with a focus on comprehension, as exemplified by the use of Total Physical Response. It builds on the notion of comprehension by providing activities throughout the textbook that progress from recognition to production of new structures and vocabulary.

2. *Language instruction should be in the target language.* **Vorsprung** has been designed so that German can be used at all times to maximize the amount of language input that students are exposed to. For example, all new vocabulary is presented visually to avoid English translation and beginning with Chapter 4, all direction lines are in German. For home study, *Vorsprung* employs English consistently throughout the entire book to explain the grammar and the cultural information.

3. *Language instruction should occur in a low-anxiety, highly motivating environment.* **Vorsprung** includes a large number of partner activities, both receptive and productive, which provide a comfortable learning situation. The cultural content has been selected to appeal to the interests and expectations of college-age learners of German.

4. *Language instruction should expose students to authentic materials and authentic language.* Most chapters of **Vorsprung** include an authentic reading text and a listening text generated by native speakers of German. Graded tasks enable beginning language learners to engage authentic texts in meaningful ways. Students should not expect to understand every unfamiliar structure and vocabulary word in an authentic text.

5. *Language instruction should pay attention to language forms embedded in a communicative context (focus on form).* **Vorsprung** systematically presents new, high-frequency structures in relevant communicative situations.

6. *Language instruction should provide models for students and avoid translation.* The extensive art program in **Vorsprung** enables instructors to present new material in an engaging and efficient fashion. The art itself assists students in their acquisition of new vocabulary and structures. Transparency Masters of the **Anlauftexte** in *Vorsprung* are at the end of this Instructor's Resource Manual.

7. *The language classroom should offer students ample opportunity to practice the language.* Class time should be used primarily for carrying out group and partner activities as well as working with the text materials. Instructors are not expected to use much class time for explaining the grammar structures to their students.

8. *Language instruction can combine language-acquisition activities with cultural information.* Authentic materials have been carefully selected and crafted to link the structures and vocabulary with realia and cultural information to better highlight important elements of German-speaking culture and history. The cultural notes provide valuable information and new vocabulary. The photos accompanying each cultural note may be used as a vehicle by the instructor for providing teacher talk in German on the topic explained in English in the textbook. This culture information is tested in the cultural section of the Test Bank.

9. *Language should be presented in manageable chunks.* Each chapter in **Vorsprung** has been designed to be used over approximately 2 weeks, with 3–4 days per week available for instruction. A sample syllabus is provided in this Instructor's Resource Manual.

10. *Language materials should be flexible enough to accommodate various teaching situations and styles of learning.* **Vorsprung** offers instructors the flexibility to assign many activities as homework or as in-class partner work. Depending upon time constraints, the previewing activities — especially the **Thematische Fragen** and the **Wortdetektiv** and **Satzdetektiv** activities — can be assigned as homework, as can the **Schreibecke** tasks at the end of the chapter.

Chapter Organization

The chapter organization is printed in the introduction to the student textbook. For the convenience of the instructor, it is reprinted here with some modifications, including recommendations on teaching.

The textbook contains twelve chapters, each focusing on a different aspect of German culture. With the exception of chapters 1 and 11, which deviate only slightly from the other ten chapters, each chapter is divided into three main parts, which are organized around a spoken or written text. Extensive pre- and post-listening or reading work is provided. In addition, important structural and lexical aspects of German are systematically explored in the first two parts of each chapter.

CHAPTER OPENER

Each chapter begins with a photo focusing on the cultural themes of the chapter and a statement of the chapter's communicative, structural, lexical, and cultural goals. Together they provide students with an overview of what they can expect to learn in the chapter. The lists of **Kommunikative Funktionen** and **Strukturen** in the chapter are intended as a reference for both students and instructors.

■ **Teaching the chapter opener**

Draw students' attention to the photo in the chapter opener, read the chapter title aloud a few times so that students can focus on hearing the new words, and then point to the people and provide some comprehensible teacher talk to describe who these people might be and what they might be doing. You may wish to point out the **Vokabeln** to students to follow up on the notion of previewing the chapter.

VORSCHAU

The **Anlauftext** section begins with the **Vorschau** *(Preview)* activities, pre-listening and pre-reading activities that function as advanced organizers and promote awareness of the cultural topics presented in the subsequent text materials.

The first of these activities, the **Thematische Fragen** *(Thematic questions)*, help students activate prior knowledge of themes, vocabulary, and structures before listening to the **Anlauftext**.

■ **Teaching the *Thematische Fragen***

Discuss these either in English (chapters 1–3) or in German (chapters 4–12). You may also assign them as homework in preparation for working with the new **Anlauftext**. Starting in Chapter 4, one student can read each question out loud for the class to discuss.

Next, the **Wortdetektiv** or **Satzdetektiv** activities *(Word- or Sentence-detective activities)* help students focus on synonyms and build their active vocabulary base.

■ **Teaching the *Wortdetektiv* and *Satzdetektiv* activities**

These may be done in class or assigned as homework. In chapters 1–3 the **Wortdetektiv** provides English translations. To avoid the use of English in class, have students simply say the letter of the answer in German, rather than repeat the English word. A variation of this approach is to ask students the question **Wie sagt man** *[an English word from the list]* **auf Deutsch?** In this way students respond with the German word. The **Wortdetektiv** activity allows the instructor to model the correct pronunciation of new words and to practice them with students. The **Satzdetektiv** activities provide the entire context of the new words and allow for pronunciation and reading practice.

ANLAUFTEXT

The first main part of each chapter begins with the **Anlauftext** *(Warm-up Text)*, an audio text in dialogue form that is recorded on the audio program and is represented by a storyboard in the textbook. The **Anlauftext** presents new grammatical structures and important vocabulary in context, as well as the cultural theme of the chapter.

■ **Teaching the *Anlauftext***

Encourage students to listen to the **Anlauftext** several times, first without access to the written text and then with their books open. To aid comprehension, students should listen to the **Anlauftext** while following the visual cues of the storyboard in their textbooks.

Use some class time to play the recording of the **Anlauftext**.

Present it by using an overhead transparency prepared from the Transparency Masters found in this IRM or reproduced from the full-color **Anlauftexte** in the textbook. Always play the **Anlauftext** through in its entirety. If you play it a second time in class, you may want to stop and ask questions at various times to teach students to focus their listening and to train them to work with the recordings themselves. The audio recordings provide the advantage of authentic sound effects and multiple native speaker voices. Do not expect students to memorize the **Anlauftexte** verbatim, but rather to draw on the vocabulary and expressions found in the **Anlauftexte** to talk about themselves.

RÜCKBLICK

The activities in the **Rückblick** *(Postviewing)* section guide students from initial comprehension of the text to personalization of the topics presented. The first review activity in this section is always a **Stimmt das?** *(True/false)* activity, which provides a quick check of the content to determine how much of the text students understood. It is marked with the icon for receptive activities, since students are required only to *recognize* the language in the statements.

■ **Teaching the *Stimmt das?* activity**

This activity should be done immediately after the **Anlauftext** has been played the first time in class. Give students a few minutes to work either in pairs or individually to answer the questions. Then read the statements for the students or have students practice their German by reading the statements aloud and responding either positively or negatively to them. Use the false statements to elicit from students the correct information about the **Anlauftext**.

The second activity is always the **Ergänzen Sie** (*Fill-in*) activity. It is marked with the productive activity icon and requires students to focus on new vocabulary in the context of the text. It also provides practice with anticipating which words may occur at which location in a German sentence.

■ **Teaching the *Ergänzen Sie* activity**

This may either be assigned as homework or done in class as individual or pair work. After students have had time to find the answers, have a student read each entire sentence with the correct word filled in. Use the opportunity to focus on correct pronunciation and on important, new vocabulary.

The third activity in this section is always the **Kurz gefragt** (*Short answer questions*) activity. It guides students to produce more complete statements about the text.

■ **Teaching the *Kurz gefragt* activity**

These questions can be posed at any time during work on the **Anlauftext**, either immediately following completion of the **Ergänzen Sie** activity or on the second day as a review of the **Anlauftext**. They may also be assigned as written homework.

Several chapters also include a **Kurz interpretiert** (*Brief interpretations*) activity, which requires students to begin to interpret the reading text.

■ **Teaching the *Kurz interpretiert* activity**

These questions may be discussed in small groups or in a large group with the instructor directing the discussions.

Most chapters wrap up the **Rückblick** section of the **Anlauftext** with one or more communicative, personalized activities that require students to use the vocabulary and usually one or two new grammatical structures in a contextualized, interactive activity.

STRUKTUREN UND VOKABELN

The **Strukturen und Vokabeln** (*Structures and Vocabulary*) sections appear after the **Rückblick** in the **Anlauftext** and **Absprungtext** sections. No new structures or vocabulary are introduced after the **Zieltext**.

The **Strukturen** are organized around an important language function, such as describing oneself, asking for information, or expressing likes and dislikes. Each language function is numbered with a Roman numeral. At times the structure sections explain all aspects of a grammatical topic, e.g., the five coordinating conjunctions **aber, denn, oder, sondern, und** (Chapter 3, p. 92), while the activities that follow may focus only on the highest frequency and most problematic form from a contrastive point of view, i.e., **denn**.

On the other hand, some structure topics have been spread out over several chapters to reflect their frequency of usage and communicative load. For example, the modal verb **können** is introduced in Chapter 3, but the remaining modal verbs are not introduced until Chapter 4.

■ **Teaching the *Strukturen***

Students should read the explanations of the grammar structures at home in preparation for working with them each day. For this reason the explanations have been written in English. The charts and tables are intended to aid comprehension and home study.

Do not use class time to explain all of the grammar presented in the textbook to the students, but rather to review the important points before students do in class the activities that practice the new structure. It is often helpful to prepare an overhead transparency of the key examples used in the explanation and go over these with the class, focusing students' attention on the examples and the pertinent endings or spellings. The examples highlight the central patterns presented in the new grammar topic. Any of the grammatical activities that do not provide a model requiring two students may be assigned as written homework.

SPRACHE IM ALLTAG

Scattered throughout the chapter are **Sprache im Alltag** (*Everyday language usage*) sections. These short descriptions of variation in spoken German highlight useful vocabulary and expressions.

WISSENSWERTE VOKABELN

The vocabulary needed to fulfill the language function represented by the grammatical structure is presented in the section called **Wissenswerte Vokabeln** (*Vocabulary worth knowing*). Groups of thematically related words and phrases are presented in a richly illustrated format. This contextual approach to vocabulary presentation coincides with the functional and thematic approach of the book. Following the vocabulary presentation is a wide variety of productive and receptive activities.

■ Teaching the *Vokabeln*

Students should have their books closed and be focused on the instructor. New words may be introduced in groups of 2–4 words. When introducing new vocabulary, point to the pictures and model the new words several times for students with students repeating them after you. For problematic words, choral work may be necessary.

To test for comprehension, you may want to ask questions in an order that progresses from names or numbers to full statements, as in this example (see IAE or Student Text page 68).
- **Wo steht Onkel Hannes auf? [Nummer 2]**
- Yes/no question, e.g., **Steht er [hier] auf? [Ja]**
- Either/or question, e.g., **Steht er auf oder wacht er auf? [Er steht auf.]**
- Information question, e.g., **Was macht Onkel Hannes in Nummer 2? [Er steht auf.]**

AKTIVITÄTEN

The activities in *Vorsprung* have been developed to employ a minimum of translation. Most activities provide a model to be read by two students. Activities with no student model may be assigned as written homework.

■ Teaching the *Aktivitäten*

To facilitate classroom management in German, it is best to refer to each activity in the chapter as an **Aktivität**. It is also a good use of class time to have students pronounce the number and the title of the activity. Have two students read the parts provided in the model. Preview any new or unfamiliar vocabulary in the activity.

Most of the activities in *Vorsprung* can also be done as partner or group activities. This approach provides ample opportunity for students to practice German. It also requires that the instructor monitor their work to ensure that they remain on task. Very few activities should take more than 3–5 minutes. Be careful not to give students more time than they need, since this will waste valuable class time and encourage digression to non-classroom related matters. To focus students' attention on the time, you may want to give them an overly specific time limit, e.g., **Sie haben 2 Minuten und 17 Sekunden**. To maintain the pace of the class, terminate the activity when 1–2 groups have finished. In the follow-up, have students read the statements from the book or suggest their answers, and then allow other students to offer additional answers. The purpose of the follow-up is to engage the entire class in communicating information gathered in the partner work. You may also want to encourage a group dialogue with the class by allowing several students to offer their answers simultaneously. This method fosters a low-anxiety dialogue between the instructor and the entire class, rather than serving as an intimidating question-and-answer session between the instructor and individual students.

ACTIVITY TYPES

Das Interview

The interview activity recurs frequently in *Vorsprung*. In it, students ask each other a series of questions provided in the textbook.

■ **Teaching *Das Interview***

1. Model the pronunciation of all the questions and have students repeat them.
2. Have two volunteers read the parts of S1 and S2. Clarify for students the variable answers possible for S2.
3. Have students answer the questions about themselves on a piece of paper.
4. Have them pair up with another student, ask their partner these questions, and then write down that person's answers.
5. In the follow-up, ask individual students to report on the responses of their partner. Use the follow-up opportunity to elicit truthful answers from as many students as possible about themselves.

Das Autogrammspiel

The **Autogrammspiel** is a recurring activity type that requires each student to ask and understand the questions. The purpose of this activity is to have students communicate with each other about things that are relevant to them. The **Autogrammspiel** activity lends itself well to review and warm-up on the next day.

■ **Teaching the *Autogrammspiel***

1. Have students circulate to ask their fellow classmates the questions in German; they then solicit autographs from those who answer *yes*.
2. Allow about 3–5 minutes for students to complete the activity.
3. Stop the activity when the first student has obtained all signatures.
4. In the follow-up discussion, ask one or more students for their answers. Have students practice forming complete sentences. Since the real goal of this activity is to get all students to talk, you might then ask the entire class, **Wer spielt gern Tennis?**

Information-gap activities

Most chapters have an information-gap activity with two tables of printed information. (See Aktivität 9 **Die Günthers**, pp. 87–88.) The second table is always printed upside down. The purpose of this activity is for students to communicate the information available to them to their partner. Each student should ask questions about the items marked with a question mark in their own table. They in turn will be asked by their partner about the items for which they have information printed in their textbook. It is important that students don't look at their partner's table.

■ **Teaching the information-gap activities**

Although students quickly learn how this type of activity works, you will need to walk them through it the first time. Be sure to emphasize that they should not look at their partner's table. In the follow-up, pose questions from both tables to the entire class.

BRENNPUNKT KULTUR

Cultural notes, called **Brennpunkt Kultur** *(Focus on culture),* appear throughout the chapter, where appropriate. Each note provides background information and insightful commentaries in English on themes encountered in the chapter. They are rich in descriptive detail and include additional topical German vocabulary.

■ **Teaching the** *Brennpunkt Kultur*

Provide some teacher talk in German about the contents of the **Brennpunkt Kultur**. For example, the mealtime cultural note on p. 84 can be activated by writing **das Frühstück, das Mittagessen,** and **das Abendessen** on the board and asking students what Germans might eat at each one. Other cultural notes lend themselves well to topics for student culture portfolios or written reports by the students.

VORSCHAU (ABSPRUNGTEXT)

This section follows the same structure as the **Vorschau** preceding the **Anlauftext** and is explained earlier, by providing pre-reading activities for understanding and decoding the authentic written materials represented by the **Absprungtext**.

■ **Teaching the** *Thematische Fragen* **and** *Wortdetektiv / Satzdetektiv*

See the preceding description under the **Anlauftext**.

ABSPRUNGTEXT

The second section of each chapter, except for Chapter 1, revolves around the **Absprungtext** *(Text for starting off),* an authentic written text produced originally for native speakers of German. The **Absprungtext** section parallels the format of the **Anlauftext** section by beginning with pre-reading activities in a **Vorschau** section. Many of the same activity types are used here to activate prior knowledge and to prepare students for reading and understanding the text. The **Absprungtext** itself is reproduced in as authentic a format as possible. Among the text types offered in this section are advertisements, newspaper articles, letters, short stories, and fairy tales. All text types relate directly to the chapter theme and to the continuing story presented in the **Anlauftext** sections; they were selected for both their high frequency of occurrence and usefulness to students.

■ **Teaching the** *Absprungtext*

The **Absprungtexte** are reading texts, and the pedagogical apparatus trains students to approach them as written texts from which they need to obtain specific information. Nonetheless, they are recorded in the lab program so that students can listen to them on their own and become accustomed to associating the written symbols with the spoken sounds. Since they are authentic texts, it is not possible nor achievable for first-year students to be able to understand every single word in them. From Chapter 7 on, special reading strategies are presented that enable students to understand as much as possible from difficult texts.

RÜCKBLICK (ABSPRUNGTEXT)

The **Rückblick** activities have been designed and limited to train students at this level to cull as much information as possible from the reading texts. The section has the same structure as the **Rückblick** following the **Anlauftext** and explained previously.

■ **Teaching the** *Stimmt das?* **and** *Ergänzen Sie* **activities**

See the preceding description under the **Anlauftext**.

■ **Teaching the** *Kurz gefragt* **and** *Kurz interpretiert* **activities**

See the preceding description under the **Anlauftext**.

Strukturen und Vokabeln

This section parallels the organization of the **Strukturen und Vokabeln** section following the **Anlauftext,** which was explained previously. Additional high-frequency language functions and the grammar and vocabulary to perform them are presented and practiced.

Vorschau (Zieltext)

The section repeats the same structure as the **Vorschau** preceding the **Anlauftext** and the **Absprungtext,** which were explained earlier. The following activities prepare the students to listen to the **Zieltext**.

- **Teaching the *Thematische Fragen* and *Wortdetektiv / Satzdetektiv activities***

    See the description under the **Anlauftext.**

Zieltext

The third and final part of the chapter centers on the **Zieltext** *(Target text),* a listening text recorded on the audio program. Except for Chapter 1, each chapter has a naturally spoken **Zieltext.** As its name implies, the **Zieltext** is the culminating point of the chapter. The **Zieltexte** incorporate the structures and vocabulary of the chapter in a free-flowing dialogue spoken at normal speed by native speakers of German. A transcript of each **Zieltext** is printed in this IRM. Students need to develop the habit of listening to it several times at home.

- **Teaching the *Zieltext***

    Play the entire text through at least once. When you play it a second time, you may want to stop the recording and pose questions. While listening to the **Zieltexte** in the audio program at home, students can look at art-based cues in the Student Text, which assist their listening comprehension.

Rückblick (Zieltext)

The section repeats the same structure as the **Rückblick** following the **Anlauftext** and the **Absprungtext,** which were explained previously.

- **Teaching the *Stimmt das?* activities**

    See the description under the **Anlauftext.**

- **Teaching *Ergänzen Sie: Diktat***

    Unlike the previous **Ergänzen Sie** activities, the one accompanying the **Zieltext** always provides verbatim statements from the text to aid students in their comprehension. You may want to stop the tape at regular intervals and ask students to supply the missing words.

- **Teaching *Kurz gefragt***

    See the description under the **Anlauftext.**

Freie Kommunikation and Schreibecke

The chapter concludes with one or more communicative activities that provide students with an opportunity to draw on the vocabulary and structures they have learned in the chapter, including a **Freie Kommunikation** *(Free communication)* for oral work and a **Schreibecke** *(Writing activities)* for written work.

The highlighted **Freie Kommunikation** activities appear at regular intervals throughout the chapter, especially as the culminating activities for the **Strukturen und Vokabeln** sections. They guide students in role-play situations in which they practice the communicative functions that have been introduced.

■ **Teaching the *Freie Kommunikation***

Assign these a day in advance, so that students can prepare some statements ahead of time if necessary. Tell students not to read directly from their written aids when speaking, and encourage them to speak as spontaneously as possible.

Special unnumbered activities called **Schreibecke** accompany the **Freie Kommunikation** activities throughout the chapter. They provide students with an authentic task and the opportunity to practice their writing skills in short, manageable assignments.

WORTSCHATZ

Each chapter ends with a **Wortschatz** *(Vocabulary list)* section that lists all the active words and expressions taught in the chapter. The vocabulary is categorized by semantic fields, which facilitates acquisition of new vocabulary by encouraging students to associate words and word families. Rather than memorizing this list, students should be encouraged to learn the vocabulary highlighted in the **Anlauftext**.

Integrating Other Components

ARBEITSBUCH

The **Arbeitsbuch** is a three-part volume combining the Workbook, Laboratory Manual, and Video Workbook for the *Vorsprung* program. Each of the three components is coordinated with the *Vorsprung* textbook.

The Workbook provides additional practice on structures, vocabulary, reading comprehension, and writing skills, expanding in each case upon the work in the Student Text. The Laboratory Manual is designed to be used in conjunction with the audio program. Here the activities focus on developing aural comprehension of spoken German. The audio texts themselves reflect the themes, structures, and vocabulary encountered in the Student Textbook. The Video Workbook is coordinated with the video program, *Unterwegs!* These activities guide students through their viewing of the video and assist them with comprehension of the language and structures encountered there.

AUDIO PROGRAM

The audio program complements the twelve chapters of *Vorsprung*. Each chapter of the audio program includes the **Anlauftext**, the **Absprungtext**, and the **Zieltext** from the chapter, as well as supplementary listening and pronunciation activities found in the Laboratory Manual. The audio program is available for student purchase, thus enabling students to listen to it at home or at school, at their convenience. Encourage students to obtain a copy of the audio program and to listen to the texts and exercises contained in it on a regular basis.

UNTERWEGS! VIDEOCASSETTE

This exciting new video program was shot on location in Germany. It includes twelve five- to seven-minute episodes featuring a continuing storyline and cast of characters. The video is thematically linked to the *Vorsprung* Student Text and focuses on the communicative functions and vocabulary taught there. The video is intended to be used in conjunction with the Video Workbook portion of the **Arbeitsbuch**.

Using TPR in the Introductory Language Class

We recommend using Total Physical Response (TPR) techniques in the introductory stages of teaching with *Vorsprung* to get students accustomed to hearing and responding to spoken German. TPR fosters communicative language learning in a low-stress environment. In general, these suggestions for successful implementation of TPR should be followed:[1]

1. Present new vocabulary in groups of 3–4 words.

2. First model all new items several times, using the imperative. For example, **stehen Sie auf, setzen Sie sich**, etc.

3. Continue giving commands without modeling.

4. Check for comprehension, using both large and small groups.

5. Provide generous praise and feedback to students to signal their success with new material e.g., **Sehr gut, Prima**.

6. Combine familiar commands in unfamiliar or impossible combinations to check for comprehension, e.g., **setzen Sie sich und springen Sie**.

TPR is a technique that can be used at any point in the curriculum, but it is particularly suitable for the following purposes:

1. As a means of introducing new vocabulary, such as body parts, classroom objects, colors, etc. Instructors who wish to present materials in a different sequence than presented in *Vorsprung* may find TPR particularly useful.

2. As a review of previously introduced vocabulary.

3. As a warm-up activity at the beginning of class.

4. As a conclusion to the class period.

Important Aspects of Teaching with *Vorsprung*

1. *Presentation of the texts by using overhead transparencies*

The **Anlauftexte** have been designed for presentation via an overhead transparency. The storyboard provides a non-threatening and highly motivating means of conveying meaning to students as they learn German. Using an overhead transparency enables the instructor to focus the attention of all students on the new vocabulary and expressions. If no overhead projector is available, students can follow along in the textbook. Although the **Anlauftexte** are accompanied by art to make them easily comprehensible to students, students still need to be encouraged to listen to them several times on their own to train their ear to hear spoken German in context.

The new vocabulary in the **Wissenswerte Vokabeln** — words, expressions, and structures — is also introduced through lively and culturally authentic depiction. Modeling of all new vocabulary items throughout the book is an important part of teaching. Pronounce new words several times and point to the individuals and objects in the art. Then give students an opportunity to pronounce the new words.

---

[1] See also Lovik, "Total Physical Response: Beschreibung und Beurteilung einer innovativen Methode" in *Fremdsprachen lehren und lernen* 25, 1996, 38–49.

2. The role of grammar in the classroom

Written in English, the grammatical explanations have been positioned throughout each chapter to provide explanation for the structures encountered in the **Anlauftext** and to serve as background and preparation for the subsequent activities. They are meant to be read and studied by students at home. In each chapter, the activities have been sequenced from receptive to productive in order to permit practice of the new structures while avoiding time-consuming explanations by the instructor. Experience has shown that most students can learn to study and comprehend grammar explanations on their own. They have difficulty, however, applying this information when speaking and writing. Therefore the instructor's role is to focus students' attention on important new grammatical forms during group activities by posing selected questions that pinpoint the form being practiced. For example, during group work on Aktivität 17 on page 57 in Chapter 2, the instructor can ask students about the accusative ending on **einen** by posing the question, **Warum sagt man: „Ich habe einen Hund und nicht ein Hund"?** The insertion of the grammatical terminology within the English explanations facilitates the use of German at all times during class.

3. Authentic language

Vorsprung places great importance on the use of authentic texts. The **Absprungtexte** consist of textual material that has been written for native speakers of German. The **Zieltexte** represent recorded, improvised conversations of native speakers. Written transcripts of the **Zieltexte** are included in this IRM. You may wish to provide these transcripts to your students, although doing so might undermine the value of the **Zieltext** as a comprehensive listening activity.

As is characteristic of the spoken language, the **Zieltexte**, when written down, may strike the reader as odd or even sub-standard. In most cases this variation represents standard deviation from the written language, including the use of main clause word order with some subordinating conjunctions (e.g., **weil**), the occurrence of certain sentence elements outside the sentence field, and the slurring of case endings. All of these are regarded as important aspects of the German language.

To assist students in their comprehension of these listening texts, every **Zieltext** has an activity identified as **Ergänzen Sie: Diktat**. These verbatim sentence cues, unlike the author-generated ones in the **Ergänzen Sie** activities that accompany the **Anlauftext** and **Absprungtext**, are direct quotes from the **Zieltext**. These activities will aid students in their comprehension of authentic spoken German.

4. The confrontation of stereotypes

Vorsprung consciously addresses differences between the student's own culture and the target cultures, not in an attempt to trivialize these issues, but to confront them head-on. In this fashion, students can learn to accept cultural differences and to have an open mind towards others.

Scope and Sequence

CHAPTER	TEXTE	FUNCTIONS
Kapitel 1: **Fangen Sie bitte an.**	• ANLAUFTEXT I: Annas Albtraum • ANLAUFTEXT II: Annas Traum	• Understanding commands and requests • Making polite requests with **bitte** • Describing yourself and others • Asking for someone's name • Asking for information and clarification • Identifying people and classroom objects
Kapitel 2: **Familie und Freunde**	• ANLAUFTEXT: Anna Adler stellt sich vor • ABSPRUNGTEXT: Anna schreibt ein Fax • ZIELTEXT: Ein Fax kommt an	• Indicating possession or ownership • Expressing what you like and don't like • Describing actions • Talking about what you like and don't like to do • Talking about what you have and don't have • Creating variety and shifting emphasis • Describing daily, weekly, and repeated activities • Expressing negation • Talking about how much and how many
Kapitel 3: **Was gibt es in Heidelberg und Mannheim zu tun?**	• ANLAUFTEXT: Was halten wir von Anna? Was hält sie von uns? • ABSPRUNGTEXT: Heidelberg und Mannheim • ZIELTEXT: Fahren wir nach Heidelberg oder nach Mannheim?	• Describing activities • Expressing relationships or ownership • Expressing additional and contrastive information and justifications • Stating personal preferences • Expressing what you would like to do • Expressing possibilities • Referring to people and things • Talking about what you know as a fact and about people, places, and things that you know • Talking about more than one item
Deutsch im Beruf 1: Employment in the tourist industry		

GRAMMAR	CULTURE	VOCABULARY
• The imperative • The word **bitte** • Subject pronouns • The verb **sein** • The pronoun *you* • The verb **heißen** • Information questions and yes/no questions • The question **wie bitte?** • Noun gender • Nominative case: definite and indefinite articles • Negation with **nicht** and **kein** • Subject of a sentence • Predicate nominative • Pronoun substitution	• Greetings and farewells • Titles of address • Where German is spoken	• Das Alphabet • Die Zahlen • Aussehen • Der Hörsaal • Die Farben • Nationalitäten
• The verb **haben**; expressions with **haben** • Abbreviated **ich**-forms of verbs • The expression **gern haben** • Present tense of regular verbs • Verbs + the adverb **gern** • The accusative case • The expression **überhaupt kein** • Position of subject and verb • Regular present-tense verbs w. separable prefixes • Position of **nicht** • Use of quantifiers	• German immigration to North America	• Annas Familie • Die Familie und die Verwandten • Studienfächer • Die Monate • Die Wochentage • Zeitausdrücke • Die Uhrzeit • Onkel Hannes' Alltag
• Assumptions with **bestimmt, sicher, wohl** • Present tense of stem-changing verbs: irregular or strong verbs (including **wissen**) • Phrases with **es gibt, was gibt es?, was gibt's?** • Nominative of possessive adjectives • Coordinating conjunctions • The particle **lieber** • The modal verbs **möchte** and **können** • Accusative pronouns • The verb **kennen** • Accusative of possessive adjectives • Noun plurals	• Mealtimes in German-speaking countries • The metric system • Heidelberg and Mannheim	• Lebensmittel • Freizeitaktivitäten

CHAPTER	TEXTE	FUNCTIONS
Kapitel 4: **Unterwegs**	• ANLAUFTEXT: Mutters Ratschläge • ABSPRUNGTEXT: Sicherheitsinfo Nr. 8: Fahrrad fahren • ZIELTEXT: Endlich Unterwegs!	• Telling friends or relatives to do something • Making inclusive suggestions • Expressing ability, fondness, expected obligation, permission, prohibition, necessity, and strong desire • Expressing spatial movement, the recipient of something, opposition, and omission • Denoting the recipient of something
Kapitel 5: **Freundschaften**	• ANLAUFTEXT: Die Geschichte von Tante Uschi und Onkel Hannes • ABSPRUNGTEXT: Ein Freund, ein guter Freund... das ist das schönste, was es gibt auf der Welt • ZIELTEXT: Ein Gespräch mit Opa und Oma Kunz	• Talking about past events • Describing personal relationships • Expressing what you know and don't know • Giving reasons • Positioning information in a German sentence • Expressing fondness or love • Talking about activities that continue from the past into the present
Kapitel 6: **Willkommen in** **Tübingen**	• ANLAUFTEXT: Anna zieht im Wohnheim ein. • ABSPRUNGTEXT: Am Kopierer • ZIELTEXT: Gespräch in der Gemeinschaftsküche	• Expressing the beneficiary or recipient of an action • Indicating location • Expressing when we do things • Expressing temporal and spatial relationships with dative prepositions • Expressing gratitude, pleasure, ownership, need for assistance, sorrow, and discomfort • Describing your body and talking about physical discomfort • Specifying what you are talking about
Deutsch im Beruf 2: Identifying job interests		

GRAMMAR	CULTURE	VOCABULARY
• The informal (**du-, ihr-**)imperative • Particles with the imperative • Inclusive suggestions: the **wir**-imperative • Modal verbs (**können, mögen/möchten, sollen, dürfen, müssen, wollen**) • Prepositions with the accusative	• Studienmöglichkeiten in Deutschland • Fahrschule und Fahrrad fahren • Mit der Bahn fahren • Frankfurt am Main	• Das Gepäck • Verkehrsschilder • Eigenschaften
• Definite articles with first names • The conversational past • Auxiliaries **haben, sein** • Past participles of regular (weak), irregular (strong), and mixed verbs • Past participles of **haben** and **sein** • Past participles of verbs with separable and inseparable prefixes, and verbs ending in **-ieren** • The verbs **kennen** and **wissen** • Subordinate clauses with **ob** and **dass** • Subordinate clauses with **weil** • Word order: subject-verb inversion, two-part verbs, verb forms at the end of a subordinate clause • Present tense verbs with **schon, seit,** and **erst**	• Hansestadt Hamburg • **Bekannte** versus **Freunde**	• Das Wetter • Die Jahreszeiten • Freundschaft und Liebe
• Expressions with animals • The dative case: personal pronouns, question word **wem,** definite and indefinite articles, possessive adjectives • Dative of location: **in der, im/in dem, in den** • The subordinating conjunction **wenn** • Dative prepositions • Emphasizing one's opinion • Dative verbs • Adjectives and idiomatic expressions with the dative case • Dative of location: **an der, am/an dem, an den** • Indefinite pronouns • **Der**-words	• Wo Studenten wohnen • Tübingen • Ausländer in Deutschland	• Das Studentenzimmer • Ein Einfamilienhaus • Körperteile

CHAPTER	TEXTE	FUNCTIONS
Kapitel 7: **Man kann alles in der Stadt finden**	• ANLAUFTEXT: Barbara muss ein Konto eröffnen • ABSPRUNGTEXT: "Schindlers Liste" und "Die Abrechnung" • ZIELTEXT: In der Buchhandlung	• Expressing location and destination • Talking about when events happen • Talking about means of transportation • Expressing time, manner, and place • Giving directions • Expressing the purpose for an action
Kapitel 8: **An der Uni studieren**	• ANLAUFTEXT: Ein Gruppenreferat • ABSPRUNGTEXT: Welche Uni ist die beste? • ZIELTEXT: Gespräch auf einer Party	• Talking about activities we do for ourselves • Talking about daily hygiene routines • Talking about illnesses • Talking about future events • Expressing probability • Specifying additional information about actions
Kapitel 9: **Arbeiten und Geld verdienen**	• ANLAUFTEXT: Ich habe morgen ein Vorstellungsgespräch • ABSPRUNGTEXT: Richtig bewerben: Vorstellungs- gespräch • ZIELTEXT: Das Vorstellungsgespräch in der Bibliothek	• Wishing someone luck • Providing additional information about topics • Talking about occupations • Describing people and things • Preparing for a job interview • Expressing the city of origin • Comparing people and things
Deutsch im Beruf 3: Finding a job		

GRAMMAR	CULTURE	VOCABULARY
• Two-case prepositions: **wo** versus **wohin** • Prepositions **an, auf,** and **in** • Names of cities with **an/am** • Verbs and expressions with accusative, dative, and two-case prepositions • **Wo?** versus **wohin?** • The verbs **hängen/hängen, legen/liegen, setzen/sitzen, stellen/stehen** • Time expressions in the dative and accusative case • Expressing regularity • The preposition **mit** with dative case • Position of information: time, manner, and place • Prepositional phrases indicating location • The prefixes **hin** and **her** • The subordinating conjunction **damit**	• Studentenermäßigungen • Einkaufen • Stuttgart • Der Holocaust • Politischer Extremismus und politische Parteien	• Wo gehst du gern hin? • Wo macht man das in der Stadt? • Wie kommt man dahin? • Literatur und Film
• Reflexive verbs with accusative reflexive pronouns; word order in sentences with reflexive pronouns • Reflexive verbs with dative reflexive pronouns • Future time: present tense with a time expression; future tense: **werden** + infinitive • The verb **werden** + **wohl** • Verbs with prepositional objects • **Da-** and **wo-**compounds	• Universitätskurse • Wie Studenten ihr Studium finanzieren • Das deutsche Universitätssystem • Das deutsche Schulsystem	• Die tägliche Routine • Im Badezimmer • Krank sein
• Nominative, accusative, and dative case relative pronouns • Relative pronouns after prepositions • Adjective endings with **ein**-words • Adjective endings with definite articles • Endings on unpreceded adjectives • Forming adjectives from city names • Comparative and superlative forms of adjectives and adverbs	• Freistaat Sachsen: Leipzig und Dresden • Sozialleistungen in Deutschland • Berufswahl und Berufsausbildung in deutschsprachigen Ländern	• Berufe • Eigenschaften von Bewerbern

CHAPTER	TEXTE	FUNCTIONS
Kapitel 10: Fest- und Feiertage	• ANLAUFTEXT: Aschenputtel • ABSPRUNGTEXT: Braunwald autofrei: Ein Wintermärchen … hoch über dem Alltag • ZIELTEXT: Stefans Puddingschlacht	• Narrating past events • Talking about consecutive events in the past • Talking about simultaneous events in the past • Talking about events that occur repeatedly • Telling when events occur • Expressing possession
Kapitel 11: Geschichte und Geographie	• ANLAUFTEXT: Was würdest du dann vorschlagen? • ABSPRUNGTEXT I: Die Geschichte Berlins • ABSPRUNGTEXT II: Maikäfer flieg! (Christine Nöstlinger) • ZIELTEXT: Ich habe mich nie wohl gefühlt	• Confirming what someone said • Speculating about activities • Making polite requests and suggestions • Making role reversal statements (*If I were you, …*) • Stating what one should have done (but did not do) • Talking about actions as a process • Expressing substitution, opposition, causality, duration, and position
Kapitel 12: Das neue Europa	• ANLAUFTEXT: Stefan und Anna sprechen über ihre Zukunft • ABSPRUNGTEXT: EU zieht neue Grenze: Das ändert sich beim Zoll. • ZIELTEXT: Studenten besprechen die EU	• Talking about unreal situations • Expressing the purpose of an action • Expressing how actions are to be done • Describing a state or condition
Deutsch im Beruf 4: Earning and spending money		

GRAMMAR	CULTURE	VOCABULARY
• The narrative past: regular (weak), irregular (strong), **sein, haben,** modals, and mixed verbs • The past perfect • Word order in sentences beginning with a subordinate clause • The subordinating conjunctions **als, wenn, wann, ob** • The genitive case • Preposition **von** (expressing possession in spoken German)	• Die Brüder Grimm und ihre **Kinder- und Hausmärchen** • Karneval, Fasching, Fastnacht • Die Schweiz • Fest- und Feiertage	• Märchen • **Urlaub** versus **Ferien** • Die Schweiz – geographische Daten
• The subjunctive mood: the present subjunctive with **würde** + infinitive; present subjunctive of **haben, sein,** modal verbs; past-time subjunctive; double-infinitive construction • The passive voice: present tense; narrative and conversational past tenses; agent in a passive voice sentence; the impersonal passive • Genitive prepositions • Replacing the genitive in spoken German	• Berlin nach dem Zweiten Weltkrieg • Deutschland: von der Diktatur zur Demokratie • Die Deutsche Demokratische Republik	• Sehenswürdigkeiten in Berlin • Regierung und Politik • Länder und Flüsse Deutschlands
• Subjunctive II: expressing unreal conditions with **wenn**-clauses; subjunctive II forms of verbs; expressing contrary-to-fact wishes • The subordinating conjunctions **um ... zu** and **ohne ... zu** • Modal verbs with the passive voice • The statal passive	• Die Europäische Union und die Zukunft Europas • Österreichs Geschichte • Österreichs kulturelles Leben	• Mitgliedschaft in der Europäischen Union • Österreichs Leute und Länder • Die Umwelt

Syllabus for Teaching with *Vorsprung*

The following 120-hour semester syllabus reflects how *Vorsprung* can be used over two semesters of 15 weeks with classes meeting four times a week. Chapters 1–6 are taught the first semester and chapters 7–12 the second semester. Two weeks have been set aside in each semester for testing all the skills taught in *Vorsprung* — listening, speaking, reading, writing, and culture acquisition.

Weeks 1–2	Chapter 1
Weeks 3–4	Chapter 2
Weeks 5–6	Chapter 3
Week 7	Testing
Weeks 8–9	Chapter 4
Weeks 10–11	Chapter 5
Weeks 12–14	Chapter 6
Week 15	Final Exams

In the quarter system, chapters 1–4 can be taught the first quarter, chapters 5–8 the second quarter, and chapters 9–12 the third quarter. Instructors teaching programs with less than 120 hours available in the year may want to cover fewer chapters or less material within the chapters.

Teaching a Sample Chapter of *Vorsprung*

The following suggestions for teaching Chapter 2, **Familie und Freunde** can be used effectively as a model for teaching the other chapters as well.

DAY 1

- Introduce the topic of Chapter 2, showing the opening photo (pp. 38–39). Some comprehensible teacher talk to describe these people might be, e.g., **Das ist die Familie Müller. Das ist Herr Müller. Das ist sein Sohn, Markus. Das ist seine Tochter, Angelika. Sie sind in Frankfurt. Sie machen eine Reise nach Hamburg.**

- Preview the **Anlauftext** by discussing the **Thematische Fragen** (p. 40).

- Present the family vocabulary in the **Wissenswerte Vokabeln** (p. 40).

- Do Aktivität 2 (p. 41) as pair work. Allow 3–5 minutes to complete this activity. In the follow-up to the activity, read each sentence and pause at the blank, permitting one or more students to volunteer the answer. Use this opportunity to work on the correct pronunciation of the new words by having the class repeat them after you.

- Do Aktivität 3 (p. 41) as a partner activity or as a large group activity, making an overhead transparency (optional). Give students 2–3 minutes to determine their answers. In the follow-up, model the German words on the left and let students volunteer the correct letter of the answer, thereby avoiding the use of English.

- Present the **Anlauftext** (pp. 42–43) by using an overhead transparency and the audio recording. Activate any prior knowledge by pointing to familiar aspects in the art and posing yes/no questions, either/or questions, or simple information questions **(Wer ist das? [Anna] Spielt sie Softball oder Fußball? [Softball] Sind sie Studenten? [Ja]).**

- Do **Stimmt das?** activity 4 (pp. 43–44) and **Ergänzen Sie** activity 5 (p. 44).

Homework for the next class:

- Read over Aktivität 6 (p. 44).

- Write out answers to Aktivität 7 (pp. 44–45).

- Discuss the **Brennpunkt Kultur** (p. 45) and the explanation of **haben** (p. 48).

- Write out exercises A & B from the **Arbeitsbuch**.

DAY 2

- Review the family vocabulary and patterned expressions about Anna Adler from the previous day as a warm-up.

- Continue working with the **Anlauftext** by going over Aktivität 6 **Kurz gefragt** (p. 44). Model the pronunciation of the question words listed and then ask the class each question.

- Encourage students to talk about themselves by having them read their statements from Aktivität 7 **Jetzt sind Sie dran** (pp. 44–45). Have each student present him- or herself to 2–3 other students.

- Discuss the **Brennpunkt Kultur** (p. 45) in German by asking, **Woher kommt Babe Ruth? Warum ist er in** *Vorsprung*? **Ist er Deutscher oder Amerikaner? [Deutsch-Amerikaner].** Additional teacher talk on German immigration to North America might include, e.g., **Babe Ruth ist ein berühmter Deutsch-Amerikaner. Er heißt George Herman Ruth. Viele Deutsche wohnen in Nordamerika. Wo wohnen Deutsche in den USA?**

- Introduce the new vocabulary on **die Familie und die Verwandten** in the **Wissenswerte Vokabeln** (p. 47), using the techniques discussed above.

- Do Aktivität 9 **Die Familie** (pp. 47–48) in a large group or as partner work.

- Review the grammar explanation on p. 48 with the examples from the textbook, e.g., **Ich habe einen Bruder. Anna hat keine Schwester.**

- Point out the **Sprache im Alltag** sections on pp. 49–50 and demonstrate in German **(Ich hab' Hunger. Ich hab' Durst.).**

- Have students do Aktivität 10 **Wer hat was?** (p. 48).

- Have students do Aktivität 11 **Ich habe Probleme mit ...** (p. 49) as a partner activity. Practice the pronunciation of **Psychiater**.

Homework for the next class:

- Write out Aktivität 8 **Auf der Suche nach Deutsch-Amerikanern** (p. 46).

- Read the explanations of **gern + haben** (pp. 51–52), verb conjugation (pp. 52–53), *verb* + **gern** (p. 54).

- Write out exercises C & D from the **Arbeitsbuch**.

DAY 3

- Review the vocabulary for family members from p. 47. Bring in personal photos or magazine photos as props.

- Have students do Aktivität 12 **Interview** (p. 50).

- Introduce the new vocabulary on the **Studienfächer** (pp. 50–51). Review their comprehension, using the question sequence described earlier for teaching new vocabulary — **ja/nein, X oder Y?**, and **Was?** questions. Personalize the activity by asking several students, **Was studieren Sie?** Ask about Anna, e.g., **Was studiert Anna?**

- Review the expression **gern haben** (pp. 51–52) by writing the examples from the textbook explanation on the blackboard or overhead, **Ich habe Deutsch gern. Ich habe Mozart gern. Ich habe Britney Spears nicht gern**. To impart the meaning of **gern + haben,** make a facial expression showing pleasure or displeasure, thereby avoiding an English translation. Check for comprehension by asking several students, **Haben Sie Jennifer Lopez gern?** and then, **Wen haben Sie gern?**

- Do Aktivität 13 **Welche Studienfächer haben Sie gern?** (p. 52) in groups of five students, or have students stand up by turn and ask three other students the questions listed. Have them present their findings, using the model provided, **Drei Leute haben ...**

- Review the conjugation of regular verbs by writing the conjugation for the verb **heißen** from Chapter 1 on the blackboard or overhead.

- Have students tell you the conjugation of **spielen** while you write the forms on the blackboard or overhead.

- Have students do Aktivität 14 **Annas Familie** (pp. 53–54) in pairs or in groups of 3–4 students to practice the conjugation of **heißen, kommen, spielen, hören,** and **verstehen**. Demonstrate the pattern for students by having two students read through the model.

- Review the pattern *verb* + **gern,** using examples from the textbook.

- Have students do Aktivität 15 **Autogrammspiel** (pp. 54–55).

Homework for the next class:

- Write out the **Schreibecke** (p. 52), using the information about other students from Aktivität 13 on p. 52.

- Read the explanation on the accusative case and the **Sprache im Alltag** (pp. 56–57).

- Read the scene-setter for the **Absprungtext** on p. 58.

- Write out exercises E & F from the **Arbeitsbuch**.

DAY 4

- Review material introduced the previous day by asking several different students the same personalized questions, e.g., **Was hören Sie gern? Spielen Sie gern Tennis?**

- Do Aktivität 16 **Was meinen Sie?** on p. 55. Have several students read statements about themselves as explained in Step 1. Encourage students to take some notes and to listen carefully to the other students. Then have volunteers report on what the other students have said about themselves.

- Read through the letter in the **Schreibecke** on p. 55 to ensure that students can decipher the German handwriting. Assign the **Schreibecke** as homework.

- Review briefly the information on the accusative case by writing three sentences on the blackboard or overhead, **Ich habe ein Buch. Ich habe eine Uhr. Ich habe einen Stift.** Go over the accusative case endings by asking, **Warum sagt man „ein" Buch? [Es ist „das" Buch.] Warum sagt man „einen" Stift? [Es ist „der" Stift.]**

- Do Aktivität 17 **Ich habe ... zu Hause** (p. 57). Point out to students the accusative case endings on the masculine nouns. In the follow-up, ask students **Haben Sie einen VW? einen Porsche? einen BMW?** Draw their attention to the intensifying expression **überhaupt kein** explained in the **Sprache im Alltag** on p. 57.

- Have the students do the personalized Aktivität 18 **Meine Familie** (p. 58). Note that whereas Aktivität 17 provides the accusative case forms to students, Aktivität 18 requires students to produce the correct forms themselves. In the follow-up have students share their information with the entire class. Pose additional questions, e.g., **Wer hat einen Bruder in Kalifornien? Wer hat Familie in Deutschland?**

- Begin the discussion of the **Absprungtext** by reading the introductory statement on p. 58 to the class.

- Discuss the **Thematische Fragen** on p. 58.

- Do Aktivität 20 **Mein Tagtraum** on p. 59.

- Do Aktivitäten 21 **Wortdetektiv** and 22 **Scanning** on pp. 59–60 with the entire class. Have students scan the **Absprungtext** for specific information.

- Read the text or play the recording in the Audio Program.

- Go over Aktivität 23 **Stimmt das?** (p. 61) to check students' comprehension.

Homework for the next class:

- Write out the **Schreibecke** on p. 55.

- Read the explanation of German word order on pp. 62–63.

- Write out Aktivität 24 on p. 61.

- Look over Aktivität 25 (p. 61) and Aktivität 27 (p. 63).

- Write out exercises G & H from the **Arbeitsbuch**.

DAY 5

- Review the accusative case with **haben** by bringing in a bag of items whose names students know or can easily recognize as cognates (e.g., **ein Spielauto, einen Stift, eine Uhr, einen Tennisball, ein Buch**, etc.). Have students ask you, **Was haben Sie im Sack?** You may also play **Satz packen**, in which one student begins by saying, **Ich habe einen Stift**. The next student repeats what that student has and then adds his/her own object: **John hat einen Stift und ich habe eine Uhr.**

- Go over or collect Aktivität 24 **Ergänzen Sie** (p. 61).

- Do Aktivität 25 **Kurz gefragt** (p. 61) as a partner activity.

- Introduce the months in the **Wissenswerte Vokabeln** on pp. 61–62, using a German calendar or a list of the months on an overhead transparency.

- Introduce the ordinal numbers on the blackboard or overhead. Provide the model for your own birthday, **Ich habe am achtundzwanzigsten Januar Geburtstag.** Then ask other students **Wann haben Sie Geburtstag?** Write several students' birthdays on the blackboard or overhead and ask other students to tell you when those students have their birthdays.

- Have students do Aktivität 26 **Wann haben Sie Geburtstag?** on p. 62.

- Introduce the days of the week in the **Wissenswerte Vokabeln** (p. 63), using the German journal on p. 64 or a list written on an overhead transparency. Check for initial comprehension of the names of the days by asking the question in the student annotation, **Was ist heute? Was haben wir heute? Was ist morgen?**

- Write the examples **Ich fliege im August nach Deutschland** and **Im August fliege ich nach Deutschland** on the blackboard or overhead to demonstrate the verb-second position in German. Check students' understanding of the concept by having them put the underlined portions of the example sentences found on p. 63 in first position: **Ich verbringe dieses Jahr zwei Semester in Deutschland** and **Ich finde ein Jahr in Deutschland wunderbar.**

- Do Aktivitäten 27 **Annas Pläne** and 28 **Jetzt sind Sie dran** on pp. 63–64.

Homework for the next class:

- Read over Aktivität 29 **Was macht Katja heute?** (p. 64).

- Read the explanation on separable-prefix verbs on pp. 67–68 and the explanation of **nicht** on p. 69.

- Write out Aktivität 35 **Verstehen Sie den Professor?** (pp. 69–70).

- Write out exercise I from the **Arbeitsbuch**.

DAY 6

- Review birthdays, the months, and the days of the week.

- Go over Aktivität 29 **Was macht Katja heute?** (p. 64). Help students decipher the German handwriting.

- Introduce the time expressions in the **Wissenswerte Vokabeln** (p. 64).

- Have students do Aktivität 30 **Wann machen Sie das**? on p. 65 with a partner.

- Introduce telling time, using the clocks depicted in the **Wissenswerte Vokabeln** on p. 65 or a classroom prop of a clock. Go over the model statements at the bottom of p. 65.

- Do Aktivität 31 **Georgs Stundenplan** on p. 66 as a large group or a partner activity.

- Do Aktivität 33 **Wann senden sie?** (p. 67) as an in-class reading assignment.

- Introduce the separable-prefix verbs in the **Wissenswerte Vokabeln** (p. 68). Use the techniques for eliciting student production described earlier. Ask students, **Wann wachen Sie auf? Wann stehen Sie auf? Wann beginnt der Deutschkurs? Wann hört der Kurs auf? Gehen Sie gern spazieren? Wann gehen Sie schlafen?**

- Have students do Aktivität 34 **Das Wochenende** on pp. 68–69 in groups of 3–5 students. Have them first ask each other the direct question posed in the model (**Stehen Sie [am Wochenende] vor 7 Uhr auf?**) and then rank the items from most to least popular.

- Go over Aktivität 35 **Verstehen Sie den Professor nicht?** (pp. 69–70).

- Demonstrate the use of **kein** with the following examples: **Ich habe keinen Bruder in Afrika. Ich habe keine Zeit. Ich verstehe kein Japanisch.**

Homework for the next class:

- Read over the explanation of quantifiers (p. 70).

- Write out Aktivität 32 **Mein Stundenplan für Montag** (pp. 66–67), Aktivität 36 *Nicht oder kein?* (p. 70), and Aktivität 37 **Wie viel? Wie viele?** (p. 70).

- Look over the **Freie Kommunikation** (p. 74) and prepare some statements about yourself.

- Write out the **Schreibecke** (p. 74).

- Write out exercise J from the **Arbeitsbuch**.

DAY 7

- Review **nicht** and the separable-prefix verbs by asking some reasonable and some unlikely questions, e.g., **Wachen Sie um 5 Uhr auf? Stehen Sie um 6 Uhr auf? Wann hört der Deutschkurs auf?**

- Go over Aktivität 32 **Mein Stundenplan für Montag** (pp. 66–67) and Aktivität 36 *Nicht oder kein?* (p. 70).

- Check for comprehension of quantifiers by going over Aktivität 37 **Wie viel? Wie viele?** (p. 70) and Aktivität 38 **Ungefähre Daten** (p. 71).

- Have students preview the **Zieltext** by going over Aktivität 39 **Das wissen wir** (p. 71) either with a partner or as a large group activity.

- Discuss briefly some possible answers to Aktivität 40 **Thematische Fragen** (p. 72). Then read over the questions in Aktivität 41 **Erstes Zuhören** (p. 72) and have students listen for answers when you play the recording.

- Play the complete **Zieltext** from the Audio Program.

- Discuss Aktivität 41 after the first listening.

- Read through the items listed in Aktivität 42 **Ordnung schaffen** (p. 73) and then play the tape again.

- Have students do Aktivität 43 **Austausch** (p. 73) with a partner.

- Have students do the **Freie Kommunikation** activity they prepared as homework.

- Collect homework **Schreibecke: Einen Brief schreiben** (p. 74).

Homework for the next class:

- Write out exercises K, L, M, N, & O from the **Arbeitsbuch**.

- Study for test on Chapter 2.

DAY 8

- Test for Chapter 2 (see the Test Bank section of this IRM). The test should take about 30–40 minutes to complete.

Important Addresses

FEDERAL REPUBLIC OF GERMANY

German National Tourist Office
122 East 42nd Street
Chanin Building, 52nd Floor
New York, NY 10168-0072
Tel.: (212) 661-7200
Fax: (212) 661-7174
www.germany-tourism.de

German National Tourist Office
c/o German-American Chamber of Commerce
401 North Michigan Ave., Suite 2525
Chicago, IL 60611-4212
Tel.: (312) 644-0723
Fax: (312) 644-0724

German National Tourist Office
8484 Wilshire Blvd., Suite 440
Beverly Hills, CA 90211
Tel.: (323) 655-6085
Fax: (323) 655-6086
E-mail: GNTOLAX@aol.com

German National Tourist Office
P.O. Box 65162
Toronto, Ontario M4K 3Z2
Tel.: (416) 968-0372
Fax: (416) 968-1986
E-mail: gntony@aol.com

German National Tourist Board
Deutsche Zentrale für Tourismus e.V.- DZT
Beethovenstraße 69
D-60325 Frankfurt a.M.
Germany
Tel.: (49-69) 757 20
Fax: (49-69) 75 1903
www.deutschland-tourism.de

German-American Chamber of Commerce
40 West 57th Street, 31st Floor
New York, NY 10019-4092
Tel.: (212) 974-8830
Fax: (212) 974-8867
www.gaccny.com

Canadian-German Chamber of Industry and Commerce
480 University Ave., Suite 1410
Toronto, Ontario M5G 1V2
Tel.: (416) 598-3355
Fax: (416) 598-1840
www.germanchamber.ca

German Embassy
4645 Reservoir Road
Washington, D.C. 20007-1998
Tel.: (202) 298-4393
Fax: (202) 471-5558

Embassy of the Federal Republic of Germany
1 Waverly Street
Ottawa, Ontario, K2P OT9
Tel.: (613) 232-1101
Fax: (613) 594-9330
www.germanembassyottawa.org/contact.html

German Information Center
871 United Nations Plaza, 13th & 14th Floor
New York, NY 10017
Tel.: (212) 610-9800
Fax: (212) 610-9802
www.germanyinfo.org

Regional information for the Federal Republic of Germany

Baden Württemberg

Tourismus Marketing GmbH Baden Württemberg
Esslinger Str. 8
D-70182 Stuttgart
Germany
Tel.: (49-711) 23 858 0
Fax: (49-711) 23 858 98/99
www.tourismus-baden-wuerttemberg.de

Info- und Prospektservice Schwarzwald
c/o Tourismus Service GmbH
Yorckstr. 23
79110 Freiburg
Tel.: (49-761) 89 79 79 79
Fax: (49-761) 89 79 79 89
E-mail: service@tourismus-service.com
www.schwarzwald-tourist-info.de

Internationale Bodensee-Tourismus GmbH
Insel Mainau
D-78465 Konstanz
Germany
Tel.: (49-7531) 90 94 90
Fax: (49-7531) 90 94 94
www.bodensee.tourismus.com

Bayern

Bayerischer Tourismusverband
D-80535 München
Tel.: (49-89) 21 23 97-30
Fax: (49-89) 29 35 82
www.bayern.de/Tourismus/urlaubsland.html

Landesfremdenverkehrsverband Bayern e.V.
Prinzregentenstr. 18
D-80538 München
Germany
Tel.: (49-89) 21 23 97
Fax: (49-89) 29 35 82

Tourismusverband Franken e.V.
Wilhelminenstr. 6
D-90461 Nürnberg
Germany
Tel.: (49-911) 94 15 10
Fax: (49-911) 94 15 110
E-mail: ctz.z@t-online.de

Tourismusverband Ostbayern e.V.
Luitpoldstraße 20
D-93047 Regensburg
Germany
Tel.: (49-941) 585 390
Fax: (49-941) 585 39 39

Tourismusverband
München/Oberbayern e.V.
Bodenseestr. 113
D-81243 München
Germany
Tel.: (49-89) 82 92 18 0
Fax: (49-89) 82 92 18 28

Tourismusverband Allgäu/Bayrisch-Schwaben e.V.
Fuggerstr. 9
D-86150 Augsburg
Germany
Tel.: (49-821) 45 04 01-0
Fax: (49-821) 45 04 01-20
E-mail: Tourismus@allgaeu/bayerisch -schwaben.de
www.btl.allgaeu-bayerisch-schwabenbtl.de

Berlin

Berlin Tourismus Marketing GmbH
Am Karlsbad 11
D-10785 Berlin
Germany
Tel.: (49-30) 26 47 48 0
Fax: (49-39) 26 47 48 99
www.berlin-tourism.de

Der Regierende Bürgermeister von Berlin
Senatskanzlei / Presse- und Informationsamt
Berliner Rathaus
D-10785 Berlin
Germany
Tel.: (49-30) 24 01 0
Fax: (49-30) 24 01 24 02
E-mail: Info@berlin.de
www.berlin.de

Brandenburg

Tourismusverband Land Brandenburg e.V.
Neuer Markt 1
D-14467 Potsdam
Germany
Tel.: (49-331) 27 52 8 0
Fax: (49-331) 27 52 81 0

Bremen

Bremer Touristik Zentrale GmbH
Findorffstraße 105/Ecke Hollerallee
D-28215 Bremen
Germany
Tel.: (49-1805) 10 10 30
Fax: (49-421) 308 00 30
www.bremen-tourism.de

Hamburg

Hamburg Tourist Office
300 Lanidex Plaza
Parsippany, NJ 07054
Tel.: 973-884-7474
Fax: 973-884-1711
E-mail: jjoham@networldinc.com

Tourismus-Zentrale Hamburg
P.O. Box 10 22 49
D-20015 Hamburg
Germany
Tel:. (49-40) 300-51-300
Fax: (49-40) 300-51-333
E-mail: info@hamburg-tourism.de
www.hamburg-tourism.de

Harz

Harzer Verkehrsverband e.V.
Marktstr. 45
D-38640 Goslar
Germany
Tel.: (49-5321) 340 40
Fax: (49-5321) 340 466
E-mail: info@harzinfo.de
www.harzinfo.de

Hessen

Hessen Touristik Service e.V.
Abraham-Lincoln-Str. 38-42
D-65189 Wiesbaden
Germany
Tel.: (49-611) 77 88 00
Fax: (49-611) 77 88 040
E-mail: info@hessen-tourismus.de
www.hessen.tourismus.de

Niedersachsen-Bremen

Verband die Nordsee
Olympiastr. 1
D-26419 Schortens
Germany
Tel.: (49-1805) 20 20 96
Fax: (49-4421) 80 92 33

Tourismusverband Niedersachsen e.V.
Vahrenwalder Str. 7
D-30165 Hannover
Germany
Tel.: (49-511) 9 35 72 50
Fax: (49-511) 9 35 72 559

Lüneburger Heide

Tourismusverband Lüneburger Heide e.V.
Barckhausenstraße 35
Postfach 2160
D-21335 Lüneburg
Germany
Tel.: (49-4131) 73 73 0
Fax: (49-4131) 42 60 6

Mecklenburg-Vorpommern

Tourismusverband Mecklenburg-Vorpommern
e.V.
Platz der Freundschaft 1
D-18059 Rostock
Germany
Tel.: (49-381) 40 30 500
Fax: (49-381) 40 30 555
www.tmv.de

Nordrhein-Westfalen

Landesverkehrsverband Rheinland e.V.
Rheinallee 69
D-53173 Bonn
Germany
Tel.: (49-228) 36 29 21/22
Fax: (49-228) 36 39 29
E-mail: lvv@rheinland-info.de
www.rheinland-info.de

Tourismusverband Nordrhein-Westfalen e.V.
Emil-Hoffmann-Straße 1a
D-50996 Köln
Germany
Tel:. (49-2236) 96 72 55
Fax: (49-2236) 96 72 88
E-mail: info@nrw-tourismus.de
www.tourismusverband.nrw.de/

Rheinland-Pfalz

Fremdenverkehrs- und Heilbäderverband
Rheinland-Pfalz e.V.
Löhrstr. 103-105
D-56068 Koblenz
Germany
Tel.: (49-261) 915 20 0
Fax: (49-261) 915 20 40
www.rlp-info.de

Saarland

Tourismus Zentrale Saarland GmbH
Franz-Josef-Röder-Straße 9
D-66119 Saarbrücken
Germany
Tel.: (49-681) 9 27 20-0
Fax: (49-681) 9 27 20-40
www.saarland.de

Sachsen

Tourismus Marketing Gesellschaft Sachsen
GmbH
Bautzner Straße 45/47
D-01099 Dresden
Germany
Tel.: (49-351) 49 17 00
Fax: (49-351) 49 69 306
www.sachsen-tour.de/lfv-sa/deutsch/kontakt.htm

Landestourismusverband Sachsen
Friedrichstr. 24
D-01067 Dresden
Germany
Tel.: (49-351) 49 17 00
Fax: (49-351) 49 19 129
www.sachsen-tour.de

Sachsen-Anhalt

Landesmarketing-Sachsen-Anhalt GmbH
Am Alten Theater 6
D-39104 Magdeburg
Germany
Tel.: (49-391) 567 70 80
Fax: (49-391) 567 70 81
E-mail: lmg@lmg-sachsen-anhalt.de
www.tasa.de
www.sachsen-anhalt.de

Schleswig-Holstein

Tourist Information Kiel e.V.
Andreas-Gayk-Str. 31
D-24103 Kiel
Tel.: (49-431) 67 91 00
Fax: (49-431) 67 54 39
Email: info@kiel-tourist.de
www.sht.de

Thüringen

Thüringer Tourismus GmbH
Weimarische Str. 45
D-99099 Erfurt, Germany
Tel.: (49-361) 3742-0
Fax: (49-361) 3742-388
E-mail: service.ttg@t-online.de

AUSTRIA

Austrian National Tourist Office
P.O. Box 1142
New York, NY 10108-1142
Tel.: (212) 944-6880
Fax: (212) 730-4568
www.anto.com/antonyc.html

Austrian National Tourist Office
6520 Platt Avenue, PMB 561
West Hills, CA 91307-3218
Tel.: (818) 999-4030
Fax: (818) 999-3910
www.experienceaustria.com
www.anto.com/antowest.html

Austrian Travel Information Center
P.O. Box 1142
New York, NY 10108-1142
Tel.: (212) 944-6880
Fax: (212) 730-4568
www.anto.com/tic.html

Austrian Cultural Institute
950 3rd Avenue, 20th Floor
New York, NY 10022
Tel.: (212) 759-5165
Fax: (212) 319-9636
www.austriaculture.net

Austrian Embassy
3524 International Court NW
Washington, DC 20008-3027
Tel.: (202) 895-6700
Fax: (202) 895-6750

Austrian Press and Information Service
3524 International Court NW
Washington, DC 20008-3027
Tel.: (202) 895-6775
Fax: (202) 895-6772

Burgenland

Burgenland Tourismus
Schloss Esterházy
A-7000 Eisenstadt
Austria
Tel.: (43-2682) 633 84
Fax: (43-2682) 633 84 20
E-mail: info@burgenland-tourism.co.at
www.burgenland-tourism.co.at

Kärnten

Kärntner Werbung
Casinoplatz 1
A-9220 Velden
Austria
Tel.: (43-4274) 52 10 00
Fax: (43-4274) 52 100 50
www.kaernten.at

Tourismus Klagenfurt
Neuer Platz 1
A-9020 Klagenfurt
Austria
Tel.: (43-463) 537 223
www.info.klagenfurt.at

Niederösterreich

Niederösterreich Werbung
Fischhof 3/3
A-1010 Wien
Tel.: (43-1) 53 61 00
Fax: (43-1) 53 610-6060
www.niederoesterreich.at

Oberösterreich

Landesverband für Tourismus in Oberösterreich
Schillerstraße 50
A-4010 Linz/Donau
Austria
Tel.: (43-732) 600 221
Fax: (43-732) 600 220
www.oberoesterreich.at

Salzburg

Salzburger Land-Tourismus GmbH
Alpenstr. 69
A-5033 Salzburg
Austria
Tel.: (43-662) 205 060

Salzburger Land

Salzburger Land Tourismus GmbH
Postfach 1
Wiener Bundesstraße 23
A-5300 Hallwang bei Salzburg

Austria
Tel.: (43-662) 66 88 66
Fax: (43-662) 889 87 32

Salzkammergut

Tourismusservice Salzkammergut
Wirirstraße 10
A-4820 Bad Ischl
Austria
Tel.: (43-6132) 28 667
Fax: (43-6132) 28 668-71
www.TIScover.com/touristik

Steiermark

Graz-Tourismus
Herrengasse 16
A-8010 Graz
Austria
Tel.: (43-316) 80 750
www.graztourismus.at

Steiermärkischer Tourismusverband
St. Peter Hauptstraße 243
A-8042 Graz
Austria
Tel.: (43-316) 40 30 130
Fax: (43-316) 40 30 13 10
www.steiermark.at

Steirische Tourismus GmbH
St. Peter Hauptstraße 243
A-8042 Graz
Austria
Tel.: (43-316) 40 03-0
Fax: (43-316) 40 03 13 10
www.steiermark.com

Tirol

Tirol Werbung
Maria-Theresien-Straße 55
A-6010 Innsbruck
Austria
Tel.: (43-512) 53 20-0
Fax: (43-512) 53 20-100
www.TIScover.com/tirol

Wien

Wien Tourismus
Obere Augartenstraße 40
A-1025 Wien
Austria
Tel.: (43-1) 21 11 40
Fax: (43-1) 216 84 92
www.info.wien.at

Vorarlberg

Vorarlberg Tourismus
Bahnhofstraße 14/4
Postfach 302
A-6901 Bregenz, Austria
Tel.: (43-5574) 42 525-0
Fax: (43-5574) 42 525-5
www.vorarlberg-tourism.at

LUXEMBOURG

Luxembourg National Tourist Office
17 Beekman Place
New York, NY 10022
Tel.: (212) 935-8888
Fax: (212) 935-5896
www.visitluxembourg.com

SWITZERLAND

Switzerland Tourism
608 Fifth Avenue
New York, NY 10020
Tel.: (212) 757-5944
Fax: (212) 262-6116
www.myswitzerland.com

Switzerland Tourism
154 University Drive, Suite 610
Toronto, Ontario M5H 3Y9
Tel.: (416) 695-2090
Fax: (416) 695-2774

Schweizerische Verkehrszentrale (SVZ)
Bellariastrasse 38
CH-8027 Zürich
Switzerland
Tel.: (41-1) 288 11 11
Fax: (41-1) 288 12 05

Aargau

Aargau Tourismus
Untere Brühlstrasse 21, Postfach
CH-4800 Zofingen
Switzerland
Tel.: (41-62) 746 20 40
Fax: (41-62) 746 20 41
E-mail: info@agv.ch

Basel

Basel Tourismus
Schifflände 5
CH-4001 Basel
Switzerland
Tel.: (41-61) 268 68 31
Fax: (41-61) 268 68 70
E-mail: i.hentz@baseltourismus.ch
www.baseltourismus.ch

Bern

Bern Tourismus
Im Bahnhof
CH-3001 Bern
Switzerland
Tel.: (41-32) 328 12 28
Fax: (41-32) 311 12 22
E-mail: info@smit.ch
www.smit.ch or www.bernetourism.ch

Berner Mittelland

Schweizer Mittelland Tourismus
c/o Bern Tourismus, Im Bahnhof
CH-3001 Bern
Switzerland
Tel.: (41-31) 328 12 28
Fax: (41-31) 311 12 22
E-mail: info@smit.ch
www.smit.ch

Berner Oberland

Berner Oberland Tourismus
Jungfraustrasse 38
CH-3800 Interlaken
Switzerland
Tel.: (41-33) 823 03 03
Fax: (41-33) 823 03 30
E-mail: info@berneroberland.com
www.berneroberland.com

Zentralschweiz

Zentralschweiz-Tourismus
Alpenstrasse 1
CH-6002 Luzern
Switzerland
Tel.: (41-41) 418 40 80
Fax: (41-41) 418 40 81
www.CentralSwitzerland.ch

Ostschweiz

St. Gallen-Bodensee Tourismus/
Tourismusverband Ostschweiz
Bahnhofplatz 1a
CH-9001 St. Gallen
Switzerland
Tel.: (41-71) 227 37 37
Fax: (41-71) 227 37 67
Web: www.st.gallen-bodensee.ch

Chur

Chur Tourismus
Grabenstrasse 5
CH-7000 Chur
Switzerland
Tel.: (41-81) 252 18 18

Fax: (41-81) 252 90 76
E-mail: info@churtourismus.ch
www.churtourismus.ch

Freibourg

Pays de Fribourg Information
Information Freiburgerland
Restoroute de la Gruyère
CH-1644 Avry-devant-Pont
Switzerland
Tel.: (41-26) 915 92 92
Fax: (41-26) 915 92 99
E-mail: info.tourisme@pays-de-fribourg.ch
www.pays-de-fribourg.ch or
www.freiburgerland.ch

Graubünden (Grisons)

Graubünden Ferien
Alexanderstrasse 24
CH-7002 Chur
Switzerland
Tel. (41-81) 254 24 24
Fax: (41-81) 252 24 00
E-mail: contact@graubuenden.ch
www.graubuenden.ch

Nordwestschweiz

Baden Tourismus
Bahnhofstrasse 50
CH-5400 Baden, Switzerland
Tel.: (41-56) 222 53 18
Fax: (41-56) 222 53 20
E-mail: tourismus@baden-schweiz.ch
www.baden-schweiz.ch

Solothurn

Kanton Solothurn Tourismus
Hauptgasse 69
CH-4500 Solothurn
Switzerland
Tel.: (41-32) 626 46 56
Fax: (41-32) 626 46 57
E-mail: tourism@solnet.ch
www.solothurn.ch/tourism

Waadt (Region Genfer See)

Office du Tourisme du Canton de Vaud
case postale 164, Av. d'Ouchy 60
CH-1000 Lausanne 6
Switzerland
Tel.: (41-21) 613 26 26
Fax: (41-21) 613 26 00
E-mail: info@lake-geneva-region.ch
www.lake-geneva-region.ch

Interlaken

Tourismus-Organisation Interlaken
Höheweg 37
CH-3800 Interlaken
Switzerland
Tel.: (41-33) 826 53 00
Fax: (41-33) 826 53 75
E-mail: mail@interlakentourism.ch
www.interlakentourism.ch

Neuchâtel

Tourisme neuchâtelois
Hôtel des Postes
CH-2001 Neuchâtel
Switzerland
Tel.: (41-32) 889 68 90
Fax: (41-32) 889 62 96
E-mail: tourisme.neuchatelois@ne.ch
www.ne.ch/tourism

Jura

Jura Tourisme
1, rue de la Gruère
CH-2350 Saignelégier
Switzerland
Tel.: (41-32) 952 19 52
Fax: (41-32) 952 19 55
www.juratourisme.ch

Genf

Genf Tourismus
Rue de Mont-Blanc 18
CH-1201 Genf, Switzerland
Tel.: (41-22) 909 70 70
Fax: (41-22) 909 70 75
E-mail: info@geneve-tourisme.ch
www.geneve-tourisme.ch

Lausanne

Lausanne Tourism - Auskunftdienst
Av. de Rhodanie 2, Case postale 49
CH-1000 Lausanne 6, Switzerland
Tel.: (41-21) 613 73 73
Fax: (41-21) 616 86 47
E-mail: information@lausanne-tourisme.ch
www.lausanne-tourisme.ch

Wallis (Valais)

Valais Tourisme
6, rue Pré-Fleuri
CH-1951 Sion
Switzerland
Tel.: (41-27) 327 35 70
Fax: (41-27) 327 35 71
www.matterhornregion.com

Tessin

Ticino Turismo
Villa Turrita via Lugano 12,
Casella Postale 1441
CH-6501 Bellizona
Switzerland
Tel.: (41-91) 825 70 56
Fax: (41-91) 825 36 14
E-mail: info@ticino-tourism.ch
www.ticino-tourism.ch

Zürich

Zürich Tourismus
Bahnhofsbrücke 1
CH-8023 Zürich
Switzerland
Tel.: (41-1) 215 40 40
Fax: (41-1) 215 40 99
E-mail: information@zurichtourism.ch
www.zurichtourism.ch

CITIES FEATURED IN *VORSPRUNG*

The authors of *Vorsprung* built in authentic texts
in virtually every chapter of the book in the
belief that students need contact with authentic,
unadulterated materials written by native
German speakers for other native speakers. We
provide these contact addresses in case you
would like to acquire other cultural materials on
the cities featured in the *Vorsprung* program.

Bad Krozingen

Kur- und Bäderverwaltung Bad Krozingen GmbH
Herbert-Hellmann-Allee 12
D-79189 Bad Krozingen
Germany
Tel.: (49-7633) 40 08 60
Fax: (49-7633) 40 08 22
www.bad-krotzingen.de

Berlin

Berlin Tourismus Marketing GmbH
Am Karlsbad 11
D-10785 Berlin
Germany
Tel.: (49-1805) 75 40 40
Fax: (49-30) 26 47 48 99
www.berlin.de

Der Regierende Bürgermeister von Berlin
Senatskanzlei / Presse- und Informationsamt
Berliner Rathaus
D-10785 Berlin
Germany
Tel.: (49-30) 24 01 0
Fax: (49-30) 24 01 24 02

E-mail: info@berlin.de
www.berlin.de

Braunwald

Braunwald Tourismus
CH-8784 Braunwald
Switzerland
Tel.: (41-55) 65 365 85
Fax: (41-55) 65 365 86
www.braunwald.ch

Dresden

Tourismusverein Dresden e.V.
Ostra-Allee 11
D-01067 Dresden
Germany
Tel.: (49-351) 49 19 21 17
Fax: (49-351) 49 19 21 16
www.tvdd.de

Dresden-Werbung und Tourismus GmbH
Tourist-Information
Prager Straße 10
D-10169 Dresden
Germany
Tel.: (49-351) 495 50 25
Fax: (49-351) 495 12 76

Frankfurt am Main

Verkehrsamt der Stadt Frankfurt am Main
Kaiserstr. 56
D-60329 Frankfurt am Main
Germany
Tel.: (49-69) 212 388 00
Fax: (49-69) 212 378 80
www.frankfurt.de

Freiburg im Breisgau

Freiburg-Information
Rotteckring 14
Postfach 15 49
D-79015 Freiburg im Breisgau
Germany
Tel.: (49-761) 38 81 880
Fax: (49-761) 37 00 3
www.freiburg.de

Hamburg

Tourismus-Zentrale Hamburg
Burchardstraße 14
D-20095 Hamburg
Germany
Tel.: (49-40) 300 51 300
Fax: (49-40) 300 51 333
www.hamburg-tourism.de

Historic Emigration Office (HMO)
Steinstraße 4
D-20095 Hamburg
Germany
Tel.: (49-40) 300 51 282
Fax: (49-40) 300 51 220

Pressestelle der Universität Hamburg
Edmund-Siemers-Allee 1
D-20146 Hamburg
Germany
Tel.: (49-40) 41 23 32 56
Fax: (49-40) 41 23 24 49
Web: http://www.uni-hamburg.de

Heidelberg

Verkehrsverein Heidelberg e.V.
Friedrich-Ebert-Anlage 2
D-69048 Heidelberg
Germany
Tel.: (49-6221) 14 22 11 or 14 22 12
Fax: (49-6221) 14 22 22
www.cvb-heidelberg.com

Universität Heidelberg
Pressestelle
Seminar-Str. 2
D-69117 Heidelberg
Germany
Tel.: (49-6221) 54 23 10 or 54 23 11
www.uni-heidelberg.de

Karlsruhe

Verkehrsverein Karlsruhe e.V.
Bahnhofplatz 6
D-76137 Karlsruhe
Germany
Tel.: (49-721) 35 53 0
Fax: (49-721) 35 53 43 99
www.karlsruhe.de

Köln

Tourismus Office Köln
Unter Fettenhennen 19
D-50667 Köln
Germany
Tel.: (49-221) 19 433
Fax: (49-221) 33 20
www.koeln.de

Leipzig

Leipzig Tourist Service e.V.
Richard-Wagner-Str. 1
D-04109 Leipzig
Germany
Tel.: (49-341) 19 433

Fax: (49-341) 710 42 76
Web: http://www.leipzig.de

Mannheim

Tourist Information Mannheim
Willy-Brandt-Platz 3
D-68161 Mannheim
Germany
Tel.: (49-190) 77 00 20
Fax: (49-621) 2 41 41
www.tourist-mannheim.de

Salzburg

Fremdenverkehrsbetriebe der Stadt Salzburg
Auerspergstrasse 7
A-5020 Salzburg
Austria
Tel.: (43-662) 88 98 70
Fax: (43-662) 88 98 732
www.salzburginfo.at
www.city.salzburg.com

Stuttgart

Stuttgart Marketing GmbH
Lautenschlagerstr. 3
Postfach 10 50 44
D-70044 Stuttgart
Germany
Tel.: (49-711) 22 240
Fax: (49-711) 22 28 217
www.stuttgart-tourist.de

Tübingen

Verkehrsverein Tübingen e.V.
An der Neckarbrücke
Postfach 26 23
D-72072 Tübingen
Germany
Tel.: (49-7071) 9 13 60
Fax: (49-7071) 3 50 70
www.tuebingen-info.de

Eberhard-Karls-Universität Tübingen
Presse- und Öffentlichkeitsarbeit
Wilhelmstraße 7
D-72074 Tübingen
Germany
Tel.: (49-7071) 2976 789
www.uni-tuebingen.de

Weimar

Fremdenverkehrsverband Weimar Land e.V.
Markt 10
D-99432 Weimar, Germany
Tel.: (49-3643) 24 033
Fax: (49-3643) 24 032

Weinheim

Verkehrsverein Weinheim
Bahnhofstr. 15
D-69469 Weinheim
Germany
Tel.: (49-6201) 99 11 17
Fax: (49-6201) 99 11 35
www.weinheim.de

Wien

Wien Tourismus
Obere Augartenstrasse 40
A-1025 Wien
Austria
Tel.: (43-1) 211 14 0
Fax: (43-1) 216 84 92
www.info.wien.at

Zürich

Tourismus Zürich
Bahnhofsplatz 15
CH-8023 Zürich
Switzerland
Tel.: (41-1) 221 40 40
Fax: (41-1) 215 40 99
www.zurichtourism.ch

PROFESSIONAL ORGANIZATIONS AND PUBLICATIONS

American Association of Teachers of German,
Inc. (AATG)
112 Haddontown Court #104
Cherry Hill, NJ 08034-3668
Tel.: (856) 795-5553
Fax: (856) 795-9398
E-mail: headquarters@aatg.org
www.aatg.org

AATG is the preeminent professional organization for teachers of German in the United States. AATG offers services for teachers (support of state and local chapters, chapter meetings, annual meeting, **Lehrerfortbildung, Kinder Lernen Deutsch,** a materials center, summer seminars, business German, etc.) and for students of German (national testing program, awards program, summer study programs, and the National German Honor Society, Delta Epsilon Phi). It publishes two journals dedicated exclusively to American **Germanistik,** *Die Unterrichtspraxis/Teaching German* with a focus on pedagogy and methodology, and *The German Quarterly* (the

more scholarly of the two journals) along with periodic newsletters and **Infoblätter.**

American Council on the Teaching of Foreign Languages, Inc. (ACTFL)
6 Executive Plaza
Yonkers, NY 10701-6801
Tel.: (914) 963-8830
Fax: (914) 963-1275
www.actfl.org
ACTFL publishes the *Foreign Language Annuals.*

Modern Language Association (MLA)
26 Broadway, 3rd Floor
New York, NY 10004-1789
Tel.: (646) 576-5000
Fax: (646) 458-0030
www.mla.org

University of Wisconsin Press, Journal Division
114 North Murray Street
Madison, WI 53715
Tel.: (608) 262-4952
Fax: (608) 265-5277
The University of Wisconsin publishes *Monatshefte,* a collection of scholarly articles dealing with the language and literature of German-speaking countries and with cultural matters of literary or linguistic significance.

RESOURCES FOR TEACHING MATERIALS

German Information Center
871 United Nations Plaza
New York, NY 10017
Tel.: (212) 610-9800
Fax: (212) 610-9802
E-mail: gic1@germany.info.org
www.germany-info.org
The German Information Center distributes materials published by agencies of the Federal German government and other sources, maintains a photo library, and publishes a weekly newsletter, *Deutschland Nachrichten,* available in German and English.

Inter Nationes e.V.
Kennedyallee 91-103
D-53175 Bonn
Germany
Tel.: (49-228) 880 0
Fax: (49-228) 880 457
E-mail: info@inter-nationes.de
www.inter-nationes.de
Inter Nationes' charge is the production and distribution of materials supporting the study of German language, history, and culture.

Educational institutions may order one copy of any and all materials free of charge (excluding videotapes) from the Inter Nationes catalogue, which includes textbooks, workbooks, slides, cassettes, multi-media instructional programs, overhead transparencies, and videotapes (in PAL and NTSC formats). Many Inter Nationes materials can also be acquired from the AATG Materials Center for a small processing charge. Inter Nationes also publishes a monthly magazine, **Kulturchronik,** focusing on contemporary cultural issues, available in German, English, French, Spanish, and Russian.

Bundeszentrale für politische Bildung
Berliner Freiheit 7
D-53111 Bonn
Germany
Tel.: (49-228) 515 0
Fax: (49-228) 515 113
E-mail: info@bpb.bund.de
www.bpb.de
The **Bundeszentrale für politische Bildung** publishes in-depth informational booklets, *Informationen für politische Bildung,* intended for study on specific political topics, (e.g., **Aussiedler, Umwelt, Bundesrepublik Deutschland 1949-1955, der Nationalsozialismus,** etc.), along with a monthly magazine, *PZ – Wir in Europa,* that explores contemporary European political issues in depth from various points of view. All materials are provided free of charge.

Frankfurter Societäts-Druckerei GmbH
Postfach 10 08 01
Frankenallee 71-81
D-60327 Frankfurt am Main
Germany
Tel.: (49-69) 750 10
Fax: (49-69) 730 69 65
E-mail: fsd@rhein-main.net
www.rhein-main.net/FSD
In collaboration with the **Presse- und Informationsamt der Bundesregierung, Societäts-Verlag** produces a monthly magazine, *Deutsch-Zeitschrift für Politik, Kultur, Wirtschaft und Wissenschaft,* which includes *Europa-Magazin,* focusing on issues concerning the European Union community.

JUMA – Das Jugendmagazin
Frankfurter Str. 40
D-51065 Köln
Germany
Tel.: (49-221) 96 25 13 0

Fax: (49-221) 96 25 13 4
www.juma.de
JUMA - Das Jugendmagazin is a thin, lively, four-color magazine aimed for the teenage learner of German. Since both the topics and language in the magazine are pitched for less sophisticated beginning readers, *JUMA* provides many worthwhile articles for first-year students of German.

Goethe Institutes

The Goethe Institute, with offices throughout Germany and around the world, has a primary mission of fostering the study of the German language and culture through language courses and cultural events. They also have excellent libraries of contemporary and historical German literature, reading rooms with recent newspapers, magazines and other periodicals from Germany, collections of videos, and other materials to support German teachers' classroom work. In addition, the institutes organize film series, concerts, and speakers, and provide German language testing for various certificates. Local Goethe Institute offices can facilitate placement of students at Goethe Institute sites in Germany, including **Lehrerfortbildungskurse.** The New York Goethe Institute also administrates the German-American Partnership Program, Inc., which sponsors academic exchanges between secondary schools in Germany and North America.

Colony Square, Plaza Level
1197 Peachtree St., NE
Atlanta, GA 30361-2401
Tel.: (404) 892-2388
Fax: (404) 892-3832
E-mail: goetheatlanta1@mindspring.com

170 Beacon St.
Boston, MA 02116
Tel.: (617) 262-6050
Fax: (617) 262-2615
E-mail: director1@giboston.org

150 North Michigan Ave., Suite 200
Chicago, IL 60611
Tel.: (312) 263-0472
Fax: (312) 263-0476
E-mail: goethe@interaccess.com

5750 Wilshire Blvd., Suite 100
Los Angeles, CA 90036
Tel.: (323) 525-3388
Fax: (323) 934-3597
E-mail: gila@artnet.net

1014 Fifth Ave.
New York, NY 10028
Tel.: (212) 439-8700
Fax: (212) 439-8705
E-mail: director@goethe-newyork.org

530 Bush Street
San Francisco, CA 94108
Tel.: (415) 263-8760
Fax: (415) 391-8715
E-mail: director@goethe-sf.org

814 7th Street NW
Washington, DC 20001-3718
Tel.: (202) 289-1200
Fax: (202) 289-3535
E-mail: info@washington.goethe.org

418 Sherbrooke St. East
Montréal, Québec H2L 1J6
Canada
Tel.: (514) 499-0159
Fax: (514) 499-0905
E-mail: goethe-institut.montreal@uqam.ca

163 King St. West
Toronto, Ontario M5H 4C6
Canada
Tel.: (416) 593-5257
Fax: (416) 593-5145
E-mail: mainoffice@goethetor.org

Consulates of the Federal Republic of Germany

The cultural attaché of the local German consulate can provide information and publications on German culture. Many consular offices also maintain extensive collections of films and videos on Germany in both English and German, available on loan to teachers free of charge. Check with your area consulate on the availability of services in your area.

Marquis Two Tower, Suite 901
285 Peachtree Center Ave. NE
Atlanta, GA 30303-1221
Tel.: (404) 659-4760/61/62
Fax: (404) 659-1280

3 Copley Place, Suite 500
Boston, MA 02116
Tel.: (617) 536-4414
Fax: (617) 536-8573

676 North Michigan Ave., Suite 3200
Chicago, IL 60611
Tel.: (312) 580-1199
Fax: (312) 580-0099

1330 Post Oak Blvd., Suite 1850
Houston, TX 77056
Tel.: (713) 627-7770
Fax: (713) 627-0506

6222 Wilshire Blvd., Suite 500
Los Angeles, CA 90048
Tel.: (323) 930-2703
Fax: (323) 930-2805

100 North Biscayne Blvd., Suite 2200
Miami, FL 33132-2381
Tel.: (305) 358-0290
Fax: (305) 358-0307/(305) 373-9591

871 United Nations Plaza
New York, NY 10017
Tel.: (212) 610-9700
Fax: (212) 610-9702/3/4/5

1960 Jackson St.
San Francisco, CA 94109
Tel.: (415) 775-1061
Fax: (415) 775-0187

4645 Reservoir Rd.
Washington, DC 20007-1998
Tel.: (202) 298-4393
Fax: (202) 471-5558

1250 Renée Levesque Ouest
Montréal, Québec H5B 4W8
Canada
Tel.: (514) 931-2277
Fax: (514) 931-7239

77 Admiral Road
Toronto, Ontario M5R 2L4
Canada
Tel.: (416) 925-2813
Fax: (416) 925-2818

World Trade Center
999 Canada Place, Suite 704
Vancouver, British Columbia V6C 3E1
Canada
Tel.: (604) 684-8377
Fax: (604) 684-8334

·ZIELTEXTE·

ZIELTEXTE

There is no **Zieltext** in **Kapitel 1.**

Kapitel 2

EIN FAX KOMMT AN (S. 72)

Anna's German relatives in Weinheim, Katja and Uschi Günther, receive her fax from America.

KATJA:	Schau mal, Mutti. Ein Fax kommt.
TANTE USCHI:	Von wem ist es denn, Katja?
KATJA:	Ich hab' keine Ahnung, aber es kommt von Amerika.
TANTE USCHI:	Ist es vielleicht von Hannelore?
KATJA:	Ja, sieht so aus. Nein, Moment mal. Das Fax ist von Anna.
TANTE USCHI:	Lass mal sehen … Aha … Anna kommt nach Deutschland.
KATJA:	Was? Wann denn? Warum denn?
TANTE USCHI:	Sie verbringt zwei Semester in Tübingen. Und sie hat etwas Zeit, bevor das Semester beginnt.
KATJA:	Was möchte sie denn hier machen?
TANTE USCHI:	Sie möchte uns besuchen.
KATJA:	Das ist toll, dass die Anna kommt.
TANTE USCHI:	Ich freue mich auch, dass Anna kommt.

Kapitel 3

FAHREN WIR NACH HEIDELBERG ODER NACH MANNHEIM? (S. 114)

Georg is talking to his parents, Uschi and Hannes, about what to show Anna during her first weekend in Germany. They are discussing whether to take her to Heidelberg or Mannheim, and what each city has to offer.

GEORG:	Du, Mutti, Vati … Hört mal zu: Am Samstag kommt doch Anna aus Amerika. Was machen wir denn dann?
ONKEL HANNES:	Warum fahren wir nicht nach Mannheim? Das ist sehr schön, und es gibt dort viel zu sehen – das Rathaus, die Fußgängerzone und den Marktplatz.
GEORG:	Ja, und tolle Plattengeschäfte auch!
TANTE USCHI:	Ich habe gedacht, wir fahren nach Heidelberg.

ONKEL HANNES:	Aber es gibt nicht viel zu sehen in Heidelberg. Das Schloss vielleicht und die Uni.
TANTE USCHI:	Doch! Es gibt viel zu sehen in Heidelberg: das Schloss, das Museum … Und dann …
GEORG:	Das Museum ist langweilig.
ONKEL HANNES:	Du kennst das Museum in Heidelberg doch gar nicht.
GEORG:	Welches?
ONKEL HANNES:	Das große Museum in der Hauptstraße. Heidelberg ist gut. Wahrscheinlich besser als Mannheim. Wir können doch einfach ein bisschen spazieren gehen in der Stadt.
TANTE USCHI:	Hmm, ein Spaziergang … und ich kenne ein sehr gutes kleines Restaurant in der Nähe vom Heidelberger Schloss. Man hat eine schöne Aussicht auf den Neckar. Das ist eine gute Idee. Und das große Fass im Schloss, das muss sie sehen.
GEORG:	Ja?
ONKEL HANNES:	Gehen wir doch lieber ins Café am Theater.
TANTE USCHI:	Das kleine Café, ist das in der Hauptstraße?
ONKEL HANNES:	Ja, und es ist nicht so langweilig. Es gehen viele Menschen in das Café.
TANTE USCHI:	Das stimmt, und es ist auch in der Nähe von der Universität.
ONKEL HANNES:	Ja, O.K. Gut. Also, dann fahren wir nach Heidelberg. Aufs Schloss und dann ins Restaurant und danach …
GEORG:	Erst ins Restaurant und dann ins Schloss.
TANTE USCHI:	Gut, zuerst ins Museum, dann essen, dann ins Schloss. Und wann machen wir das, am Samstag?
ONKEL HANNES:	Nee, samstags sind immer zu viele Menschen in Heidelberg. Fahren wir lieber am Sonntag nach Heidelberg.
GEORG:	Na gut. Und dann haben wir Samstagabend Zeit, mit Anna in die Disko zu gehen!
ONKEL HANNES:	Ach, Georg, warte erst mal ab. Nächste Woche habt ihr Zeit genug für die Disko.
GEORG:	Du hast schon Recht. Nächste Woche dann.

Kapitel 4

ENDLICH UNTERWEGS! (S. 166)

Anna ist endlich unterwegs nach Deutschland. Hier kommt sie am Flughafen in Frankfurt an. Die Günthers holen Anna ab. In dem Dialog sprechen die Günthers zuerst über Anna. Dann trifft Anna die Günthers. Sie sprechen kurz miteinander und dann fahren sie alle nach Hause.

KATJA:	Georg, hier! Da vorne steht's: Ankunft. Kannst du das Schild nicht sehen?
GEORG:	Mutti, wie, wie, können wir sie denn erkennen, eh, unsre Kusine Anna?
TANTE USCHI:	Hat sie nicht so einen lila Rucksack?
GEORG:	Ach ja, das ist richtig, genau!
KATJA:	Und lange blonde Haare soll sie haben.
ONKEL HANNES:	O.K., dann kann es nicht so schwer sein, sie zu erkennen.
KATJA:	Wann kommt sie denn endlich raus?
ONKEL HANNES:	Das kann nicht mehr so lange dauern, aber sie muss noch ihr Gepäck holen und dann noch durch den Zoll.
TANTE USCHI:	Also, ich glaube, wir müssen wohl noch ein bisschen warten.
KATJA:	Nee, schaut! Da kommen die ersten Leute raus.
GEORG:	Da, da ist sie! Da kommt Anna!
DIE GÜNTHERS:	Anna? Anna!!
USCHI/HANNES:	Herzlich willkommen, Anna!
GEORG/KATJA:	Hallo, Anna!
ANNA:	Hallo, Tante Uschi! Onkel Hannes! Guten Tag!
KATJA:	Georg, gib ihr doch die Blumen!
ANNA:	Danke, Georg! Hallo, Katja!
GEORG:	Wie geht's dir denn? Wie war dein Flug?
ANNA:	Lang. Ich bin jetzt todmüde…
TANTE USCHI:	Und du siehst wirklich aus wie Hannelore.
ONKEL HANNES:	Na, jetzt gehen wir mal zum Auto. Hast du deine Koffer? Komm, gib sie her.
TANTE USCHI:	Hier, links, gehen wir zum Parkhaus.
	…
ONKEL HANNES:	Ah, warte! Wir müssen erst die Parkgebühr bezahlen. Uschi, gib mir bitte den Parkschein. Und Georg, tu doch mal die Koffer da in den Kofferraum.
KATJA:	Mensch, Georg, sei doch vorsichtig!
ONKEL HANNES:	Also, jetzt können wir losfahren.
TANTE USCHI:	Komm, Anna, setz dich nach vorne. Da hast du mehr Platz.
ANNA:	Danke.

Kapitel 5

EIN GESPRÄCH MIT OPA UND OMA KUNZ (S. 208)

Anna ist inzwischen nach Bad Krozingen zu ihren Großeltern gefahren. Alle drei sind froh, dass sie einander endlich sehen. Anna hört, wie ihre Eltern einander in Heidelberg kennen gelernt haben. Sie will auch wissen, warum Oma und Opa Kunz noch nie nach Amerika gekommen sind.

OMA:	Ach, Anna es ist schön, dass du da bist.
OPA:	Und dass wir dich endlich besser kennen lernen.
ANNA:	Ja, ich bin auch froh, daß ich hier bin.
OMA:	Ja, wir sind froh, nachdem die Hannelore weg ist, dass wir wenigstens irgend jemand von Amerika wieder hier haben.
OPA:	Ja, ja. Schön ist das.
OMA:	Weißt du, das macht uns schon manchmal Sorgen. Ihr seid ja so weit weg in den USA.
ANNA:	Ach, Oma, es ist nicht so weit weg bis Amerika. Mit dem Flugzeug dauert es nur sieben Stunden!
OMA:	Ja ja, immerhin sieben Stunden!
ANNA:	Aber da wollte ich eigentlich etwas wissen über Mama, warum, öh, was habt ihr eigentlich gedacht, als sie einen Amerikaner geheiratet hat?
OMA:	Ach Anna, weißt du, das war keine leichte Entscheidung damals.
OPA:	Also wir waren eigentlich dagegen.
ANNA:	Dagegen? Gegen Papa?
OMA:	Ach nein, nicht gegen deinen Papa. Wir wollten unsere Kinder eben hier behalten, ne? In Deutschland und nicht so weit weg, weißt du?
ANNA:	Ja, das verstehe ich.
OPA:	Ach ja, und nachher schwätzen deine Kinder dann nur Englisch, und ich kann mich gar nicht mit denen unterhalten.
ANNA:	Mhm.
OPA:	Wir können nämlich kein Englisch.
OMA:	Ja, ja, der Opa war überhaupt nicht begeistert von der Idee, aber ich habe ihm dann gut zugeredet und habe ihm gesagt, es ist ihre Entscheidung und wir müssen schließlich damit fertig werden, weißt du? Ja, so war das.
ANNA:	Mhm. Wie hat Mama Papa überhaupt kennen gelernt?
OMA:	Ach, die Hannelore, die hat … sie ist nach Heidelberg gegangen, hat da studiert, und da hat sie eben den Bob kennen gelernt, ne? Und der Bob war ja auch nett, ist auch ein netter Mensch.
ANNA:	Umhuh.
OMA:	Naja, und dann haben sie sich eben, ne? Sie haben sich in Heidelberg kennen gelernt, haben sich verliebt und sind dann eben – ja, haben geheiratet und sind dann weg nach Amerika.

ANNA:	Warum kommt ihr uns nicht besuchen – in Amerika?
OMA/OPA:	Jetzt? Wie?
OMA:	In unserem Alter? Wir sehen Amerika lieber im Fernsehen, wie das dort drüben ist.
OPA:	Ja, wir bekommen so viel aus Amerika, so viele Bilder im Fernsehen. So viele Menschen, so viel Gewalt, so viel Hektik, nee, nee, nee.
ANNA:	Ja, aber ihr wart noch nie bei uns zu Hause.
OMA:	Aber wir kennen ja Amerika. Wir haben genug gesehen von Amerika – Denver, Dallas, San Franzisko, Miami.
ANNA:	Ach, Oma, weißt du was? Das ist Hollywood. Amerika ist nicht nur Großstädte und Filmstars. Ist Deutschland nur Berlin und München und nicht Weinheim und Bad Krozingen?

Kapitel 6

GESPRÄCH IN DER GEMEINSCHAFTSKÜCHE (S. 252)

Anna hat inzwischen ihr Zimmer eingerichtet und hat jetzt Hunger. Sie geht mit Barbara in die Gemeinschaftsküche. In der Küche lernen sie Karl und Inge kennen. Barbara möchte etwas zu essen machen, aber sie weiß nicht so genau, wo alles ist. Karl und Inge geben Anna viele Tipps über die Küche und das Wohnheim. Aber zuerst trinken sie zusammen einen Tee.

ANNA:	Barbara, ich habe Hunger. Weißt du, wo ich essen kann?
BARBARA:	Ja, klar, komm gehen wir in die Küche.
ANNA:	Küche? Hier im Studentenwohnheim?
BARBARA:	Ja klar, wir können uns hier 'was zu essen machen.
	…
	Grüßt euch, grüßt euch. Ich glaube, ich habe euch auch schon mal gesehen. Ich kenne eure Namen aber noch nicht.
INGE:	Ich bin die Inge.
KARL:	Ich heiß' Karl.
INGE:	Wir wohnen beide hier.
BARBARA:	Ja, und ich heiß' Barbara, und das ist die Anna. Sie kommt aus 'n USA.
INGE:	Ja? Du bist da eingezogen, ne?
ANNA:	Ja, genau. Zimmer dreihundertsiebzehn.
INGE:	Ja, wir sind am Ende vom Gang.
KARL:	Hier wohnen eigentlich viele Ausländer im Haus.
BARBARA:	Anna hat ein bisschen Hunger, wir wollen uns eigentlich 'was zu essen machen, aber ich weiß nicht, wo die Töpfe sind und so.

KARL:	Jaaa, das ist etwas kompliziert hier, aber wir können ja erstmal zusammen Tee trinken, und dann können wir dir das erklären. Ich hab' mir gerad' 'n Tee gekocht.
BARBARA:	Mmm, gut, ja.
ANNA:	Gut.
KARL:	Ja, es gibt zwei Kühlschränke hier …
ANNA:	Umhuh.
KARL:	… und zehn Studenten, die sich die Küche teilen müssen.
ANNA:	Umhuh.
KARL:	Und wenn du die Tür dann aufmachst, hat jeder sein Fach.
BARBARA:	Ahh.
KARL:	Und ich hoffe, dass dir der Hauswart einen Schlüssel mitgegeben hat.
ANNA:	Ach, der Schlüssel ist für das Fach!
INGE:	Die Fächer sind ziemlich klein. Also du kannst nur das Notwendigste reinstellen.
ANNA:	O.K.
KARL:	Und das ist dein Fach für Brot und Reis und so.
ANNA:	Und darf man jederzeit kochen?
INGE:	Jederzeit. Also die Küche ist immer offen, deswegen musst du eben dein Fach immer unter Verschluss haben, weil die Küche eben immer offen ist.
ANNA:	O.K.
BARBARA:	Ja, sonst kommen die Leute 'rein und nehmen dir einfach das Zeug, und du hast nie 'was zu essen, also …
ANNA:	Also ich muss mal etwas Essen kaufen. Wollen wir jetzt einen Salat machen, Barbara? Ich habe wirklich Hunger.
BARBARA:	Gute Idee. Danke für euren Tee.
KARL:	Gern geschehen. Und guten Appetit!

Kapitel 7

IN DER BUCHHANDLUNG (S. 307)

Barbara hat im Bertelsmann Katalog über die Bücher „Schindlers Liste" und „Die Abrechnung" gelesen. Sie geht in eine Buchhandlung, denn sie möchte vielleicht die Bücher kaufen. Sie braucht auch ein Vorlesungsverzeichnis für die Uni. Ihr Freund Karl kommt mit und wartet draußen auf Barbara.

VERKÄUFER:	Guten Tag. Was kann ich für Sie tun?
BARBARA:	Ich habe gestern von einem Buch gelesen über Neonazis … ich weiß jetzt nicht mehr so genau. Könnten Sie mir da vielleicht mal helfen? Das soll ein Bestseller sein, eine Autobiographie.
VERKÄUFER	Also, aktuell haben wir momentan „Die Abrechnung" von Ingo Hasselbach. Sagt das Ihnen was, oder?
BARBARA:	Ja, das könnte es sein, ja, genau.
VERKÄUFER	Wenn Sie bitte mitkommen möchten. Sie liegen da vorne aus. Bitte schön. Möchten Sie's anschauen?
BARBARA:	Tja, hmm. Ich bin mir aber nicht genau sicher, es sollte schon etwas in der heutigen Zeit sein.
VERKÄUFER	Ja, „Die Abrechnung", das ist also hochaktuell. Es handelt von Ingo Hasselbach, der aus der Neonaziszene ausgestiegen ist und die europäische Neonaziszene beschreibt. Er schildert die Vernetzungen nicht nur in Deutschland, sondern auch in den anderen europäischen Staaten.
BARBARA:	Gut, da nehm' ich mal dieses Buch.
VERKÄUFER	Gut, kommen Sie bitte mit zur Kasse. Das macht 19 Mark 90.
BARBARA:	So, bitte.
VERKÄUFER	So, und 10 Pfennig zurück. Vielen Dank.
BARBARA:	Wiedersehen.
	…
KARL:	Und? Hast du was gefunden?
BARBARA:	Ja, ja, ich habe „Die Abrechnung" von Ingo Hasselbach gekauft.
KARL:	O.K., du wolltest doch dein Vorlesungsverzeichnis noch holen, oder?
BARBARA:	Aaah!!!! Da muss ich noch einmal zurückgehen. Wartest du noch einen Moment?
KARL:	Tja, manche haben's im Kopf, andere in den Beinen.
BARBARA:	Entschuldigen Sie bitte! Ich muss Sie noch einmal stören. Ich brauch' noch ein Vorlesungsverzeichnis.
VERKÄUFER	Ein Vorlesungsverzeichnis. Sieben Mark siebzig, bitte. Möchten Sie eine Tüte, oder geht's auch ohne?
BARBARA:	Nein, nein, ich tu' das in den Rucksack.
VERKÄUFER	Bitte schön. Die Quittung liegt auf der ersten Seite.
BARBARA:	Danke! Tschüss!
VERKÄUFER	Wiedersehen!
	…
BARBARA:	So, was machen wir jetzt?

Kapitel 8

GESPRÄCH AUF EINER PARTY (S. 352)

Karl und Inge nehmen Anna und Barbara mit auf eine Party im Wohnheim. Bald sehen Inge und Karl eine Studentin aus einem Seminar, aber sie können sich nicht an ihren Namen erinnern. Die Studentin kommt vorbei, stellt sich als Sabine vor und lernt dabei Anna kennen. Sie kommen ins Gespräch und diskutieren die Probleme an der Universität.

BARBARA: Bwaah! Eigentlich eine ganz gute Party, findest du nicht auch?

KARL: Ja, aber die Musik ist ein bisschen lahm. Die könnte ein bisschen peppiger sein.

ANNA: Ach, mir gefällt sie ganz gut.

KARL: Habt ihr Lust zu tanzen oder wollen wir einfach so 'ne Weile plaudern?

ANNA: Ich würde lieber reden – da kann ich verschiedene Leute kennen lernen …

INGE: Da, guck mal, wer da hinten ist, Karl! Kannst du dich erinnern? Ist die nicht bei uns im Kurs?

KARL: Ja, die kommt mir bekannt vor.

INGE: Wie heißt sie denn noch?

KARL: Irgendwas mit „S".

INGE: Sabine, Susanne, Sabrina … Ist es so ein moderner Name?

SABINE: Heh, ihr zwei, seid ihr nicht auch in dem Seminar bei Dr. Osswald?

INGE: Richtig. Richtig. Ich habe gerade gesagt, dein Gesicht kommt mir irgendwie bekannt vor. Wie war dein Name?

SABINE: Sabine. Wie heißt ihr nochmal?

INGE: Ich heiß' Inge, und das ist der Karl. Und das ist die Anna, sie ist die Studentin aus Amerika.

ANNA/KARL: Hallo!

SABINE: Aus Amerika? Ist ja toll. Kommst du dann auch mal mit in das Seminar?

INGE: Seminar? Das ist doch wohl mehr eine Vorlesung. Ich sitz' da nur drin und hör zu.

KARL: Ja, ist eben überfüllt, mit fünfzig Leuten oder mehr.

SABINE: Aber der Kurs ist eigentlich ganz interessant.

KARL: Ja, der Inhalt ist gut. Mir gefällt der Kurs, weil sie so gute Bücher ausgewählt hat.

INGE: Habt ihr schon probiert, mit der Dozentin zu sprechen?

SABINE: In ihrer Sprechstunde?

INGE: SPRECHstunde? Zwanzig Leute stehen in der Schlange, und dann ist die Sprechstunde zu Ende und dann kommt sie zur Tür und sagt: „Kommt nächste Woche wieder. "

KARL: Hat die nur eine Sprechstunde in der Woche?

INGE: Ja wortwörtlich: EINE Sprechstunde.

SABINE:	Das passt so gar nicht zu ihr. Im Kurs klingt sie immer so studentenfreundlich.
INGE:	Ist sie vielleicht auch. Sie hat halt wenig Zeit.
SABINE:	Na, Anna, wie ist das denn bei euch? Sehr ihr da eure Professoren öfter?

Kapitel 9

DAS VORSTELLUNGSGESPRÄCH IN DER BIBLIOTHEK (S. 400)

Frau Müller hat ihr Vorstellungsgespräch mit Frau Schmidt von der Personalabteilung der Dresdner Stadtbibliothek. Frau Schmidt hat viele Fragen für Frau Müller: Fragen über ihre Berufserfahrung als Bibliothekarin und über ihre Bereitschaft für diese Stelle. Am Ende vom Interview ist klar, dass Frau Müller einen positiven Eindruck auf Frau Schmidt gemacht hat. Spätestens Ende nächster Woche wird Frau Müller wissen, ob sie die Stelle bekommen wird oder nicht.

FRAU SCHMIDT:	Guten Tag, Frau Müller!
FRAU MÜLLER:	Guten Tag, Frau Schmidt!
FRAU SCHMIDT:	Sie sind hier, um sich vorzustellen …
FRAU MÜLLER:	Ja …
FRAU SCHMIDT:	für die neue Stelle, die wir ausgeschrieben haben?
FRAU MÜLLER:	Ja, genau. Ich würde mich gerne für die Stelle bewerben. Ich bin schon also …
FRAU SCHMIDT:	Ja, ich hab' schon ihre Akte durchgeguckt. Wir haben also eine kleine Besprechung gehabt mit mein'n Mitarbeitern und Mitarbeiterinnen …
FRAU MÜLLER:	Mhm …
FRAU SCHMIDT:	Und was ich jetzt von Ihnen noch gern wissen wollte, ist ein bisschen ausführlicher … zu Ihrem beruflichen Werdegang. Sie waren also schon Bibliothekarin in einer anderen Bibliothek?
FRAU MÜLLER:	Ja, ich war fünfzehn Jahre in der Stadtbibliothek in Chemnitz, aber leider, Sie wissen, wie das mit den Finanzen ist …
FRAU SCHMIDT:	Mhm.
FRAU MÜLLER:	Ja, ich war also, wie gesagt, natürlich am Gymnasium, und dann …
FRAU SCHMIDT:	Mhm … an der Universität.
FRAU MÜLLER:	Eben, hab' studiert, Bibliothekarswesen …
FRAU SCHMIDT:	Mhm …
FRAU MÜLLER:	Und damit war ich dann auch in der vorgeschriebenen Zeit fertig, und ich … Und kam dann als erste Stelle auf gleich, an das – an die Chemnitzer Bibliothek.
FRAU SCHMIDT:	Und was für Ressorts hatten Sie da unter sich? Haben Sie eine bestimmte Abteilung für sich da gehabt?
FRAU MÜLLER:	Ja, Kinderbücher …
FRAU SCHMIDT:	Kinderbücher, mhm …

FRAU MÜLLER:	… und Jugendliteratur.
FRAU SCHMIDT:	Mhm. Ja, das ist besonders wichtig für unsere Stadtteilbibliothek, weil wir haben also sehr viel neue Familien, die sich dort ansiedeln, sehr viel Neubau …
FRAU MÜLLER:	Da werden also viele Kinder in die Bibliothek kommen.
FRAU SCHMIDT:	Mhm.
FRAU MÜLLER:	Das ist ja direkt gut, weil ich hab' nämlich jetzt noch ein kleineres Nebengebiet mehr erarbeitet, und zwar eben Spiele.
FRAU SCHMIDT:	Mhm, sehr schön.
FRAU MÜLLER:	So eine Bibliothek muss ja auch etwas tun, damit die Leute da nicht nur … immer fernsehen oder so.
FRAU SCHMIDT:	Mhm. Hm, wären Sie bereit, mit einer Kollegin oder einem Kollegen zusammenzuarbeiten? Also, wir haben vor, nicht nur eine Person …
FRAU MÜLLER:	Gerne!
FRAU SCHMIDT:	… einzustellen, sondern auch, hm, eine zweite Person, weil wir denken, zwei Personen ist das Minimum …
FRAU MÜLLER:	Ja, natürlich. Ich bin mit meinen Kollegen in der Stadtbibliothek immer gut ausgekommen.
FRAU SCHMIDT:	Ja, ich habe schon einige Nachforschungen gemacht in der Richtung, und wir hören nur Gutes über Sie.
FRAU MÜLLER:	Oh, danke! Komplimente höre ich immer gern.
FRAU SCHMIDT:	Hm, eine andere Frage: Was sind Ihre Gehaltsvorstellungen?
FRAU MÜLLER:	Oh, ja, also in der … Mein, mein altes Gehalt in der Stadtbibliothek lag bei 2.000 Mark im Monat.
FRAU SCHMIDT:	Mhm.
FRAU MÜLLER:	Und ich denke mir, dass es vielleicht, wenn jetzt sich die Verantwortungen etwas vergrößern, vielleicht auf zwei-fünf im Monat hinaufgehen könnte… aber da bin ich flexibel.
FRAU SCHMIDT:	Mhm, ja, Sie wissen, wir sind ja …, wir sind …, wir sind …, wir sind relativ unflexibel in dem Sinne, als wir eben unsre, unsre, unsre festen Tarife haben …
FRAU MÜLLER:	Ja, sicher.
FRAU SCHMIDT:	Aber ich werd' sehen, inwieweit wir Sie da zufrieden stellen können. Wie, wie viel Urlaub hatten Sie da in der Stadtbibliothek?
FRAU MÜLLER:	Hm, ja, ich war da schon fünfzehn Jahre…
FRAU SCHMIDT:	Mhm…
FRAU MÜLLER:	… und ich glaub', ich hatte das letzte Mal 31 Tage im Jahr.
FRAU SCHMIDT:	Ja, Sie müssen das natürlich dann mit Ihrer, mit Ihrer Kollegin oder Ihrem Kollegen kombinieren, wie Sie, und wann Sie Urlaub nehmen wollen.
FRAU MÜLLER:	Wir wären dann also zu zweit in der Bibliothek?
FRAU SCHMIDT:	Sie wären zu zweit … und …
FRAU MÜLLER:	… und würden das ganze auch …

FRAU SCHMIDT:	... Sie würden da alles übersehen.
FRAU MÜLLER:	Aha.
FRAU SCHMIDT:	Also, wir haben noch mehrere Kandidaten zum, zum Interview eingeladen, und wir werden Sie dann benachrichtigen, was, was wir ...
FRAU MÜLLER:	Mhm ...
FRAU SCHMIDT:	...für wen wir uns entschieden haben. Sie werden also spätestens dann Ende nächster Woche telefonisch von uns Bescheid bekommen.
FRAU MÜLLER:	Hm, das ist dann sehr gut. Ich hab' ...
FRAU SCHMIDT:	Aber es sieht sehr gut aus. Also, Ihre Akten sind, hm, sehr beeindruckend, und ich hab', wie gesagt, auch nur sehr Gutes über Sie gehört...
FRAU MÜLLER:	Ah! Das ist natürlich schön! Ich würde mich freuen, von Ihnen zu hören, und ich freu' mich dann auch schon auf eine Zusammenarbeit, wenn das möglich ist.
FRAU SCHMIDT:	Ja, ja, auf jeden Fall.
FRAU MÜLLER:	Ja, auf Wiedersehen.
FRAU SCHMIDT:	Wiedersehen, Frau Müller!

Kapitel 10

STEFANS PUDDINGSCHLACHT (S. 463)

An Urlaubserlebnisse erinnert man sich das ganze Leben lang – besonders, wenn sie lustig oder schlecht gewesen sind. Hier erzählt Stefan von seinen Erfahrungen in Frankreich als Reiseleiter einer deutschen Touristengruppe und was passieren kann, wenn erwachsene Menschen mit dem Essen herumspielen.

STEFAN:	Ich hab' mal die Ferien in Frankreich verbracht, in Nordfrankreich, in der Bretagne. Ich habe als Student im Tourismus gearbeitet. Und eine Gruppe nach Frankreich gebracht, mit dem Bus. Die waren dann so in einer Art Jugendherberge untergebracht.
ANNA:	War es eine Studentengruppe?
STEFAN:	Nee, das waren also Schüler, Studenten, auch zum Teil etwas ältere Leute, also durchaus, durchaus gemischt. Aber sie waren alle in so einem Jugendhotel oder in einer Jugendherberge untergebracht, in Mehrbettzimmern und, hm, mit nicht immer so gutem Essen.
	Und eines Tages kam es zu einem Zwischenfall beim Mittagessen. Es gab also zunächst französische Küche und im Anschluss dann ein'n Pudding. Das war ein schöner Schokoladenpudding. Und die Leute wollten also immer mehr davon haben. Und einer sagte also dann aus der Gruppe zu einem anderen, der an einem ganz anderen Tisch hinten in der Ecke saß: „ÄÄÄÄ, wirf doch mal den Pudding rüber", und er hat das dann auch gemacht. Der hat den Pudding geworfen. Das kam zu einer richtigen Puddingschlacht im Speisesaal.
ANNA:	Ach du lieber!

STEFAN:	Und da gab's nur zwei Möglichkeiten, entweder mitmachen oder sich unter dem Tisch verstecken. Nicht? Das haben dann alle gemacht. Aber das Aufräumen hat keinen Spaß gemacht. Das war nicht so toll. Auch eine Katastrophe im Urlaub.
ANNA:	Wow! Warst du da allein verantwortlich als Reiseleiter, oder?
STEFAN:	Nein es waren zwei, zwei, zwei Betreuer, und wir mussten dann ein Programm zusammenstellen für insgesamt zwei Wochen. Ein Kulturprogramm und uh ...
ANNA:	Also ihr hattet die Planung von A bis Ende.
STEFAN:	Ja, die Planung und auch die Anreise, Abreise, Versicherung und Vorbereitung. Das musste alles von zwei Leuten bewerkstelligt werden. Wir waren aber im Auftrag tätig für ein Reiseunternehmen.
ANNA:	Aber das war keine Sprachreise?
STEFAN:	Es war keine Sprachreise. Nein. Es war mehr eine Kulturreise, und Pudding gehört dann auch zu Kultur.

Kapitel 11

ICH HABE MICH NIE WOHL GEFÜHLT (S. 512)

Anna unterhält sich mit ihrer Freundin Barbara, die in der sozialistischen DDR aufgewachsen ist. Sie diskutieren die Vereinigung Deutschlands. Barbara spricht von der Zeit vor der Wende: von ihrer Einstellung zur DDR, von ihrer Familiensituation und den Reisemöglichkeiten der damaligen DDR-Bürger.

ANNA:	Wie war die Stimmung nach der Wende?
BARBARA:	In den ersten Monaten euphorisch, sehr euphorisch. Und da gab's eine Zeit, da hab' ich geglaubt, ach es ist schön, dass man jetzt in Deutschland wohnt.
ANNA:	Im Gegenteil zur DDR?
BARBARA:	Ja. Ich habe mich nie identifiziert damit, mit der DDR.
ANNA:	Warum nicht, Barbara?
BARBARA:	Schwierig zu sagen. Weil ..., erst einmal waren meine ganzen Verwandten außer meinen Großeltern in Westdeutschland oder in anderen Ländern, Holland, USA, sonst wo. Und der Einfluss von der Familie, was sie darüber gedacht haben, meine Großeltern und so. Ich habe mich nie wohl gefühlt. Also, mir hat's nicht gefallen. Na ja, man hat dann halt in der Schule mit zwei Zungen gesprochen, ist klar. Eben zu Hause und außerhalb, das war was Verschiedenes.
ANNA:	Das waren fast zwei verschiedene Persönlichkeiten oder?
BARBARA:	Nee, also Schizophrenie nicht. Zwei verschiedene Welten. Man hat das von früh an gelernt zu trennen. Das war nicht schwierig.
ANNA:	Wann sind die anderen Familienangehörigen eigentlich weggegangen?
BARBARA:	Nach dem Krieg. Und in den 50er-Jahren. Bevor die Mauer gebaut worden ist. Große Teile der Verwandschaft sind alle weggegangen.

ANNA: Wie habt ihr in den Jahren Kontakt aufrechterhalten?

BARBARA: Briefkontakt … Besuch, aber nicht so oft. Mein Onkel, der in den Staaten war, er ist nach Dresden gekommen.

ANNA: Und hat es auch umgekehrt geklappt?

BARBARA: Nee, nein. Nur mein Großvater durfte.

ANNA: Warum?

BARBARA: Ja, der war ja nicht mehr wichtig für das Bruttosozialprodukt. Denn wenn er weg war, wenn er nicht mehr zurückgekommen ist, dann musste man ihm auch keine Rente mehr zahlen. Er hat nichts mehr geleistet für den Staat. Rentner durften in die Bundesrepublik fahren. Sie durften auch weiter weg fahren.

ANNA: Ist er eigentlich in der Bundesrepublik geblieben?

BARBARA: Uh-uh, er ist zurückgekommen. Einen alten Baum verpflanzt man nicht. Es gab schon Fälle, aber die meisten sind wieder zurückgekommen. Was sollten sie dort? Sollten sie mehr Rente bekommen, aber wenn sie ihre ganzen Kinder im Osten hatten? Eine persönliche Entscheidung.

Kapitel 12

STUDENTEN BESPRECHEN DIE EU (S. 552)

Die Europäische Union bringt viele Änderungen für die Staaten und die Menschen Europas. Auf der einen Seite gibt es klare Vorteile, aber auf der anderen Seite sind viele Leute noch sehr skeptisch. In diesem letzten Zieltext spricht Anna mit ihren Freunden Karl, Inge und Stefan über eventuelle Probleme in der Europäischen Union der Zukunft.

ANNA: Was haltet ihr eigentlich von der Europäischen Union? Seht ihr irgendwelche Schwierigkeiten damit?

STEFAN: Also wir müssen uns da wahrscheinlich kräftig umstellen in der Zukunft. Wenn die Europäische Union richtig Tritt gefasst hat.

KARL: Bisher hat man ja das Gefühl, dass diese Einrichtung eher auf dem Papier existiert als praktisch.

INGE: Ja, ich habe gehört, dass für die Bestimmungen für Karamelbonbons 35.000 Seiten gedruckt wurden, damit alle Karamelbonbons in Europa einheitlich sind.

STEFAN: Ja, und wenn man sich die Organe mal anguckt in der Europäischen Union, was gibt's denn da?

KARL: Da gibt's den Europäischen Gerichtshof, den Ministerrat, den Gesetzgeber …

INGE: Ja, und das Europäische Parlament, das wir seit 1979 wählen …

KARL: Ja, in Straßburg.

STEFAN: Ja, aber ich glaube, dass sich von der Politik von oben her nicht viel ändern wird. Wenn man zum Beispiel was für die Umwelt machen will, dann müsste man im Privaten anfangen …

KARL:	Was könnte man denn machen?
STEFAN:	Ich habe gehört, dass einer von den Grünen Politikern ein ökologisches Steuersystem vorschlägt.
INGE:	Hmm, gute Idee!
STEFAN:	… und das würde dann also alle, die die Umwelt belasten, höher besteuern.
KARL:	Na, aber wie soll das gemessen werden?
STEFAN:	Na, das hat er nicht genau gesagt. Das ist eben problematisch …
INGE:	Ja, und dann gibt es auch noch die kulturellen Unterschiede in Europa.
STEFAN:	Also, ich denke, dass man die mit der richtigen Einstellung überwinden könnte … Wenn man so den Anfang sieht, mit einer gemeinsamen Währung, mit dem Euro, obwohl ich mich kaum daran gewöhnen kann …
KARL:	Ja, alles wird eben umgestellt. Aber vielleicht ist es auch nur deshalb, weil man Angst vor dem Neuen hat.
INGE:	Vielleicht ist es in der nächsten Generation, die schon in der Schule mit dieser Mentalität erzogen wird, dass die weniger Schwierigkeiten haben als unsere Generation …

AUDIO PROGRAM TAPESCRIPT

AUDIO PROGRAM TAPESCRIPT

Contents

The Sounds of German

Probe 1. Listen to and repeat the pronunciation of the following vowels.

long **a**	habe, Vater, fahren, Jahr, paar, Staat
short **a**	Anna, gespannt, fast
long **e**	gehe, Lehrer, sehr, Idee, Schnee
short **e**	essen, kennen
long **i**	die, hier, ihr, Island
short **i**	bitte, sind
long **o**	oder, Sohn, wohnen, Boot
short **o**	Bonn, toll, Sorge
long **u**	Bruder, du, Schuhe
short **u**	uns, Mund, Mutter

Probe 2. Listen to and repeat the pronunciation of the following words. Pay special attention to the highlighted vowels.

fahr**e**n   g**e**schrieben   toll**e**   G**e**dicht**e**

Probe 3. Listen to and repeat the pronunciation of the following words.

diphthong **au**	auch, Frau, Haus
diphthong **ei** (or **ai**)	heißen, mein, Mai
diphthong **eu** (or **äu**)	heute, neun, Häuser, Fräulein

Probe 4. Listen to and repeat the pronunciation of the following words.

long **ä**	Mädchen, trägt, Universität
short **ä**	Hände, Männer, wächst
long **ö**	aufhören, schön, Goethe
short **ö**	öffnen, möchte, Schlösser, zwölf
long **ü**	Bücher, Frühling, schwül, üben
short **ü**	fünf, hübsch, müssen, Stück

Probe 5. Listen to and repeat the following words. Notice how the vocal chords vibrate when you pronounce the voiced consonants. In each pair of words the first word contains a voiced consonant, and the second word an unvoiced consonant.

Voiced	**Unvoiced**
Bass	Pass
dass	Tasse
Gasse	Kasse

(Voiced)	(Unvoiced)
was	Fass
rauben	Raupe
baden	baten
Hagen	Haken
Löwe	Höfe
reisen	reißen

Probe 6. Listen to and repeat the following sets of words.

Brot	drei	Freund
fahren	Nachbarin	ihre
Radio	rot	Rad
der	Tür	vor
fahrt	Ort	gehört

Kapitel 1: Fangen Sie bitte an.

Anlauftext I: Annas Albtraum

The following is a recording of **Annas Albtraum,** Anna's nightmare, as shown on page 5 of your textbook. Listen to the recording of the text several times. The first time, listen with your textbook closed. For subsequent listenings, you may wish to follow along in your textbook.

In this **Anlauftext** you are going to meet Anna Adler, an American student from Fort Wayne, Indiana, who is planning to study in Tübingen, Germany, for a year. Although excited about her year in Tübingen, Anna is also nervous and exhausted and falls asleep. In her dream, Anna works through her fears about being in a class in Germany and not being able to say what she wants.

Annas Albtraum.

NARRATOR:	Anna hat einen Albtraum … Da ist die Universität in Deutschland: groß, grau, unpersönlich. Anna sucht Hörsaal 20. Anna fragt eine Studentin:
ANNA:	Entschuldigung! Bin ich hier richtig? Wo bin ich? Ist das hier Hörsaal 20?
NARRATOR:	Die Studentin sagt nichts. Anna findet Hörsaal 20 und öffnet die Tür. Aber die Tür knallt zu.
	Alle drehen sich um.
PROFESSOR:	Setzen Sie sich! Aber schnell! Wie heißen Sie? Wie ist Ihr Name? Verstehen Sie das nicht? Wie heißen Sie? Wie heißen Sie? Sprechen Sie Deutsch? Dann gehen Sie an die Tafel! Schreiben Sie! Wie heißen Sie? Wie heißen Sie?
ANNA'S MOTHER:	Anna! Anna! Wach auf!
ANNA:	Gott sei Dank, nur ein Traum.

Anlauftext II: Annas Traum

The following is a recording of **Annas Traum,** as depicted on page 10 of your textbook. Listen to the recording of the text several times. The first time, listen with your book closed. For subsequent listenings, you may wish to follow along in your textbook.

Now that she's awake, Anna realizes her fears were just a bad dream and that things in Tübingen will probably be a lot better. Her own experience learning German has actually been very good. In her daydream here, she knows that she will be able to say a lot in German, and she imagines how it will be studying in Germany and using the German language.

Annas Traum.

NARRATOR:	Da ist die Universität in Tübingen: romantisch, historisch, schön. Anna sucht den Hörsaal und fragt eine Professorin:
ANNA:	Ich suche Hörsaal 20. Bin ich hier richtig?
NARRATOR:	Die Professorin ist sehr freundlich und antwortet:
PROFESSOR:	Ja, Sie sind hier richtig. Hörsaal 20 ist gleich da vorne.
NARRATOR:	Anna öffnet die Tür und geht hinein. Der Professor begrüßt Anna.
PROFESSOR FREUND:	Guten Morgen! Kommen Sie 'rein und nehmen Sie Platz. Setzen Sie sich, hier vorne.

NARRATOR:	Der Professor sagt:
PROFESSOR FREUND:	Guten Tag. Ich bin Professor Freund. Und wie heißen Sie?
NARRATOR:	Anna versteht das nicht und sagt:
ANNA:	Wie bitte? Entschuldigung. Ich verstehe das nicht.
PROFESSOR FREUND:	Wie heißen Sie? Wie ist Ihr Name?
ANNA:	Ach so! Ich heiße Anna Adler.
PROFESSOR FREUND:	Woher kommen Sie denn, Frau Adler?
ANNA:	Ich komme aus Fort Wayne.
PROFESSOR FREUND:	Fort Wayne, Fort Wayne … Wo ist denn Fort Wayne?
ANNA:	In Indiana.
PROFESSOR FREUND:	Ach, sind Sie Amerikanerin?
ANNA:	Ja, ich bin Amerikanerin. Ich komme aus den USA.
PROFESSOR FREUND:	Sehr angenehm, Frau Adler. Sie sprechen sehr gut Deutsch.
ANNA:	Danke schön.
STUDENTS:	Willkommen in Tübingen!

WEITERE HÖRTEXTE UND ÜBUNGEN

Hörtext 1: Übung A. Der Professor im Alptraum. Anna is telling her mother about the nightmare she had. Listen to Anna's description of the professor. Then complete the description of the professor in your Lab Manual. Remember, in a nightmare people are often sinister in appearance.

Er ist… fünfzig oder sechzig Jahre alt. Er hat große, dunkle, schwarze Augen und kurzes, braunes Haar. Er ist sehr dünn und unattraktiv. Er spricht schnell und ist sehr unfreundlich.

Hörtext 2: Übung B. Der Professor im Traum. Anna also tells about her pleasant daydream. Listen to her description of the professor. Then complete the description of the professor in your Lab Manual.

Er ist jung … mmm … dreißig oder vierzig. Er hat schöne blaue Augen. Seine Haare sind schwarz mit grau, lang, na, nicht zu lang, und sie sind glatt. Er ist relativ klein und mollig. Er ist sehr attraktiv und freundlich. Er spricht nicht sehr schnell. Ich verstehe, was er fragt.

Übung C. Mein Professor / Meine Professorin ist … Stop the tape and write in German a description of one of your best professors. No names, please!

Hörtext 3: Übung D. Ein Krimi. The Tübingen police are looking for the person who has been stealing books from local bookstores. Listen to the following conversation between a sales clerk, who has seen the thief, and the police detective assigned to the case. As you listen, use the chart in your Lab Manual to take your own notes about the thief. Check the words you hear or supply additional facts based on the information from the sales clerk. We now join the interview in progress.

| HERR MÜLLER: | Die Frau ist klein und mollig. Sie hat welliges, rotes Haar… dunkelrot und sehr lang. Sie ist etwa 40 oder 50 Jahre alt. |
| INSP. PRACHNER: | Und die Augen, Herr Müller, wie sind die Augen? |

HERR MÜLLER:	Die Augen … hmmm. Sie sind grün, ja, grün … sie hat schöne Augen. Sie ist sehr attraktiv.
INSP. PRACHNER:	Wie spricht sie? Woher kommt sie?
HERR MÜLLER:	Hmm. Sie spricht Deutsch. Sie spricht sehr schnell. Sie kommt aus Deutschland!
INSP. PRACHNER:	Gut. Danke, Herr Müller.
HERR MÜLLER:	Bitte. Gern geschehen, Inspektor Prachner.

Übung E. Wie sieht er oder sie aus? You've just heard the description of the person stealing books from Tübingen bookstores. Now, stop the tape and help police detective Prachner write his report and pick a suspect from the police drawings.

Übung F. Befehle und Fragen. You will hear several commands and requests. For each command or request, three actions are printed in your Lab Manual. Check the one you need to carry out in order to respond appropriately.

Zum Beispiel:

You hear:

Stehen Sie auf!

You check *b: I stand up*, because it is the most appropriate response to **Stehen Sie auf!**, which means *Stand up!*

Fangen wir an.

1. Stehen Sie auf!
2. Gehen Sie an die Tafel!
3. Öffnen Sie das Buch!
4. Setzen Sie sich!
5. Machen Sie das Buch zu!
6. Schreiben Sie!
7. Kommen Sie rein!
8. Nehmen Sie Platz!

Übung G. Fragen. You will hear a series of questions. Check the more logical answer to each question.

Zum Beispiel:

You hear:

Woher kommen Sie?

You check **a** because it is the more logical answer to the question **Woher kommen Sie?**, which means *Where are you from?*

Fangen wir an.

1. Wie alt sind Sie?
2. Wo wohnen Sie?
3. Verstehen Sie Deutsch?

4. Wie heißen Sie?

5. Wer öffnet die Tür?

6. Wo ist das Buch?

Übung H. Das Alphabet. Listen to the pronunciation of the German alphabet. You may wish to follow along on page 19 in your textbook.

a	g	m	s	y
b	h	n	t	z
c	i	o	u	ß
d	j	p	v	ä
e	k	q	w	ö
f	l	r	x	ü

Übung I. Was fehlt? You will hear the spelling of several words and phrases. Fill in the missing letters in your Lab Manual as they are pronounced.

Zum Beispiel:

You hear the spelling:

H a a r e

You write a capital **h** in the first blank and small **r** in the second blank.

Fangen wir an.

1. H a a r e

2. T ü b i n g e n

3. B u c h

4. G e h e n S i e!

5. s e t z e n

6. T r a u m

7. ö f f n e n

8. k l e i n

9. g r o ß

10. W o h e r k o m m e n S i e?

Hörtext 4: Übung J. Wer bin ich? You will hear impersonations of several famous people. After listening to each one, check the name of the celebrity who is being impersonated in your Lab Manual.

1.
MADONNA: Ich bin eine Frau. Eine sehr **schlanke, schöne** Frau. Ich habe blonde Haare, mmm, oder braune, und ich bin **sehr** attraktiv. Ich bin Amerikanerin, aber ich singe in Amerika, Deutschland, Japan, Frankreich, mmm, überall. Ich sage nicht, wie alt ich bin! Bin ich Madonna, Roseanne oder Selena?

2.
BORIS BECKER: Ich bin Deutscher.
STEFFI GRAF: Und ich bin Deutsche.

BOTH:	Wir spielen viel Tennis.
STEFFI GRAF:	Wir sind nicht alt ...
BORIS BECKER:	... aber auch nicht so jung.
BOTH:	Sind wir
STEFFI GRAF:	Chris Evert-Lloyd und
BORIS BECKER:	John McEnroe,
STEFFI GRAF:	Martina Navratilova und
BORIS BECKER:	Andre Agassi
STEFFI GRAFF:	oder Steffi Graf und
BORIS BECKER:	Boris Becker?

3.

PETER JENNINGS:	Ich bin Reporter. Ich bin abends im Fernsehen – im ABC. Ich interviewe viel. Ich schreibe auch viel und ich spreche viel. Ich bin groß, schlank und habe braune Haare. Ich bin sehr attraktiv. Ich wohne in New York, aber ich komme aus Kanada. Bin ich Günter Grass, Peter Jennings oder Robin Williams?

Übung K. Logik. You will hear a list of number patterns. In your Lab Manual, write down the next logical number at the end of each pattern. After you have listened to the entire list, stop the tape and write out the German spelling of each number.

Zum Beispiel:

You hear:

eins, zwei, drei

You write the digit *four* because that is the next logical number.

Fangen wir an.

1. eins, zwei, drei
2. eins, drei, fünf
3. zwei, vier, sechs
4. zehn, zwanzig, dreißig
5. fünf, zehn, fünfzehn, zwanzig
6. einundvierzig, einundfünfzig, einundsechzig
7. sieben, vierzehn, einundzwanzig

Now, in your Lab Manual, write down the German spelling of each number.

Hörtext 5: Übung L. Im Klassenzimmer von Frau Stein. You will hear several brief conversational exchanges that took place in Frau Stein's class yesterday. It was not a good day. In your Lab Manual, circle the objects mentioned in each exchange.

Zum Beispiel:

You hear the conversation:

FRAU STEIN:	Guten Tag, Susanne.
SUSANNE:	Guten Tag, Frau Stein.

FRAU STEIN:	Haben Sie das Buch?
SUSANNE:	Ja, hier ist es.
FRAU STEIN:	Danke. Nehmen Sie bitte Platz.

You circle the drawing of the book as you will recall that the word **Buch** means *book*.

Fangen wir an.

1.

FRAU STEIN:	Machen Sie das Fenster bitte zu, Stefan.
STEFAN:	Wie bitte?
FRAU STEIN:	Machen Sie das Fenster zu, bitte.
STEFAN:	Oh, ja.

2.

FRAU STEIN:	Wo ist die Kreide?
STEFAN:	Da ist sie.
FRAU STEIN:	Danke.

3.

| FRAU STEIN: | Ach, die Steckdose ist kaputt. |
| STEFAN: | Aber, nein. |

4.

| FRAU STEIN: | Stefan, hier ist der Papierkorb. Der Kaugummi, bitte. |
| STEFAN: | Ja, Frau Stein. |

5.

SUSANNE:	Entschuldigung, Frau Stein, haben Sie einen Stift?
FRAU STEIN:	Ja, hier, bitte schön.
SUSANNE:	Vielen Dank.

6.

| FRAU STEIN: | Susanne, gehen Sie bitte zur Tafel. Susanne … Susanne? Susanne, wachen Sie auf. |
| SUSANNE: | Oh. Entschuldigung. Wo bin ich? |

Kapitel 2: Familie und Freunde

Anlauftext: Anna Adler stellt sich vor

The following is a recording of the **Anlauftext,** as depicted on page 42 of your textbook. Listen to the recording of the text several times. The first time, listen with your textbook closed. For subsequent listenings, you may wish to follow along in your textbook.

Anna Adler, a German-American college student from Fort Wayne, Indiana, introduces herself and describes some of her favorite activities. She also introduces her immediate family – her father, Bob Adler; her German-born mother, Hannelore; and her teen-age brother, Jeff. She talks about college, her German skills, and her anxieties and her hopes as she looks ahead to a year abroad at the University of Tübingen.

Anna Adler stellt sich vor.

Ich heiße Anna Adler. Ich bin 20 Jahre alt. Ich fliege im August nach Deutschland. Ich komme aus den USA, aus Fort Wayne. Ich bin Amerikanerin.

Ich spiele gern Softball. Ich höre gern Musik, zum Beispiel Mozart.

Ich gehe auch gern wandern, aber ich sehe nicht gern fern.

Mein Vater heißt Bob Adler. Er ist 48 Jahre alt. Meine Mutter, Hannelore Adler, ist 46 Jahre alt. Sie kommt aus Deutschland, aber sie ist jetzt Amerikanerin. Ich habe auch einen Bruder. Er heißt Jeff. Er ist 16. Er meint, er ist sehr klug und sehr sportlich. Naja … Ich habe keine Schwester.

Ich bin Studentin. Ich studiere Deutsch und Geschichte. Ich spreche ein bisschen Deutsch von zu Hause. Ich möchte unbedingt mein Deutsch verbessern. Dieses Jahr verbringe ich zwei Semester an der Universität in Tübingen. Ich habe ein bisschen Angst. Ich möchte SO VIEL sehen und auch SO VIEL lernen. Ich bin gespannt auf das Jahr.

Absprungtext: Anna schreibt ein Fax

The following is a recording of the **Absprungtext,** which appears on page 60 of your textbook.

In preparation for her year in Germany, Anna Adler decides to contact her relatives in Germany. Her mother's sister, Ursula, lives with her family in Weinheim, not far from Frankfurt, where Anna's plane will land. Anna hopes to spend some time with them before her German course in Tübingen begins, but she is too unsure of her German to just call and talk on the phone. With a little help from her mother, Anna sends Tante Uschi a fax. Anna writes about her travel plans, her academic schedule in Germany, and her request to come for a visit. She asks Tante Uschi specifically to either write or fax back her answers. Anna clearly wants to avoid speaking German on the phone, at least for now.

```
den 5. Juli
1835 Maple Street, Fort Wayne, Indiana
Fax Nummer: 219/555-7890

Liebe Tante Uschi,

    ich fliege in einem Monat nach Deutschland. Ich komme am
siebzehnten August um acht Uhr fünfzehn in Frankfurt an. Ich
verbringe zwei Semester an der Universität in Tübingen. Mein
Deutschkurs an der Universität in Tübingen beginnt gleich am
Montag, dem siebenundzwanzigsten August. Das Semester beginnt
aber erst im Oktober. Ich habe ein bisschen Zeit, und ich
möchte nach Weinheim kommen und meine Verwandten in
Deutschland endlich besser kennen lernen.

    Ein Jahr in Deutschland finde ich wunderbar, aber ich habe
auch ein bisschen Angst. Es ist meine erste Reise nach
Deutschland und ich komme ganz allein. Ich habe so viele
Fragen. Ist es teuer in Europa? Wie sind die Leute in
Deutschland? Gott sei Dank habe ich Verwandte in Deutschland.

    Ich habe eine Bitte: Darf ich nach Weinheim kommen?
Schreib bitte bald zurück oder schick ein Fax.

                                        Herzliche Grüße
                                        deine Nichte
                                        Anna
```

Zieltext: Ein Fax kommt an

The following is a recording of the **Zieltext** from page 71 of your textbook. Listen to the recording of the text several times. The first time, listen with your textbook closed. For subsequent listenings, you may wish to follow along in your textbook.

Anna's German relatives in Weinheim, Katja and Uschi Günther, receive her fax from America.

KATJA:	Schau mal, Mutti. Ein Fax kommt.
TANTE USCHI:	Von wem ist es denn, Katja?
KATJA:	Ich hab' keine Ahnung, aber es kommt von Amerika.
TANTE USCHI:	Ist es vielleicht von Hannelore?
KATJA:	Ja, sieht so aus. Nein, Moment mal. Das Fax ist von Anna.
TANTE USCHI:	Lass mal sehen … Aha … Anna kommt nach Deutschland.
KATJA:	Was? Wann denn? Warum denn?
TANTE USCHI:	Sie verbringt zwei Semester in Tübingen. Und sie hat etwas Zeit, bevor das Semester beginnt.
KATJA:	Was möchte sie denn hier machen?
TANTE USCHI:	Sie möchte uns besuchen.
KATJA:	Das ist toll, dass die Anna kommt.
TANTE USCHI:	Ich freue mich auch, dass Anna kommt.

WEITERE HÖRTEXTE UND ÜBUNGEN

Hörtext 1: Übung A. Wer bin ich? The members of Anna's family are describing themselves. Listen to their descriptions, then, in your Lab Manual, check who is talking.

HANNELORE ADLER: 1. Guten Tag. Ich komme aus Deutschland, aber ich wohne in den USA. Ich bin verheiratet. Mein Mann ist Amerikaner. Er heißt Bob. Wir haben zwei Kinder – einen Sohn und eine Tochter. Wer bin ich?

JEFF ADLER: 2. Tag. Ich treibe viel Sport und spiele sehr gern Basketball. Ich habe eine Schwester aber keinen Bruder. Meine Schwester geht gern wandern. Ich gehe aber nicht gern wandern. Ich bin sechzehn Jahre alt. Ich bin auch sehr klug. Wer bin ich?

USCHI GÜNTHER: 3. Hallo. Ich wohne in Weinheim. Das ist in Deutschland. Ich habe zwei Kinder – einen Sohn und eine Tochter. Ich habe eine Schwester in Amerika. Sie hat auch zwei Kinder. Ihre Tochter, meine Nichte, fliegt im August nach Deutschland. Sie verbringt ein Jahr an der Universität in Tübingen. Bevor das Semester beginnt, besucht sie meine Familie. Wer bin ich?

FRIEDRICH KUNZ: 4. Guten Tag. Meine Frau und ich haben drei Kinder – zwei Töchter und einen Sohn. Unsere Töchter sind verheiratet, aber unser Sohn ist ledig, naja, geschieden. Wir haben vier Enkelkinder. Zwei wohnen in Amerika und zwei wohnen hier in Deutschland. Unsere Enkelin in Amerika studiert Deutsch und Geschichte und kommt im Sommer, uhh im August, für ein Jahr nach Tübingen. Ich freue mich, dass die Enkelin kommt. Wer bin ich?

Hörtext 2: Übung B. Anna lernt einen deutschen Studenten kennen. At a party at a friend's house in Fort Wayne, Anna meets a German student. As you listen to their conversation, circle the names of people and places that you hear in your Lab Manual.

ANNA: Hi. I'm Anna. Are you a friend of Jenny's?

DETLEV: No, actually I'm a friend of her brother's, Tom. I'm just visiting from Germany.

ANNA: Ah, Sie kommen aus Deutschland! Sprechen wir dann bitte Deutsch.

DETLEV: Toll! Ich heiße Detlev. Und Sie heißen Anna?

ANNA: Ja.

DETLEV: Aber sagen wir doch „du". Also, du sprichst Deutsch. Wieso kannst du Deutsch sprechen?

ANNA: Meine Mutter ist Deutsche. Wir sprechen ein bisschen Deutsch zu Hause und ich studiere auch Deutsch an der Universität. Was machst du in Amerika?

DETLEV: Ich bin auch Student. Ich studiere Chemie und verbringe ein Jahr an MIT in Cambridge, Massachusetts. Aber bevor das Semester beginnt, besuche ich Tom und seine Familie. Tom und ich kennen uns aus Tübingen.

ANNA: Aus Tübingen?! Ich verbringe das kommende Jahr an der Universität in Tübingen.

DETLEV: Na so was! Ich komme aus Tübingen. Meine Familie wohnt dort und meine Schwester ist auch Studentin an der Uni. Du musst sie kennen lernen. Treibst du gern Sport? Meine Schwester ist sehr sportlich. Sie spielt viel Tennis und geht samstags und sonntags wandern.

ANNA: Wandern? Ich wandere sehr gern. Aber Tennis spiele ich überhaupt nicht. Wie heißt deine Schwester?

DETLEV:	Sie heißt Natalie.
ANNA:	Was studiert sie?
DETLEV:	Sie studiert Kunstgeschichte und Italienisch. Sie geht sehr gern ins Museum. Im August macht sie eine Reise nach Rom.
ANNA:	Ich studiere Geschichte und freue mich auf die Museen in Deutschland. Darf ich Natalies Adresse und Telefonnummer haben?
DETLEV:	Natürlich. Sie wohnt bei meinen Eltern. Hier hast du die Adresse und Telefonnummer. Ruf sie mal an.
ANNA:	Vielen Dank.

Übung C. Hören Sie noch einmal zu. Listen to the conversation again. Then answer the questions in your Lab Manual. More than one answer may be correct.

Hörtext 3: Übung D. Was? Wann? Listen to the following radio announcement of the special shows this coming weekend on **Radio Vorsprung.** In your Lab Manual, circle the correct day and time of each show.

Guten Tag, meine Damen und Herren! Hier spricht Eva Schwarzl. Es ist jetzt ein Uhr und Radio Vorsprung bringt den Wochenendkalender!

Für unsere Mozartfans gibt es am Freitag, von 20 bis 21 Uhr 30, die Mozartstunde mit unserem Mozartexperten Klaus Braun.

Am Samstag von 11 bis 11 Uhr 30 bringen wir Tennis-Tipps mit Boris Becker! Nur in Radio Vorsprung hören Sie von den Profis!

Um 19 Uhr 30 am Samstag hören Sie das Berliner Philharmonische Orchester in einer Livesendung aus der Philharmonie. Das Orchester spielt Beethovens Fünfte Symphonie.

Am Sonntag von 9 bis 10 Uhr 30 bringen wir ein Exklusivinterview mit Helmut Kohl.

Um 14.00 Uhr am Sonntag bringen wir eine Diskussion zum Thema „Computer und Kommunikation".

Und am Sonntag um 16 Uhr, hören Sie die Rhythmen der Karibik.

Das sind die Sondersendungen am Wochenende, liebe Zuhörer. Eva Schwarzl sagt „Auf Wiederhören" bis morgen.

Übung E. Logisch oder unlogisch? You will hear eight pairs of questions and answers. If the response is a logical reply to the question, check **logisch** in your Lab Manual. If the response is not logical, check **unlogisch.**

Fangen wir an.

1. Wie viel Uhr ist es?

   Es ist Viertel nach eins.

2. Wann stehen Sie samstags auf?

   Ich gehe um elf Uhr schlafen.

3. Wann kommst du zurück?

   Ich komme gegen neun Uhr zurück.

4. Wann hast du Geburtstag?

   Am Freitag.

5. Wann beginnt das Semester?

   Ich lerne Spanisch.

6. Wann rufst du deine Großmutter an?

   Am Mittwoch rufe ich meine Großmutter und meine Mutter an.

7. Warum lernst du nicht?

   Ich bin sehr klug.

8. Wie sieht er aus?

   Er hat einen Bruder.

Übung F. Was hören Sie? Teil 1: Listen to the following sounds and match each sound with an appropriate German phrase in your Lab Manual.

Fangen wir an.

Eins.

Zwei.

Drei.

Vier.

Fünf.

Sechs.

Teil 2: Now listen to the following questions and answer them in complete German sentences in your Lab Manual.

Nummer eins. Spielen Sie Tennis?

Nummer zwei. Haben Sie ein Auto?

Nummer drei. Haben Sie Hunger?

Nummer vier. Haben Sie Durst?

Hörtext 4: Übung G. Was studiere ich? You will now hear four German students describe what they are studying. Look in your Lab Manual at the two possible professions each person might pursue. Check the most likely profession each person will pursue based on his or her description.

1. Ich bin Studentin an der Freien Universität in Berlin. Ich studiere Internationale Beziehungen. In den Semesterferien mache ich eine Reise nach Japan. Ich möchte mein Japanisch verbessern. Ich spreche auch Englisch.

2. Ich bin im vierten Semester an der Musikakademie. Ich komponiere gern und ich lerne auch Französisch.

3. Ich spiele gern Tennis. Aber ich habe wenig Zeit Sport zu treiben. Ich studiere Medizin und verbringe viel Zeit mit meinen Biologiebüchern.

4. Ich mache viele Kurse in Psychologie, Philosophie und auch Politik. Im Sommer studiere ich Spanisch in Madrid. Ich spreche Deutsch und Englisch. Ich interessiere mich auch für Soziologie und möchte ein paar Kurse in Musik auch nehmen.

Hörtext 5: Übung H. Ein Roman. Listen to the beginning of Michael Kaluder's new novel. Then answer the questions in your Lab Manual.

NARRATOR: Es ist Montag, sieben Uhr. Janus wacht auf. Er steht aber nicht auf. Das Telefon läutet. Janus antwortet. Seine Mutter ruft an. Sie fliegt um 14.00 Uhr nach Madrid, um Verwandte zu besuchen. Sie bleibt zwei Monate – den ganzen Januar und den ganzen Februar – in Madrid. Gott sei Dank. Bevor sie fliegt, möchte sie Janus unbedingt sprechen. Sie spricht und spricht.

MUTTER: Na, Janus, was machst du? Wann stehst du auf? Wann gehst du in die Vorlesung? Warum studierst du so wenig? Du studierst schon 15 Semester? Warum studierst du Geschichte? Warum studierst du nicht Informatik oder Mathematik? Du findest dann eine bessere Arbeit. Du antwortest überhaupt nicht. Schläfst du? Warum rufst du deine Freundin nicht an? Wie heißt sie? Susi, nicht? Sie ist hübsch. Ruf sie an! Sie hat blonde Haare, nicht? Ja, ja, blond ist sie. Warum du noch ledig bist, verstehe ich nicht. Deine Freundin ist doch so nett. Wann kommt sie zurück? Du, ich habe eine Bitte …

NARRATOR: Janus meint, sie hört nicht auf. Aber dann sagt sie „Auf Wiederhören" und legt auf.

Es ist halb acht. Janus steht auf. Er hat Hunger. Er trinkt Kaffee und schaut fern. Aber im Fernsehen spielt nichts. Er liest ein Buch.

Es ist acht Uhr. Janus geht schlafen. Neun Uhr. Er steht wieder auf. Er geht spazieren. Um zehn kommt er nach Hause. Er macht die Tür auf. Das Telefon läutet.

JANUS: Hallo?! Na, grüß dich. … Was machst du?

Kapitel 3: Was gibt es in Heidelberg und Mannheim zu tun?

HÖRTEXTE AUS DEM BUCH

Anlauftext: Was halten wir von Anna? Was hält sie von uns?

The following is a recording of **Was halten wir von Anna? Was hält sie von uns?** as shown on page 81 of your textbook. Listen to the recording of the text several times. The first time, listen with your textbook closed. For subsequent listenings, you may wish to follow along in your textbook.

The Günthers are talking about their American relative, Anna Adler, and are making certain assumptions about her behavior and about Americans in general, with whom they have had little direct contact. Anna, too, wonders about her German relatives. All of this talk raises some glaring stereotypes about Americans and Germans.

Was halten wir von Anna? Was hält sie von uns?

T. USCHI:	Isst Anna vielleicht nur Hamburger? Trinkt sie nur Cola? Anna spricht sicher nur Englisch. Lächelt sie immer, wie alle Amerikaner?
KATJA:	Versteht sie etwas von Politik? Von Fußball? Sie versteht sicher nur Bahnhof.
O. HANNES:	Sieht Anna wohl immer nur fern? Hat sie immer ein Stück Kaugummi im Mund?
GEORG:	Bringt Anna viel Gepäck mit? Sie trägt bestimmt immer Shorts und Tennisschuhe. Bleibt sie lange bei uns?

Now listen as Anna wonders about her German relatives.

ANNA:	Essen sie immer nur Schweinefleisch? Trinken sie immer nur Bier? Wandern sie jedes Wochenende? Es gibt wahrscheinlich keine gute Popmusik in Deutschland.

The following is a recording of the dialogue in Activity 19 on page 97 of your textbook.

In der Bäckerei

BAKER:	Guten Tag. Bitte schön?
CUSTOMER:	Ich möchte ein Weißbrot und vier Brötchen.
BAKER:	Sonst noch 'was?
CUSTOMER:	Das war's.
BAKER:	Das macht vier Mark neunzig.
CUSTOMER:	Bitte schön.
BAKER:	Danke. Und zehn Pfennig zurück.
CUSTOMER:	Auf Wiedersehen.
BAKER:	Wiedersehen.

Absprungtext: Heidelberg und Mannheim

The following is a recording of **Heidelberg und Mannheim,** as depicted on pages 99 and 100 of your textbook.

Heidelberg.

Universitätsstadt am Neckar.

Einhundertvierunddreißigtausend (134.000) Einwohner, dreitausendsechshundert (3.600) Betten davon dreitausenddreihundert (3.300) in Hotels, dreihundert (300) in Gasthöfen und Pensionen.

Freizeit:

* Freischwimmbad, Hallenschwimmbad,
* Reiten, Tennis, Angeln, Segeln,
* Großgolf, Kleingolf, Fahrradverleih, Neckarschiffahrt, Zoo, Kinderparadies.

Sehenswürdigkeiten:

* Heidelberger Schloß – das Große Faß
* das Deutsche Apothekenmuseum
* historische, romantische Altstadt am Neckar – älteste Universität Deutschlands (1386) dreizehnhundertsechsundachtzig
* Universitätsbibliothek
* Alte Brücke
* Heiliggeistkirche
* Kurpfälzisches Museum
* historische Studentenlokale

Information:　　　Verkehrsverein Heidelberg e.V.

　　　　　　　　　　Tourist-Information am Hauptbahnhof

　　　　　　　　　　Telefon: Vorwahl: null, zweiundsechzig, einundzwanzig. Eins, null acht, zwei eins und zwei, eins drei, vier eins

Mannheim.

Stadt der Quadrate an Rhein und Neckar im Herzen der ehemaligen Kurpfalz

dreihundertsechzehntausend (316.000) Einwohner

zweitausendfünfundneunzig (2.095) Zimmer – davon eintausendachthundertdreißig (1.830) in Hotels, zweihundertzwanzig (220) in Gasthöfen, fünfundvierzig (45) in Pensionen, hundertzwanzig (120) Betten in der Jugendherberge.

Kongreßzentrum „Rosengarten"

Freizeit:

* Campingplätze an Rhein und Neckar
* beheizte Freischwimmbäder, Hallenbäder
* Tennis
* Squash
* Angeln
* Reiten

- Segeln
- Kleingolf
- Trimm-Dich-Pfade

Sehenswürdigkeiten:

- Friedrichsplatz (Jugendstil) mit Wasserturm (Wahrzeichen)
- Wasserspiele
- Kurfürstliches Residenzschloß (größtes Barockschloß Deutschlands)
- Jesuitenkirche
- Reiß-Museum
- Kunsthalle
- Nationaltheater
- Kinder- und Jugendtheater im Kulturzentrum
- Kunstverein
- Altes Rathaus und
- Untere Pfarrkirche (mit Glockenspiel) am Marktplatz
- Hafen

Information:	Tourist-Information Mannheim
	Kaiserring 10/16
	Telefon: Vorwahl: null, sechs, zwei, eins.
	Eins, null, eins, null, eins, eins.
	Telefax: Vorwahl: null, sechs, zwei, eins. Zwei, vier, eins, vier, eins.

Zieltext: Fahren wir nach Heidelberg oder nach Mannheim?

The following is a recording of **Fahren wir nach Heidelberg oder nach Mannheim?** as shown on page 114 of your textbook. Listen to the recording of the text several times. The first time, listen with your textbook closed. For subsequent listenings, you may wish to follow along in your textbook.

Georg is talking to his parents, Uschi and Hannes, about what to show Anna during her first weekend in Germany. They are discussing whether to take her to Heidelberg or Mannheim and what each city has to offer.

GEORG:	Du, Mutti, Vati … Hört mal zu: Am Samstag kommt doch Anna aus Amerika. Was machen wir denn dann?
O. HANNES:	Warum fahren wir nicht nach Mannheim? Das ist sehr schön, und es gibt dort viel zu sehen – das Rathaus, die Fußgängerzone und den Marktplatz.
GEORG:	Ja, und tolle Plattengeschäfte auch!
T. USCHI:	Ich habe gedacht, wir fahren nach Heidelberg.
O. HANNES:	Aber es gibt nicht viel zu sehen in Heidelberg. Das Schloss vielleicht und die Uni.
T. USCHI:	Doch! Es gibt viel zu sehen in Heidelberg: das Schloss, das Museum … Und dann …

GEORG:	Das Museum ist langweilig.
O. HANNES:	Du kennst das Museum in Heidelberg doch gar nicht.
GEORG:	Welches?
O. HANNES:	Das große Museum in der Hauptstraße. Heidelberg ist gut. Wahrscheinlich besser als Mannheim. Wir können doch einfach ein bisschen spazieren gehen in der Stadt.
T. USCHI:	Hmm, ein Spaziergang … und ich kenne ein sehr gutes, kleines Restaurant in der Nähe vom Heidelberger Schloss. Man hat eine schöne Aussicht auf den Neckar. Das ist eine gute Idee. Und das große Fass im Schloss, das muss sie sehen.
GEORG:	Ja?
O. HANNES:	Gehen wir doch lieber ins Café am Theater.
T. USCHI:	Das kleine Café, ist das in der Hauptstraße?
O. HANNES:	Ja, und es ist nicht so langweilig. Es gehen viele Menschen in das Café.
T. USCHI:	Das stimmt, und es ist auch in der Nähe von der Universität.
O. HANNES:	Ja, O.K. Gut. Also, dann fahren wir nach Heidelberg. Aufs Schloss und dann ins Restaurant und danach …
GEORG:	Erst ins Restaurant und dann ins Schloss.
T. USCHI:	Gut, zuerst ins Museum, dann essen, dann ins Schloss. Und wann machen wir das, am Samstag?
O. HANNES:	Nee, samstags sind immer zu viele Menschen in Heidelberg. Fahren wir lieber am Sonntag nach Heidelberg.
GEORG:	Na gut. Und dann haben wir Samstagabend Zeit, mit Anna in die Disko zu gehen!
O. HANNES:	Ach, Georg, warte erst mal ab. Nächste Woche habt ihr Zeit genug für die Disko.
GEORG:	Du hast schon Recht. Nächste Woche dann.

WEITERE HÖRTEXTE UND ÜBUNGEN

Hörtext 1: Übung A. Katja und Erika machen Pläne. Katja Günther and her friend Erika are making plans for the weekend. Listen to their telephone conversation. Then read the statements in your Lab Manual and check **richtig** if the statement is true. Check **falsch** if the statement is false.

KATJA:	Hallo, Erika. Was machst du?
ERIKA:	Grüß dich, Katja. Nicht viel. Ich sehe fern. Siehst du auch fern oder liest du wie immer?
KATJA:	Im Moment spreche ich mit dir, aber wir essen bald. Du, was machst du morgen?
ERIKA:	Nichts. Was machst du?
KATJA:	Machen wir am Vormittag den Trimm-dich-Pfad und dann am Nachmittag spielen wir Tennis.
ERIKA:	Nö, am Vormittag kann ich nicht. Ich muss mit meinem Vater Lebensmittel einkaufen, aber am Nachmittag kann ich was machen. Machen wir den Trimm-dich-Pfad am Nachmittag.

KATJA:	Na gut. Am Nachmittag dann. Nehmen wir etwas zu essen mit? Vielleicht ein Käsebrot und Obst. Was hältst du davon?
ERIKA:	Das ist eine gute Idee, aber nicht zu viel. Ich esse bestimmt nur einen Apfel. Was isst du?
KATJA:	Hmm, gut, ich nehme nur eine Banane mit. Durst haben wir bestimmt. Nehmen wir Mineralwasser auch mit. Was trägst du?
ERIKA:	Es soll morgen schön sein. Ich trage Jeans.
KATJA:	Ich trage lieber Shorts. Und nachher? Was machen wir dann? Kannst du am Abend ins Kino gehen? Ich möchte unbedingt den neuen Film mit Madonna sehen.
ERIKA:	Ich möchte lieber tanzen gehen. Du nicht?
KATJA:	Na gut. Gehen wir in die Disko. Also, wenn du mit dem Einkaufen fertig bist, fährst du mit dem Bus zu mir? Wir können dann zusammen mit dem Bus zum Trimm-dich-Pfad fahren.
ERIKA:	O.K. Dann sehen wir uns morgen, um 11 Uhr 30 oder so.
KATJA:	Gut. Bis dann. Tschüss.
ERIKA:	Tschüss.

Hörtext 2: Übung B. Katja spricht mit ihrer Mutter. Listen to the following conversation between Katja and her mother. Check who is making each statement printed in your Lab Manual.

KATJA:	Mutti, Erika und ich machen morgen den Trimm-dich-Pfad.
T. USCHI:	Morgen? Katja, morgen ist Samstag. Anna kommt morgen an.
KATJA:	Ach, ja.
T. USCHI:	Du vergisst alles, mein Kind.
KATJA:	Um wie viel Uhr kommt sie an? Vielleicht möchte sie mitgehen.
T. USCHI:	Du, ich weiß im Moment nicht, wann sie ankommt. Aber sie möchte vielleicht ein bisschen schlafen.
KATJA:	Ja, Mutti, du hast schon Recht. Na, dann kann ich mit Erika doch den Trimm-dich-Pfad machen.
T. USCHI:	Nein, Katja. Das geht nicht. Morgen fährst du mit zum Flughafen und dann bleibst du bei der Familie. Ihr könnt alle am Montag oder Dienstag spazieren gehen.
KATJA:	Oder am Sonntag.
T. USCHI:	Nein, am Sonntag geht es auch nicht. Am Sonntag fahren wir alle nach Heidelberg.
KATJA:	Nach Heidelberg? Was machen wir in Heidelberg?
T. USCHI:	Wir gehen in der Stadt spazieren und vielleicht ins Museum.
KATJA:	Machen wir eine Neckarschifffahrt?
T. USCHI:	Vielleicht.
KATJA:	Wie lange bleiben wir? Essen wir auch in Heidelberg?

T. Uschi:	Ja, wir essen im Café am Theater.
Katja:	In der Hauptstraße. Das Café kenne ich. Langweilig ist es nicht im Café am Theater. Toll! Jetzt muss ich aber die Erika anrufen.

Übung C. Noch einmal: Katja und ihre Mutter. Listen to the conversation between Katja and her mother again. Following the conversation, you will hear Katja ask four questions. In your Lab Manual are two responses for each question. Check the responses that best answer Katja's questions based on her conversation with her mother. You will hear each of Katja's questions twice.

1. Um wie viel Uhr kommt sie an?
2. Was machen wir in Heidelberg?
3. Machen wir eine Neckarschifffahrt?
4. Essen wir auch dort?

Hörtext 3: Übung D. Katja ruft Erika an. It was inevitable. Katja must call Erika back and change their plans for doing the fitness course. Listen to their conversation. Then complete the sentences in your Lab Manual by filling in the correct coordinating conjunctions.

Katja:	Hallo, Erika.
Erika:	Grüß dich, Katja. Was gibt's?
Katja:	Du, ich kann doch nicht am Samstag spazieren gehen, denn meine Kusine aus Amerika kommt am Samstag an. Also machen wir das nicht am Samstag, sondern am Montag.
Erika:	O.K. Gehen wir am Samstagabend doch in die Disko, oder musst du mit der Familie zu Hause bleiben?
Katja:	Ich muss zu Hause bleiben.
Erika:	Vielleicht möchte die Anna in die Disko gehen?
Katja:	Ja, aber nicht am Samstag – so sagt meine Mutter. Gehen wir Montagabend tanzen.
Erika:	Na, du weißt montags gehe ich immer am Abend ins Hallenbad schwimmen. Ihr könnt mitkommen. Machen wir einen Fitnesstag!
Katja:	Du, das ist eine gute Idee. Am Nachmittag den Trimm-dich-Pfad und am Abend gehen wir schwimmen.
Erika:	Und nach dem Schwimmen gehen wir in das Kleine Café einen Kaffee trinken. Dann kann deine Kusine deine Freunde kennen lernen.
Katja:	Stimmt. Also, bis Montag.
Erika:	Tschüss.

Hörtext 4: Übung E. Was kaufen wir? Erika and her father are preparing their grocery list. Listen as they prepare their list and circle the items you hear mentioned.

Erika:	Was kaufen wir?
Father:	Wir brauchen Gemüse. Hmm … Salat, Tomaten …
Erika:	Und Karotten. Kaufen wir auch Obst?
Father:	Ja. Äpfel …

ERIKA:	Äpfel unbedingt. Ich nehme einen Apfel mit auf den Trimm-dich-Pfad.
FATHER:	Wann machst du den Trimm-dich-Pfad?
ERIKA:	Am Montag mit Katja und ihrer Kusine aus Amerika.
FATHER:	Ach ja, die Kusine aus Amerika. Gut, schreib Äpfel auf. Auch Trauben.
ERIKA:	Ich möchte lieber Kirschen.
FATHER:	Dann keine Trauben, sondern Kirschen. Wir brauchen auch etwas fürs Mittagessen. Hmm … vielleicht ein Hähnchen oder möchtest du lieber Schweinefleisch?
ERIKA:	Ich esse lieber Hähnchen. Aber kauf, was du lieber isst.
FATHER:	Dann kaufen wir ein Hähnchen.
ERIKA:	Wir haben keinen Käse im Haus und auch kein Brot.
FATHER:	Das stimmt. Also, Käse, Schwarzbrot und Brötchen.
ERIKA:	Ich esse keine Brötchen. Isst du sie?
FATHER:	Nein. Dann nur Schwarzbrot. Zu trinken … Mineralwasser und Bier. Das ist dann alles.
ERIKA:	Ja. Das ist alles.

Hörtext 5: Übung F. Einkaufen gehen. Listen to Erika and her father's conversations as they do their shopping. In your Lab Manual each item they purchase is listed. The lists also indicate amounts and prices. Circle the correct amounts and prices.

CHEESE CLERK:	Guten Tag.
ERIKA & FATHER:	Guten Tag.
CHEESE CLERK:	Bitte schön. Was darf's sein?
FATHER:	Wir möchten bitte hundertfünfzig Gramm Schweizer Käse und zweihundert Gramm Blauschimmelkäse.
CHEESE CLERK:	Hundertfünfzig Gramm Schweizer Käse. Geschnitten?
FATHER:	Ja, geschnitten bitte.
CHEESE CLERK:	Und zweihundert Gramm Blauschimmelkäse. Sonst noch 'was?
FATHER:	Nein, danke. Das war's.
CHEESE CLERK:	Das macht zusammen sechs Mark dreißig.
FATHER:	Bitte schön.
CHEESE CLERK:	Danke. Und drei Mark siebzig zurück. Auf Wiedersehen.
ERIKA & FATHER:	Auf Wiedersehen.
FATHER:	Und jetzt das Hähnchen einkaufen.
ERIKA:	Tag, Herr Meier.
FATHER:	Guten Tag.
BUTCHER:	Guten Tag, Fräulein Schmidt, Herr Schmidt. Bitte schön?
FATHER:	Geben Sie mir bitte ein schönes Hähnchen.
BUTCHER:	Wie groß soll es denn sein?

FATHER:	Etwa tausend Gramm.
BUTCHER:	Darf es etwas mehr sein?
FATHER:	Ja. Ja.
BUTCHER:	Sonst noch was?
FATHER:	Ja, hundert Gramm Schinkenwurst, bitte.
BUTCHER:	Und noch etwas?
FATHER:	Nein, danke. Das war's.
BUTCHER:	Ein Hähnchen … neun Mark dreißig. Hundert Gramm Schinkenwurst … drei Mark zwanzig. Das macht zwölf Mark fünfzig, bitte sehr.
FATHER:	Bitte schön.
BUTCHER:	Vielen Dank. Und fünfzig Pfennig zurück.
FATHER:	Danke. Auf Wiedersehen, Herr Meier.
ERIKA:	Auf Wiedersehen.
BUTCHER:	Danke schön. Auf Wiedersehen.

Hörtext 6: Übung G. Ein Roman. In Chapter 2 of the Lab Manual, you heard the beginning of Michael Kaluder's new novel. Herr Kaluder has been working on chapter two. Listen to it and then answer the questions in your Lab Manual.

When we left the story, Janus, the main character, had spoken with his mother on the phone, and a bit later he had gone for a walk. As he was opening the door to his apartment after his walk, his phone was ringing.

JANUS:	Hallo?! Na, grüß dich. Was machst du?
MALE 1:	Wir möchten Fußball spielen. Hast du Pläne oder hast du vielleicht Zeit?
JANUS:	Ja schon. Wer spielt mit?
MALE 1:	Thomas, Rodo, Klaus und ein paar andere.
JANUS:	Um wie viel Uhr spielt ihr und wo?
MALE 1:	Um vierzehn Uhr, in dem Park in der Nähe von Thomas. Sehen wir uns dort?
JANUS:	Ja, ja. Um vierzehn Uhr. Tschüss, Gerhardt.
MALE 1:	Tschüss.
NARRATOR:	Es ist sechzehn Uhr. Das Fußballspiel ist zu Ende.
MALE 1:	Warte erst mal ab. Ein zweites Mal gewinnt ihr nicht! Wann spielen wir wieder?
MALE 2:	Ihr könnt aber gar nicht spielen! Vom Fußball versteht ihr überhaupt nichts!
MALE 1:	Was machen wir jetzt?
MALE 2:	Gehen wir ein Bier trinken, und dann spielen wir Karten.
JANUS & OTHERS:	Ja, gute Idee. Aber zuerst ein Bier!
MALE 2:	Und etwas zu essen. Ich habe großen Hunger. Ich möchte ein Steak essen!
MALE 1:	Fahren wir doch zu dem Restaurant in der Bräunerstraße. Wer fährt mit?
MALE 2 & 3:	Ich.

MALE 2:	Wo ist Janus? Fährt er nicht mit?
MALE 1:	Nein, er hat sein Fahrrad da. Er fährt lieber Rad.
MALE 2:	Nach dem Fußballspiel? Mensch. Das kann ich nicht. Wisst ihr, was mit Janus ist? Er spricht sehr wenig. Er lacht nicht. Er vergisst, wer den Ball hat!
MALE 1:	Wer weiß? Wahrscheinlich hat er Liebeskummer. Also, los!

Übung H. Wer hat meine Zeitung? Claudio's stuff is everywhere and he can't find anything. Listen to his questions and exclamations. In your Lab Manual are two possible responses from his mother. Check the correct response to each question.

Zum Beispiel:

You hear Claudio's question:

Wer hat meine Zeitung?

In your Lab Manual you place a check mark next to response **a – Karin hat sie,** because the word **Zeitung** is feminine, singular, and in the accusative case. In the mother's response, **Zeitung** is correctly replaced by the feminine, singular, accusative case pronoun **sie.**

Fangen wir an.

1. Wer hat meine Zeitung?

2. Ich finde meinen Fußball nicht! Hat Karin auch meinen Fußball?

3. Wo sind meine Deutschbücher? Wer liest sie?!

4. Mein Stift ist nicht da. Wo ist mein Stift?

5. Mutti, haben wir keine Äpfel?

6. Und wo ist mein Fahrrad?

Hörtext 7: Übung I. Zwei Freunde. Two friends, Inge and Monika, have met and are talking about what's happened in their families over the years. They haven't seen each other since they finished **Gymnasium.** Listen to their conversation, and, in your Lab Manual, check **Inges Familie** or **Monikas Familie** to indicate whether a person is in Inge's family or in Monika's family.

MONIKA:	Du, Inge, erzähl mir von deiner Familie. Ich weiß überhaupt nichts von deiner Familie.
INGE:	Ich bin verheiratet.
MONIKA:	Ja, so viel weiß ich doch.
INGE:	Mein Mann heißt Klaus. Er arbeitet bei Siemens.
MONIKA:	Klaus? Heiniger, Klaus? Ja, aber natürlich. Ist er nicht der Sohn von unserem Englischlehrer – in der neunten Klasse?
INGE:	Ja, ja. Klaus ist sein Sohn.
MONIKA:	So 'was. Habt ihr Kinder?
INGE:	Ja, wir haben zwei, zwei Töchter.
MONIKA:	Was machen eure Kinder?
INGE:	Uli studiert an der Universität in München. Sabine ist verheiratet und hat zwei Kinder – einen Jungen und ein Mädchen.

MONIKA:	Wie alt sind ihre Kinder?
INGE:	Mmm, unsere Enkelkinder sind 3 und 9 Jahre alt. Leider wohnen sie in Kanada, denn Sabines Mann kommt aus Toronto.
MONIKA:	Dann seht ihr eure Enkelkinder nicht sehr oft.
INGE:	Nein, wir sehen sie nicht sehr oft.
MONIKA:	Und was studiert die Uli?
INGE:	Die studiert Chemie. Sie ist aber erst im dritten Semester. Aber, Monika, ich spreche die ganze Zeit. Jetzt frage ich dich. Was macht deine Familie?
MONIKA:	Wie du weißt, ich bin geschieden. Carlos und ich haben nur ein Kind … Max heißt er. Er ist auch Student … an der Freien Universität in Berlin.
INGE:	Was studiert er?
MONIKA:	Medizin. Er hat nur noch ein paar Semester.
INGE:	Ist er verheiratet?
MONIKA:	Nein, er ist ledig. Soviel ich weiß, hat er keine Kinder. Meine Mutter und mein Vater wohnen noch in der Langestraße, aber im Winter fahren sie nach Florida.
INGE:	Haben sie Freunde dort?
MONIKA:	Ja, sie haben viele Freunde dort. Im Winter fahren viele Deutsche dorthin. Ihre Freunde kommen aus Deutschland, Amerika, Kanada, überall.
INGE:	Fliegst du im Winter mal hin?
MONIKA:	Ja, schon. Auf ein oder zwei Wochen. Weißt du, Inge, es ist so schön dort und warm, und ich spiele gern Golf.
INGE:	Monika, du spielst Golf? Spielen deine Eltern Golf?
MONIKA:	Ja, und ich kenne auch ihre Freunde, und wir spielen auch zusammen. Und ich gehe gern schwimmen.

Übung J. Noch einmal: Zwei Freunde. Listen again to Inge and Monika's conversation and then circle the name of the person described in each statement in your Lab Manual.

Kapitel 4: Unterwegs

Anlauftext: Mutters Ratschläge

Sie hören den Anlauftext „Mutters Ratschläge". Siehe Seite 126 und Seite 128 bis 129 Ihres Lehrbuches. Hören Sie sich den Text ein paar Mal an. Machen Sie Ihr Lehrbuch zu, bevor Sie den Text das erste Mal hören. Machen Sie das zweite Mal Ihr Lehrbuch auf und lesen Sie mit.

Anna packt ihre Koffer für ihre Reise nach Deutschland. Sie ist gespannt auf das Jahr in Deutschland, aber ihre Mutter macht sich Sorgen wegen Anna und der Reise. Sie gibt Anna Ratschläge.

Tante Uschi hat auch ein paar Ratschläge für Katja und Georg.

Mutters Ratschläge.

MUTTER:	Trink nicht so viel Cola!
ANNA:	Dann muss ich wohl Bier trinken, aber ich mag das nicht.
MUTTER:	Nimm genug warme Kleidung mit!
ANNA:	Ich darf meine Handschuhe nicht vergessen.
MUTTER:	Gib nicht zu viel Geld für Andenken aus!
ANNA:	Ich will aber Andenken kaufen!
MUTTER:	Fahr nie per Anhalter!
ANNA:	Dann muss ich wohl ein Fahrrad haben.
MUTTER:	Vergiss deine Eltern nicht!
ANNA:	Ich soll sie hin und wieder mal anrufen.
MUTTER:	Sei immer vorsichtig!
ANNA:	Mutti, mach dir keine Sorgen.
T. USCHI:	Helft Anna mit der Sprache.
KATJA:	Anna kann ja ein bisschen Deutsch.
T. USCHI:	Zeigen wir Anna doch die Umgebung.
O. HANNES:	Dann müssen wir wohl mindestens hundert Schlösser besuchen.
T. USCHI:	Georg, sei nett zu Anna.
GEORG:	Anna will wohl mein Zimmer haben!

Absprungtext: Sicherheitsinfo Nr. 8: Fahrrad fahren

Sie hören jetzt eine Aufnahme des Absprungtexts „Sicherheitsinfo Nr. 8: Fahrrad fahren." Der Text steht auf Seite 147 Ihres Lehrbuches.

In den USA fährt Anna sehr gern Rad. Sie möchte auch in Deutschland Fahrrad fahren. In Deutschland ist Radfahren auch sehr populär. Junge und alte Leute fahren oft Rad. Tante Uschi schickt Anna diese Broschüre über Radfahren in Deutschland.

Radfahren ist gesund, es macht Spaß und ist umweltfreundlich. Wer mit dem Fahrrad fährt, verbraucht kein Öl und Benzin, die Kosten sind vergleichsweise gering. Das Fahrrad kann man selbst warten und pflegen. Ein Fahrrad braucht wenig Platz: Ein einziges Auto benötigt mehr Fläche als acht Fahrräder. Vieles spricht also für das Radfahren, das immer beliebter wird. Inzwischen dürfte es in Deutschland rund 50 Millionen Fahrräder geben.

Es gibt viele Verkehrsregeln, die Radfahrer beachten müssen. Einige sind besonders wichtig. Hier dürfen Radfahrer nicht fahren: Auf der Autobahn, in einer Kraftfahrstraße, im Fußgängerbereich, wo „Verbot für Radfahrer" steht, wo „Verbot der Einfahrt" steht und wo „Verbot für Fahrzeuge aller Art" steht.

In Einbahnstraßen dürfen auch Radfahrer nur in vorgeschriebener Richtung fahren.

Es gibt Ausnahmen. Dann steht ein Schild mit einem Fahrrad und unter dem Fahrrad das Wort „frei" neben einem dieser Verkehrsschilder. In diesem Fall dürfen Radfahrer hier ausnahmsweise doch fahren.

Es gibt aber auch Schilder, die dem Radfahrer anzeigen, wo er fahren muß: getrennter Rad- und Fußweg, gemeinsamer Fuß- und Radweg, Sonderweg Radfahrer.

Zieltext: Endlich unterwegs!

Es folgt der Zieltext „Endlich unterwegs!" auf Seite 166 Ihres Lehrbuches. Hören Sie sich den Text ein paar Mal an – zuerst mit dem Buch zu und dann mit dem Buch auf.

Anna ist endlich unterwegs nach Deutschland. Hier kommt sie am Flughafen in Frankfurt an. Die Günthers holen Anna ab. In dem Dialog sprechen die Günthers zuerst über Anna. Dann trifft Anna die Günthers. Sie sprechen kurz miteinander und dann fahren sie alle nach Hause.

KATJA:	Georg, hier! Da vorne steht's: Ankunft. Kannst du das Schild nicht sehen?
GEORG:	Mutti, wie, wie können wir sie denn erkennen, eh, unsre Kusine Anna?
T. USCHI:	Hat sie nicht so einen lila Rucksack?
GEORG:	Ach ja, das ist richtig, genau!
KATJA:	Und lange blonde Haare soll sie haben.
O. HANNES:	O.K., dann kann es nicht so schwer sein, sie zu erkennen.
KATJA:	Wann kommt sie denn endlich raus?
O. HANNES:	Das kann nicht mehr so lange dauern, aber sie muss noch ihr Gepäck holen und dann noch durch den Zoll.
T. USCHI:	Also, ich glaube, wir müssen wohl noch ein bisschen warten.
KATJA:	Nee, schaut! Da kommen die ersten Leute raus.
GEORG:	Da, da ist sie! Da kommt Anna!
DIE GÜNTHERS:	Anna? Anna!!
USCHI/HANNES:	Herzlich willkommen, Anna!
GEORG/KATJA:	Hallo, Anna!
ANNA:	Hallo, Tante Uschi! Onkel Hannes! Guten Tag!
KATJA:	(to her brother) Georg, gib ihr doch die Blumen!
ANNA:	Danke, Georg! Hallo, Katja!
GEORG:	Wie geht's dir denn? Wie war dein Flug?
ANNA:	Lang. Ich bin jetzt todmüde…

T. USCHI:	Und du siehst wirklich aus wie Hannelore.
O. HANNES:	Na, jetzt gehen wir mal zum Auto. Hast du deine Koffer? Komm, gib sie her.
T. USCHI:	Hier, links, gehen wir zum Parkhaus.
O. HANNES:	Ah, warte! Wir müssen erst die Parkgebühr bezahlen. Uschi, gib mir bitte den Parkschein. Und Georg, tu doch mal die Koffer da in den Kofferraum.
KATJA:	Mensch, Georg, sei doch vorsichtig!
O. HANNES:	Also jetzt können wir losfahren.
T. USCHI:	Komm, Anna, setz dich nach vorne. Da hast du mehr Platz.
ANNA:	Danke.

WEITERE HÖRTEXTE UND ÜBUNGEN

Hörtext 1: Übung A. Wer ist die Diebin? Unsere Diebin aus Kapitel 1 des Hörprogrammes ist noch immer aktiv. Sie stiehlt weiterhin Bücher. Jetzt hören Sie ein Gespräch zwischen Inspektor Prachner und Frau Katz. Frau Katz hat die Diebin gesehen und sagt Inspektor Prachner, wie sie aussieht. Hören Sie gut zu. Ergänzen Sie dann die Beschreibung in Ihrem Arbeitsbuch.

INSP. PRACHNER:	Denken Sie bitte an den Tag zurück. Was sehen Sie, Frau Katz? Wie sieht sie aus?
FRAU KATZ:	Sie ist nicht sehr groß. Ja, sie ist klein und … und ein bisschen mollig.
INSP. PRACHNER:	Und die Haare? Welche Farbe haben die Haare?
FRAU KATZ:	Sie hat rote Haare … sehr wellig.
INSP. PRACHNER:	Dunkelrot oder karottenrot? Lang oder kurz?
FRAU KATZ:	Dunkelrot und sehr lang, ja sehr lang … und grüne Augen.
INSP. PRACHNER:	Hmmm. Was trägt sie?
FRAU KATZ:	Sie trägt einen Rock und eine Bluse.
INSP. PRACHNER:	Welche Farben?
FRAU KATZ:	Ah … der Rock ist dunkelblau und die Bluse … mmm … beige. Und blaue Schuhe … die Schuhe sind flach.
INSP. PRACHNER:	Trägt sie eine Handtasche, einen Mantel oder sonst etwas?
FRAU KATZ:	Sie trägt einen Mantel … auch beige … aber keine Handtasche. Nein, sie trägt keine Handtasche, aber sie trägt einen Rucksack. Ja, einen sehr schönen, aus schwarzem Leder. Da tut sie sicher die Bücher hinein!
INSP. PRACHNER:	Können Sie sagen, wie sie ist? Sieht sie nervös aus … oder ruhig?
FRAU KATZ:	Sie sieht sehr selbstsicher und sehr intelligent aus. Gar nicht nervös. Ja, Herr Inspektor mehr kann ich nicht sagen.
INSP. PRACHNER:	Und wie alt ist die Frau, schätzen Sie, Frau Katz?
FRAU KATZ:	Wissen Sie, Herr Inspektor, das ist schwer zu schätzen. Ich schätze etwa 40 bis 50.
INSP. PRACHNER:	Hmmm. Vielen Dank, Frau Katz. Ihre Informationen sind sehr wichtig und Sie helfen uns sehr. Auf Wiedersehen, Frau Katz.
FRAU KATZ:	Auf Wiedersehen, Herr Inspektor.

Hörtext 2. Übung B. Modeschau in Düsseldorf. Düsseldorf ist das Modezentrum Deutschlands. Viermal im Jahr treffen sich dort Designer aus der ganzen Welt, um ihre neue Kollektion zu präsentieren. In Ihrem Arbeitsbuch sehen Sie für jedes Modell zwei Zeichnungen. Hören Sie sich die Präsentation an und kreuzen Sie die richtige Zeichnung an.

Guten Tag, meine Damen und Herren. Herzlich Willkommen.

Wir bringen Ihnen heute die fantastische, die kreative Frühlingskollektion aus dem Hause Guy Chalov.

Zuerst sehen Sie Claudia … im schwarzen Kostüm … der kurze Rock und die lange Jacke sind aus dem feinsten Leinen und total gefüttert. Darunter trägt Claudia eine klassische weiße Bluse aus indischer Seide. Für die schwarzen Lederschuhe danken wir Monique Lovique Design aus Paris. Am Tag oder am Abend, in Schwarz ist man immer schick. Danke, Claudia.

Wenn Sie aber lieber Hosen tragen, meine Damen, finden Sie Danielles roten Anzug das Richtige. Mit dem lockeren Schnitt der Hosen und der langen Jacke ist dieser Anzug bei Managerinnen besonders beliebt. Wie bei dem Kostüm von Claudia, sind Hosen und Jacke aus dem feinsten Leinen aus Irland … und total gefüttert. Danielle zieht jetzt die Jacke aus und zeigt Ihnen die weiße Bluse und Krawatte in Schwarz, Rot, Gelb. Beide aus Seide. Wenn Sie am Abend ausgehen, legen Sie die Krawatte ab, machen Sie den ersten Knopf auf und tragen Sie eine Diamantenkette dazu. Für die Lederhandtasche und den Ledergürtel danken wir wieder Monique Lovique Design aus Paris. Wieder, meine Damen und Herren, denkt Guy Chalov an das Praktische für Sie. Danke, Danielle.

Ohne Mantel geht es natürlich nicht – auch nicht im Sommer. Wie schön Anke in dem lila Sommermantel aussieht! Der Mantel ist aus Baumwolle und Viskose, und es gibt ihn in vielen Farben –schwarz, beige, rot, braun, dunkelgrün, hellgrün und lila! Mit dem Mantel und einem Regenschirm können Sie den Regen vergessen! Wunderbar, Anke.

Und jetzt etwas für Samstag und Sonntag. Beim Hause Guy Chalov sind wir nie einfallslos. Schauen Sie, meine Damen und Herren, wie sportlich Yoshiko in den Shorts und T-Shirt aussieht. Die grünen Shorts und das gelbe T-Shirt sind aus kühler Baumwolle. Für die Ledergolfschuhe danken wir wie immer Monique Lovique Design aus Paris. Wenn Sie dieses Ensemble beim Golfspielen tragen, meine Damen, landen Sie das Hole-in-One ohne Problem. Vielen Dank, Yoshiko.

Ja, meine Damen und Herren, das war die neue Frühjahrskollektion von Guy Chalov. Und jetzt Guy!

Hörtext 3: Übung C. Ein Film. Der beliebte deutsche Filmemacher Manfred Manfred will aus dem neuen Roman von Michael Kaluder einen Film machen. Manfred Manfred und Michael Kaluder diskutieren die Eigenschaften der Figuren. Sie kennen einige Figuren – Janus, seine Mutter, seine Freunde (Gerhardt, Rodo usw.). Hören Sie sich das Gespräch an und kreuzen Sie die Eigenschaften jeder Person an.

MANFRED:	Wie soll Janus sein? Er ist oft faul und einfallslos. Nicht sehr intelligent.
HERR KALUDER:	Ja, er ist faul, aber er ist nicht einfallslos. Er ist eigentlich kreativ. … Und intelligent.
MANFRED:	Aber er ist so steif und ernst.
HERR KALUDER:	Ja, locker ist er nicht. Er ist auch nicht sehr selbstsicher.
MANFRED:	Interessiert er sich für Musik oder Sport?
HERR KALUDER:	Für Musik nicht, aber er kann sportlich sein. Er spielt sehr gern Fußball und Tennis. Er fährt gern Rad und im Winter läuft er oft Ski.
MANFRED:	Er ist unsympathisch, denke ich.

HERR KALUDER:	Hmmm, er soll aber nicht unsympathisch sein. Seine Mutter ist unsympathisch. Sie ist manchmal sehr laut. Und sie ist nie lustig.
MANFRED:	Ist sie auch kreativ?
HERR KALUDER:	Nein, überhaupt nicht. Sie ist total einfallslos. Aber sie ist sehr fleißig.
MANFRED:	Soll sie auch sportlich sein?
HERR KALUDER:	Nein, sie ist unsportlich.

Hörtext 4: Übung D. Was trägt Janus im Film? Der Roman ist noch nicht fertig, aber der beliebte deutsche Filmemacher Manfred Manfred beginnt Pläne für den Film zu machen. Sie hören ein Gespräch zwischen Manfred Manfred und Adriana Haub. Frau Haub ist Kostümbildnerin. In Ihrem Arbeitsbuch sehen Sie einige Kleidungsstücke. Schreiben Sie 1 neben die Kleidungsstücke, die Janus in der ersten Szene trägt und 2 neben die Kleidungsstücke, die er in der zweiten Szene trägt.

Zum Beispiel:

Sie hören:

MANFRED:	Was trägt er in der zweiten Szene?
FRAU HAUB:	Er trägt Jeans.

Sie schreiben die Nummer **2** neben die Jeans.

Fangen wir an.

MANFRED:	Was denken Sie, Frau Haub, was soll Janus in der ersten Szene tragen?
FRAU HAUB:	Hmmm. Er will schlafen, aber er kann nicht. Er steht auf. Er geht wieder ins Bett. Mmmm. Er soll gar nichts tragen.
MANFRED:	Nein, das will ich nicht.
FRAU HAUB:	Mach dir keine Sorgen.
MANFRED:	Nein, nein. Er ist einfach nicht der Typ. Etwas muss er tragen.
FRAU HAUB:	Ja, O.K. Dann soll er nur Unterwäsche und keinen Pyjama tragen. Mmmm, ja, er soll eine schwarze Unterhose, nein, nein, eine weiße Unterhose und schwarze Socken tragen.
MANFRED:	Genau. Und was trägt er in der zweiten Szene, wenn er spazieren geht?
FRAU HAUB:	Für den Spaziergang kann er eine Hose oder Jeans tragen.
MANFRED:	O.K.
FRAU HAUB:	Moment mal! Moment mal! Ich weiß … er trägt, Jeans, alte Jeans, die nicht mehr blau sondern fast weiß sind. Dazu einen schwarzen Pullover. Schwarz passt zu Janus. Er ist so ernst und unglücklich in der Szene.
MANFRED:	Ja, das ist eine gute Idee.
FRAU HAUB:	Darf er Stiefel tragen, oder möchtest du lieber Tennisschuhe?
MANFRED:	Lieber Tennisschuhe.
FRAU HAUB:	Also, von Mode versteht Janus absolut nichts.
MANFRED:	Später darf er Stiefel tragen.
FRAU HAUB:	Gut, und in der dritten Szene … beim Fußballspielen … da trägt er …

Hörtext 5: Übung E. Noch einmal: Manfred Manfred. Jetzt sprechen der beliebte deutsche Filmemacher Manfred Manfred und die Besetzungsleiterin über die Figur von Janus. Hören Sie sich das Gespräch an. Kreuzen Sie dann in Ihrem Arbeitsbuch die Sätze an, die Janus richtig beschreiben.

FRAU HAUB:	Wie soll Janus aussehen?
MANFRED:	Er soll groß sein. Sehr groß. Ein Meter achtzig oder neunzig.
FRAU HAUB:	Darf er nicht etwas kleiner sein?
MANFRED:	Nein. Er darf nicht kleiner als ein Meter achtzig sein.
FRAU HAUB:	Soll er schlank sein?
MANFRED:	Ja, er soll sehr schlank sein. Ich denke so 70 Kilo.
FRAU HAUB:	Muss er so schlank sein?
MANFRED:	Ja, er muss so schlank sein, denn er ist sehr sportlich.
FRAU HAUB:	Und seine Haare? Welche Haarfarbe soll er haben?
MANFRED:	Er soll braune oder blonde Haare haben. Mmmm, ich weiß nicht genau, was ich will.

Übung F. Nur Katja oder Katja und Georg? Sie hören jetzt einige Aussagen von Tante Uschi. Sagt Tante Uschi nur Katja, was sie tun soll? Oder sagt Tante Uschi Katja und Georg, was sie tun sollen? Kreuzen Sie an, ob Sie den du-Imperativ oder den ihr-Imperativ hören. Sie hören jede Aussage zweimal.

Zum Beispiel:

Sie hören:

Steht bitte auf!

Sie kreuzen den ihr-Imperativ an, denn **Steht auf** ist der ihr-Imperativ von **aufstehen.**

Fangen wir an.

1. Steht bitte auf!
2. Esst keine Pizza zum Frühstück.
3. Trink nicht so viel Kaffee.
4. Sprich nicht so lange am Telefon.
5. Macht eure Hausaufgaben!
6. Vergesst nicht, die Anna kommt heute an.
7. Gib mir bitte das Fax von Anna.
8. Trag bitte nicht die Jeans.

Übung G. Jetzt spricht Onkel Hannes. Sie hören jetzt einige Aussagen von Onkel Hannes. Soll nur Katja etwas machen? Sollen Katja und Georg etwas machen? Oder soll die ganze Familie etwas machen? Kreuzen Sie in Ihrem Arbeitsbuch an, ob Onkel Hannes den du-Imperativ, den ihr-Imperativ oder den wir-Imperativ benutzt. Sie hören jede Aussage zweimal.

1. Fahren wir um eins zum Tennisplatz.
2. Macht den Einkauf um zehn.
3. Bitte hol das Brot von der Bäckerei.

4. Kauf es nicht im Supermarkt.

5. Spiel nicht zu lange Fußball.

6. Komm nachher gleich nach Hause.

7. Gehen wir morgen wandern.

8. Seid jetzt bitte ruhig.

Hörtext 6: Übung H. Familie Günther fährt zum Flughafen. Hören Sie, wie die Fahrt zum Flughafen war. Ergänzen Sie dann die Beschreibung in Ihrem Arbeitsbuch mit der richtigen Präposition und beantworten Sie die Fragen auf Deutsch.

Familie Günther fährt zum Frankfurter Flughafen. Es gibt nicht viel Verkehr. Unterwegs will Frau Günther durch die Stadt fahren, denn sie möchte für Anna Blumen kaufen. Herr Günther findet die Idee nicht gut und fährt auf der Autobahn weiter, denn sie haben nicht so viel Zeit. Anna soll gegen acht Uhr ankommen, und es ist schon Viertel nach sieben.

Am Flughafen wollen sie nicht im Parkhaus parken. Aber überall ist Parkverbot. Deshalb müssen sie im Parkhaus parken. Aber im Parkhaus gibt es keine Parkplätze. Herr Günther sagt: „Fahren wir um die Ecke. Da gibt es bestimmt einen Platz. Wenn nicht, bleibe ich im Auto, und ihr geht ohne mich hinein. Ich treffe euch dann mit dem Auto am Ausgang." Aber gleich um die Ecke findet er einen Parkplatz. Der Platz ist ein bisschen klein für das Auto und er muss sehr vorsichtig hineinfahren.

Sie kommen spät an. Sie laufen durch den Flughafen. Sie kommen aber nicht zu spät an, denn die Passagiere kommen noch nicht durch den Zoll.

Kapitel 5: Freundschaften

HÖRTEXTE AUS DEM BUCH

Anlauftext: Die Geschichte von Tante Uschi und Onkel Hannes

Sie hören den Anlauftext „Die Geschichte von Tante Uschi und Onkel Hannes". Siehe Seite 174 und Seite 175 bis 177 Ihres Lehrbuches. Hören Sie sich den Text ein paar Mal an. Bevor Sie sich den Text das erste Mal anhören, machen Sie Ihr Lehrbuch zu. Das zweite Mal machen Sie Ihr Lehrbuch auf und lesen Sie mit.

Onkel Hannes und Tante Uschi sitzen mit Anna an einem Abend zu Hause in Weinheim und sprechen über ihre Studienzeit in Hamburg. Hier erzählen sie Anna, wie sie sich kennen gelernt haben.

Die Geschichte von Tante Uschi und Onkel Hannes.

O. HANNES:	Tante Uschi hat in Hamburg Pharmazie studiert und als Kellnerin in einer Studentenkneipe gearbeitet. Sie hat Geld fürs Studium verdient. Ich bin oft in die Kneipe gegangen, weil mir die Uschi gut gefallen hat.
T. USCHI:	Ja, und er hat nie Trinkgeld gegeben. Wenigstens hat er gut ausgesehen …
O. HANNES:	… Und dann habe ich sie eines Tages ins Theater eingeladen, und nachher haben wir zusammen ein Bier getrunken. Wir haben leidenschaftlich diskutiert …
T. USCHI:	Leidenschaftlich diskutiert? Du warst so nervös, du hast keine drei Worte gesagt.
O. HANNES:	Ja, aber nach dem zweiten Bier war ich etwas mutiger.
T. USCHI:	Und später haben wir einen romantischen Spaziergang an der Alster gemacht. Dort haben wir einander zum ersten Mal geküsst.
O. HANNES:	Romantisch, sagst du? Es hat die ganze Zeit geregnet und du hast eine ganz schlimme Erkältung gehabt.
T. USCHI:	Aber du hast mich trotzdem geküsst!
O. HANNES:	Ich habe dich nur geküsst, weil du mir so Leid getan hast.
T. USCHI:	Na, trotzdem … Von da an haben wir viel Zeit miteinander verbracht. Wir haben oft zusammen gekocht und gegessen und sind auch abends ausgegangen.
O. HANNES:	Ja, wir haben tolle Nächte in St. Pauli durchgemacht. Getanzt, getrunken und so weiter …
T. USCHI:	Und sonntags sind wir immer zum Fischmarkt gegangen …
O. HANNES:	… und an der Elbe spazieren gegangen.
T. USCHI:	Er hat auch oft ein Liebesgedicht für mich geschrieben.
O. HANNES:	O je! Das habe ich ganz vergessen. Ich war bis über beide Ohren in die Uschi verliebt.
T. USCHI:	Deshalb haben wir uns auch verlobt.
O. HANNES:	Und bald danach haben wir geheiratet.

Absprungtext: „Ein Freund, ein guter Freund ... das ist das schönste, was es gibt auf der Welt"

Sie hören jetzt eine Aufnahme des Absprungtexts „Ein Freund, ein guter Freund ... das ist das schönste, was es gibt auf der Welt." Siehe Seite 194 bis 197 Ihres Lehrbuches.

„Ein Freund, ein guter Freund, das ist das schönste, was es gibt auf der Welt!" So heißt es jedenfalls in einem alten deutschen Schlager.

Stimmt das? Was bedeuten euch Freunde? Welche Eigenschaften müssen sie haben? ... Nils, Lars und Dirk aus Brühl/Deutschland kennen sich schon seit Jahren. Dirk ist mit Michaela verlobt. Außerdem sind die drei in einer Clique: gute Freunde, mit denen sie fast ihre ganze Freizeit verbringen. JUMA hat sie zum Thema „Freundschaft" gefragt.

MICHAELA:

Michaela, achtzehn Jahre

Für mich ist mein Freund wichtiger als meine beste Freundin. Ich habe Vertrauen zu ihm. Man kann über alles reden, immer zu ihm kommen. Dirk habe ich in der Disko kennengelernt. Er hat mich angesprochen. Wir kennen uns seit drei Jahren. Seit eineinhalb Jahren sind wir verlobt. Als ich Dirk kennengelernt habe, bekam ich Probleme mit meiner Freundin. Die war enttäuscht, daß ich keine Zeit mehr für sie hatte. Sie hat hinter meinem Rücken über mich geredet. Dirk und ich haben gleiche Interessen, machen alles zusammen. Auch die Clique ist sehr wichtig. Man braucht Freunde. Wir sind fast jeden Abend zusammen.

NILS:

Nils, neunzehn Jahre

Ein guter Freund muß zu mir stehen, mit mir durch dick und dünn gehen. Mit einem Mädchen geht das nicht so gut. Mit meinen Freunden kann ich über alles reden, mit meiner Freundin nicht. Sie verstehen meine Probleme. Ich glaube, es ist leichter, eine Freundin zu finden als einen guten Freund.

DIRK:

Dirk, zwanzig Jahre

Mit Nils und Lars kann ich über alles reden. Auch, wenn ich Probleme mit meiner Freundin Michaela habe. So ein Gespräch kommt meistens ganz spontan. Einer fängt an, dann erzählen die anderen von ihren Erfahrungen, und so geht das weiter. Ich glaube, die besten Freunde findet man in der Schulzeit. Danach habe ich kaum noch jemanden kennengelernt.

LARS:

Lars, neunzehn Jahre

Nils und Dirk sind meine besten Freunde. Wir kennen uns schon seit der Schulzeit. Wir können über alles reden. Meine Freunde sind für alles da. Als ich mich von meiner ersten Freundin getrennt habe, haben sie mir sehr geholfen. Wir sind fast wie Brüder. Man sieht uns immer zusammen. Es gibt auch schon mal Krach. Wir sind aber jetzt in dem Alter, in dem wir vernünftig miteinander reden können.

Zieltext: Ein Gespräch mit Opa und Oma Kunz

Es folgt der Zieltext „Ein Gespräch mit Opa und Oma Kunz" auf Seite 210 Ihres Lehrbuches. Hören Sie sich den Text ein paar Mal an – zuerst mit dem Buch zu und dann mit dem Buch auf.

Anna ist inzwischen nach Bad Krozingen zu ihren Großeltern gefahren. Alle drei sind froh, dass sie einander endlich sehen. Anna hört, wie ihre Eltern einander in Heidelberg kennen gelernt haben. Sie will auch wissen, warum Oma und Opa Kunz noch nie nach Amerika gekommen sind.

Hier spricht Anna mit den Großeltern Kunz über ihre Mutter Hannelore.

OMA:	Ach, Anna es ist schön, dass du da bist.
OPA:	Und dass wir dich endlich besser kennen lernen.
ANNA:	Ja, ich bin auch froh, dass ich hier bin.
OMA:	Ja, wir sind froh, nachdem die Hannelore weg ist, dass wir wenigstens irgend jemand von Amerika wieder hier haben.
OPA:	Ja, ja. Schön ist das.
OMA:	Weißt du, das macht uns schon manchmal Sorgen. Ihr seid ja so weit weg in den USA.
ANNA:	Ach, Oma, es ist nicht so weit weg bis Amerika. Mit dem Flugzeug dauert es nur sieben Stunden.
OMA:	Ja, ja, immerhin sieben Stunden!
ANNA:	Aber da wollte ich eigentlich etwas wissen über Mama, warum, öh, was habt ihr eigentlich gedacht, als sie einen Amerikaner geheiratet hat?
OMA:	Ach Anna, weißt du, das war keine leichte Entscheidung damals.
OPA:	Also wir waren eigentlich dagegen.
ANNA:	Dagegen? Gegen Papa?
OMA:	Ach nein, nicht gegen deinen Papa. Wir wollten unsere Kinder eben hier behalten, ne? In Deutschland und nicht so weit weg, weißt du?
ANNA:	Ja, das verstehe ich.
OPA:	Ach ja, und nachher schwätzen deine Kinder dann nur Englisch, und ich kann mich gar nicht mit denen unterhalten.
ANNA:	Mhm.
OPA:	Wir können nämlich kein Englisch.
OMA:	Ja, ja, der Opa war überhaupt nicht begeistert von der Idee, aber ich habe ihm dann gut zugeredet und habe ihm gesagt, es ist ihre Entscheidung und wir müssen schließlich damit fertig werden, weißt du? Ja, so war das.
ANNA:	Mhm. Wie hat Mama Papa überhaupt kennen gelernt?
OMA:	Ach, die Hannelore, die hat … sie ist nach Heidelberg gegangen, hat da studiert, und da hat sie eben den Bob kennen gelernt, ne? Und der Bob war ja auch nett, ist auch ein netter Mensch.
ANNA:	Umhuh.
OMA:	Naja, und dann haben sie sich eben, ne? Sie haben sich in Heidelberg kennen gelernt, haben sich verliebt und sind dann eben – ja, haben geheiratet und sind dann weg nach Amerika.
ANNA:	Warum kommt ihr uns nicht besuchen – in Amerika?
OMA/OPA:	Jetzt? Wie?
OMA:	In unserem Alter? Wir sehen Amerika lieber im Fernsehen, wie das dort drüben ist.
OPA:	Ja, wir bekommen so viel aus Amerika, so viele Bilder im Fernsehen. So viele Menschen, so viel Gewalt, so viel Hektik, nee, nee, nee.
ANNA:	Ja, aber ihr wart noch nie bei uns zu Hause.

OMA:	Aber wir kennen ja Amerika. Wir haben genug gesehen von Amerika – Denver, Dallas, San Franzisko, Miami.
ANNA:	Ach, Oma, weißt du was? Das ist Hollywood. Amerika ist nicht nur Großstädte und Filmstars. Ist Deutschland nur Berlin und München und nicht Weinheim und Bad Krozingen?

WEITERE HÖRTEXTE UND ÜBUNGEN

Hörtext 1: Übung A. Michael Kaluders Roman: Kapitel drei. Sie hören jetzt Kapitel drei von Michael Kaluders Roman: „Die große Liebe". Hören Sie sich das Kapitel ein paar Mal an und bringen Sie die folgenden zehn Bilder von der Geschichte in die richtige Reihenfolge.

NARRATOR:	Das Fußballspiel war gut, denkt Janus.
JANUS:	Ich habe das gebraucht. Das Gespräch mit Gerhardt hat auch geholfen. Er ist immer vernünftig und er weiß, wie das ist, wenn man Liebeskummer hat. Ich habe ihm erzählt, wie Susanne und ich einander kennen gelernt haben … wie wir Tage und Nächte zusammen verbracht haben …

Es ist August gewesen, der dritte August. Ich habe seit Ende des Semesters als Kellner in einer Kneipe schwer gearbeitet. Ich habe mir gedacht: Mensch, du brauchst ein bisschen Freizeit, bevor das Semester wieder anfängt. Aber was willst du machen? Willst du etwas Neues sehen? Du musst dich auch ausruhen und ausschlafen. Dann habe ich beschlossen, nach Griechenland zu fahren, und am fünften August bin ich mit dem Zug nach Griechenland gereist. Die Reise hat lange gedauert – etwa 35 Stunden.

Ich habe zuerst Athen besucht – die Akropolis, das Nationalmuseum, den Tempel des Olympischen Zeus. Eines Abends habe ich in einem Restaurant in der Plaka gegessen. Da habe ich Susanne zum ersten Mal gesehen, aber ich habe sie nicht angesprochen. Später hat es mir Leid getan, dass ich das nicht getan habe. Aber so spontan sein … das kann ich nicht.

Das Wetter in Athen ist aber herrlich gewesen. Heiß – dreißig Grad war es und auch schwül. Jeden Tag hat die Sonne geschienen. Es hat keinen Tag geregnet.

Am nächsten Tag bin ich mit dem Schiff auf die Insel Kreta gefahren. Ich habe ein billiges Zimmer in einem Hotel gefunden und bin sofort zum Strand gelaufen. Wunderschön war der Strand – der Sand war fast weiß und das Wasser so blau, nee fast grün und so klar wie Glas. Der Tag war herrlich – sonnig und heiß, aber auch ein bisschen windig. Ich bin geschwommen, hab' gelesen und geschlafen … Als ich aufgewacht bin, habe ich sie gesehen. Dieselbe Frau … die Frau vom Restaurant in Athen. Sie hat mich angestarrt. Ich habe sie angelächelt, aber ich habe nicht gewusst, was ich weiter machen sollte … hab' also nichts getan.

Am Abend bin ich in ein kleines Restaurant in der Nähe vom Hotel gegangen. Ich habe draußen gesessen und hab' ein Glas Wein getrunken. Plötzlich habe ich sie gesehen. Sie ist an meinem Tisch vorbeigegangen. Ich habe „Hallo" gesagt und sie zu einem Glas Wein eingeladen. Sie hat ja gesagt. Wir haben lange am Tisch gesessen und haben über alles Mögliche diskutiert. Dann sind wir am Strand spazieren gegangen. Tja, so hat's angefangen. Von da an sind wir die ganze Zeit zusammen gewesen.

Hörtext 2: Übung B. Was haben sie gemacht? In Kapitel 3 haben Katja und Erika für Montag Pläne gemacht. Es ist jetzt Dienstag früh. Katja und ihre Kusine Anna erzählen Katjas Mutter, was sie alles am Montag mit Erika gemacht haben. Hören Sie sich das Gespräch an und kreuzen Sie in Ihrem Arbeitsbuch an, wer die Aussagen macht – Tante Uschi, Katja oder Anna.

KATJA:	Morgen, Mutti.
T. USCHI:	Guten Morgen, Katja. Guten Morgen, Anna. Seid ihr gut ausgeschlafen?
ANNA:	Guten Morgen, Tante Uschi.
T. USCHI:	Ich glaube, es gibt noch zwei Tassen Kaffee. Reicht das, oder soll ich mehr kochen? Brötchen gibt es auch. … So, wie war der Fitnesstag? Hat es Spaß gemacht? Wie war der Trimm-dich-Pfad?
ANNA:	Eine Tasse Kaffee genügt mir.
KATJA:	Ja, ich trinke auch nur eine Tasse.
ANNA:	Der Pfad hat Spaß gemacht. So 'was gibt es nicht bei uns. Wie lange haben wir gebraucht, Katja, drei bis vier Stunden?
KATJA:	Nee, ich glaube, wir haben den Pfad in weniger als drei Stunden gemacht. Vielleicht zweieinhalb.
T. USCHI:	Ihr seid aber sehr fit. Onkel Hannes und ich haben den Pfad im Juni gemacht. Wir sind fast vier Stunden gelaufen und wir haben nicht alle Übungen gemacht! Und wie war es im Hallenbad? Waren viele Leute da?
KATJA:	Nicht zu viele.
ANNA:	Nein, nicht zu viele. Das Hallenbad ist sehr schön. Wir sind lange geschwommen. Dann sind wir in die Sauna gegangen. Die Sauna war wunderbar … besonders für die Muskeln war die Sauna gut. Weißt du, nach so einem langen Lauf ist eine Sauna gerade das Richtige.
KATJA:	Ja, das hat schon geholfen.
T. USCHI:	Ihr seid auch tanzen gegangen, nicht?
KATJA:	Ja, aber zuerst sind wir ins Kleine Café gegangen. Wir haben Karl, Mario und Inge getroffen.
T. USCHI:	Die ganze Clique war da.
ANNA:	Sie sind sehr nett. Wisst ihr, was hier anders ist? Wie ihr euch begrüßt. Als ihr euch gestern Abend getroffen habt, habt ihr euch umarmt und geküsst. Das machen wir nicht. Wir sagen nur „hi."
KATJA:	Hmmm, ja, das ist anders. Und später ist der Freund von Erika vorbeigekommen.
T. USCHI:	Sind die beiden wieder zusammen? Wie heißt er noch?
KATJA:	Er heißt Erwin, und nein, im Moment sind sie nicht zusammen. Sie haben sich am Wochenende versöhnt, und Erika hat ihm gesagt, er soll uns im Café treffen. Das hat er auch getan. Ja, und im Café hat Erika vielleicht fünf Minuten lang mit einem Typen am Tisch neben uns geschwätzt. Erwin ist eifersüchtig geworden, und es hat natürlich Krach gegeben.
T. USCHI:	Hat sie mit ihm geflirtet oder nur geredet?
KATJA:	Sie hat überhaupt nicht geflirtet. Der Erwin ist aber bis über beide Ohren in die Erika verliebt und er mag es nicht, wenn sie mit anderen Jungs redet. Aber, weißt du, in ein paar Tagen reden Erwin und Erika wieder miteinander,

dann umarmen sie einander und sie versöhnen sich. Sie haben sich schon so oft getrennt.

T. USCHI:	Ja, ja. Na, Anna, wie hat dir das Kleine Café gefallen?
ANNA:	Mir hat das Café sehr gefallen.
T. USCHI:	Ich finde die Musik immer zu laut dort. Das Café ist eine Studentenkneipe geworden.
ANNA:	Die Musik habe ich nicht zu laut gefunden. Wir haben schon miteinander reden können.
T. USCHI:	Habt ihr dort etwas gegessen, oder seid ihr anderswo hingegangen?
KATJA:	Nein, wir sind nicht weitergegangen. Wir haben dort gegessen. Die Anna ist sehr mutig gewesen – sie hat zum ersten Mal einen Hamburger mit Spiegelei gegessen.
T. USCHI:	Ach, ja, das stimmt … in Amerika esst ihr Hamburger nicht mit Spiegelei sondern mit Ketchup und Käse. Hat es dir geschmeckt?
ANNA:	Ja, schon. Und das Bier war sehr gut.
T. USCHI:	Wo seid ihr tanzen gegangen?
KATJA:	Im Voom Voom. Es war nicht viel los … Montagabend. Aber ein Junge hat Anna angesprochen, und sie haben viel getanzt.
ANNA:	Ja, er hat Volker geheißen. Er studiert Chemie oder Biologie. Ich habe es schon vergessen.
T. USCHI:	Um wie viel Uhr seid ihr nach Hause gekommen?
KATJA:	Mmmm, gegen eins glaube ich. Ja, gegen eins. Um Viertel nach eins habe ich das Licht ausgemacht.

Übung C. Noch einmal: Katja, Anna und Tante Uschi. Sie hören das Gespräch zwischen Katja, Anna und Tante Uschi noch einmal. Nach dem Gespräch hören Sie für jedes der sieben Bilder in Ihrem Arbeitsbuch zwei mögliche Titel. Kreuzen Sie den passenden Titel für jedes Bild an.

Jetzt hören Sie die Titel. Sie hören jeden Titel zweimal.

1. a. Der Trimm-dich-Pfad hat Spaß gemacht.
   b. Es hat geregnet.
2. a. Wir sind auch in die Sauna gegangen.
   b. Wir sind ins Hallenbad schwimmen gegangen.
3. a. Die ganze Clique war da.
   b. Im Moment sind sie nicht zusammen.
4. a. Erwin ist eifersüchtig geworden.
   b. Erwin und Erika haben sich versöhnt.
5. a. Wir sind nicht weitergegangen.
   b. Anna hat Hamburger mit Spiegelei gegessen.
6. a. Er hat Volker geheißen.
   b. Und das Bier war sehr gut.
7. a. Um Viertel nach eins habe ich das Licht ausgemacht.
   b. Ich habe es schon vergessen.

Übung D. Fragen. Hören Sie sich das Gespräch zwischen Katja, Anna und Uschi noch einmal an. Nach dem Gespräch hören Sie sieben Fragen zum Gespräch. In Ihrem Arbeitsbuch finden Sie zu jeder Frage drei mögliche Antworten. Kreuzen Sie die richtige Antwort an. Sie hören jede Frage zweimal.

1. Was haben Anna, Katja und Erika am Nachmittag gemacht?

2. Am Abend sind Katja, Erika und Anna in zwei Lokalen gewesen. Schreiben Sie die Nummer **1** neben das Lokal, wo sie zuerst waren. Schreiben Sie die Nummer **2** neben das Lokal, wo sie später waren.

3. Was haben sie in dem Hallenbad gemacht?

4. Was ist in dem Kleinen Café passiert?

5. Was haben Erika und Erwin in dem Kleinen Café gemacht?

6. Was ist Anna in der Diskothek passiert?

7. Was haben Katja und Anna gemacht, als sie wieder zu Hause waren?

Hörtext 3: Übung E. Radio Vorsprung bringt den Wetterbericht. Sie hören jetzt einen Wetterbericht für Europareisende. Schreiben Sie in Ihrem Arbeitsbuch das Wetter für jede Stadt auf.

Zum Beispiel:

Sie hören:

Berlin: Sonnig und trocken. Schwacher Südostwind. Höchsttemperatur: 17 Grad. Tiefsttemperatur: 2 Grad. Morgen, Mittwoch: noch sonnig und trocken. Und Donnerstag: heiter.

In Ihrem Arbeitsbuch schreiben Sie „sonnig und trocken" und „schwacher Südostwind" in die Wetter-Spalte für Dienstag. Sie schreiben 17 Grad in die Höchsttemperatur-Spalte und 2 Grad in die Tiefsttemperatur-Spalte. Für Mittwoch schreiben Sie „sonnig und trocken" in die Wetter-Spalte und für Donnerstag schreiben Sie „heiter" in die Wetter-Spalte. Sie schreiben keine Temperaturen für Mittwoch und Donnerstag auf, weil keine Temperaturen angesagt wurden.

Fangen wir an.

Guten Tag, meine Damen und Herren. Wir bringen die Wettervorhersage für Dienstag, den 16. April.

Berlin: Sonnig und trocken. Schwacher Südostwind. Höchsttemperatur: 17 Grad. Tiefsttemperatur: 2 Grad. Morgen, Mittwoch: noch sonnig und trocken. Und Donnerstag: heiter.

Kopenhagen: Heiter. Höchsttemperatur: 12 Grad. Tiefsttemperatur: -1 Grad. Morgen, Mittwoch: heiter. Donnerstag: heiter bis wolkig.

London: Stark bewölkt und Regenschauer. Höchsttemperatur: 13 Grad. Tiefsttemperatur: 8 Grad. Morgen: Regenschauer. Und übermorgen, Donnerstag, weiterhin Regen.

Madrid: heute Regenschauer. Höchsttemperatur: 22 Grad. Tiefsttemperatur: 8 Grad. Morgen wolkig. Höchsttemperatur: 17 Grad. Donnerstag heiter. Höchsttemperatur: wieder 22 Grad.

Paris: Heiter mit Temperaturen bis 18 Grad. Tiefsttemperatur: 3 Grad. Morgen: Regen. Und am Donnerstag wolkig.

Wien: heute sonnig und warm. Höchsttemperatur: 17 Grad. Tiefsttemperatur: 4 Grad. Morgen: weiterhin sonnig. Donnerstag: wolkig und Regen.

Hörtext 4: Übung F. Wann? Wo? Sie hören fünf kurze Gespräche. In Ihrem Arbeitsbuch sehen Sie für jedes Gespräch zwei Jahreszeiten und zwei Orte. Kreuzen Sie an, wann und wo das Gespräch höchstwahrscheinlich stattfindet. Sie hören jedes Gespräch zweimal.

1.

MALE:	Es ist so warm … wollen wir nicht lieber draußen sitzen?
FEMALE:	Ja, für April ist es eigentlich sehr warm.
MALE:	Was möchtest du trinken?
FEMALE:	Einen Espresso.
MALE:	Herr Ober, einen Espresso und ein Mineralwasser, bitte.

2.

FEMALE 1:	Du, das war heute echt toll!
FEMALE 2:	Ja, der viele Schnee und die Sonne. Es war wirklich ein herrlicher Tag.

3.

FEMALE 1:	Kannst du einen Moment auf das Gepäck aufpassen? Ich muss eine Zeitung kaufen. Es ist schön warm hier, aber ich will unbedingt wissen, wie das Wetter in Italien ist.
FEMALE 2:	Gut, gib mir deinen Rucksack. Mensch, was hast du da drinnen? Du brauchst nur drei bis vier Bikinis mitzunehmen. Mach schnell. Der Zug fährt in zehn Minuten ab.
FEMALE 1:	Kein Problem. Ich komme gleich.

4.

MALE 1:	Grüß dich, Klaus. Was machst du hier?
MALE 2:	Ich muss etwas für das Seminar lesen.
MALE 1:	Das hat aber Zeit. Es ist ja erst Oktober. Das Semester hat gerade angefangen. Komm mit. Wir wollen Fußball spielen.
MALE 2:	Hmmm. Es ist schon sehr schön heute, und morgen soll es richtig mies sein. Es soll Gewitter geben, kalt sein. Gut, gehen wir. Ich kann morgen lernen.

5.

MALE:	Hast du alles?
FEMALE:	Nein, ich suche die neue CD von Michael Jackson.
MALE:	Ich helfe dir. Du, das ist sie, nicht?
FEMALE:	Ja, danke. Treffen wir uns draußen?
MALE:	Nein, ich warte hier drinnen. Es ist so heiß und schwül draußen, und hier gibt es wenigstens eine Klimaanlage.

Hörtext 5: Übung G. Wann? Wo? Was? Beate und Carlo planen eine Reise. Hören Sie sich ihr Gespräch an. Beantworten Sie dann die Fragen in Ihrem Arbeitsbuch.

BEATE:	Du, ich habe Lust, eine kleine Reise zu machen. Weißt du, kurz, nur so zwei bis drei Tage.
CARLO:	Wohin willst du fahren?
BEATE:	Ich habe gedacht … fliegen wir auf ein langes Wochenende nach Rom. Ich habe im Fernsehen gesehen, dass das Wetter zur Zeit sehr schön dort ist. Ich möchte die Museen besuchen und ein bisschen einkaufen.

CARLO:	Ja, das hört sich gut an. Wir können vielleicht nächsten Monat oder im November dahin fliegen.
BEATE:	Nein, nein. Fliegen wir gleich am Wochenende. Ich habe die Flugkarten schon reserviert. Wir können uns morgen Abend nach der Arbeit am Flughafen treffen.
CARLO:	Du bist verrückt! Ich muss packen und…
BEATE:	Du brauchst nur eine Hose, einige Hemden, Unterwäsche und gute Schuhe. Ich hab' meinen Koffer schon gepackt. Ich nehme so wenig wie möglich mit – Bluejeans, einen Rock und ein paar Blusen.
CARLO:	Es kann aber im Herbst im Süden regnen und am Abend kann es auch kühl sein. Ich nehme auch den Regenmantel und einen Pulli mit.
BEATE:	Na, gut. Einen Regenschirm packe ich auch ein. Komm, ich helfe dir deinen Koffer packen.

Übung H. Fragen beantworten. Sie hören jetzt fünf Fragen. Für jede Frage in Ihrem Arbeitsbuch sehen Sie drei Antworten. Kreuzen Sie die richtige Antwort an. Sie hören jede Frage zweimal.

1. Seid ihr einkaufen gegangen?

2. Wissen Sie, wie Irina aussieht?

3. Warum haben Beate und Carlo geheiratet?

4. Weißt du, wann Karin in Urlaub fährt?

5. Ist der Freund von Georg angekommen?

Übung I. Logisch oder unlogisch? Sie hören fünf Aussagen oder Fragen. Nach jeder Aussage oder Frage hören Sie eine Antwort. Wenn die Antwort logisch ist, kreuzen Sie **logisch** an. Wenn die Antwort unlogisch ist, kreuzen Sie **unlogisch** an. Sie hören jede Aussage und Frage zweimal.

1. O je, ich habe meine Handtasche vergessen.

   Mach dir keine Sorgen. Ich habe genug Geld mit.

2. Kennst du den Mann da? Ist das nicht der Vater von Thomas?

   Ich glaube nicht, dass das sein Vater ist.

3. Mein Sohn war enttäuscht, dass ich heute früh keine Zeit zum Spielen hatte.

   Ich weiß nicht, ob er heute kommt.

4. Hat dein Mann nicht mit ihm spielen können?

   Nein. Wir sind nicht mehr zusammen.

5. Ihr habt euch getrennt! Wann?

   Weißt du, dass ich ein neues Fahrrad gekauft habe?

Kapitel 6: Willkommen in Tübingen

HÖRTEXTE AUS DEM BUCH

Anlauftext: Anna zieht im Wohnheim ein

Sie hören den Anlauftext „Anna zieht im Wohnheim ein". Siehe Seite 216 und Seite 218 bis 219 Ihres Lehrbuches. Hören Sie sich den Text ein paar Mal an. Bevor Sie den Text das erste Mal hören, machen Sie Ihr Lehrbuch zu. Machen Sie das zweite Mal Ihr Lehrbuch auf und lesen Sie mit.

Anna zieht in einem Tübinger Studentenwohnheim ein. Es heißt Waldhäuser-Ost. Barbara, eine Studentin im ersten Semester aus Dresden, hat das Zimmer neben Anna. Sie hilft Anna beim Einzug.

Anna zieht im Wohnheim ein.

ANNA:	Vielen Dank, Barbara. Das ist wirklich nett von dir, dass du mir hilfst.
BARBARA:	Das mach' ich doch gern. Ich bin selber erst vor einer Woche hier eingezogen. Komm ich zeig' dir dein Zimmer. Es ist gleich neben meinem, Zimmer dreihundertsiebzehn. So, Anna, hier sind wir schon, auf dem zweiten Stock.
ANNA:	Ich krieg' die Tür nicht auf. Kannst du mir bitte helfen?
BARBARA:	Gib mir deinen Schlüssel. Ich schließ' dir die Tür auf. Hier, guck mal, Anna.
ANNA:	Aha, na ja …
BARBARA:	Was denn? Gefällt dir dein Zimmer denn nicht? Also, eine Luxusbude ist es zwar nicht, aber du hast alles, was du brauchst: ein Bett zum Schlafen, einen Schreibtisch zum Lernen, einen Stuhl für den Schreibtisch, ein Regal für die Bücher und einen Schrank für deine Klamotten.
ANNA:	Heißt das, dass die Studenten hier in Deutschland nichts anderes machen als schlafen, aufstehen und lernen?
BARBARA:	Na so ziemlich. Nur die Reihenfolge stimmt nicht so ganz. Also, wir stehen so gegen Mittag auf, dann schlafen wir in den Vorlesungen – na, und abends lernen wir, in den Studentenkneipen. Also, jetzt zeig' ich dir dein Badezimmer, wenn es dir recht ist.
ANNA:	Mein Badezimmer? Ich habe ein eigenes Badezimmer?
BARBARA:	Klein aber fein! Du hast wirklich Schwein gehabt! Meistens gibt es nur ein Gemeinschaftsbad oder einen Duschraum auf dem Gang, aber du hast ein Privatbad bekommen: Klo, Dusche und Waschbecken.
ANNA:	Vielleicht ist es doch eine Luxusbude.
BARBARA:	Was soll ich dir noch schnell sagen? Also, Cola- und Bierautomaten gibt's unten im Keller, und die Telefonzellen, das schwarze Brett und dein Postfach findest du im Erdgeschoss. Die Küche ist am Ende vom Korridor.
ANNA:	Alles klar.
BARBARA:	Du, ich muss zu einem Freund, aber ich komme später bei dir vorbei.
ANNA:	Danke, Barbara.

BARBARA:	Gut. Kannst du mir einen Stift leihen? Ich schreibe dir die Zimmernummer von dem Freund aus Dresden auf. Er wohnt einen Stock tiefer.
ANNA:	Gut. Du, ich danke dir echt für die Hilfe!
BARBARA:	Ja, bis gleich. Tschüss.

Absprungtext: „Am Kopierer" von Birsen Kahraman

Sie hören jetzt eine Aufnahme des Absprungtexts „Am Kopierer" von Birsen Kahraman. Siehe Seite 232 und Seite 234 bis 235 Ihres Lehrbuches.

Über 2 Millionen Türken leben und arbeiten in Deutschland. Viele türkische Kinder sind in Deutschland geboren, wachsen in Deutschland auf und gehen dort zur Schule oder zur Universität.

Schüler und Studenten türkischer Abstammung haben besondere Probleme: sie sprechen perfekt Deutsch und fühlen sich in Deutschland zu Hause. Erst seit dem 1. Januar 2000 sind sie automatisch deutsche Staatsbürger.

In dieser Geschichte hören wir von zwei Studentinnen. Eine Studentin ist Deutsche. Die andere Studentin (die Autorin) ist 1971 in der Türkei geboren, aber sie wohnt mit ihrer Familie schon seit 1972 in Deutschland. Beide studieren an der Universität in Hamburg. Sie macht Fotokopien. Die deutsche Studentin will mit ihr ins Gespräch kommen, aber es gibt Kommunikationsprobleme.

Hören Sie den Text an.

Am Kopierer

Ich stehe am Kopierer unserer Fachbereichsbibliothek. Am Kopierer nebendran steht eine Frau.

FEMALE 1:	Hallo. Sie schaut auf, sagt auch:
FEMALE 2:	Hallo.
FEMALE 1:	Sie erkennt mich.
FEMALE 2:	Warst du nicht auch gestern in diesem Seminar?
FEMALE 1:	Doch. Ich überlege, wieviel Geld ich in diesen Automat stecken muß.
FEMALE 2:	Sag mal, woher kommst du?
FEMALE 1:	Wie meinst du? Ich schaue verwundert hoch. Sie wird leicht ungeduldig.
FEMALE 2:	Na ja, dein Herkunftsland?
FEMALE 1:	Ich blättere in meinem Buch. Aus der Türkei.
FEMALE 2:	Aus der Türkei?
FEMALE 1:	Sie ist erstaunt, zieht die Augenbrauen hoch.
FEMALE 2:	Und wie fühlst du dich hier?
FEMALE 1:	Ich schaue sie an. Wie meinst du das? Sie wiederholt ihre Frage:
FEMALE 2:	Na, wie fühlst du dich hier, in Deutschland?
FEMALE 1:	Ich ziehe die Schultern hoch. Wie ich gerade drauf bin. Sie ist nicht zufrieden mit der Antwort.

FEMALE 2:	Du siehst so zerbrechlich aus, so prinzeßhaft aus. Gar nicht wie die anderen Türken.
FEMALE 1:	Ich schaue hoch, meine Stirn runzelt sich. Wie meinst du das? Sie hebt den Deckel des Kopierers.
FEMALE 2:	Na ja, die anderen Türken sehen halt anders aus.
FEMALE 1:	Ich bin verblüfft. Wie sehen die denn aus? Keine Antwort, dafür ein kleiner Exkurs über den Islam.
FEMALE 2:	Ich habe mal ein Buch darüber gelesen. Ein sehr positives, von … , wirklich sehr positiv. Aber eigentlich weiß ich nichts darüber. Aber diese Selbstunterdrückung der Frauen …
FEMALE 1:	Sie schaut mich an.
FEMALE 2:	Das scheint bei dir nicht so.
FEMALE 1:	Ich überlege, ob ich meinen 20-Mark-Schein wechseln soll, oder ob mir meine Groschen reichen werden. Was meinst du damit?
FEMALE 2:	Na, unsere Mädchen wachsen wohlbehütet in ihrer Familie auf, bis sie in die weite Welt gehen.
FEMALE 1:	Ich entscheide mich für die Groschen.
FEMALE 2:	Im Islam ist das ja anders. Da werden sie ja unterdrückt, oder nicht. Ich weiß ja nicht, wie das bei euch ist.
FEMALE 1:	Wie viele türkische Frauen kennst du?
FEMALE 2:	Ich kenne niemanden. Ich weiß ja nicht, aber ich habe ein Buch darüber gelesen, ein sehr positives. Also wirklich sehr positiv. Dieselbe Autorin hatte auch eins über das Christentum geschrieben. Kennst du sie?
FEMALE 1:	Sie reichen nicht. Nein, ich kenne sie nicht. Ich sortiere meine Blätter. Kannst Du mir Geld wechseln? Sie ist irritiert. Warum habe ich sie nicht gefragt, woher ihre Großmutter kommt?

Zieltext: Gespräch in der Gemeinschaftsküche

Es folgt der Zieltext „Gespräch in der Gemeinschaftsküche" auf Seite 252 Ihres Lehrbuches. Hören Sie den Text ein paar Mal an – zuerst mit dem Buch zu und dann mit dem Buch auf.

Anna hat inzwischen ihr Zimmer eingerichtet und hat jetzt Hunger. Sie geht mit Barbara in die Gemeinschaftsküche. In der Küche lernen sie Karl und Inge kennen. Barbara möchte etwas zu essen machen, aber sie weiß nicht so genau, wo alles ist. Karl und Inge geben Anna viele Tipps über die Küche und das Wohnheim. Aber zuerst trinken sie zusammen einen Tee.

ANNA:	Barbara, ich habe Hunger. Weißt du, wo ich essen kann?
BARBARA:	Ja, klar, komm gehen wir in die Küche.
ANNA:	Küche? Hier im Studentenwohnheim?
BARBARA:	Ja klar, wir können uns hier 'was zu essen machen. Grüßt euch, grüßt euch. Ich glaube ich habe euch auch schon mal gesehen.

	Ich kenne eure Namen aber noch nicht.
INGE:	Ich bin die Inge.
KARL:	Ich heiß' Karl.
INGE:	Wir wohnen beide hier.
BARBARA:	Ja, und ich heiß' Barbara, und das ist die Anna. Sie kommt aus 'n USA.
INGE:	Ja? Du bist da eingezogen, ne?
ANNA:	Ja genau. Zimmer dreihundertsiebzehn.
INGE:	Ja, wir sind am Ende vom Gang.
KARL:	Hier wohnen eigentlich viele Ausländer im Haus.
BARBARA:	Anna hat ein bisschen Hunger, wir wollen uns eigentlich 'was zu essen machen, aber ich weiß nicht, wo die Töpfe sind und so.
KARL:	Jaaa, das ist etwas kompliziert hier, aber wir können ja erstmal zusammen Tee trinken, und dann können wir dir das erklären. Ich hab' mir gerad' 'n Tee gekocht.
BARBARA:	Mmm, gut, ja.
ANNA:	Gut.
KARL:	Ja, es gibt zwei Kühlschränke hier…
ANNA:	Umhuh.
KARL:	…und zehn Studenten, die sich die Küche teilen müssen.
ANNA:	Umhuh.
KARL:	Und wenn du die Tür dann aufmachst, hat jeder sein Fach.
BARBARA:	Ahh.
KARL:	Und ich hoffe, dass dir der Hauswart einen Schlüssel mitgegeben hat.
ANNA:	Ach, der Schlüssel ist für das Fach!
INGE:	Die Fächer sind ziemlich klein. Also du kannst nur das Notwendigste reinstellen.
ANNA:	O.K.
KARL:	Und das ist dein Fach für Brot und Reis und so.
ANNA:	Und darf man jederzeit kochen?
INGE:	Jederzeit. Also die Küche ist immer offen, deswegen musst du eben dein Fach immer unter Verschluss haben, weil die Küche eben immer offen ist.
ANNA:	O.K.
BARBARA:	Ja, sonst kommen die Leute 'rein und nehmen dir einfach das Zeug, und du hast nie 'was zu essen, also …
ANNA:	Also ich muss mal etwas Essen kaufen. Wollen wir jetzt einen Salat machen, Barbara? Ich habe wirklich Hunger.
BARBARA:	Gute Idee. Danke für euren Tee.
KARL:	Gern geschehen. Und guten Appetit!

Hörtext 1: Übung A. Anna packt aus. Sie hören ein Gespräch zwischen Anna und Fabio. Fabio wohnt im selben Studentenwohnheim wie Anna. Hören Sie sich das Gespräch an. Kreuzen Sie dann an, ob die Aussagen in Ihrem Arbeitsbuch stimmen oder nicht.

ANNA:	Hallo.
FABIO:	Grüß dich. Ich heiße Fabio. Ich wohne in Zimmer dreihundert zweiundzwanzig.
ANNA:	Grüß dich. Ich heiße Anna.
FABIO:	Ich will ein paar Poster an die Wand hängen. Hast du vielleicht einige Reißnägel oder etwas Tesafilm®?
ANNA:	Tut mir Leid. Ich habe keine Reißnägel und auch keinen Tesafilm®.
FABIO:	Bist du neu im Heim? Ich kenne dich nicht vom letzten Jahr.
ANNA:	Ja. Ich bin vor zwei Stunden in Tübingen angekommen.
FABIO:	Woher kommst du?
ANNA:	Aus den Vereinigten Staaten.
FABIO:	Du bist Amerikanerin? Du sprichst aber perfekt Deutsch.
ANNA:	Danke. Meine Mutter ist Deutsche und ich habe Verwandte in Weinheim. Woher kommst du?
FABIO:	Ich komme aus Hamburg.
ANNA:	Aber Fabio ist kein typischer deutscher Name, oder?
FABIO:	Nein, ist es nicht … das stimmt. Mein Vater ist eigentlich Italiener … aus Neapel. Meine Mutter kommt aus der Türkei. Ich bin aber in Deutschland aufgewachsen.
ANNA:	Ah so. Sprichst du auch Italienisch und Türkisch?
FABIO:	Ja, aber nicht so gut. Meine Eltern sprechen Deutsch miteinander. Manchmal versucht mein Vater, mit mir Italienisch zu reden und meine Mutter Türkisch. Und im Sommer besuche ich immer Verwandte in der Türkei oder in Italien. Ich habe die Sprachen aber nie so richtig gelernt.
ANNA:	Was machen deine Eltern?
FABIO:	Mein Vater arbeitet bei einer Bank und meine Mutter ist Schriftstellerin. Sie schreibt Kurzgeschichten … Wie man als Türkin in Deutschland so lebt und solche Themen.
ANNA:	Ich möchte ihre Geschichten lesen, wenn du welche da hast. Ich habe nur gelesen, was in der Zeitung über Ausländer in Deutschland steht. Du, hast du einige Kleiderbügel, die du mir leihen könntest? Ich will meine Jeans aufhängen, aber es gibt nicht genug Kleiderbügel im Schrank. Es gibt sowieso wenig Platz, Kleider aufzuhängen.
FABIO:	Ich glaub' ich habe schon welche. Mmm. Also, ich muss los. Ich muss Tesafilm® kaufen. Willst du mit?
ANNA:	Ja, gerne. Vielleicht kaufe ich ein Bild oder eine Pflanze. Mein Zimmer schaut so unfreundlich aus. Und einen Wecker muss ich auch kaufen. Meiner ist schon kaputt. Gehen wir gleich?

| FABIO: | Ja. Ich muss aber Geld von meinem Zimmer holen. Treffen wir uns vor dem Eingang. Bis gleich. |
| ANNA: | Ja, bis gleich. |

Hörtext 2: Übung B. Bei Fabio. Anna und Fabio kommen vom Einkaufen zurück. Hören Sie sich ihr Gespräch an. Beantworten Sie dann die Fragen in Ihrem Arbeitsbuch.

FABIO:	Willst du jetzt die Kleiderbügel holen?
ANNA:	Ja, gute Idee.
FABIO:	So, das ist meine Bude. Nicht viel anders als deine.
ANNA:	Aber doch. Sie sieht sehr bequem aus. Ich mag den Sessel. Der muss sehr bequem sein.
FABIO:	Setz dich. Hörst du gern Musik?
ANNA:	Gern. Hast du auch eine Stereoanlage?
FABIO:	Aber klar und einen Fernseher. Du kannst bei mir immer Fußball anschauen.
ANNA:	Ich bin aber kein Fan. Was für Musik hast du?
FABIO:	Alles Mögliche … Jazz, Rock, klassische, nur keine Country Western Musik. Was möchtest du hören?
ANNA:	Du hast auch einen Computer? Toll! Ich weiß nicht, wie ich ohne meinen Computer Seminararbeiten schreiben soll. Was für einen hast du?
FABIO:	IBM mit einem Hewlett-Packard Drucker.
ANNA:	Was studierst du eigentlich? Du hast viele Kunstbücher.
FABIO:	Ja, und nicht genug Büücherregale. Ich studiere Architektur. Ich möchte Hochhäuser entwerfen. Du studierst Deutsch, oder?
ANNA:	Ja, und Geschichte.
FABIO:	Hier hast du die Kleiderbügel.
ANNA:	Danke.
FABIO:	Hilfst du mir, die Poster an die Wand zu hängen?
ANNA:	Natürlich.
FABIO:	Moment mal. Ich muss das Fahrrad auf den Korridor stellen.
ANNA:	Kannst du es nicht im Keller abstellen?
FABIO:	Ja, aber der Keller ist nicht immer abgeschlossen. Mein Zimmer kann ich selber abschließen.
ANNA:	Jetzt, an die Arbeit. Wo sind die Poster?

Übung C. Drei Brüder. Markus will etwas von Thomas ausleihen. Sie hören, wie Markus fünf Fragen an seinen Bruder Thomas stellt. Nach jeder Frage hören Sie zwei Antworten. Kreuzen Sie in Ihrem Arbeitsbuch die richtige Antwort an. Achten Sie auf die Pronomen! Sie hören jede Frage und Antwort zweimal.

1. Thomas, leihst du mir dein neues Fahrrad?

    a. Du, Markus, ich kann es dir nicht leihen, weil ich es Klaus schon geliehen habe.

    b. Du, Markus, ich kann es euch nicht leihen, weil ich es Klaus schon geliehen habe.

2. Wann gibt er es dir zurück?

   a. Ich weiß nicht, wann er es Ihnen zurückgibt.

   b. Ich weiß nicht, wann er es mir zurückgibt.

3. Warum hast du es ihm gegeben?

   a. Er hat es dringend gebraucht.

   b. Wir haben es dringend gebraucht.

4. Glaubst du, die Eltern schenken uns auch neue Fahrräder zum Geburtstag?

   a. Ich weiß nicht, was die Eltern uns zum Geburtstag schenken.

   b. Ich weiß nicht, was die Eltern ihr zum Geburtstag schenken.

5. Sag mir bitte, wann Klaus zurück ist.

   a. Ja, ich sag' es dir.

   b. Ja, ich sag' es ihr.

Übung D. Geburtstagsgeschenke. Sie hören einige Fragen und Antworten. Ergänzen Sie die Sätze in Ihrem Arbeitsbuch mit den fehlenden Pronomen.

Zum Beispiel:

Sie hören die Frage:

Was kaufst du Andrea zum Geburtstag?

und die Antwort:

Ich kaufe ihr ein Wörterbuch.

Sie schreiben das Wort **ihr** in die Lücke in Ihrem Arbeitsbuch.

1. Was kaufst du Andrea zum Geburtstag?

   Ich kaufe ihr ein Wörterbuch.

2. Was schenken wir Fabio zum Geburtstag?

   Schenken wir ihm ein neues Fahrrad zum Geburtstag.

3. Gibt er Anton einen Pullover?

   Ja, er gibt ihm einen roten Pullover.

4. Habt ihr Karoline den Fotoapparat geschenkt?

   Nein, wir haben ihr ein Video geschenkt.

5. Was können wir Thomas und Andrea nur schenken?

   Schenken wir ihnen Theaterkarten.

Hörtext 3: Übung E. Was schenken wir wem? Annas Großeltern machen ihre Einkaufsliste für Weihnachten. Hören Sie sich ihr Gespräch an und schreiben Sie in Ihrem Arbeitsbuch auf, was die Großeltern für jede Person kaufen. Kreuzen Sie dann an, ob die Aussagen in Ihrem Arbeitsbuch stimmen oder nicht. Wenn eine Aussage nicht stimmt, schreiben Sie was stimmt.

OMA: Was schenken wir Anna? Ich habe gedacht, wir geben ihr ein neues Wörterbuch, weißt du, ein deutsch-deutsches Wörterbuch. Sie hat nur ein deutsch-englisches Wörterbuch.

OPA: Mmmm. Das ist keine schlechte Idee. Oder kaufen wir ihr ein Radio?

OMA:	Nein, nein. Ein Radio kann sie in Amerika nicht benutzen. Der Strom ist anders.
OPA:	Ach ja. Das stimmt.
OMA:	Aber Katja braucht ein Radio. Ihr Radio ist kaputt, hat mir die Uschi gesagt.
OPA:	Also gut, dann kaufen wir für Anna ein neues Wörterbuch und kein Radio. Katja bekommt ein Radio. Und Annas Bruder Jeff, was kaufen wir ihm?
OMA:	Hannelore hat mir am Telefon gesagt, dass wir ihm einen Fußball schenken sollen. Das kann in der Post nicht kaputt gehen.
OPA:	Gut. Ich kenne einen Sportladen, wo wir gute Sportsachen bekommen können. Kaufen wir Georg auch einen Fußball?
OMA:	Mmm, vielleicht. Aber ich habe die Uschi gefragt, was wir ihm kaufen sollen. Sie hat gesagt, dass er einen neuen Rucksack braucht. Rucksäcke gibt es auch in dem Sportladen, wo wir den Fußball kaufen.
OPA:	Aber was schenken wir unseren Töchtern?
OMA:	Mmm … der Hannelore will ich eine Handtasche schenken. Ich habe eine sehr elegante Tasche aus Leder gesehen. Und der Uschi schenken wir einen Pulli. Vor einer Woche sind wir zusammen einkaufen gegangen und wir haben einen schönen schwarzen gesehen. Tja, und was schenken wir unseren Schwiegersöhnen? Was denkst du?
OPA:	Bob hört gern klassische Musik. Kaufen wir ihm ein paar CDs.
OMA:	Da kennst du dich besser aus. Kaufst du sie, bitte, ja?
OPA:	Ja, gut. Ich kaufe sie. Und wenn es dir recht ist, kaufen wir unserem anderen Schwiegersohn ein Blitzlicht für seine Kamera. Seines funktioniert nicht mehr.
OMA:	Das hat mir die Uschi nicht gesagt. Aber gut, kaufen wir dem Hannes ein Blitzlicht. Wir sind fertig. Wir können gleich morgen früh einkaufen gehen.

Übung F. Wo sind diese Leute? Sie hören fünf kurze Gespräche. Kreuzen Sie in Ihrem Arbeitsbuch an, wo jedes Gespräch wahrscheinlich stattgefunden hat. Sie hören jedes Gespräch zweimal.

1.

FEMALE:	Du, schläfst du schon oder bist du noch wach?
MALE:	Ich bin wach.
FEMALE:	Wann bist du ins Bett gegangen?
MALE:	Gegen Mitternacht. Wie spät ist es jetzt?

2.

MALE 1:	Gibst du mir bitte meinen Mantel.
MALE 2:	Hier hast du ihn. Willst du auch einen Regenschirm?
MALE 1:	Ja, danke. Vergiss deine Aktentasche nicht.
MALE 2:	Nein, nein. Also, Tschüss. Bis heute Abend.

3.

FEMALE 1:	Grüß dich. Kann ich dir helfen?
FEMALE 2:	Ja, danke.
FEMALE 1:	Hast du was am Nachmittag vor? Ich möchte einkaufen gehen.

FEMALE 2:	Hol mir bitte die Butter aus dem Kühlschrank.
FEMALE 1:	Hier hast du sie.
FEMALE 2:	Danke. Mmm, ich habe nichts vor. Was willst du kaufen?

4.

FEMALE 1:	Wie schön, dass du uns endlich besuchst. Ich hoffe, du hast genug Platz hier. Der Schrank und die Kommode sind leer. Du bist nach der langen Reise vielleicht ein bisschen müde.
FEMALE 2:	Du, danke. Ich möchte mich doch ein bisschen hinlegen.

5.

MALE 1:	Guten Tag, Herr Günther.
MALE 2:	Guten Tag, Herr Meier. Schöner Tag, nicht?
MALE 1:	Ja, es wird sehr heiß, glaube ich. Ihre Blumen sind dieses Jahr sehr schön.
MALE 2:	Danke.

Übung G. Frage und Antwort. Sie hören zehn Fragen. Nach jeder Frage hören Sie zwei Antworten. Kreuzen Sie in Ihrem Arbeitsbuch die richtige Antwort an. Sie hören jede Frage und Antwort zweimal.

1. Woher kommen Anton, Nadia, Danielle und Christophe?

   a. Anton und Nadia kommen aus Ungarn. Danielle und Christophe kommen aus Frankreich.

   b. Anton und Nadia kommen mit uns. Danielle und Christophe kommen aber nicht mit.

2. Sprechen sie alle Deutsch?

   a. Sie sprechen ziemlich schnell.

   b. Außer Anton sprechen alle Deutsch.

3. Wo übernachten sie?

   a. Bei mir.

   b. Nach Hause.

4. Wie lange kennst du sie?

   a. Sie können bei mir bleiben, so lange sie wollen.

   b. Ich kenne sie seit drei Jahren.

5. Wo hast du sie kennen gelernt?

   a. In der Mensa.

   b. Nach Hause.

6. Sehen wir uns morgen?

   a. Nein, ich bin zu Hause.

   b. Nein, lieber nach der Vorlesung.

7. Meiner Meinung nach sollen wir ihm helfen. Was meinst du?

   a. Ja, von mir aus.

   b. Bis gleich!

8. Weißt du, wann er kommt?

   a. Ich glaube, seit gestern.

   b. Ich glaube, nach sieben.

9. Raucht er noch?

   a. Nein, seit einem Jahr nicht mehr.

   b. Nein, das scheint bei ihm nicht so.

10. Wie fährt er zur Uni?

   a. Mit dem Auto.

   b. Zu Fuß.

Übung H. Logisch oder unlogisch? Sie hören acht kurze Gespräche. Wenn das Gespräch logisch ist, kreuzen Sie in Ihrem Arbeitsbuch **logisch** an. Wenn das Gespräch **unlogisch** ist, kreuzen Sie unlogisch an. Sie hören jedes Gespräch zweimal.

1. Entschuldigung, gehört Ihnen dieses Portmonee?

   Nein, ich habe sie nicht gehört.

2. Die Wohnung gefällt mir sehr.

   Kaufst du sie?

3. Du, mir ist langweilig.

   Ja, mir gefällt der Film überhaupt nicht. Gehen wir.

4. Schmeckt dir die Pizza?

   Das ist mir peinlich.

5. Die Milch ist schlecht.

   Ihr ist schlecht.

6. Wie geht's?

   Danke, mir geht's nicht schlecht.

7. Ich danke dir für das Bild.

   Von wem hast du es?

8. Es geht ihr jetzt besser.

   Ja, aber die frische Luft tut ihm gut.

Übung I. Im Klassenzimmer von Frau Stein. Es ist Freitag früh. Die Schüler von Frau Stein haben ihre Hausaufgaben nicht gemacht. Hören Sie sich die vielen Ausreden an. Welche Ausrede passt zu welcher Person?

FRAU STEIN:	Stefan, machen Sie bitte Nummer 1.
STEFAN:	Mmmm.
FRAU STEIN:	Haben Sie die Hausaufgaben gemacht, Stefan?
STEFAN:	Nein, Frau Stein. Ich habe Kopfweh gehabt.
FRAU STEIN:	Uh huh. Susanne, bitte, Nummer 1.
SUSANNE:	Welche Nummer bitte?

FRAU STEIN:	Nummer 1.
SUSANNE:	Mmmm.
FRAU STEIN:	Haben Sie die Hausaufgaben auch nicht gemacht?
SUSANNE:	Nein, Frau Stein. Ich kann nicht schreiben. Ich habe mir beim Tennisspielen den Finger gebrochen.
FRAU STEIN:	Das tut mir Leid. Michael, bitte.
MICHAEL:	Ich habe die Hausaufgaben auch nicht gemacht, Frau Stein.
FRAU STEIN:	Und warum?
MICHAEL:	Ich war gestern Abend beim Zahnarzt, weil mir ein Zahn furchtbar wehgetan hat. Er hat einen Zahn gezogen und mir ein Medikament für die Schmerzen gegeben. Ich habe das Medikament genommen und bin sofort eingeschlafen.
FRAU STEIN:	Das tut mir Leid, Michael. Monika, machen Sie die Nummer 1 bitte.
MONIKA:	Ich habe die Hausaufgaben auch nicht machen können, Frau Stein. Ich habe eine Arbeit für Herrn Naumann schreiben müssen und habe den ganzen Tag vor dem Computer gesessen. Nachher haben mir die Augen wehgetan, und ich bin früh ins Bett gegangen.
FRAU STEIN:	Melanie, vielleicht können Sie die Nummer 1 machen.
MELANIE:	Es tut mir Leid, aber ich habe gestern zum Abendessen etwas Schlechtes gegessen. Ich habe Bauchschmerzen gehabt und habe die Hausaufgaben nicht machen können.
FRAU STEIN:	Mmmm. Thomas, Nummer 1, bitte.
THOMAS:	Uhhhh, Frau Stein. Ich habe gestern Nachmittag Fußball gespielt und ich habe mir die Schulter verletzt.
FRAU STEIN:	Robert, was hat Ihnen gestern Abend weh getan, oder haben Sie die Hausaufgaben gemacht?
ROBERT:	Es tut mir Leid, Frau Stein, aber mein Hund hat meine Hausaufgaben gefressen???
FRAU STEIN:	Ja, ja. Jetzt tut *mir* der Kopf weh.

Übung J. Ein Interview mit Aydin Yardimci. Journalistin Monika Hoegen interviewt Aydin Yardimci. Herr Yardimci ist Fleischgroßhändler in Köln und ist Mitglied der TIDAF. Bevor Sie sich das Interview anhören, schauen Sie sich die neuen Vokabeln an. Kreuzen Sie dann in Ihrem Arbeitsbuch an, ob die Aussagen stimmen oder nicht.

MONIKA HOEGEN:	Wie erklären Sie sich den Mut Ihrer Landsleute, sich selbstständig zu machen?
HERR YARDIMCI:	Viele Türken wissen, was es heißt, arm zu sein. Sie wollen deshalb möglichst viel Geld verdienen und die Zukunft ihrer Familien und Kinder sichern.
MONIKA HOEGEN:	Hat eine Existenzgründung nicht zu viele Risiken?
HERR YARDIMCI:	Wenn man fleißig und korrekt ist, den ganzen Tag bis zu 18 Stunden arbeitet, wie soll man da nicht verdienen können? In Deutschland kann man gut Geschäfte machen.
MONIKA HOEGEN:	Was sind die speziellen Probleme für Türken, die in Deutschland ein eigenes Geschäft gründen möchten?

HERR YARDIMCI:	Manche haben das nötige Kapital, aber keine Erfahrung. Unser Verband bietet deshalb zusammen mit der Kölner Industrie- und Handelskammer Seminare für den Einstieg in die Geschäftswelt an.
MONIKA HOEGEN:	Wie ist der Kontakt zu den deutschen Unternehmern?
HERR YARDIMCI:	Im täglichen Geschäft gibt es eine gute Zusammenarbeit. Schade ist nur, dass noch nicht allzu viele unserem Verband beigetreten sind. Ihr Anteil beträgt zur Zeit zwischen fünf und acht Prozent.
MONIKA HOEGEN:	Wie ist der Kontakt zu deutschen Behörden?
HERR YARDIMCI:	Die Kontakte sind sehr gut. Die Türken könnten auch eine Brücke zu den GUS-Staaten bilden. Im September soll in Köln eine Art türkisch-deutsche Industrie- und Handelskammer gegründet werden.
MONIKA HOEGEN:	Haben türkische Unternehmer mit Ausländerfeindlichkeit zu kämpfen?
HERR YARDIMCI:	Ausländerfeindlichkeit gibt es in jedem Land. Ich glaube nicht, dass alle Deutschen so denken. In der Geschäftswelt habe ich selbst seit 15 Jahren nie Probleme gehabt. Ich bin sowieso deutscher Staatsbürger, Deutschland ist meine Mutter, die Türkei mein Vater.

Kapitel 7: Man kann alles in der Stadt finden

HÖRTEXTE AUS DEM BUCH

Anlauftext: Barbara muss ein Konto eröffnen

Sie hören den Anlauftext „Barbara muss ein Konto eröffnen". Siehe Seite 266 und Seite 267 bis 268 Ihres Lehrbuches. Hören Sie sich den Text ein paar Mal an. Bevor Sie den Text das erste Mal hören, machen Sie Ihr Lehrbuch zu. Machen Sie das zweite Mal Ihr Lehrbuch auf und lesen Sie mit.

Barbara, die neue Studentin aus Dresden, sucht eine Bank, denn sie will ein Konto eröffnen. Auf dem Weg zur Bushaltestelle trifft sie Stefan und Karl. Zusammen fahren sie mit dem Bus in die Stadt. Karl und Stefan geben Barbara ein paar gute Tipps, zum Beispiel, wo sie eine gute Buchhandlung finden kann und wo sie eine Semesterkarte für den Bus kaufen kann.

Barbara muss ein Konto eröffnen.

STEFAN:	Grüß dich, Barbara!
BARBARA:	Ah, grüßt euch! Was macht ihr denn hier? Wo geht ihr hin?
KARL:	Wir fahren runter in die Stadt.
STEFAN:	Ja, ich muss auf die Post und Karl will Geld abheben. Und du?
BARBARA:	Ich muss in die Buchhandlung und auch ein Konto eröffnen. Könnt ihr mir eine Bank empfehlen?
KARL:	Die Kreissparkasse. Die hat eine Filiale ganz in der Nähe von der Uni. Da hab' ich mein Konto.
STEFAN:	Da fahren wir hin. Komm doch mit!
BARBARA:	Na, gerne. Fahrt ihr immer mit dem Bus in die Stadt?
KARL:	Ich nicht. Ich fahr meistens mit dem Rad.
STEFAN:	Ich schon. Ich hab' eine Semesterkarte.
BARBARA:	Wo kann ich mir eine besorgen?
STEFAN:	Am Kiosk Schmid am Hauptbahnhof oder in der Sparkasse.
KARL:	Und gleich gegenüber von der Sparkasse gibt's eine gute Buchhandlung.
BARBARA:	Na, fein. Dann kann ich praktisch alles in der Stadt erledigen.

Absprungtext: „Schindlers Liste"und „Die Abrechnung"

Sie hören jetzt eine Aufnahme der Absprungtexte „Schindlers Liste" und „Die Abrechnung". Siehe Seite 293 Ihres Lehrbuches.

Anna hat Barbara von dem Film „Schindlers Liste" erzählt. In einem Katalog vom Bertelsmann Club liest Barbara über das Buch „Schindlers Liste" von Thomas Keneally. Sie liest auch über „Die Abrechnung", ein Buch über Neonazis in Deutschland. Das eine oder das andere Buch will sie bestellen oder sogar noch heute in der Stadt kaufen.

Hören Sie sich den Text an.

Thomas Keneally, „Schindlers Liste"

An Originalschauplätzen in Polen drehte Steven Spielberg im Frühjahr 1993 einen Film über Oskar Schindler. Spielberg bezeichnet diesen Film, der jetzt in den Kinos anläuft, als sein wichtigstes Werk.

Neuauflage. Das Buch zum Film.

Mit List und Verstand, mit Bestechung und mit guten Beziehungen zu Nazigrößen im besetzten Polen rettet der deutsche Unternehmer Oskar Schindler 1300 jüdische Arbeiter vor der Gaskammer: Er läßt sie für sich arbeiten, erklärt ihre Arbeit für „kriegswichtig". Schindler war ein Besessener, der bereit war, alles zu riskieren für eine waghalsige, phantastische Rettungsaktion.

Roman. 352 Seiten. Gebunden mit Schutzumschlag. 02698 9. Club-Preis nur 22 Mark 90.

Ingo Hasselbach, „Die Abrechnung • Ein Neonazi steigt aus"

Neu.

Dieser aktuelle, authentische Bericht zum Thema Rechtsradikalismus bringt Zündstoff in die öffentliche Diskussion über eines der dringlichsten und widersprüchlichsten deutschen Themen.

Ingo Hasselbach – noch vor einem Jahr der führende Kopf der ostdeutschen rechtsextremen Szene – gibt öffentlich seinen Austritt aus den neonazistischen Organisationen bekannt. Er beschreibt die Strukturen und Planungen der Neonazis, ihre europäischen Vernetzungen, Hintermänner und Anführer, schildert seine Motive für den Ausstieg aus einer Szene, die wie eine Droge wirkt.

160 Seiten. Mit vielen Abbildungen. Gebunden. 02603 9. Club-Preis nur 19 Mark 90.

Zieltext: In der Buchhandlung

Es folgt der Zieltext „In der Buchhandlung" auf Seite 307 Ihres Lehrbuches. Hören Sie sich den Text ein paar Mal an – zuerst mit dem Buch zu und dann mit dem Buch auf.

Barbara hat im Bertelsmann Katalog über die Bücher „Schindlers Liste" und „Die Abrechnung" gelesen. Sie geht in eine Buchhandlung, denn sie möchte vielleicht die Bücher kaufen. Sie braucht auch ein Vorlesungsverzeichnis für die Uni. Ihr Freund Karl kommt mit und wartet draußen auf Barbara.

VERKÄUFER: Guten Tag. Was kann ich für Sie tun?

BARBARA: Ich habe gestern von einem Buch gelesen über Neonazis … ich weiß jetzt nicht mehr so genau. Könnten Sie mir da vielleicht mal helfen? Das soll ein Bestseller sein, eine Autobiographie.

VERKÄUFER: Also, aktuell haben wir momentan „Die Abrechnung" von Ingo Hasselbach. Sagt das Ihnen was, oder?

BARBARA: Ja, das könnte es sein, ja, genau.

VERKÄUFER   Wenn Sie bitte mitkommen möchten. Sie liegen da vorne aus. Bitte schön. Möchten Sie's anschauen?

BARBARA: Tja, hmm. Ich bin mir aber nicht genau sicher, es sollte schon etwas in der heutigen Zeit sein.

VERKÄUFER   Ja, „Die Abrechnung", das ist also hochaktuell. Es handelt von Ingo Hasselbach, der aus der Neonaziszene ausgestiegen ist und die europäische Neonaziszene beschreibt. Er schildert die Vernetzungen nicht nur in Deutschland, sondern auch in den anderen europäischen Staaten.

BARBARA: Gut, da nehm' ich mal dieses Buch.

VERKÄUFER	Gut, kommen Sie bitte mit zur Kasse. Das macht 19 Mark 90.
BARBARA:	So, bitte.
VERKÄUFER	So, und 10 Pfennig zurück. Vielen Dank.
BARBARA:	Wiedersehen.
KARL:	Und? Hast du was gefunden?
BARBARA:	Ja, ja, ich habe „Die Abrechnung" von Ingo Hasselbach gekauft.
KARL:	O.K., du wolltest doch dein Vorlesungsverzeichnis noch holen, oder?
BARBARA:	Aaah!!!! Da muss ich noch einmal zurückgehen. Wartest du noch einen Moment?
KARL:	Tja, manche haben's im Kopf, andere in den Beinen.
BARBARA:	Entschuldigen Sie bitte! Ich muss Sie noch einmal stören. Ich brauch' noch ein Vorlesungsverzeichnis.
VERKÄUFER	Ein Vorlesungsverzeichnis. Sieben Mark siebzig, bitte. Möchten Sie eine Tüte, oder geht's auch ohne?
BARBARA:	Nein, nein, ich tu' das in den Rucksack.
VERKÄUFER	Bitte schön. Die Quittung liegt auf der ersten Seite.
BARBARA:	Danke! Tschüss!
VERKÄUFER	Wiedersehen!
BARBARA:	So, was machen wir jetzt?

WEITERE HÖRTEXTE UND ÜBUNGEN

Hörtext 1: Übung A. Die Diebin und der Detektiv. Inspektor Prachner arbeitet immer noch an dem Fall der gestohlenen Bücher. Im Moment folgen er und sein Kollege einer Frau. Inspektor Prachner glaubt, das diese Frau die Diebin ist. Hören Sie zu, wie sich der Fall weiterentwickelt. Kreuzen Sie dann in Ihrem Arbeitsbuch an, ob die Aussagen stimmen oder nicht.

KOLLEGE:	Ich kenne doch diese Buchhandlung. Mein Onkel hat mal in dieser Buchhandlung gearbeitet. Was macht sie jetzt?
INSP. PRACHNER:	Sie steht neben der Tür und blättert in einem Buch. Mmm, sie stellt ihren Rucksack auf den Boden. Sie hat das Buch noch in der Hand.
KOLLEGE:	Was macht sie?
INSP. PRACHNER:	Ich kann sie nicht sehen. Jetzt beugt sie sich hinunter.
KOLLEGE:	Was macht sie? Jetzt steht sie. Wo ist aber das Buch, das sie in der Hand gehabt hat? Passen Sie auf, sie kommt heraus. Ihr Rucksack scheint viel schwerer als vorher. Er ist sicher voller Bücher. Sie geht über die Straße. Wo ist sie? Ich sehe sie nicht.
INSP. PRACHNER:	Sie steht an der Ampel – zwischen der Frau mit dem Kind und dem Jungen. Sie überquert die Straße. Sie geht jetzt auf der anderen Seite. Ah huh, sie steigt in ein rotes Auto. Also, jetzt geht's los. Folgen wir ihr. Aber fahren Sie nicht zu nahe dran. Wo ist sie jetzt? Da ist ihr Auto – dort – zwischen dem Lastwagen und dem Mercedes. Mmmm, vielleicht hat sie genug für heute – an der Buchhandlung fährt sie vorbei. Schnell, Sie müssen in die rechte Spur hinüber. Sie fährt um die Ecke – in die Landtmannstraße. Sehen Sie sie? Da ist sie. Nicht weiterfahren! Halt. Sie bleibt vor dem Kiosk stehen.

Na, also, zahlt sie für die Zeitung, oder stiehlt sie sie auch? Für die Zeitung hat sie Geld – sie nimmt das Portmonee aus dem Rucksack. Aber wo ist der Verkäufer? Er scheint nicht im Kiosk zu sein. Jetzt geht sie hinter den Kiosk. Da ist er.

Sie fährt wieder los. Und jetzt wohin, meine Dame? Oje, sie fährt über die Brücke. Hoffentlich will sie nicht auf die Autobahn fahren. Zu dieser Zeit gibt es immer viel Verkehr. Gott sei Dank tut sie das nicht. Jetzt biegt sie nach links ab – da – sie fährt in die Mommsenstraße hinein! Langsam, langsam. Ich glaube, sie sucht einen Parkplatz. Bleiben Sie hier hinten stehen.

KOLLEGE:	Was macht sie?
INSP. PRACHNER:	Sie will anscheinend jemanden abholen – jemanden, der über der Bäckerei wohnt. Welche Nummer hat das Haus? 63. Mmm, Mommsenstraße 63. Das müssen wir notieren. Wer wohnt da?
KOLLEGE:	Ich kann von meiner Seite gar nichts sehen.
INSP. PRACHNER:	Sie steigt aus dem Auto. Sie holt etwas von dem hinteren Sitzplatz. Den Rucksack. Schauen Sie – etwas ist aus dem Rucksack gefallen. Was ist es? Wo ist es gelandet? Es liegt unter dem Auto. Sie versucht es aufzuheben. Es ist ein Buch. Ich bin sicher. Gehen wir. Helfen wir ihr, das Buch von unter dem Auto zu holen.

Übung B. Die Ereignisse. Der Kollege von Inspektor Prachner hat einen Bericht über die Ereignisse geschrieben. Aber die Reihenfolge der Ereignisse stimmt nicht. In Ihrem Arbeitsbuch bringen Sie die Sätze in seinem Bericht in die richtige Reihenfolge.

Übung C. Noch einmal: die Diebin und der Detektiv. Hören Sie noch einmal, wie Inspektor Prachner und sein Kollege der Frau gefolgt sind. Wenn Sie eine der Präpositionen aus Ihrem Arbeitsbuch hören, kreuzen Sie sie an. Welche Präposition hat die meisten Kreuze?

Zum Beispiel:

Sie hören:

INSP. PRACHNER: … und blättert in einem Buch.

Sie machen ein **X** neben die Präposition **in**.

Fangen wir an.

Übung D. Zum letzten Mal: die Diebin und der Detektiv. Hören Sie Inspektor Prachner und seinem Kollegen noch einmal zu. Schreiben Sie fehlende Artikel in die Lücken in Ihrem Arbeitsbuch.

Zum Beispiel:

Sie hören:

INSP. PRACHNER: Sie steht neben der Tür…

Sie schreiben **der** in das Satzglied **neben … Tür.**

Nachdem Sie den Text gehört haben, kreuzen Sie an, ob die Präpositionen die Frage **wo?** oder **wohin?** beantworten.

Fangen wir an.

Hörtext 2: Übung E. Anna schreibt einen Brief. Zum ersten Mal, seitdem sie in Tübingen angekommen ist, schreibt Anna einen Brief. Hören Sie sich den Brief an. Danach hören Sie elf Aussagen zum Brief. Kreuzen Sie in Ihrem Arbeitsbuch an, ob die Aussagen stimmen oder nicht. Sie hören jede Aussage zweimal.

Liebe Mutti, lieber Vati, lieber Jeff,

es läuft alles bestens an der Uni. Ich habe viele Studenten aus Deutschland und anderen Ländern kennen gelernt. Es tut mir Leid, dass ich nicht früher geschrieben habe, aber es gibt so viel zu tun. Ich hoffe, ihr seid mir nicht böse.

Mein Zimmer ist sehr nett – klein aber nett. Es ist ein Einzelzimmer, und ich habe sogar mein eignes Bad! Ich habe eine Pflanze gekauft und sie auf meinen Schreibtisch gestellt. Fabio, ein Student aus Hamburg, hat mir ein Poster gegeben. Er hat es auch für mich an die Wand gehängt.

Am Ende vom Korridor gibt es eine Küche, wo wir selber kochen können. In der Küche hat jede Person ein Fach, in das man sein Essen reinstellen kann. Barbara, eine neue deutsche Freundin, und ich sitzen oft dort und sprechen über das Studium oder das Leben in Deutschland. Die Barbara erinnert mich sehr an meine Freundin Karen zu Hause. Wenn wir mit dem Bus zum Stadtzentrum fahren, achtet sie nie auf die Nummer des Busses. Wir sind einmal in den falschen Bus gestiegen und in die falsche Richtung gefahren – genau wie es die Karen manchmal macht. Aber die Barbara hat mir viel geholfen – und sie lacht nie über meine Sprachfehler.

Meine Vorlesungen sind interessant. Zwei sind in großen Hörsälen. Es gibt mindestens 100 Studenten und Studentinnen. Die Professoren reden etwa fünfzig Minuten ohne Pause. Ich kann kaum Notizen machen, denn sie reden sehr schnell. Meine anderen Kurse sind Seminare. In einem Seminar sind weniger Studenten. Der Professor redet, aber er stellt auch Fragen und wir diskutieren viel.

Eines meiner Seminare handelt vom Zweiten Weltkrieg. Wir haben den Film „Schindlers Liste" sehen müssen. Meiner Meinung nach kennt sich der Professor gut aus – er ist Historiker und hat einige Bücher über den Zweiten Weltkrieg geschrieben. Er hat viele Interviews gemacht mit Leuten, die in Deutschland, Polen, Israel und den Vereinigten Staaten leben und den Krieg erlebt haben. Er hat die Interviews auf Kassette aufgenommen und wir haben sie im Seminar angehört. Der Professor versucht auch, die Geschichte mit der heutigen Zeit zu verbinden, und wir lesen gerade ein aktuelles Buch über die Neonazis. Manchmal sprechen wir über die heutigen Probleme Deutschlands und wie es nach der Vereinigung weitergehen wird. Es ist alles sehr interessant.

Ich muss jetzt Schluss machen. Barbara wartet wahrscheinlich auf mich. Wir gehen zusammen auf den Markt. Ich denke oft an euch und hoffe jeden Tag auf einen Brief von euch.

Alles Liebe, Anna

Kreuzen Sie jetzt in Ihrem Arbeitsbuch an, ob die Aussage stimmt oder nicht.

1. Anna schreibt einen Brief an ihre Tante Uschi und ihren Onkel Hannes in Weinheim.

2. Sie beschreibt ihr Zimmer und das Essen.

3. Anna mag ihr Zimmer nicht.

4. Auf ihrem Schreibtisch steht eine Pflanze.

5. Ein Poster hängt an der Wand.

6. Anna sitzt oft in der Küche und spricht mit ihrer Freundin Barbara.

7. Barbara passt immer genau auf, wohin sie geht.

8. Anna geht nur in Vorlesungen. Sie macht keine Seminare.

9. Anna lernt viel über den Zweiten Weltkrieg.

10. Anna denkt oft an ihre Familie.

11. Sie möchte einen Brief bekommen.

Übung F. Fragen und Antworten. Sie hören jetzt neun Fragen zu Annas Brief. Nach jeder Frage hören Sie zwei Antworten. Kreuzen Sie in Ihrem Arbeitsbuch die richtige Antwort an. Sie hören jede Frage und Antwort zweimal.

1. Wo steht die Pflanze?

    a. auf dem Schreibtisch

    b. auf den Schreibtisch

2. Wo hängt das Poster?

    a. an die Wand

    b. an der Wand

3. Wohin stellt Anna das Essen?

    a. in das Fach

    b. in dem Fach

4. An wen erinnert Barbara Anna?

    a. an ihrer Freundin Karen

    b. an ihre Freundin Karen

5. Wohin sind Anna und Barbara einmal mit dem Bus gefahren?

    a. in die falsche Richtung

    b. in der falschen Richtung

6. Über wen lacht Barbara nie?

    a. über die Anna

    b. über der Anna

7. Worüber sprechen die Studenten im Seminar oft?

    a. über den Problemen Deutschlands

    b. über die Probleme Deutschlands

8. An wen denkt Anna oft?

    a. an ihre Eltern

    b. an ihren Eltern

9. Wohin gehen Anna und Barbara?

    a. auf dem Markt

    b. auf den Markt.

Hörtext 3: Übung G. Der Roman von Michael Kaluder. Sie hören jetzt das nächste Kapitel aus dem Roman von Michael Kaluder. Hören Sie sich den Text an und beantworten Sie dann die Fragen in Ihrem Arbeitsbuch.

NARRATOR: Janus ist seit zwei Wochen wieder zu Hause. Manchmal findet man sich nach dem Urlaub viel zu schnell wieder in der Alltagsroutine, und die Stimmung vom Urlaub ist verloren. An das, was man erlebt hat, an die Gefühle der Freiheit und Anonymität, kann man sich kaum noch erinnern. Für Janus ist es aber diesmal nicht so. Die Reise nach Griechenland, besonders die Woche auf der Insel, geht ihm nicht aus dem Kopf. Das Wetter – am Tag so warm und schwül, am Abend kühl mit einem leichten Wind – war im September noch nie so. Es fehlt nur der Duft des Meerwassers und des gegrillten Fisches, und natürlich fehlt auch Susanne.

Sie ist aber bald bei ihm. Das Semester fängt in ein paar Wochen an. Es ist heute erst der fünfte September, und in einer Woche kommt Susanne an. Am zwölften September um 20 Uhr 50 kommt sie mit dem Zug aus Athen an. Sie bleibt eine Woche oder vielleicht einen Monat bei Janus. Sie weiß es nicht genau, hat sie ihm am Telefon gesagt. Sie will ihn aber unbedingt wiedersehen, und sie muss zu keiner bestimmten Zeit wieder zu Hause sein. „Komisch", denkt Janus, „ich weiß nicht, woher sie kommt. Wir haben eine Woche zusammen auf der Insel verbracht, und ich weiß nur, dass sie aus Deutschland kommt und dass sie auf Urlaub ist."

Der Tag ist endlich da. Es ist der zwölfte September. Janus ist früh aufgestanden. Manchmal steht er am Wochenende nicht so früh auf, aber er hat viel zu tun. In 14 Stunden kommt der Zug aus Athen an. Er muss für das Wochenende einkaufen, und am Samstag schließen die Geschäfte um 13 Uhr. Er hat wieder als Kellner in der Kneipe gearbeitet, darum hat er am Freitag nicht einkaufen gehen können. Er will seine Mutter heute auch besuchen, denn wahrscheinlich sieht er sie die ganze Woche nicht. Er läuft schnell zu Fuß in die Bäckerei. Er wohnt im selben Haus, in dem die Bäckerei ist – im dritten Stockwerk. Er trägt das Brot und die Brötchen in die Wohnung hinauf, dann geht er wieder 'runter, steigt in die Straßenbahn ein und fährt zum Markt. Auf dem Markt kauft er ein Fischfilet – ganz frisch –, genau wie in Griechenland. Beim Gemüsehändler kauft er schöne rote Tomaten, einen grünen Paprika und einen Salat ein. Alles muss frisch sein. Bald sind seine Einkaufstaschen voll, und er fährt mit einem Taxi nach Hause.

Um elf Uhr dreißig ist er wieder zu Hause. Er hat noch Zeit, in das Blumengeschäft hinunterzulaufen. Er will Susanne die Blumen geben, wenn er sie am Abend am Bahnhof abholt.

VERKÄUFER	„Guten Tag, Herr Prohaska. Was darf es heute sein?"
JANUS:	„Ich möchte bitte Rosen."
VERKÄUFER	„Rosen. Gut. Gelbe? Weiße? Wir haben auch sehr schöne rote Rosen."
JANUS:	„Hmmm, die Roten sind sehr schön. Aber vielleicht ist es zu früh, ihr rote Rosen zu kaufen. Geben Sie mir bitte sieben weiße Rosen mit etwas Grünem dazu."
VERKÄUFER	„Gerne. Und 2 Mark zurück. Danke schön, Herr Prohaska. Auf Wiedersehen."
JANUS:	„Auf Wiedersehen."
NARRATOR:	Er räumt die Wohnung auf, isst schnell ein Wurstbrot und fährt dann am Nachmittag mit dem Fahrrad zu seiner Mutter.

Hörtext 4: Übung H. Wie komme ich am besten dahin? Sie sind mit dem Zug nach Stuttgart gefahren. Sie möchten zuerst die Staatsgalerie besuchen und dann zum Schillerplatz gehen. Zwei Personen helfen Ihnen jedes Mal, den richtigen Weg zu finden. Sie stehen jetzt vor dem Hauptbahnhof und haben einen Mann gefragt, wie Sie am besten zu Fuß zur Staatsgalerie kommen. Hören Sie sich die Wegbeschreibung an und zeichnen Sie auf dem Stadtplan in Ihrem Arbeitsbuch ein, wie Sie am besten dort hinkommen.

Am besten gehen Sie hier links und die Schillerstraße entlang. Gehen Sie geradeaus bis zur Kreuzung Schillerstraße und Konrad-Adenauer-Straße. Überqueren Sie die Konrad-Adenauer-Straße und gehen Sie dann nach rechts. Gehen Sie die Konrad-Adenauer-Straße entlang bis zur Eugenstraße. An der Ecke Eugenstraße und Urbanstraße gehen Sie nach links, und Sie sehen schon den Eingang zur Staatsgalerie.

Sie haben jetzt die Staatsgalerie besucht und fragen eine Dame in der Galerie, wie Sie zum Schillerplatz kommen. Hören Sie der Dame zu und zeichnen Sie den Weg auf dem Stadtplan in Ihrem Arbeitsbuch ein.

Wenn Sie aus dem Eingang gehen, gehen Sie nach rechts und gehen Sie die Urbanstraße entlang. Ich schlage vor, Sie bleiben auf der Urbanstraße bis zur Charlottenstraße. Es gibt weniger Verkehr in der Urbanstraße als in der Konrad-Adenauer-Straße. Also, an der Ecke Urbanstraße und Charlottenstraße gehen Sie nach rechts. Sie kommen dann zur Konrad-Adenauer-Straße. Gehen Sie über die Straße. Vor Ihnen steht ein großes Gebäude. Gehen Sie links um das Gebäude und Sie kommen auf die Dorotheenstraße. Gehen Sie die Dorotheenstraße geradeaus. Sie kommen dann direkt an den Schillerplatz.

VORSPRUNG Tapescript: Kapitel 7   **117**

Kapitel 8: An der Uni studieren

Anlauftext: Ein Gruppenreferat

Sie hören den Anlauftext „Ein Gruppenreferat". Siehe Seite 314 und Seite 315 bis 316 Ihres Lehrbuches. Hören Sie sich den Text ein paar Mal an. Bevor Sie den Text das erste Mal hören, machen Sie Ihr Lehrbuch zu. Das zweite Mal machen Sie Ihr Lehrbuch auf und lesen Sie mit.

Karl und Stefan sind Partner in einem Betriebswirtschaftsproseminar. Ihre Arbeitsgruppe soll nächste Woche ein Referat halten; sie müssen im Proseminar über ihr gemeinsames Projekt sprechen, aber sie haben noch gar nichts geschrieben. Karl geht zu Frau Dr. Osswald in die Sprechstunde und erfindet Ausreden, warum er und Stefan noch nicht viel gemacht haben.

Ein Gruppenreferat

DR. OSSWALD:	Ja, herein, bitte.
KARL:	Guten Tag. Sie haben heute Sprechstunde, nicht?
DR. OSSWALD:	Ja, schön, dass Sie sich endlich melden. Wie sieht es mit Ihrem Referat aus? Kann Ihre Arbeitsgruppe nächste Woche das Referat halten?
KARL:	Ja, deswegen bin ich da. Wir haben ein paar Probleme gehabt.
DR. OSSWALD:	Ja?
KARL:	Ja, ich habe mich schwer erkältet und habe drei Tage im Bett gelegen.
DR. OSSWALD:	Ja, und Ihr Partner?
KARL:	Tja, er hat sich das Bein gebrochen.
DR. OSSWALD:	So, so. Sie haben wirklich Pech gehabt! Haben Sie sich überhaupt für ein Thema entschieden?
KARL:	Ja. Haben wir das nicht angemeldet?
DR. OSSWALD:	Ich kann mich jedenfalls nicht daran erinnern. Wie heißt Ihr Thema noch mal?
KARL:	„Die Rolle der Industrie in der Europäischen Union".
DR. OSSWALD:	Schön. Das ist ein wirklich aktuelles Thema. Wie lange wird das Referat dauern?
KARL:	Das wissen wir noch nicht so genau.
DR. OSSWALD:	Vergessen Sie nicht: Sie haben maximal fünfundvierzig Minuten. Konzentrieren Sie sich auf das Wichtigste.
KARL:	Wird es einen Overheadprojektor im Seminarraum geben? Wir haben nämlich viele Folien.
DR. OSSWALD:	Ich werde einen Overheadprojektor für Sie bestellen. Und haben Sie zusätzlich auch Handouts?
KARL:	Ja, natürlich, natürlich. Die haben wir schon vorbereitet und kopiert.
DR. OSSWALD:	Fein. Ich freue mich schon auf Ihr Referat.

KARL:	Ja, danke. Auf Wiedersehen, bis nächste Woche.
STEFAN:	Na, Karl, wie war's? Was hast du ihr gesagt?
KARL:	Ach, Stefan, wir müssen unser Referat schon nächste Woche halten. Das werden wir bis nächste Woche nie schaffen. Ich fühle mich jetzt schon krank. Ich muss mich unbedingt hinlegen.

Absprungtext: „Welche Uni ist die beste?"

Sie hören jetzt eine Aufnahme des Absprungtexts „Welche Uni ist die beste". Siehe Seite 332 und Seite 335 bis 336 Ihres Lehrbuches.

In einer Sonderausgabe vom deutschen Nachrichtenmagazin „Der Spiegel" erzählen drei Studenten von ihren Universitäten in Dortmund, Mainz und Braunschweig und dem Studentenleben dort.

Peter Ohm, 25 Jahre alt, Student in Dortmund

Billig wohnen können Studenten in Dortmund nach Erfahrung von Peter Ohm, 25. Zum Nachtleben in der Umgebung der Universität fallen dem Maschinenbau-Studenten im 10. Semester allerdings nur zwei Worte ein: „Tote Hose".

Peter Ohm zum Thema: Universität.

Die Uni Dortmund, vor 25 Jahren auf der grünen Wiese am Stadtrand gebaut, war und ist eine Pendler-Universität. Rund um den Campus gibt es zahllose Parkplätze. Mit dem Semesterticket haben die Studenten aber auch in Bahnen und Bussen im ganzen Ruhrgebiet freie Fahrt. Ein einzigartiger Pluspunkt der Uni: Das Mensa-Essen ist ausgesprochen lecker.

Peter Ohm zum Thema: Wohnen.

Aufgrund der großen Zahl der Pendler finden die Studenten noch Wohnungen zu erträglichen Preisen. Ein Zimmer im Studentenwohnheim in Uni-Nähe – darauf muß man allerdings knapp ein Jahr warten – kostet 200 Mark, und auch auf dem privaten Wohnungsmarkt sind die Zimmer bezahlbar.

Werner Bendix, 25 Jahre alt, Student in Mainz

Der grüne Campus lockte Werner Bendix, 25, nach Mainz. Obwohl sich die Zahl seiner Kommilitonen mittlerweile verdoppelt hat, zieht der Betriebswirtschafts-Student (im 9. Semester) die Uni noch immer allen anderen vor.

Werner Bendix zum Thema: Universität.

Ich gehe gern hin, obwohl die Uni wächst und wächst. Nach zwei Jahren Provisorium im Hörsaal-Zelt dem „Bierzelt", hat der Fachbereich im letzten Semester einen großzügigen Neubau bezogen. Die Räume sind hell, die Bibliothek finde ich vorbildlich. Nur die Mensa ist noch nicht auf den Ansturm eingestellt, wer billig essen will, braucht Geduld.

Werner Bendix zum Thema: Jobs.

Ballungsraum Rhein-Main kein Problem. Ich habe als Aushilfspfleger in der Psychatrie 21 Mark pro Stunde verdient.

Werner Bendix zum Thema: Wohnen.

Zimmer sind rar und teuer. Plätze im Studentenwohnheim gibt es nur für jeden zehnten, zwei bis drei Semester Wartezeit sind üblich. Wer nicht in einem Wohnheim unterkommt, muß mit 500 Mark Miete rechnen.

Lutz Harder, 23, Student in Braunschweig

Ganz exotisch findet Lutz Harder, 23, sein Anglistik-Studium an der Technischen Universität Braunschweig. Der Student im 5. Semester zieht persönliche Kontakte dem Lehrangebot einer Massen-Uni vor.

Lutz Harder zum Thema: Universität.

Ich will mir nichts vormachen: Ein Anglist an der TU Braunschweig ist ein Exot. Mir gefällt indes gerade, dass unser Seminar so klein ist: Das Arbeiten hier macht Spaß. Anders als an einer Massen-Uni kenne ich meine Kommilitonen, mit vielen Dozenten habe ich auch außerhalb der Sprechstunden persönlichen Kontakt.

Lutz Harder zum Thema: Jobs.

Wer seinem BAföG etwas auf die Sprünge helfen muß, findet außerhalb der Uni problemlos einen Job. Die Zahl der Hiwi-Stellen ist eher begrenzt.

Lutz Harder zum Thema: Wohnung.

Die Wartezeit für Wohnheime liegt bei zwei bis drei Semestern, kann aber mit genug Druck reduziert werden. Auf dem freien Markt gehört neben ein bißchen Kleingeld (Monatsmiete für ein Zimmer: 300 bis 500 Mark) eine Portion Glück dazu.

Zieltext: Gespräch auf einer Party

Es folgt der Zieltext „Gespräch auf einer Party" auf Seite 353 bis 354 Ihres Lehrbuches. Hören Sie sich den Text ein paar Mal an – zuerst mit dem Buch zu und dann mit dem Buch auf.

Karl und Inge nehmen Anna und Barbara mit auf eine Party im Wohnheim. Bald sehen Inge und Karl eine Studentin aus einem Seminar, aber sie können sich nicht an ihren Namen erinnern. Die Studentin kommt vorbei, stellt sich als Sabine vor, und lernt dabei Anna kennen. Sie kommen ins Gespräch und diskutieren die Probleme an der Universität.

BARBARA:	Bwaah! Eigentlich eine ganz gute Party, findest du nicht auch?
KARL:	Ja, aber die Musik ist ein bisschen lahm. Die könnte ein bisschen peppiger sein.
ANNA:	Ach, mir gefällt sie ganz gut.
KARL:	Habt ihr Lust zu tanzen, oder wollen wir einfach so 'ne Weile plaudern?
ANNA:	Ich würde lieber reden – da kann ich verschiedene Leute kennen lernen …
INGE:	Da, guck mal, wer da hinten ist, Karl! Kannst du dich erinnern? Ist die nicht bei uns im Kurs?
KARL:	Ja, die kommt mir bekannt vor.
INGE:	Wie heißt sie denn noch?
KARL:	Irgendwas mit „S".
INGE:	Sabine, Susanne, Sabrina … Ist es so ein moderner Name?
SABINE:	Heh, ihr zwei, seid ihr nicht auch in dem Seminar bei Dr. Osswald?
INGE:	Richtig. Richtig. Ich habe gerade gesagt, dein Gesicht kommt mir irgendwie bekannt vor. Wie war dein Name?
SABINE:	Sabine. Wie heißt ihr nochmal?
INGE:	Ich heiß' Inge, und das ist der Karl. Und das ist die Anna, sie ist die Studentin aus Amerika.
ANNA/KARL:	Hallo!

SABINE:	Aus Amerika? Ist ja toll. Kommst du dann auch mal mit in das Seminar?
INGE:	Seminar? Das ist doch wohl mehr eine Vorlesung. Ich sitz' da nur drin und hör zu.
KARL:	Ja, ist eben überfüllt, mit fünfzig Leuten oder mehr.
SABINE:	Aber der Kurs ist eigentlich ganz interessant.
KARL:	Ja, der Inhalt ist gut. Mir gefällt der Kurs, weil sie so gute Bücher ausgewählt hat.
INGE:	Habt ihr schon probiert, mit der Dozentin zu sprechen?
SABINE:	In ihrer Sprechstunde?
INGE:	SPRECHstunde? Zwanzig Leute stehen in der Schlange, und dann ist die Sprechstunde zu Ende und dann kommt sie zur Tür und sagt: „Kommt nächste Woche wieder. "
KARL:	Hat die nur eine Sprechstunde in der Woche?
INGE:	Ja wortwörtlich: EINE Sprechstunde.
SABINE:	Das passt so gar nicht zu ihr. Im Kurs klingt sie immer so studentenfreundlich.
INGE:	Ist sie vielleicht auch. Sie hat halt wenig Zeit.
SABINE:	Na, Anna, wie ist das denn bei euch? Seht ihr da eure Professoren öfter?

WEITERE HÖRTEXTE UND ÜBUNGEN

Hörtext 1: Übung A. Das Referat planen. Karl und Stefan bereiten sich auf ihr Referat vor. Sie müssen es in fünf Tagen halten. Hören Sie sich ihr Gespräch an. Kreuzen Sie dann in Ihrem Arbeitsbuch an, ob die Aussagen stimmen oder nicht.

STEFAN:	Du bist ja wohl verrückt – die Rolle der Industrie in der Europäischen Union! Wir dürfen nur 45 Minuten lang reden. Für dieses Thema braucht man mindestens drei bis vier Stunden – vielleicht ein ganzes Semester!
KARL:	Ja, ja. Ich weiß. Aber das war das erste Thema, das mir eingefallen ist. Wir schaffen das schon. Erinnere dich an die Worte von Professor Osswald – konzentrieren wir uns auf das Wichtigste.
STEFAN:	Aber, du, es gibt so viel zum Thema, und ich kenne mich nicht so gut aus.
KARL:	Ich auch nicht.
STEFAN:	Na gut. Was haben wir schon für Informationen? Wer soll was machen?
KARL:	Fangen wir mit einigen Statistiken an … mmm … ganz generelle Information – welche Länder zur EU gehören, der Anteil der Industrie an dem Bruttoinlandsprodukt jedes Landes …
STEFAN:	Ich habe schon eine Folie mit einer Landkarte Europas. Die EU-Länder sind in rot eingezeichnet.
KARL:	Gut. Das können wir auch als Handout austeilen.
STEFAN:	Folien und Handouts! Mensch, du hast viel versprochen!
KARL:	Naja, wir sollen auch den Anteil der Industrie an dem Bruttoinlandsprodukt mit den Anteilen der anderen Wirtschaftssektoren vergleichen. Zum Beispiel vergleichen wir den Anteil der Industrie mit dem Anteil der Landwirtschaft an dem Bruttoinlandsprodukt.

STEFAN:	Ja, das wird sehr interessant – sehr verschieden von Land zu Land. Dann brauchen wir eine Liste der größten Firmen in den EU Ländern. Aber nicht nur die Namen, sondern auch der Wirtschaftszweig, zum Beispiel Auto, Chemie, Stahl soll auf der Liste stehen.
KARL:	Gut. Also, für Deutschland sind das Daimler-Benz, Siemens, Volkswagen … Wie viele Firmen pro Land?
STEFAN:	Nur die fünf größten. Die Statistik für die anderen Länder müssen wir dann nachschlagen. Viele Informationen können wir auf dem Internet finden. Ich gehe heute Abend auf die Suche und mache dann mit dem Computer ein Schaubild mit den Informationen. Das Bild haben wir dann als Folie und auch als Handout.
KARL:	Weißt du, wir sollen auch Interviews mit ein paar Industriellen machen – sie müssen nicht bei Großunternehmen arbeiten. Ich rufe meine Tante an – sie ist Angestellte in einem Mittelbetrieb. Die Firma hat viele Kunden in den EU-Ländern und in anderen Ländern. Sie kann mich vielleicht mit ein paar Leuten bei Firmen in Frankreich oder England in Verbindung bringen. Was sagst du dazu?
STEFAN:	Das hört sich gut an. Du kannst sie fragen, was sie zu der Rolle der Industrie in der Europäischen Union meinen. Das kommt dann zum Schluss. Oje! Schau auf die Uhr. Ich muss sofort weg, sonst komme ich zu spät in die Vorlesung. Ich glaub', wir schaffen das schon. Ich surfe heute Abend das Netz.
KARL:	Ich rufe meine Tante gleich an. Treffen wir uns morgen zu dieser Zeit. Schauen wir dann alles an, was wir haben. Bis dann. Tschüss.
STEFAN:	Tschüss.

Hörtext 2: Übung B. Den Eltern geht es nicht gut. Uschi ruft ihre Schwester Hannelore in den USA an. Hören Sie sich zuerst das Gespräch an, dann die Fragen zu dem Text.

T. USCHI:	Hallo, Hannelore. Hier spricht Uschi.
HANNELORE:	Grüß dich, Uschi.
T. USCHI:	Ich hoffe, ich störe dich nicht.
HANNELORE:	Nein, nein. Es ist schön, dass du anrufst. Wie geht's dir?
T. USCHI:	Mir geht es gut. Hannes, Katja und Georg auch. Aber dem Vater geht es nicht so gut. Er ist im Krankenhaus.
HANNELORE:	Um Gottes willen! Was hat er? Seit wann liegt er im Krankenhaus?
T. USCHI:	Es geht ihm jetzt gut, aber es hat vor etwa einem Monat angefangen. Er war immer müde und hat sich einfach nicht ganz wohl gefühlt.
HANNELORE:	Komisch! Ich habe neulich mit ihm telefoniert, aber er hat gar nichts gesagt.
T. USCHI:	Na, und dann hat er sich erkältet – er hat Halsschmerzen und Kopfschmerzen gehabt. In seinem Alter wird man einfach nicht so schnell wieder gesund. Vor ein paar Tagen hat er ein sehr hohes Fieber gehabt. Ich habe der Mutti gesagt, dass er unbedingt zum Arzt muss. Sie hat ihn dazu überredet, und ich bin dann mit ihnen zum Arzt gegangen. Der Arzt hat gesagt, dass er eine Lungenentzündung hat und dass er sofort ins Krankenhaus muss. Das war vorgestern.
HANNELORE:	Oh, nein. Wie geht es ihm jetzt? Soll ich hinüberfliegen?
T. USCHI:	Du brauchst keine Angst zu haben. Wie gesagt, es geht ihm schon viel besser. Er hat Medikamente bekommen.

HANNELORE:	Was hat der Arzt verschrieben? Penizillin?
T. USCHI:	Ja, Penizillin. Er hat auch am ersten Tag Sauerstoff bekommen. Aber jetzt nicht mehr. Hannelore, ich glaube nicht, dass du herfliegen musst. Du weißt, wie der Vater ist. Er will nicht, dass man eine große Sache daraus macht. Er will sogar schon nach Hause, aber der Arzt hat ihm gesagt, dass er noch zwei Tage im Krankenhaus bleiben muss. Der Arzt will sicher sein, dass er ganz ausgeruht ist und dass die Lungen klar sind.
HANNELORE:	Gut, gut. Und wie geht's der Mutter?
T. USCHI:	Die arme Mutti. Du kannst dir nicht vorstellen, wie sie sich Sorgen gemacht hat. Aber das ist auch eine Geschichte. Als wir den Vater ins Krankenhaus gebracht haben, hat sie versucht, ihm beim Gehen zu helfen. Ich habe ihnen gesagt, sie sollen im Auto auf mich warten. Ich bin ins Krankenhaus gegangen, um eine Krankenschwester zu holen. Aber der Vater hat natürlich allein gehen müssen. Du weißt, wie er ist. Na, auf jeden Fall hat Mutter ihm am Arm gehalten, und dann hat sie selber nicht aufgepasst und ist dann hingefallen und hat sich das Bein gebrochen! Sie liegt jetzt zu Hause im Bett!
HANNELORE:	Ach nein. Die arme Mutti. Das gibt's doch nicht.
T. USCHI:	Sie hat sich solche Sorgen um Vater gemacht … ich glaube sie hat ihre eigenen Verletzungen gar nicht gespürt. Der Arzt hat mir gesagt, dass es kein schlimmer Bruch ist und dass das Bein wahrscheinlich vier Wochen im Gips bleiben muss.
HANNELORE:	Sag mal, soll ich nicht doch hinüberfliegen? Was machen die zwei, wenn sie wieder zu Hause sind? Wie sollen sie denn den Haushalt machen?
T. USCHI:	Das ist überhaupt kein Problem. Ich werde jeden Tag in der Früh vorbeikommen – das Frühstück vorbereiten. Zu Mittag hilft die Frau Lange.
HANNELORE:	Die Frau Lange? Ach ja. Die Nachbarin.
T. USCHI:	Und am Abend fahre ich nach der Arbeit wieder hin und schaue, dass die zwei etwas zum Abendessen bekommen.
HANNELORE:	Uschi, das ist so viel Arbeit für dich und mit Hannes und den Kindern noch dazu … .Ich fliege hinüber.
T. USCHI:	Das geht schon, Hannelore. Die Kinder helfen mit dem Einkaufen, und der Hannes kocht gern – so zum Entspannen. Wir schaffen das schon. Es ist besser, wenn die Eltern sich nicht viel aufregen. Wenn du kommst, wollen sie dann mit dir immer etwas machen und so. Sie brauchen jetzt Ruhe, glaube ich. Ich habe gedacht, ich soll dir nur alles erzählen …
HANNELORE:	Ja, ja, natürlich. Es tut mir Leid, dass ich nicht da bin, Uschi.

Sie hören jetzt acht Fragen zu dem Gespräch. Nach jeder Frage hören Sie zwei Antworten. Kreuzen Sie die richtige Antwort in Ihrem Arbeitsbuch an. Sie hören jede Frage und Antwort zweimal.

1. Wer ist krank?

   a. der Vater und die Mutter von Uschi.

   b. der Mann und die Tochter von Uschi.

2. Was für eine Krankheit hat Opa?

   a. Er hat eine Lungenentzündung.

   b. Er hat sich den Arm gebrochen.

3. Wer ist zum Arzt gegangen?

    a.   Opa und Tante Uschi.

    b.   Opa, Oma und Tante Uschi.

4. Was ist passiert, als Tante Uschi eine Krankenschwester geholt hat?

    a.   Opa hat einen Kollaps gehabt.

    b.   Oma ist hingefallen.

5. Was ist mit Oma los?

    a.   Sie hat ein hohes Fieber.

    b.   Sie hat sich das Bein gebrochen.

6. Wer hilft den zwei Leuten, wenn sie wieder zu Hause sind?

    a.   Uschi und eine Nachbarin.

    b.   Hannelore und Uschi.

7. Was will Hannelore machen?

    a.   Sie will nach Deutschland fliegen.

    b.   Sie will zu Hause bleiben.

8. Wie fühlt sich Hannelore?

    a.   Sie ist krank.

    b.   Sie ist hilflos.

Übung C. Logisch oder unlogisch? Sie hören acht kurze Gespräche. Wenn das Gespräch logisch ist, kreuzen Sie **logisch** an. Wenn das Gespräch unlogisch ist, kreuzen Sie **unlogisch** an, und schreiben Sie auch eine logische Antwort. Achten Sie auf die Pronomen. Sie hören jedes Gespräch zweimal.

Zum Beispiel:

Sie hören:

Kennst du seinen Namen?

Nein, er kann sich nicht daran erinnern.

Sie kreuzen **unlogisch** an und schreiben dann die logische Antwort:

Nein, ich kann mich nicht daran erinnern.

Fangen wir an.

1. Kennst du seinen Namen?

    Nein, er kann sich nicht daran erinnern.

2. Ich freue mich schon auf den Urlaub nächste Woche.

    Konzentrieren Sie sich aber jetzt auf die Arbeit.

3. Sind Carlo und Antonia noch zusammen?

    Ich glaube, sie haben sich verlobt.

4. Er muss sich hinlegen.

    Sie haben sich erkältet.

5. Ach, wir kommen sicher zu spät.

   Beeilen wir uns dann.

6. Für welchen Film habt ihr euch entschieden?

   Ich habe mich noch nicht entschieden.

7. Carlo hat beschlossen, Geschichte zu studieren.

   Dann müssen wir uns auf die Politik konzentrieren.

8. Ich melde mich später per Telefon.

   Gut, aber sie soll sich beeilen.

Hörtext 3: Übung D. Die Morgenroutine. Stefan, Karl und Barbara überlegen sich, zu dritt eine Wohnung zu mieten. Aber zuerst diskutieren sie, wie das Zusammenwohnen sein soll. Was sagen Barbara, Stefan und Karl über ihre Morgenroutine? Bringen Sie die Sätze in Ihrem Arbeitsbuch in die richtige Reihenfolge.

STEFAN:	Die Wohnung hat nur ein Bad. Sollen wir nicht unsere Morgenroutine besprechen?
BARBARA:	Gute Idee. Normalerweise stehe ich um 7.00 Uhr auf. Ich dusche mich, wasche mir die Haare…
KARL:	Bevor du frühstückst?
BARBARA:	Ja. Ich föhne mir dann die Haare, schminke mich und ziehe mich an. Nachher esse ich 'was und putze mir die Zähne.
STEFAN:	Tja, ich muss auch früh aufstehen, denn um 8 Uhr 30 habe ich eine Vorlesung. Normalerweise dusche ich und rasiere mich auch. Dann ziehe ich mich an, trink' einen Kaffee und esse ein Brötchen.
BARBARA:	Föhnst du dir die Haare?
STEFAN:	Nein, tue ich nicht. Nach dem Frühstück muss ich mir natürlich die Zähne putzen. Karl, um wie viel Uhr stehst du normalerweise auf?
KARL:	Tja, ich stehe nicht gern früh auf und muss sowieso erst um 10 an der Uni sein. Ich stehe später auf. Wenn ihr zwei im Bad fertig seid, dusche ich mich. Nachher trinke ich einen Kaffee. Aber ihr beiden duscht euch lieber vor dem Frühstück. Ihr müsst euch entscheiden, wer zuerst ins Bad geht.

Hörtext 4: Übung E. Eine Lösung. Wie lösen Barbara und Stefan das Problem mit dem Bad? Hören Sie, wie das Gespräch zu Ende geht, und bringen Sie in Ihrem Arbeitsbuch die neue Morgenroutine von Barbara und Stefan in die richtige Reihenfolge. Beantworten Sie dann die Fragen.

STEFAN:	Ich habe eine Idee. Barbara, geh du zuerst ins Bad und ich koche Kaffee. Nachdem du dich geduscht hast, dusche und rasiere ich mich. Du kannst inzwischen frühstücken. Wenn du mit dem Frühstück fertig bist, bin ich im Bad fertig. Du kannst dir dann die Haare föhnen und dich schminken, und ich esse 'was. Wie klingt das?
BARBARA:	Das geht, aber ich muss mir gleich die Haare föhnen, sonst erkälte ich mich vielleicht.
STEFAN:	Kannst du das nicht in deinem Zimmer machen?
BARBARA:	Ja, das kann ich. Aber ich brauche das Licht im Bad, um mich zu schminken.

STEFAN:	Gut. Also, du duschst dich und ich koche Kaffee. Dann föhnst du dir die Haare in deinem Zimmer, und ich dusche mich und rasiere mich. Dann kannst du wieder ins Bad gehen und dich schminken. Vielleicht frühstücken wir dann zusammen.
BARBARA:	Vielleicht. Aber, du, ich bin kein Morgenmensch, also kein Gespräch beim Frühstück, ja?
STEFAN:	Ich verstehe. Gott sei Dank musst du nicht so früh aufstehen, Karl.
KARL:	Ja, Gott sei Dank, weil ich mich auch lieber gleich in der Früh dusche. Tja, aber jetzt müssen wir uns entscheiden, suchen wir eine Wohnung zusammen oder nicht?

Hörtext 5: Übung F. Die Siegener Uni. Sie hören jetzt, was Britta Graf zu der Universität Siegen und zum Studentenleben in Siegen zu sagen hat. Britta ist im sechsten Semester. Sie studiert Chemie und Theologie. Bevor Sie sich anhören, was sie sagt, schauen Sie sich die neuen Vokabeln an. Kreuzen Sie dann die richtigen Aussagen zum Text in Ihrem Arbeitsbuch an.

Zum Thema: Universität.

Bei uns im Fachbereich herrscht noch nicht die sonst uni-typische Anonymität. Die Professoren begrüßen uns schon im ersten Semester mit Namen; wenn ich ein Problem zu besprechen habe, kann ich auch außerhalb der Sprechstunden zu ihnen kommen. Das Uni-Gebäude im typischen Stil der siebziger Jahre bietet allerdings wenig Entspannungsmöglichkeiten.

Zum Thema: Geld verdienen

Die Chancen auf einen Nebenjob sind gut, eine Außenstelle des Arbeitsamtes ist im Uni-Gebäude.

Zum Thema: Wohnen

Der Wohnungsmarkt ist vor allem zum Wintersemester total leergefegt. Für Zuspätgekommene werden große Säle geöffnet, in denen sie für fünf Mark pro Nacht im eigenen Schlafsack unterkommen können. Die private Zimmervermittlung läuft grundsätzlich über das Studentenwerk.

Zum Thema: Kultur

Für den Klassikliebhaber gibt es regelmäßig Konzerte, auch Theater wird ab und zu geboten. Der Pop- und Rockfreund muss sich dagegen anderweitig umsehen.

Zum Thema: Szene

Siegen ist eine Stadt für den fleißigen Studenten ohne große Möglichkeiten für Szene-Gänger. Nachtschwärmer müssen sich mit wenigen Studentenkneipen begnügen oder selber etwas organisieren.

Übung G. Eine Geschäftsreise nach Prag. Sie hören acht Aussagen oder Fragen. Kreuzen Sie an, ob Sie das Verb im Präsens oder im Futur hören. Sie hören jede Aussage oder Frage zweimal. Beantworten Sie danach die Fragen in Ihrem Arbeitsbuch.

1. Nächsten Monat muss ich eine Geschäftsreise nach Prag machen.
2. Was willst du in Prag?
3. Ich werde mit ein paar Managern von unserer Zweigstelle dort ein Seminar halten.
4. Wie lange wird die Reise dauern?
5. Ich fahre wahrscheinlich an einem Sonntag hin und bin am Freitag wieder zu Hause.
6. Willst du mitkommen?
7. Ich glaube, das wird nicht gehen.
8. Ich weiß, im Mai ist bei dir im Büro immer viel zu tun.

Übung H. Eine Autorenlesung. Ihr Freund geht zu einer Autorenlesung. Er steht vor einer Buchhandlung in der Schlange und wartet auf den Autor. Er gibt Ihnen Informationen, und Sie stellen dazu Fragen. Benutzen Sie in Ihren Fragen **wo** + Präposition oder eine Präposition + Pronomen. Sie hören acht Antworten, aber keine Fragen. Schreiben Sie die passenden Fragen in Ihr Arbeitsbuch. Sie hören jede Antwort zweimal.

Zum Beispiel:

Sie hören die Antwort.

Ich warte auf den Autor.

Sie stellen dann die passende Frage zu der Antwort:

Auf wen wartest du?

Noch ein Beispiel:

Sie hören die Antwort:

Ich freue mich auf seinen Besuch.

Sie stellen dann die Frage:

Worauf freust du dich?

Fangen wir an.

1. Ich warte auf den Autor.

2. Ich freue mich auf seinen Besuch.

3. Ich interessiere mich sehr für seine Bücher.

4. Er schreibt über die Probleme der Liebe.

5. Er versteht viel davon.

6. Er hat sich in eine Ausländerin verliebt.

7. Ihre Eltern haben vor Diskriminierung Angst gehabt.

8. Ich muss auch mit diesem Problem leben.

Hörtext 6: Übung I. Wohnheimplätze. Sie hören einen Bericht über Wohnheimplätze in Österreich. Bevor Sie den Text anhören, schauen Sie sich in Ihrem Arbeitsbuch die neuen Vokabeln an. Hören Sie dann den Bericht an. Kreuzen Sie in Ihrem Arbeitsbuch an, ob die Aussagen stimmen oder nicht stimmen.

Heim gefunden. Heimplätze für Studenten sind rar. Wenn man während seiner Studienzeit nicht in derselben Stadt wie die Familie wohnt, ist ein Studentenheim eine günstige Alternative. In Österreich gibt es 18.000 Heimplätze. Das ist aber viel zu wenig – 7000 Plätze fehlen.

Elvira Knapp, 25, studiert seit vier Jahren an der Uni Wien Publizistik und Theaterwissen-schaften. „Ich bin mit viel Glück im Studentenheim in der Pfeilgasse untergekommen." Ein Onkel mit guten Beziehungen hat ihr geholfen. Der Referent für Studentenheime, Martin Angerer, sagt: „Wenn man im Herbst einen Heimplatz beziehen will, muss man bis spätestens Ende April seine Bewerbung abschicken."

Die Berwerbung stellt man direkt an einen Heimträger. Man legt das positive Matura-zeugnis bei. Hat man es noch nicht, kann man es später zusenden. Studenten müssen einen günstigen Studienerfolg vorweisen. Bei der Bewerbung muss man auch angeben, wie viel die Eltern verdienen. Manche Heime haben noch andere Auswahlkriterien. Angeblich gibt es Heime, die großen Wert auf die Note im Religionsunterricht legen. Wenn man keine hat, bekommt man keinen Platz in dem Heim.

Wenn man schon weiß, was man studieren will, soll man das in der Bewerbung angeben. Dann steigt die Chance, einen Heimplatz in der Nähe der künftigen Universität zu bekommen. Normalerweise bekommt man einen Vertrag für zwei Jahre. Der günstige Studienerfolg ist aber sehr wichtig. Abhängig von der Heimsituation landet man anfangs in einem Mehrbettzimmer. Ein Mehrbettzimmer kostet weniger als ein Einzelzimmer.

In ein Einzelzimmer kann man dann nur einziehen, wenn eins frei wird. Im Heim kann man so lange wohnen, wie das Studium dauern darf. Wenn man 27 Jahre alt wird, darf man nicht mehr im Studentenheim wohnen. Unter außergewöhnlichen Umständen kann der Heimträger erlauben, dass man länger im Heim wohnt.

Das Studentenheimgesetz und das Heimstatut regeln das Heimleben. Das Heimstatut ist für jedes Heim anders. Es listet auf, was erlaubt und was verboten ist. Es gibt liberale und weniger liberale Heime. Die Einrichtung der österreichischen Studentenheime ist auch von Haus zu Haus verschieden. Normalerweise hat ein Heim eine Gemeinschaftsküche, einige Hobbyräume und eine Münzwäscherei. Manche Heime haben auch Sondereinrichtungen, wie eine hauseigene Moschee, Musikzimmer, TV-Raum. Das Studentenheim in der Johannesgasse in der Wiener City, zum Beispiel, ist nur für Musikstudenten. Von acht Uhr morgens bis 22 Uhr ist es erlaubt zu musizieren. Warnung! Für alle Unmusikalischen nicht zum Aushalten.

Kapitel 9: Arbeiten und Geld verdienen

HÖRTEXTE AUS DEM BUCH

Anlauftext: Ich habe morgen ein Vorstellungsgespräch

Sie hören den Anlauftext „Ich habe morgen ein Vorstellungsgespräch". Siehe Seite 362 und Seite 364 bis 365 Ihres Lehrbuches. Hören Sie sich den Text ein paar Mal an. Bevor Sie sich den Text das erste Mal anhören, machen Sie Ihr Lehrbuch zu. Das zweite Mal machen Sie Ihr Lehrbuch auf und lesen Sie mit.

Barbara bekommt einen Telefonanruf von ihrer Mutter aus Dresden. Frau Müller, die früher als Bibliothekarin in Chemnitz gearbeitet hat, möchte wieder in ihrem Beruf arbeiten. Sie hat Glück gehabt, denn morgen hat sie ein Interview für eine Stelle als Bibliothekarin in Dresden. Barbara, die dringend Geld für ihr Studium braucht, sucht einen Teilzeitjob in Tübingen, aber sie hat weniger Glück.

Ich habe morgen ein Vorstellungsgespräch.

BARBARA:	Müller.
FRAU MÜLLER:	Hallo, Barbara. Ich bin's, Mutti.
BARBARA:	Ach, Mutti! Ist zu Hause etwas passiert?
FRAU MÜLLER:	Ja, etwas Gutes. Ich habe morgen ein Vorstellungsgespräch für eine Stelle in einer neuen Stadtteilbibliothek.
BARBARA:	Das ist ja fantastisch! Aber seit wann willst du denn wieder arbeiten?
FRAU MÜLLER:	Tja, das war eine ziemlich spontane Idee. Am Wochenende habe ich ein kleines Inserat in der Zeitung gelesen. Die Dresdner Stadtbibliothek sucht eine erfahrene Mitarbeiterin, die sich mit Kinderliteratur auskennt. Das war ja früher mein Fach, und so hab' ich mich eben gemeldet. Und jetzt haben sie mich zum Vorstellungsgespräch eingeladen. Toll, nicht?
BARBARA:	Mutti, das ist genau das Richtige für dich! Ich wünsch' dir alles Gute dabei!
FRAU MÜLLER:	Danke. Und was macht deine Suche nach einem Job?
BARBARA:	Bisher nicht viel. Ich bin zur Studentenarbeitsvermittlung gegangen. Aber die Jobs, die sie dort anbieten, sind alle stinklangweilig und unterbezahlt: Reinemachefrau, Tellerwäscherin, Lagerarbeiterin …
FRAU MÜLLER:	Nee, nee, das hat keinen Zweck. Du brauchst einen Job, der dir Spaß macht. Kennst du sonst niemanden, der einen guten Job hat?
BARBARA:	Ich habe eine Freundin, die an Wochenenden als Aushilfskellnerin jobbt.
FRAU MÜLLER:	Ist das etwas für dich?
BARBARA:	Ich glaube nicht. Aber ich habe einen Freund, der als Fremdenführer arbeitet.
FRAU MÜLLER:	Wer ist das?
BARBARA:	Das ist der Karl Heinz, ein ganz netter Typ. Er trifft die interessantesten Leute bei der Arbeit. Und das ist ein Job, in dem man viel Trinkgeld bekommt. Ein guter Fremdenführer verdient mehr als ein Kellner.

FRAU MÜLLER:	Das klingt schon besser. Bewirb dich beim Fremdenverkehrsbüro – das kann nicht schaden. Ich drücke dir ganz fest die Daumen. Und melde dich, wenn sich etwas ergibt.
BARBARA:	Klar. Tschüss, Mama!

Absprungtext: „Richtig bewerben: Vorstellungsgespräch"

Sie hören jetzt eine Aufnahme des Absprungtexts „Richtig bewerben: Vorstellungsgespräch". Siehe Seite 378 und Seite 381 Ihres Lehrbuches.

Frau Müller will wieder arbeiten gehen und hat ein Vorstellungsgespräch für eine Stelle als Bibliothekarin in Dresden. Sie weiß, dass sie einen guten Eindruck machen muss, und bereitet sich auf das Gespräch gut vor. Im folgenden Artikel für Auszubildende erfahren Sie, wie man sich am besten in einem Interview präsentiert.

NARRATOR:	Wer kennt nicht dieses Gefühl – das Herz pocht etwas stärker, die Sätze gehen nicht ganz so flüssig über die Lippen, und am liebsten wäre man ganz woanders. Nur – bei einem Vorstellungsgespräch kann man nicht einfach aufstehen und „Bis dann!" sagen. Was tun?
	Michael Schäfer, Berufsberater in Berlin, weiß, wie man die Aufregung vor einem Vorsteilungsgespräch abbauen kann. Sein Rat:
MICHAEL SCHÄFER:	Bereite dich auf das Gespräch gut vor!
NARRATOR:	Zunächst die Kleidung: Man muß sich nicht übermäßig herausputzen – dann fühlt man sich nicht wohl. Aber es müssen auch nicht die abgetragenen Jeans sein, in denen man sich dem Personalchef oder dem Ausbildungsleiter eines Betriebes präsentiert.
	Gezielt vorbereiten. Noch wichtiger als die Kleidung: daß man hellwach und in guter Verfassung ist. Also früh ins Bett vor dem Vorstellungsgespräch und genügend Zeit für den Anfahrtsweg eingeplant. Wer auf die letzte Minute angerannt kommt, hat gute Chancen, einen konfusen Eindruck zu hinterlassen. Michael Schäfer:
MICHAEL SCHÄFER:	Am besten ist man 15 Minuten vor der Zeit bei der Firma. Wer eine halbe Stunde vorher da ist, kann ja noch einen kurzen Spaziergang machen.
NARRATOR:	Eine gute Hilfe für das Bewerbungsgespräch: Zu Hause überlegen, welche Fragen man dem Personalchef zum Betrieb stellen möchte. Hat man sich vorher über den Betrieb informiert und fragt gezielt, dann zeigt man Interesse: ein großes Plus.
	Natürlich wird jeder Personalchef fragen, warum man sich für diese Ausbildung beworben hat. Vielleicht auch: Warum gerade bei diesem Betrieb? Darauf kann man sich schon zu Hause eine Antwort überlegen. Wer den Grund für die Wahl des Ausbildungsberufs einmal aufgeschrieben hat, dem fällt im Bewerbungsgespräch mit Sicherheit etwas ein.
	Interesse zeigen. Was wird von einem Jugendlichen erwartet, der sich bei Ihnen bewirbt? Jochen Turbanski, Leiter der Aus- und Weiterbildung bei der STILL GmbH in Hamburg, lacht.
JOCHEN TURBANSKI:	Ganz normale Jugendliche sollen es sein! Wichtig ist aber vor allem, daß ich mich mit dem Bewerber oder der Bewerberin unterhalten kann. Fragt der Jugendliche nach, wenn er etwas nicht verstanden hat? Versucht er, Antworten auf meine Fragen zu finden?

NARRATOR:	So beschreibt Jochen Turbanski seine Erwartungen. Denn wer nachfragt, zeigt Interesse. Wer Interesse hat, lernt in der Ausbildung und schafft später den Abschluß. Natürlich sollte der Jugendliche auch sagen können, was er gerade an dem Ausbildungsberuf interessant findet, für den er sich bewirbt.
	Was tun, wenn man nervös wird?
JOCHEN TURBANSKI:	Ich war bei meinen eigenen Bewerbungen auch aufgeregt.
NARRATOR:	… erinnert sich der Ausbildungsleiter.
JOCHEN TURBANSKI:	Man kann doch einfach sagen, daß man jetzt aufgeregt ist. Dafür hat jeder Verständnis. Schlimm ist nur, wenn jemand sich verschließt und gar nichts mehr sagt.

Zieltext: Das Vorstellungsgespräch in der Bibliothek

Es folgt der Zieltext „Das Vorstellungsgespräch in der Bibliothek" auf Seite 402 Ihres Lehrbuches. Hören Sie sich den Text ein paar Mal an – zuerst mit dem Buch zu und dann mit dem Buch auf.

Frau Müller hat ihr Vorstellungsgespräch mit Frau Schmidt von der Personalabteilung der Dresdner Stadtbibliothek. Frau Schmidt hat viele Fragen für Frau Müller: Fragen über ihre Berufserfahrung als Bibliothekarin und über ihre Bereitschaft für diese Stelle. Am Ende vom Interview ist klar, dass Frau Müller einen positiven Eindruck auf Frau Schmidt gemacht hat. Spätestens Ende nächster Woche wird Frau Müller wissen, ob sie die Stelle bekommen wird oder nicht.

FRAU SCHMIDT:	Guten Tag, Frau Müller!
FRAU MÜLLER:	Guten Tag, Frau Schmidt!
FRAU SCHMIDT:	Sie sind hier, um sich vorzustellen …
FRAU MÜLLER:	Ja …
FRAU SCHMIDT:	für die neue Stelle, die wir ausgeschrieben haben?
FRAU MÜLLER:	Ja, genau. Ich würde mich gerne für die Stelle bewerben. Ich bin schon also …
FRAU SCHMIDT:	Ja, ich hab' schon Ihre Akte durchgeguckt. Wir haben also eine kleine Besprechung gehabt mit mein'n Mitarbeitern und Mitarbeiterinnen …
FRAU MÜLLER:	Mmm …
FRAU SCHMIDT:	Und was ich jetzt von Ihnen noch gern wissen wollte, ist ein bisschen ausführlicher … zu Ihrem beruflichen Werdegang. Sie waren also schon Bibliothekarin in einer anderen Bibliothek?
FRAU MÜLLER:	Ja, ich war fünfzehn Jahre in der Stadtbibliothek in Chemnitz, aber leider, Sie wissen, wie das mit den Finanzen ist …
FRAU SCHMIDT:	Mmm.
FRAU MÜLLER:	Ja, ich war also, wie gesagt, natürlich am Gymnasium, und dann …
FRAU SCHMIDT:	Mmm … an der Universität.
FRAU MÜLLER:	Eben, hab' studiert, Bibliothekarswesen …
FRAU SCHMIDT:	Mmm …
FRAU MÜLLER:	Und damit war ich dann auch in der vorgeschriebenen Zeit fertig, und ich … Und kam dann als erste Stelle auf gleich, an das – an die Chemnitzer Bibliothek.

FRAU SCHMIDT:	Und was für Ressorts hatten Sie da unter sich? Haben Sie eine bestimmte Abteilung für sich da gehabt?
FRAU MÜLLER:	Ja, Kinderbücher …
FRAU SCHMIDT:	Kinderbücher, mmm …
FRAU MÜLLER:	… und Jugendliteratur.
FRAU SCHMIDT:	Mmm. Ja, das ist besonders wichtig für unsere Stadtteilbibliothek, weil wir haben also sehr viel neue Familien, die sich dort ansiedeln, sehr viel Neubau …
FRAU MÜLLER:	Da werden also viele Kinder in die Bibliothek kommen.
FRAU SCHMIDT:	Mmm.
FRAU MÜLLER:	Das ist ja direkt gut, weil ich hab' nämlich jetzt noch ein kleineres Nebengebiet mehr erarbeitet, und zwar eben Spiele.
FRAU SCHMIDT:	Mmm, sehr schön.
FRAU MÜLLER:	So eine Bibliothek muss ja auch etwas tun, damit die Leute da nicht nur … immer fernsehen oder so.
FRAU SCHMIDT:	Mmm. Hm, wären Sie bereit, mit einer Kollegin oder einem Kollegen zusammenzuarbeiten? Also, wir haben vor, nicht nur eine Person …
FRAU MÜLLER:	Gerne!
FRAU SCHMIDT:	… einzustellen, sondern auch, hm, eine zweite Person, weil wir denken, zwei Personen ist das Minimum …
FRAU MÜLLER:	Ja, natürlich. Ich bin mit meinen Kollegen in der Stadtbibliothek immer gut ausgekommen.
FRAU SCHMIDT:	Ja, ich habe schon einige Nachforschungen gemacht in der Richtung, und wir hörten nur Gutes über Sie.
FRAU MÜLLER:	Oh, danke! Komplimente höre ich immer gern.
FRAU SCHMIDT:	Hm, eine andere Frage: Was sind Ihre Gehaltsvorstellungen?
FRAU MÜLLER:	Oh, ja, also in der … Mein, mein altes Gehalt in der Stadtbibliothek lag bei 2.000 Mark im Monat.
FRAU SCHMIDT:	Mmm.
FRAU MÜLLER:	Und ich denke mir, dass es vielleicht, wenn jetzt sich die Verantwortungen etwas vergrößern, vielleicht auf zwei-fünf im Monat hinaufgehen könnte … aber da bin ich flexibel.
FRAU SCHMIDT:	Mmm, ja, Sie wissen, wir sind ja …, wir sind …, wir sind …, wir sind relativ un- flexibel in dem Sinne, als wir eben unsre, unsre, unsre festen Tarife haben …
FRAU MÜLLER:	Ja, sicher.
FRAU SCHMIDT:	Aber ich werd' sehen, inwieweit wir Sie da zufrieden stellen können. Wie, wie viel Urlaub hatten Sie da in der Stadtbibliothek?
FRAU MÜLLER:	Hm, ja, ich war da schon fünfzehn Jahre …
FRAU SCHMIDT:	Mmm …
FRAU MÜLLER:	… und ich glaub', ich hatte das letzte Mal 31 Tage im Jahr.
FRAU SCHMIDT:	Ja, Sie müssen das natürlich dann mit Ihrer, mit Ihrer Kollegin oder Ihrem Kollegen kombinieren, wie Sie, und wann Sie Urlaub nehmen wollen.

FRAU MÜLLER:	Wir wären dann also zu zweit in der Bibliothek?
FRAU SCHMIDT:	Sie wären zu zweit … und …
FRAU MÜLLER:	… und würden das ganze auch …
FRAU SCHMIDT:	… Sie würden da alles übersehen.
FRAU MÜLLER:	Aha.
FRAU SCHMIDT:	Also, wir haben noch mehrere Kandidaten zum, zum Interview eingeladen, und wir werden Sie dann benachrichtigen, was, was wir …
FRAU MÜLLER:	Mmm …
FRAU SCHMIDT:	… für wen wir uns entschieden haben. Sie werden also spätestens dann Ende nächster Woche telefonisch von uns Bescheid bekommen.
FRAU MÜLLER:	Hm, das ist dann sehr gut. Ich hab' …
FRAU SCHMIDT:	Aber es sieht sehr gut aus. Also, Ihre Akten sind, hm, sehr beeindruckend, und ich hab', wie gesagt, auch nur sehr Gutes über Sie gehört…
FRAU MÜLLER:	Ah! Das ist natürlich schön! Ich würde mich freuen, von Ihnen zu hören, und ich freu' mich dann auch schon auf eine Zusammenarbeit, wenn das möglich ist.
FRAU SCHMIDT:	Ja, ja, auf jeden Fall.
FRAU MÜLLER:	Ja, auf Wiedersehen.
FRAU SCHMIDT:	Wiedersehen, Frau Müller!

WEITERE HÖRTEXTE UND ÜBUNGEN

Hörtext 1: Übung A. Der Roman von Michael Kaluder. Wie Sie schon wissen, dreht der berühmte Filmemacher Manfred Manfred einen Film über den Roman von Michael Kaluder. Der Filmemacher hat eine Frau angestellt, die das Drehbuch schreiben wird. Die Drehbuchautorin hat die Kapitel gelesen und gibt eine kurze Zusammenfassung, damit sie sicher sein kann, dass sie die Geschichte richtig versteht. Hören Sie sich ihre Zusammenfassung an und beantworten Sie dann die Fragen in Ihrem Arbeitsbuch.

Am Anfang ist Janus zu Hause in Tübingen. Er hat nicht gut geschlafen. Seine Mutter ruft ihn an und fragt nach seiner Freundin Susanne, worauf Janus nichts sagt. Die Mutter fährt später an diesem Tag auf zwei Monate (Januar und Februar) nach Spanien. Am Ende des ersten Kapitels bekommt er einen Anruf.

Im nächsten Kapitel erfahren wir, dass der Anruf am Ende des ersten Kapitels von seinem Freund Gerhardt war. Janus spielt mit Freunden Fußball, und einer bemerkt, dass Janus nicht sehr glücklich ist. Nach dem Fußballspiel, gehen sie alle ein Bier trinken.

Im dritten Kapitel erfahren wir, dass Janus seinem Freund Gerhardt von seiner Reise im August nach Griechenland erzählt hat. Er beschreibt, wie er Susanne in Athen gesehen hat und sie dann auf der Insel kennen gelernt hat. Es ist auch klar, dass sie sich in einander verliebt haben.

Im letzten Kapitel ist es der fünfte September und Janus ist wieder in Tübingen. Die Uni fängt erst in ein paar Wochen an und Janus arbeitet wieder als Kellner in der Kneipe. Er freut sich sehr, denn in 10 Tagen oder so kommt Susanne vom Urlaub in Griechenland zurück und wird ihn besuchen. Am Ende des Kapitels ist der Tag ihrer Ankunft endlich gekommen und wir lesen, wie Janus sich auf ihren Besuch vorbereitet. Wie geht die Geschichte weiter, Herr Kaluder?

Hörtext 2: Übung B. Die Geschichte geht weiter. Sie hören das nächste Kapitel aus dem Roman. Das Kapitel ist etwas lang. Versuchen Sie beim ersten Zuhören nur die wichtigen Zeitpunkte festzustellen. Beachten Sie die Sätze oder Satzteile in Ihrem Arbeitsbuch. Beantworten Sie dann die Fragen in Ihrem Arbeitsbuch.

NARRATOR:

Die Tage sind sehr kurz und das Wetter viel kälter. Es hat schon zwei- oder dreimal geschneit. In zwei Wochen ist Weihnachten.

Die zwei Wochen im September sind schnell vorbeigegangen. Sie haben alle Sehenswürdigkeiten Tübingens besucht – das Hölderlinhaus und den Hölderlinturm, das Schloss Hohentübingen und das Rathaus. Sie sind öfters in das Südhaus gegangen. Susanne liebt moderne Malerei, und es gibt da immer eine ganz tolle Ausstellung. Sie haben dort auch einige Konzerte – Jazz und Reggae Konzerte – gehört.

In der zweiten Woche ihres Besuches bei Janus in Tübingen hat Susanne von sich erzählt. Sie hat in der ersten August-Woche ihre Stelle als Programmiererin bei einer kleinen Software-Firma in München verloren. Leider hatte die Firma Wolke, die viel größer ist, die Firma gekauft. Nach einigen Wochen hat die Personalchefin Susanne angerufen und sie gebeten, in ihr Büro zu kommen. Susanne hat natürlich sofort gewusst, was los war. Zwei Freunde haben schon solche Anrufe bekommen und sind nach 10 Minuten ganz blass herausgekommen. Die Nachricht war nicht gut. Sie haben ihre Stellen verloren. Susanne ist dasselbe passiert.

Susanne hat Janus erzählt, wie sie sich gefühlt hat. Am Anfang war sie schockiert und traurig. Dann hat sie Angst bekommen und war böse auf die Leute, die die Firma gekauft haben. Sie ist dann auch nicht mehr so selbstsicher gewesen. Sie war 7 Jahre bei der Firma. Das ist die einzige Firma, bei der sie gearbeitet hat. Das war ihre erste Stelle. Sie ist gleich nach der Universität in die Firma gegangen. Jetzt muss sie eine Stelle suchen, und sie kann sich nicht mehr genau daran erinnern, wie man das macht. Und der Sommer ist eine schlechte Jahreszeit, eine Stelle zu suchen. Die paar Leute, die Susanne bei anderen Computer-Firmen kennt, sind alle in Urlaub. Sie hat eigentlich auch Urlaubspläne gehabt. Sie hat sich überlegt, ob sie doch nach Griechenland fahren soll. Ihre Eltern und Freunde haben ihr geraten, die Reise zu machen – ein Tapetenwechsel tut einem immer gut. Das Geld für die Reise hat sie schon gespart, und die Abfindung von der Firma deckt die Miete und die Lebenskosten für sechs Monate. Und eine Reise allein würde vielleicht ihre Selbstsicherheit wiederherstellen. So hat sie sich entschlossen, doch nach Griechenland zu reisen. Und hat dort Janus kennen gelernt.

Nach dem Besuch bei Janus hat sie angefangen, eine Stelle zu suchen. Wie sie befürchtet hat, war das nicht leicht. Sie hat zwei Vorstellungsgespräche gehabt. Sie war ziemlich nervös und hat keinen guten Eindruck gemacht. An einem Freitag hat sie ein sehr schlechtes Vorstellungsgespräch gehabt, in dem sie fast nichts gesagt oder gefragt hat. Nach dem letzten Gespräch ist sie über das Wochenende zu Janus nach Tübingen gefahren. In einer Tübinger Buchhandlung hat sie zufällig ein Buch über erfolgreiche Interviewtipps gefunden.

Das Buch hat ihr sehr geholfen. Sie weiß jetzt, wie man das macht. Sie hat alle Freunde, die auch Programmierer sind oder die bei Computer-Firmen arbeiten, angerufen. Sie haben ihr von Stellen bei ihren Firmen erzählt.

So sind die Monate vorbeigegangen. Unter der Woche haben sie getrennt gelebt: Susanne in München, Janus in Tübingen. Sie haben jeden Abend am Telefon gesprochen und einander von ihrem Tagesablauf erzählt. Am

Wochenende waren sie aber immer zusammen – normalerweise in Tübingen. Sie haben zusammen eingekauft und gekocht, und manchmal, wenn Janus mit Freunden Fußball gespielt hat, ist Susanne von einer Buchhandlung zur anderen gegangen. Hin und wieder hat sie dann in einem Straßencafé gesessen und hat ein Buch oder die Zeitung gelesen.

Aber jetzt ist das Wetter kälter – fast zu kalt um Fußball zu spielen. Die Weihnachtsfeiertage nähern sich. An einem Sonntag frühstücken Janus und Susanne spät. Wie es ihre Gewohnheit ist, lesen die beiden beim Frühstück – Janus die Zeitung, Susanne ein Buch. Susanne liest Teile aus ihrem neuen Buch über erfolgreiche Interviewtipps vor.

SUSANNE: „Vor einem Vorstellungsgespräch soll man sich über die Firma gut informieren. Man soll den Jahresbericht der Firma lesen und soll bei dem Vorstellungsgespräch Fragen nach der jetzigen und zukünftigen Arbeit der Firma stellen."

Janus unterbricht sie und liest ihr einen Bericht über Diebstähle von Büchern vor.

JANUS: Komisch, die Diebstähle passieren immer am Samstag.

SUSANNE: Hat die Polizei den Dieb gefangen?

JANUS: Nein, noch nicht, aber sie wissen, dass es kein Dieb, sondern eine Diebin ist.

SUSANNE: Steht im Artikel, was für Bücher die Frau stiehlt?

JANUS: Ja. Bücher über wie man eine Stelle sucht und so. Komisch, nicht?

SUSANNE: Mmm, sehr komisch.

Übung C. Noch einmal: Janus und Susanne. Hören Sie sich den Text noch einmal an und beantworten Sie dann die Fragen in Ihrem Arbeitsbuch. Mehr als eine Antwort kann stimmen.

Hörtext 3: Übung D. Ein Blick auf Dresden. Isabel, eine Spanierin, die auch in Tübingen studiert, zeigt Anna Fotos von ihrer Reise nach Dresden. Hören Sie sich ihre Beschreibung der Stadt an und finden Sie dann in Ihrem Arbeitsbuch für jeden Hauptsatz einen passenden Relativsatz. Hören Sie sich die Beschreibung so oft wie nötig an.

Dresden ist sehr schön. Ich war vier Tage da. Das ist die Semperoper. Ich habe dort die Oper „Der Rosenkavalier" von Richard Strauss gesehen. Es war eine wunderbare Aufführung.

Auf dem Foto siehst du einen Teil des Zwingers. Der Zwinger ist riesig groß. Du kriegst das Ganze mit einer normalen Kamera gar nicht auf ein Bild. Ich habe da eine ganz tolle Sammlung von Meißner Porzellan gesehen. Im Zwinger gibt es auch die Gemäldegalerie Alter Meister. Da habe ich Raffaels „Sixtinische Madonna" gesehen.

Das ist die Pension „Zum Nussbaum". Ich habe dort drei Nächte übernachtet – in einem Einbettzimmer mit WC und Dusche. Das Zimmer war ein bisschen teuer – 130 DM pro Nacht.

Das ist nur ein Haus neben der Pension. Es ist ein schönes Haus. Ich habe das Bild nur deswegen gemacht.

Das ist die Elbe. Die fließt durch die Stadt. Ich habe das Bild von der Brühlschen Terrasse geknippst. Ich bin mit einem Schiff auf dem Fluss gefahren – von Dresden nach Meißen. Das ist das Schiff.

Das ist das Museum für Volkskunst. Ich habe da alte und neue Volkskunst gesehen.

Das sind die Ruinen der Frauenkirche. Sie ist im Krieg zerstört worden und wird wiederaufgebaut. Und das ist die Kreuzkirche. Die Kirche hat einen sehr guten Chor. Leider habe ich den Chor nicht gehört.

Das ist die Galerie Mitte. Ich habe da eine Ausstellung von unbekannten jungen deutschen Malern gesehen. Die Bilder waren sehr modern. Ich habe sie gar nicht verstanden, aber einige haben mir trotzdem gefallen.

Das ist ein kleines Café in derselben Straße. Das bin ich. Ich trinke gerade ein Bier. Es war sehr warm an dem Tag. In der Galerie habe ich eine Studentin aus Italien kennen gelernt. Sie hat das Foto von mir gemacht. Wir haben da zusammen Mittagessen gegessen. Wir haben draußen gegessen.

Das ist der Bahnhof. Ich bin mit dem Zug nach Dresden gefahren. Ich habe vor dem Bahnhof einen schrecklichen Unfall gesehen. Ein Auto hat einen Radfahrer angefahren.

Übung E. Relativsätze. Sie hören zehn Aussagen, die einen Relativsatz enthalten. Nach jeder Aussage hören Sie ein Substantiv. Wiederholen Sie die Aussage mit dem Substantiv als neues Bezugswort. Sie hören jede Aussage zweimal.

Zum Beispiel:

Sie hören:

Ich mag die Jacke, die deine Mutter dir gegeben hat. (Kleid)

Sie sagen:

Ich mag das Kleid, das deine Mutter dir gegeben hat.

Sie hören die Antwort:

Ich mag das Kleid, das deine Mutter dir gegeben hat.

Sie wiederholen die Antwort:

Ich mag das Kleid, das deine Mutter dir gegeben hat.

Sie schreiben nichts.

Fangen wir an.

1. Ich mag die Jacke, die deine Mutter dir gegeben hat. (Kleid)

   Ich mag das Kleid, das deine Mutter dir gegeben hat.

2. Kaufst du die Hose, die so billig ist? (Anzug)

   Kaufst du den Anzug, der so billig ist?

3. Der Mantel, den er trägt, ist viel zu klein. (Hemd)

   Das Hemd, das er trägt, ist viel zu klein.

4. Das ist eine Zeitschrift, in der man viel über Politik liest. (Zeitung)

   Das ist eine Zeitung, in der man viel über Politik liest.

5. Ich kenne die Gedichte, von denen er spricht. (Film)

   Ich kenne den Film, von dem er spricht.

6. Das ist die Stelle, für die ich mich interessiere. (Job)

   Das ist der Job, für den ich mich interessiere.

7. Der Prinz sucht das Mädchen, mit dem er getanzt hat. (*replace* Mädchen *with* Frau)

   Der Prinz sucht die Frau, mit der er getanzt hat.

8. Das ist die Wohnung, in der ich unbedingt wohnen will! (Haus)

   Das ist das Haus, in dem ich unbedingt wohnen will!

9. Das ist doch die Kreuzung, über die wir schon zweimal gegangen sind. (Straße)

   Das ist doch die Straße, über die wir schon zweimal gegangen sind.

10. Bücher Schmidt ist die Buchhandlung, aus der sie gekommen ist. (Geschäft)

   Bücher Schmidt ist das Geschäft, aus dem sie gekommen ist.

Hörtext 4: Übung F. Barbara bei der Arbeit. Barbara hat einen Teilzeitjob als Fremdenführerin gefunden. Sie ruft ihre Mutter an. Hören Sie sich das Gespräch an. Ergänzen Sie dann die Sätze in Ihrem Arbeitsbuch mit den richtigen Adjektivendungen und kreuzen Sie an, ob die Aussagen stimmen oder nicht.

BARBARA: Hallo, Mutti. Ich bin's, Barbara.

FRAU MÜLLER: Grüß dich, Barbara. Was gibt's Neues?

BARBARA: Ich habe am Donnerstag einen Teilzeitjob als Fremdenführerin bekommen, und am Samstag habe ich meine erste Gruppe geführt.

FRAU MÜLLER: Das ist super, Barbara. Erzähl mir alles. Wie ist die Führung gegangen?

BARBARA: Wir haben zuerst eine kleine Stadtrundfahrt gemacht. Es war sehr heiß am Samstag, aber glücklicherweise sind wir mit einem tollen Autobus gefahren, der eine Klimaanlage hat.

Nachher sind wir zu Fuß durch die Altstadt gegangen. Du musst mich hier einmal besuchen. Die Altstadt ist sehr schön. Die Fachwerkhäuser und die kleinen, engen Straßen sind sehr romantisch.

FRAU MÜLLER: Ja, davon habe ich gehört.

BARBARA: In der Altstadt haben die Touristen Geschenke und Ansichtskarten gekauft, und ich habe ihnen dabei geholfen. Ein Mann hat ein kleines Bild von Hölderlin gekauft. Die Leute waren sehr nett und immer pünktlich. Sie waren alle aus Amerika – aus verschiedenen Städten. Keiner hat Deutsch gesprochen, also habe ich die ganze Zeit Englisch sprechen müssen.

FRAU MÜLLER: O je!

BARBARA: Wie du dir vorstellen kannst, war das eine schwere Arbeit. Die Leute haben aber versucht, ein bisschen Deutsch zu sprechen. Sie haben immer „Guten Tag" und „Auf Wiedersehen" zu den Kaufleuten gesagt. Sie waren wirklich sehr höflich. Sie haben auch viele gute Fragen gestellt. Einer hat alles über Hölderlin wissen wollen. Ich habe sogar ein Gedicht von Hölderlin vorgelesen. Das habe ich nur auf Deutsch gemacht.

FRAU MÜLLER: Natürlich.

BARBARA: Zu Mittag haben wir in einem sehr eleganten Restaurant gegessen. Sie haben ein typisch deutsches Essen bestellt, und dann haben wir das Schloss Hohentübingen und den Hölderlinturm besucht.

FRAU MÜLLER: Was habt ihr am Abend gemacht?

BARBARA: Am Abend haben wir eine Kleinigkeit in einem italienischen Restaurant gegessen. Nachher bin ich mit einigen in ein Jazzlokal gegangen. Sie sind aber nicht lang geblieben, denn die Musik war ihnen zu laut, und die Luft war voller Rauch.

FRAU MÜLLER: Musst du das immer bei einer Führung machen, am Abend mit den Leuten ausgehen?

BARBARA:	Nein, aber sie haben mich darum gebeten.
FRAU MÜLLER:	Wann machst du wieder eine Führung? Hoffentlich nicht während der Woche. Du musst dann lernen.
BARBARA:	Naja, am Mittwochnachmittag habe ich nur eine langweilige Vorlesung. Ich habe sowieso das Skriptum von der Vorlesung. Ich arbeite lieber und verdiene etwas.
FRAU MÜLLER:	Ja, natürlich. Na schön, dass du eine Arbeit gefunden hast. Und noch dazu eine Arbeit, die dir gefällt. Arbeiten viele Leute bei der Firma?
BARBARA:	Nein, die Firma ist eigentlich nicht sehr groß. Es gibt nur den Chef, einen Sekretär und eine Sekretärin und vier bis fünf Mitarbeiter, die Stadtführungen machen.
FRAU MÜLLER:	Das ist die Firma, bei der dein Freund Karl Heinz arbeitet, nicht?
BARBARA:	Nein, eigentlich nicht. Er arbeitet bei einer anderen Firma.
FRAU MÜLLER:	Ahhh so. Also, gut mein Kind. Es war schön, von dir zu hören. Besonders mit einer so freudigen Nachricht.
BARBARA:	Ja. Ruf mich an, wenn du etwas von der Personalabteilung der Dresdner Stadtbibliothek erfährst, ja?
FRAU MÜLLER:	Aber klar. Tschüss, Barbara. Alles Liebe.
BARBARA:	Tschüss, Mutti. Ebenfalls.

Übung G. Lernen oder tratschen sie? Anna, Barbara und Inge lernen zusammen. Hören Sie sich ihre Gespräche an. Ergänzen Sie dann die Sätze in Ihrem Arbeitsbuch mit den richtigen Formen der angegebenen Adjektive.

Zum Beispiel:

Sie hören das Gespräch:

ANNA:	Du, Inge, weißt du wie viele Einwohner Berlin, Hamburg und München haben?
INGE:	Nein, aber ich schlage das mal nach. Hmmm, hier steht's. Also, Berlin hat 3,5 Millionen Einwohner, Hamburg hat 1,7 und München hat 1,2 Millionen Einwohner.
ANNA:	Danke sehr.

Ergänzen Sie die Sätze in Ihrem Arbeitsbuch.

INGE:	München ist groß. Hamburg ist größer. Berlin ist am größten.

Fangen wir an.

1.

ANNA:	Du, Inge, weißt du wie viele Einwohner Berlin, Hamburg und München haben?
INGE:	Nein, aber ich schlage das mal nach. Hmmm, hier steht's. Also, Berlin hat 3,5 Millionen Einwohner, Hamburg hat 1,7 und München hat 1,2 Millionen Einwohner.
ANNA:	Danke sehr.

2.

ANNA:	Barbara, wie alt bist du?
BARBARA:	Ich bin 21. Wie alt bist du, Anna?
ANNA:	Ich bin 20 Jahre alt. Wie alt bist du, Inge?
INGE:	Ich bin 22.

3.

BARBARA:	Anna, weißt du, wie hoch der Sears Tower in Chicago ist?
ANNA:	Keine Ahnung.
INGE:	Hier, schau mal in diesem Buch nach … unter Hochhaus oder Wolkenkratzer.
BARBARA:	Also, der Sears Tower ist 443 Meter hoch. Das Empire State Building ist 381 Meter und die Transamerica Pyramide ist nur 260 Meter hoch.

4.

BARBARA:	Was sagt ihr – wer ist intelligenter? Stefan oder Karl?
INGE:	Ich glaub', Stefan ist klüger als Karl.
ANNA:	Aber meiner Meinung nach ist Fabio der klügste.

5.

INGE:	Fabio ist vielleicht der intelligenteste von den dreien. Ist er aber so flexibel wie Karl?
ANNA:	Nein, du hast Recht. Fabio ist nicht sehr flexibel.
BARBARA:	Das stimmt. Aber Stefan ist noch flexibler als Karl.

6.

ANNA:	Die Vorlesung bei Professor Fritsch gefällt mir, aber das Seminar bei Professor Lenz ist besser. Natürlich gehe ich am liebsten in das Seminar von Professor Adamek.

Kapitel 10: Fest- und Feiertage

Anlauftext: Aschenputtel (Ein Märchen nach den Brüdern Grimm)

Sie hören den Anlauftext „Aschenputtel". Siehe Seite 416 und Seite 419 bis 421 Ihres Lehrbuches. Hören Sie sich den Text ein paar Mal an.

Anna und ihre Freunde wollen zum Karneval ein langes Wochenende in Köln verbringen. Tagsüber gibt es viele kostümierte Narren auf den Straßen und endlose Umzüge. Und abends können sie auf einen Ball gehen, wo man bis spät in die Nacht tanzt und trinkt … und sich vielleicht verliebt. Wer weiß? Vielleicht lernt Anna dort ihren Prinzen kennen, wie Aschenputtel …

Aschenputtel. Ein Märchen nach den Brüdern Grimm.

Es war einmal ein hübsches Mädchen, dessen Mutter krank wurde. Als die Frau fühlte, dass sie sterben musste, rief sie ihre Tochter zu sich: „Liebes Kind, bleib fromm und gut, so wird dir der liebe Gott immer helfen, und ich will vom Himmel auf dich herabblicken." Dann starb die Frau.

Nach einem Jahr heiratete der reiche Vater eine neue Frau, die zwei Töchter mit ins Haus brachte. Diese Schwestern waren schön von Gesicht aber böse von Herzen. Nun musste das Mädchen von morgens bis abends schwer arbeiten. Abends musste sie sich neben den Herd in die Asche legen. Und weil sie darum immer schmutzig aussah, nannten die Stiefschwestern sie Aschenputtel.

Eines Tages machte der Vater eine Reise. Er fragte, was er den Mädchen mitbringen sollte. „Schöne Kleider!", „Perlen und Edelsteine", sagten die Stiefschwestern. Aber Aschenputtel sagte: „Vater, bring mir einfach den ersten Zweig von einem Baum, den du auf dem Heimweg findest."

Der Vater brachte Kleider und Edelsteine für die Stiefschwestern und einen Haselzweig für Aschenputtel. Aschenputtel dankte ihm und pflanzte den Zweig auf dem Grab ihrer Mutter. Er wuchs zu einem schönen Haselnussbaum. Aschenputtel ging jeden Tag dreimal darunter, weinte und betete. Jedes Mal kam ein weißes Vögelchen auf den Baum und gab dem Mädchen alles, was es sich wünschte.

Eines Tages lud der König alle Mädchen im Land zu einem Fest ein. Der Königssohn suchte eine Braut. Die zwei Stiefschwestern riefen Aschenputtel: „Wir gehen auf das Schloss des Königs." Aschenputtel wollte auch gern zum Tanz mitgehen. Die Stiefmutter aber erlaubte es nicht: „Du hast keine Kleider und Schuhe und willst tanzen? Du kommst nicht mit!" Darauf ging sie mit ihren beiden Töchtern fort.

Aschenputtel ging zum Grab ihrer Mutter unter den Haselbaum und rief: „Bäumchen, rüttel dich und schüttel dich – wirf Gold und Silber über mich." Da warf ihr der Vogel ein Kleid aus Gold und Silber herunter. Aschenputtel zog das Kleid an und ging zum Fest. Ihre Schwestern und Stiefmutter erkannten sie nicht. Der Königssohn hielt sie für eine fremde Königstochter und tanzte nur mit ihr. Als Aschenputtel nach Hause gehen wollte, sprach der Königssohn: „Ich begleite dich." Aber Aschenputtel lief schnell fort.

Am zweiten Tag wiederholte sich alles. Am dritten Tag brachte das Vögelchen ein glänzendes Kleid und Schuhe aus Gold. Wieder tanzte der Königssohn nur mit ihr, wieder lief Aschenputtel schnell fort. Aber diesmal verlor sie auf der Treppe ihren linken Schuh.

Der Königssohn proklamierte: „Die Frau, deren Fuß in diesen Schuh passt, soll meine Braut werden!" Da freuten sich die Schwestern. Die älteste Stiefschwester nahm den Schuh mit in ihr Zimmer und probierte ihn an. Aber der Schuh war zu klein. Da sagte ihr die Mutter: „Schneid die Zehe ab! Wenn du Königin bist, so brauchst du nicht mehr zu Fuß zu gehen." Da schnitt die Schwester die Zehe ab. Der Königssohn nahm sie als seine Braut aufs Pferd. Als sie am Grab von Aschenputtels Mutter vorbeiritten, riefen zwei Täubchen vom Haselbaum: „Rucke di guh, rucke di guh, Blut ist im Schuh. Der Schuh ist zu klein. Die rechte Braut sitzt noch daheim." Da sah der Königssohn das Blut und brachte sie zurück.

Da probierte die andere Schwester den Schuh an, aber die Ferse war zu groß. Da nahm sie ein Messer und schnitt die Ferse ab. Die Schwester und der Königssohn ritten am Grab vorbei und wieder riefen die Täubchen: „Rucke di guh, rucke di guh, Blut ist im Schuh …" Da brachte der Königssohn die falsche Braut nach Hause.

Er fragte den Vater: „Haben Sie noch eine andere Tochter?" „Nein", sagte der, „nur das schmutzige Aschenputtel. Sie kann nicht die richtige sein." Der Königssohn wollte sie aber sehen. So probierte Aschenputtel den goldenen Schuh an, und er passte wie angegossen. Dann nahm der Königssohn Aschenputtel aufs Pferd und ritt mit ihr fort. Diesmal riefen die Täubchen: „Rucke di guh, rucke di guh, kein Blut ist im Schuh. Der Schuh ist nicht zu klein, die rechte Braut, die führt er heim." Dann flogen die beiden Täubchen auf Aschenputtels Schultern, eines rechts, das andere links.

Absprungtext: Braunwald autofrei: Ein Wintermärchen … hoch über dem Alltag

Sie hören jetzt eine Aufnahme des Absprungtexts „Braunwald autofrei: Ein Wintermärchen … hoch über dem Alltag". Siehe Seite 436 und Seite 441 bis 444 Ihres Lehrbuches.

Anna und ihre Freunde haben im März Semesterferien und planen seit Wochen einen Skiurlaub. Sie haben Broschüren von bekannten Wintersportorten bestellt, und jetzt diskutieren sie alle Möglichkeiten. Für Anna klingt Braunwald in der Schweiz wirklich ideal: viel Schnee und viele Pisten zum Skilaufen in den Alpen und keine Autos! Die Gruppe muss sich entscheiden, ob sie sich einen Skiurlaub in der Schweiz leisten kann, oder ob er einfach zu teuer ist.

Das Bähnliwunder im Wunderbähnli. Glauben Sie, dass es die kleinen Winterferienwunder noch gibt? Wir aus Braunwald glauben daran, denn Winter für Winter erleben wir eine seltsame Geschichte …

Nach Braunwald führt keine Strasse – nur ein Bähnli in die Zukunft. In dieses Bähnli steigen unten im Tal täglich Menschen aus dem Unterland. Müde vom Alltag, den grauen Wolken und langen Nebeltagen. Eben Leute von heute. Gestresst, überarbeitet und ferienreif.

Dann setzt sich das rote Bähnli in Bewegung. Es rüttelt und schüttelt sich und klettert durch den Schnee hinauf auf die Sonnenterrasse.

Das Bähnli steigt und steigt. Jetzt noch der kleine Tunnel, und schon ist das alltägliche Bähnliwunder von Braunwald perfekt.

Das Wunder des Wandels findet im Bähnli statt. Ob Millionär oder Tellerwäscher – am Bähnli kommt keiner vorbei. Unten sind gestresste Stadtmenschen eingestiegen, oben steigen gutgelaunte Ferienmenschen aus. Jeden Winter täglich neu: das kleine Bähnliwunder von Braunwald.

Gut geschlafen, lieber Gast? Hier bringt der Postbote – den wir in Braunwald „Pöschtler" nennen – auf seinem Schlitten gerade die Morgenzeitung. Der „Pöschtler"geht zu Fuss, weil er kein Auto hat.

Das ist normal hier oben. Denn in Braunwald gibt es keine Autos. Braunwald ist autofrei. Zuerst ist es ein richtiger Schock. Einfach keine Autos! Da fehlt das Dröhnen der Motoren. An die saubere Luft muss man sich zuerst gewöhnen. Hier ist eben schon alles etwas anders als anderswo. Gast bedeutet nicht nur Gastfreundschaft. GAST heisst auch Gemeinschaft Autofreier Schweizer Tourismusorte.

Gutgelaunte Spaziergänger in einer echten Postkartenlandschaft. Schlittelnde Kinder, die keine Angst vor Autos haben. Hier sagt man sich noch „Grüezi", wenn man sich begegnet. Man kennt sich eben in Braunwald.

Der sanfte Tourismus findet auch im Winter statt. Auch wer nicht Ski fährt, ist hier Erstklassegast. Was für ein Spass, im Pferdeschlitten durch das verschneite Wintermärchenland zu fahren!

Was den Winter attraktiv und sportlich macht, ist in Braunwald zu finden. Ein Schlittelparadies, eine Langlaufloipe und eine Schweizer Skischule.

Das Skifahren ist noch Spass und weniger aggressiv als anderswo. Pisten für Anfänger und Fortgeschrittene und auch Pisten zum gemütlichen Bergrestaurant.

Sonnige Pisten auf der Südseite und Pulverschnee an den Nordhängen. Für die ehemaligen Skistars und die ewigen Anfänger, die gar nie Pistenraser werden wollen.

Nach der Schussfahrt auf der Piste, Aufwärmen auf der Sonnenterrasse der Bergwirtschaft oder beim Kaffeefertig unten im Dorf. Eine ehrliche Gastronomie der kleinen Familienbetriebe.

Persönlichkeit ist alles – Prestige ist gar nichts. Eine herzliche, unkomplizierte Gastfreundschaft. Ein gutes Gefühl, Gast in einem gastlichen Haus zu sein.

Abendliches Wintermärchen Braunwald: Zauberstimmung. Was ist schon Glück? Vielleicht die Stille eines Bergabends, eine nächtliche Schlittelfahrt, ein Kinoabend oder ein Schlummertrunk an einer Hotelbar? Hoch über dem Alltag finden Sie noch Naturschönheit, Herzlichkeit und Lebensfreude. Millionen von Menschen kommen Gott sei Dank gar nie nach Braunwald.

Braunwald ist nichts für die Massen, sondern für echte Geniesser. Braunwald ist etwas ganz Besonderes. Die wesentlichen Dinge sind in Braunwald sichtbar – mit den Augen und dem Herzen.

Zieltext: Stefans Puddingschlacht

Es folgt der Zieltext „Stefans Puddingschlacht" auf Seite 461 bis 462 Ihres Lehrbuches. Hören Sie sich den Text ein paar Mal an – zuerst mit dem Buch zu und dann mit dem Buch auf.

An Urlaubserlebnisse erinnert man sich das ganze Leben lang – besonders, wenn sie lustig oder schlecht gewesen sind. Hier erzählt Stefan von seinen Erfahrungen in Frankreich als Reiseleiter einer deutschen Touristengruppe und was passieren kann, wenn erwachsene Menschen mit dem Essen herumspielen.

STEFAN: Ich hab' mal die Ferien in Frankreich verbracht, in Nordfrankreich, in der Bretagne. Ich habe als Student im Tourismus gearbeitet. Und eine Gruppe nach Frankreich gebracht, mit dem Bus. Die waren dann so in einer Art Jugendherberge untergebracht.

ANNA: War es eine Studentengruppe?

STEFAN: Nee, das waren also Schüler, Studenten, auch zum Teil etwas ältere Leute, also durchaus, durchaus gemischt. Aber sie waren alle in so einem Jugendhotel oder in einer Jugendherberge untergebracht, in Mehrbettzimmern und, hm, mit nicht immer so gutem Essen.

Und eines Tages kam es zu einem Zwischenfall beim Mittagessen. Es gab also zunächst französische Küche und im Anschluss dann ein'n Pudding. Das war ein schöner Schokoladenpudding. Und die Leute wollten also immer mehr davon haben. Und einer sagte also dann aus der Gruppe zu einem anderen, der an einem ganz anderen Tisch hinten in der Ecke saß: „ÄÄÄÄ, wirf doch mal den Pudding rüber", und er hat das dann auch gemacht. Der hat den Pudding geworfen. Das kam zu einer richtigen Puddingschlacht im Speisesaal.

ANNA:	Ach du lieber!
STEFAN:	Und da gab's nur zwei Möglichkeiten, entweder mitmachen oder sich unter dem Tisch verstecken. Nicht? Das haben dann alle gemacht.
	Aber das Aufräumen hat keinen Spaß gemacht. Das war nicht so toll. Auch eine Katastrophe im Urlaub.
ANNA:	Wow! Warst du da allein verantwortlich als Reiseleiter, oder?
STEFAN:	Nein es waren zwei, zwei, zwei Betreuer, wir mussten dann ein Programm zusammenstellen für insgesamt zwei Wochen. Ein Kulturprogramm und uh …
ANNA:	Also ihr hattet die Planung von A bis Ende.
STEFAN:	Ja, die Planung und auch die Anreise, Abreise, Versicherung und Vorbereitung. Das musste alles von zwei Leuten bewerkstelligt werden. Wir waren aber im Auftrag tätig für ein Reiseunternehmen.
ANNA:	Aber das war keine Sprachreise?
STEFAN:	Es war keine Sprachreise. Nein. Es war mehr eine Kulturreise, und Pudding gehört dann auch zu Kultur.

WEITERE HÖRTEXTE UND ÜBUNGEN

Hörtext 1: Übung A. Die sieben Raben. Sie hören jetzt ein Märchen von den Brüdern Grimm, das Sie vielleicht noch nicht kennen. Bevor Sie sich den Text anhören, schauen Sie sich die neuen Vokabeln in Ihrem Arbeitsbuch an. Hören Sie sich dann das Märchen an. Kreuzen Sie danach in Ihrem Arbeitsbuch an, ob die Aussagen stimmen oder nicht.

Es war einmal ein Mann mit sieben Söhnen, aber keinen Töchtern. Nach langer Zeit aber hatte seine Frau noch ein Kind, und es war ein Mädchen. Der Mann und seine Frau freuten sich sehr, aber das Kind war sehr klein und schwach, und es musste die Nottaufe haben. Der Vater schickte einen der Jungen in den Wald; er sollte Wasser für die Taufe von der Quelle holen. Die anderen Jungen gingen mit. Aber jeder wollte der erste beim Schöpfen sein, und der Krug fiel ins Wasser. Da standen die sieben Jungen herum und wussten nicht, was sie tun sollten. Sie wollten nicht ohne das Wasser nach Hause gehen. Daheim, als sie nicht zurückkamen, wurde der Vater böse. Er sagte: „Sie haben's bestimmt beim Spielen vergessen, die gottlosen Jungen." Er hatte Angst, das kleine Mädchen würde ungetauft sterben. Er rief: „Ich will, dass die Jungen alle zu Raben werden!" Und sobald er das sagte, hörte er ein Geräusch über seinem Kopf. Er blickte zum Himmel und sah sieben schwarze Raben auf und davon fliegen.

Die Eltern konnten diesen Wunsch nicht mehr zurücknehmen. Sie waren sehr traurig, dass sie ihre sieben Söhne verloren hatten; aber das kleine Mädchen brachte ihnen viel Glück. Sie starb doch nicht, sondern wurde mit jedem Tag gesünder und schöner. Sie wusste lange Zeit nicht, dass sie Brüder hatte, aber eines Tages hörte sie, was die Leute im Dorf sagten. Sie sagten: das Mädchen ist zwar schön, aber sie ist für das Unglück ihrer Brüder verantwortlich. Da ging das Mädchen nach Hause und fragte ihre Eltern, ob sie Brüder hatte und wo sie waren. Jetzt konnten ihr Vater und ihre Mutter das Geheimnis nicht mehr bewahren; sie mussten dem Mädchen die Wahrheit sagen. Das Mädchen wurde ganz traurig; sie weinte oft und hatte keine Ruhe mehr. Sie beschloss fortzugehen, um ihre Brüder zu suchen und zu befreien. Sie nahm nur vier Sachen mit: einen Ring von ihren Eltern, etwas Brot, einen Krug Wasser und einen kleinen Stuhl, damit sie sich hinsetzen konnte.

Nun ging das Mädchen weit, weit in die Welt. Zuerst kam sie zur Sonne, aber die Sonne war zu heiß. Dann lief sie zum Mond, aber der Mond war zu kalt. Endlich kam sie zu den Sternen. Die Sterne waren freundlich und gut. Der Morgenstern gab dem Mädchen ein Bein von einem Vögelchen und sagte: „Mit diesem kleinen Bein kannst du den Glasberg aufmachen, und in dem Glasberg sind deine Brüder."

Das Mädchen dankte dem Stern, nahm das Bein und ging weiter, bis sie an den Glasberg kam. Aber als sie die Tür vom Glasberg aufmachen wollte, konnte sie das Bein von dem Vögelchen nicht mehr finden. Sie hatte das Bein irgendwo im Wald verloren. Also nahm das Mädchen ein Messer und schnitt sich den kleinen Finger ab. Mit dem Stück von ihrem Finger machte sie dann die Tür zum Glasberg auf. Das Mädchen ging in den Glasberg hinein. Da kam ein Zwerg und sagte: „Mein Kind, was suchst du?" – „Ich suche meine Brüder, die sieben Raben," antwortete sie. Der Zwerg sprach noch einmal: „Die Herren Raben sind nicht zu Hause, aber du kannst hier warten, bis sie kommen." Dann trug der Zwerg sieben kleine Teller und sieben Gläser herein; von jedem Teller aß das Mädchen ein Stück Brot, und von jedem Glas trank sie ein bisschen. Aber in das letzte Glas steckte sie den Ring von ihren Eltern.

Dann hörte das Mädchen auf einmal ein Geräusch, und der Zwerg sprach: „Jetzt kommen die Raben." Da kamen sie, und sie wollten essen und trinken, und sie suchten ihre Teller und ihre Gläser. Dann fragte jeder: „Wer hat von meinem Teller gegessen? Wer hat von meinem Glas getrunken? Das war wohl der Mund von einem Menschen!" Aber aus dem Glas von dem letzten Raben rollte der Ring. Der Rabe sah ihn und erkannte ihn; er rief, „Wenn unsere Schwester hier ist, so sind wir frei!" Und tatsächlich, als sie das Mädchen sahen, bekamen alle Raben wieder ihre menschliche Form zurück. Sie küssten und umarmten einander und begleiteten ihre Schwester nach Hause. Und wenn sie nicht gestorben sind, dann leben sie noch heute.

Hörtext 2: Übung B. Eine böse Hexe? Sie kennen vielleicht das Märchen von Hänsel und Gretel und der bösen Hexe, die – angeblich – die Kinder essen wollte. Aber stimmt das wirklich? Hier geht die Geschichte weiter:

Nachdem die Kinder wieder zu Hause waren, hat der Vater die Hexe verklagt. Sie hören jetzt einen Teil des Prozesses. Hören Sie sich den Text an. Beenden Sie dann die Sätze in Ihrem Arbeitsbuch, indem Sie **a**, **b** oder **c** ankreuzen. Schreiben Sie die Antwort zu der Frage in Nummer 10.

MALE:	So, Frau Hexe, die Kinder haben gerade erzählt, wie sie Angst vor Ihnen hatten und wie sie dachten, Sie wollten sie essen. Wir werden beweisen, dass das alles nicht stimmt. Kinder sind sehr sensibel und stellen sich vieles vor, was gar nicht wahr ist. Aber zuerst brauchen wir etwas Hintergrund – wir wollen über Ihr persönliches Leben sprechen, damit die Damen und Herren Sie etwas besser kennen lernen. Fangen wir an!
	Zuerst: Wo sind Sie geboren und wie alt sind Sie?
FRAU HEXE:	Hier, in diesem Dorf. Ich habe immer hier gewohnt. Und ich bin 80 Jahre alt.
MALE:	Sie haben immer hier gewohnt? Dann kennen Sie sicher viele Leute.
FRAU HEXE:	Nein, eigentlich nicht.
MALE:	Warum nicht?
FRAU HEXE:	Tja, wissen Sie, mein Mann ist vor vierzig Jahren gestorben. Das ist sehr plötzlich passiert – ein Herzanfall, wissen Sie, er war bestimmt überarbeitet – und es war ein richtiger Schock. Seitdem wohne ich alleine im Wald. Ich arbeite in meinem kleinen Garten und genieße die Stille.
MALE:	Und haben Sie nie Gäste?
FRAU HEXE:	Nein, nie.
MALE:	Haben Sie einen schönen Garten?
FRAU HEXE:	Sehr schön. Es gibt viele Blumen, aber ich habe auch viel Gemüse gepflanzt – Tomaten, Erbsen, grüne Bohnen, Kartoffeln ... Was ich eines Tages gern pflanzen möchte ist Salat. Wissen Sie, Salat ist sehr schwierig. Man muss zuerst ...

MALE:	Ja, danke, Frau Hexe. Also, jetzt sprechen wir vielleicht über den Tag, an dem alles passiert ist. Was haben Sie an dem Tag gemacht? Berichten Sie von Anfang an.
FRAU HEXE:	Von Anfang an? Also zuerst bin ich wie gewöhnlich um 7 Uhr aufgestanden. Ich hab' mich schnell gewaschen, denn bei mir gibt es nur kaltes Wasser, von der Pumpe. Ich wasche mich immer sehr schnell, besonders im Winter. Und wenn es null Grad ist und alles gefroren ist, dann kann ich mich überhaupt nicht waschen. Deswegen rieche ich manchmal nicht so gut. Das weiß ich, aber ich kann nichts dafür. Ich möchte gern heißes Wasser haben, aber das kostet alles zu viel. Wissen Sie, eine alte Frau, die allein wohnt und kein richtiges Einkommen hat, kann sich nicht viel leisten. Als mein Mann noch am Leben war, war das wesentlich anders. Damals …
MALE:	Ja, Frau Hexe, das tut uns allen Leid, aber bitte kommen Sie zurück zu dem Tag, an dem Hänsel und Gretel gekommen sind.
FRAU HEXE:	Ja, in Ordnung. Also, ich habe mich schnell gewaschen, ich habe eine Tasse Tee getrunken, und dann ging ich nach draußen, um in meinem Garten zu arbeiten. Die vorherige Nacht war sehr windig, und Zweige lagen überall. Aber alles hatte angefangen zu wachsen. Die Erbsen waren schon ziemlich hoch, und ich musste sie anbinden. Die Tomaten waren auch schon schön. Kartoffeln kommen erst später, wissen Sie. Aber wenn ich mal Salat habe …
MALE:	Ja, Frau Hexe, genug vom Salat bitte. Also, wann haben Sie die Kinder zuerst gesehen?
FRAU HEXE:	Ich habe sie zuerst nicht gesehen, ich habe sie gehört. Ich hab' knabbern gehört. Wissen Sie, mein Haus ist ein bisschen eigenartig. Nachdem mein Mann gestorben ist, habe ich alle Reparaturen selber gemacht. Zum Beispiel, als meine Fenster kaputt gingen, habe ich kein Glas gekauft, sondern ich habe schöne Zuckerfenster gebacken. Glas ist eben zu teuer. Und als das Dach kaputt ging, habe ich Lebkuchen gebacken. Damit habe ich das Dach repariert.
MALE:	Moment mal – Sie haben Fenster aus Zucker und ein Dach aus Lebkuchen?
FRAU HEXE:	Jawohl. Und diese blöden Kinder wollten mein Haus essen!
MALE:	Also, als Sie die Kinder hörten, was haben Sie gemacht?
FRAU HEXE:	Ja, ich wollte lieb sein; ich wollte sie nicht erschrecken. Ich habe gesagt:

> „Knusper, knusper, kneischen
>
> wer knuspert an meinem Häuschen?"

	Ich habe immer gut reimen können, wissen Sie. In der Schule bekam ich einen Preis dafür.
MALE:	Und was dann?
FRAU HEXE:	Tja, ich habe die Kinder ins Haus eingeladen. Ich habe ihnen etwas zu essen gegeben – Milch, Äpfel, Nüsse …
MALE:	Und wie lange sind sie geblieben?
FRAU HEXE:	Ich weiß nicht genau. Vielleicht ein paar Tage. Ich hab' kein Telefon und kein Auto, und ich wusste nicht, wie ich sie wieder nach Hause bringen konnte.
MALE:	Haben Sie die Kinder in einem Käfig oder in einem Stall eingesperrt?
FRAU HEXE:	Gar nicht! Ich hab' die Tür nur gut zugemacht. Ich wollte nicht, dass sie wegrennen.

MALE:	Also, was ist in den nächsten Tagen passiert? Erzählen Sie von dem Ofen.
FRAU HEXE:	Tja, ich musste wieder Lebkuchen backen, fürs Dach, wissen Sie, weil die Kinder einen Teil vom Dach gegessen hatten. Und als der Teig fertig war, habe ich Gretel nur gefragt, ob der Ofen schon heiß war.
MALE:	Sie wollten nur Lebkuchen backen? Sie wollten die Kinder nicht essen?
FRAU HEXE:	Wofür halten Sie mich?! Kinder essen! Das ist Quatsch. Seit Jahren bin ich Vegetarierin! Ich esse kein Fleisch! Deswegen habe ich so viel Gemüse in meinem Garten – die Erbsen, Tomaten, Bohnen. Aber ich habe immer Schwierigkeiten mit dem Salat. Es kommen immer Insekten …

Hörtext 3: Übung C. Wieder unterwegs! – Eine Reise nach Liechtenstein. Anna und ihre Freunde haben noch ein paar Tage Urlaub gemacht. Dieses Mal sind sie nach Liechtenstein gefahren, in das kleinste deutschsprachige Land. In einem Brief erzählt sie ihren Eltern davon. Hören Sie sich ihren Brief an. Ergänzen Sie dann die Tabelle in Ihrem Arbeitsbuch und vergleichen Sie Liechtenstein mit der Schweiz. Hören Sie sich den Brief so oft wie nötig an.

Ihr Lieben!

Wisst ihr was? Wir haben noch eine kurze Reise gemacht, und ratet mal wohin – nach Liechtenstein! Das hat viel Spaß gemacht, und ich habe viel gelernt. Ich möchte euch davon erzählen, obwohl ich vielleicht wie eine Enzyklopädie oder eine Reisebroschüre klinge.

Ich hatte nicht gewusst, wie klein das Land ist – nur 62 Quadratmeilen (oder 160 km^2) mit ungefähr 29.000 Einwohnern. Es liegt am Rhein, zwischen Österreich und der Schweiz. Im Tal neben dem Fluss ist das Land ziemlich flach; Kartoffeln, Gemüse, Obst und besonders Weintrauben wachsen sehr gut dort. Aber es gibt auch Berge, wo man im Winter Ski laufen kann. Die Pisten sind besonders gut für Anfänger. Man hat mir gesagt, dass Prinz Charles und Prinzessin Anne von England in Liechtenstein Ski laufen lernten. Der höchste Berg ist der Naalkopf an der österreichischen und schweizerischen Grenze. Die Hauptstadt von Liechtenstein ist Vaduz. In Liechtenstein benutzt man schweizerisches Geld, und die Schweiz betreibt auch die Post- und Telefonsysteme. Außerdem repräsentiert die Schweiz Liechtenstein im Ausland in diplomatischen Angelegenheiten. Liechtenstein hat sein eigenes Schulsystem. Es gibt nur ein Gymnasium. Eine Universität gibt es nicht.

Es muss sehr schön sein, in Liechtenstein zu wohnen. Das Klima ist relativ mild und der Lebensstandard sehr hoch. Früher hat man meistens von der Landwirtschaft gelebt, aber seit den fünfziger Jahren ist die Industrie viel wichtiger. Und auch der Tourismus! Es gibt keine Armee, und das Land ist seit 1866 neutral – also ein friedliches Land!

Obwohl Deutsch die offizielle Sprache ist, war es trotzdem schwer, die Leute zu verstehen, da die meisten einen Dialekt sprechen – Alemannisch, nennt man den Dialekt. Fast alle Leute sind katholisch. Eigentlich ist Liechtenstein ein Fürstentum; das heißt, ein Prinz regiert das Land. Ist das nicht romantisch? Es gibt ein sehr schönes Schloss, das Schloss von Vaduz, aus dem zwölften Jahrhundert. Aber man kann es nur von außen sehen, weil Prinz Hans-Adam seit 1984 dort wohnt.

Was kann man sonst tun? Wir haben das Briefmarkenmuseum gesehen, denn die Briefmarken von Liechtenstein sind wunderschön und sehr wertvoll. Andere Sehenswürdigkeiten sind das Kunstmuseum und das Landesmuseum. Wir haben eine Schifffahrt auf dem Rhein gemacht; man kann in verschiedenen Städten in der Schweiz aussteigen. Wir sind auch in den Bergen gewandert; die Landschaft ist fantastisch. In Vaduz haben wir einen schönen Stadtbummel gemacht. Die Keramik ist besonders schön, und ich habe mir eine kleine Vase als Andenken gekauft. Das Essen war auch gut: man findet französische, schweizerische und österreichische Gerichte. In Liechtenstein sind das Brot, der Sauerkäse und einige Fleischsorten – und auch der Wein – besonders gut! Aber keine Angst, ich hab' nie mehr als ein Glas beim Mittag- oder Abendessen getrunken, denn ich wollte sowieso nicht so viel Geld ausgeben.

Das ist ein sehr langer Brief geworden! Also Schluss jetzt – ich muss wieder an die Arbeit gehen. Aber wenn ihr wieder nach Deutschland kommt, fahrt mal nach Liechtenstein; ich bin sicher, so eine Reise würde euch gefallen.

Viele Grüße
eure Anna

Hörtext 4: Übung D. Weihnachten in Deutschland. Im Dezember hat Anna in Weinheim Weihnachten mit ihrer Tante, ihrem Onkel, ihrer Kusine, ihrem Vetter und ihren Großeltern gefeiert. Danach hat sie einen kurzen Bericht geschrieben und ihn an ihre ehemalige Deutschlehrerin in Fort Wayne geschickt, denn der Deutschklub an der Schule hat eine kleine deutsche Schulzeitung.

Hören Sie sich Annas Bericht gut an. Kreuzen Sie dann in Ihrem Arbeitsbuch alle Verben im Imperfekt an, die Sie hören. Schreiben Sie zum Schluss den Infinitiv für diese Verben auf.

Weihnachten in Deutschland – das klingt wie ein Märchen. Man denkt an Schnee und Tannenbäume. Aber in Weinheim, wo ich bei meinen Verwandten war, gab es keinen Schnee. Aber sonst war alles wie erwartet.

Ich kam am 22. Dezember an. Nikolaustag war schon vorbei: Am 6. Dezember bekommen die Kinder kleine Geschenke und Süßigkeiten in ihre Schuhe gesteckt. Am 23. ging ich mit meiner Tante zum Weihnachtsmarkt, wo ich Geschenke für meine Familie in Deutschland kaufte.

Das Fest selbst begann am 24., also am Heiligen Abend. Alle Geschäfte und Firmen machen am 24. früh zu und sind am 25. und 26. Dezember geschlossen. Onkel Hannes schmückte den Weihnachtsbaum mit echten Kerzen; er sah wunderschön aus! Dann sangen wir Weihnachtslieder, und ich konnte gut mitsingen, weil wir viele Lieder im Deutschklub schon gesungen hatten! Hinterher haben wir unsere Geschenke aufgemacht.

Am 25. bleiben die meisten Leute zu Hause oder sie besuchen Verwandte und Freunde. Wir sind zu Hause geblieben, aber die Großeltern kamen zu uns. Natürlich brachten sie auch Geschenke mit. Ich bekam ein sehr schönes Buch über das Erzgebirge. Dann aßen wir das Weihnachtsessen – Gans mit Rotkohl und Kartoffeln. Das war lecker! Sonst war der Tag sehr ruhig. Alle waren gut gelaunt und freuten sich, ... dass wir den Feiertag zusammen verbringen konnten.

Übung E. Noch einmal: Weihnachten in Deutschland. Hören Sie sich Annas Bericht noch einmal an. Danach hören Sie sechs Aussagen zu dem Text. Kreuzen Sie in Ihrem Arbeitsbuch an, ob die Aussagen stimmen oder nicht. Sie hören jede Aussage zweimal.

1. Anna kam am 5. Dezember in Weinheim an.

2. Es gab viel Schnee in Weinheim.

3. Der Heilige Abend ist der 24. Dezember.

4. Onkel Hannes schmückte den Weihnachtsbaum mit elektrischen Lichtern.

5. Am 25. Dezember war die ganze Familie zusammen – Anna, Tante Uschi, Onkel Hannes, Katja, Georg und die Großeltern.

6. Das Essen am 25. Dezember war Gans mit Rotkohl.

Übung F. Was meinen Sie? Sie hören sieben Aussagen und Fragen. Für jede Aussage oder Frage sehen Sie in Ihrem Arbeitsbuch zwei Varianten. Welche Variante hat dieselbe Bedeutung wie die gesprochene Aussage oder Frage? Kreuzen Sie die richtige Variante an. Sie hören jede Aussage oder Frage zweimal.

Zum Beispiel:

Sie hören:

Wann beginnen deine Sommerferien?

Sie kreuzen **a** an, weil **a** dieselbe Bedeutung hat.

Fangen wir an.

1. Wann beginnen deine Sommerferien?
2. Um wie viel Uhr spielt der Film heute?
3. Immer, wenn ich nach Deutschland fahre, besuche ich meine Großeltern.
4. Wissen Sie, ob es heute regnen wird?
5. Als ich acht Jahre alt war, bekam ich ein Fahrrad.
6. Als ich ein Kind war, bekam ich jeden Tag nach der Schule Plätzchen und Milch.
7. Wenn es sonnig ist, machen wir ein Picknick.

Übung G. Katastrophale Urlaubserlebnisse. Jeder macht irgendwann mal einen Urlaub, in dem alles schief geht. Sie hören fünf kurze Erzählungen, in denen verschiedene Leute über ihre Erlebnisse sprechen. Hören Sie gut zu. Was ist in jeder Erzählung zuerst passiert? Kreuzen Sie in Ihrem Arbeitsbuch die richtige Antwort an. Sie hören jede Erzählung zweimal.

Zum Beispiel:

Sie hören:

Nachdem mein Freund seinen Pudding geworfen hatte, kam es zu einer richtigen Puddingschlacht.

Sie kreuzen **den Pudding werfen** an, weil das in der Erzählung zuerst passiert ist.

Fangen wir an.

1. Wir sind ziemlich spät in Köln angekommen, aber wir wollten den Faschingsumzug unbedingt sehen. Natürlich hatten wir Zimmer reserviert. Aber als wir angekommen sind, war alles voll – der Hotelwirt hatte unsere Reservierung nicht aufgeschrieben.

2. Mein Freund wollte schon lange nach Florida fahren; er wollte unbedingt Disneyworld sehen. Wir haben ein ganzes Jahr für die Reise gespart. Aber nachdem wir endlich die Flugkarten gekauft hatten, brach er sich das Bein!

3. Ja, wie Sie wissen, kommen meine Eltern aus der Schweiz, und in den Sommerferien wollte ich meine Großeltern dort besuchen. Der Flug war angenehm – Swiss Air ist immer pünktlich und komfortabel – und ich selbst kam gut an. Aber meine Koffer hatte man nach Deutschland geschickt!

4. Letzten Sommer hatte ich vor, eine große Amerikareise zu machen. Zuerst habe ich ein paar Tage in New York verbracht, und danach wollte ich meine Brieffreundin in Massachusetts besuchen. Wir hatten einander noch nie gesehen, nur geschrieben. Ich wollte mit dem Zug, mit Amtrak, fahren, weil man so viel mehr von der Landschaft sieht als beim Fliegen und ich sowieso viel Zeit hatte. Aber nachdem der Zug schon abgefahren war, habe ich gemerkt, dass ich unterwegs nach Lexington, Kentucky, nicht Lexington, Massachusetts war!

5. Jedes Jahr verbringt unsere Familie den Urlaub an der Nordsee, am Strand, aber manchmal ist es etwas kühl, und es ist sowieso immer wieder dasselbe. Dieses Jahr wollten wir woanders hinfahren. Also beschlossen wir, nach Spanien zu fahren. Wir freuten uns alle sehr darauf. Vor der Reise hatte ich sogar ein paar Monate lang Spanisch gelernt. Aber als wir endlich da waren, war das Wetter ausgesprochen schlecht – jeden Tag kühl und regnerisch!

Kapitel 11: Geschichte und Geographie

Anlauftext: Was würdest du dann vorschlagen?

Sie hören den Anlauftext „Was würdest du dann vorschlagen?" Siehe Seite 470 und Seite 473 bis 474 Ihres Lehrbuches. Hören Sie sich den Text ein paar Mal an.

In den Ferien fährt Anna nach Berlin, wo sie ihren Onkel Werner besucht. Beim Abendessen erzählt Anna ihrem Onkel Werner von ihrem ersten Tag in Berlin. Anna wollte den Reichstag und die Mauer sehen. Aber der Reichstag war geschlossen und sie konnte die Mauer nicht finden. Anna und Onkel Werner machen Pläne für die nächsten Tage und besprechen, was Anna sehen möchte und was sie zusammen machen könnten. Heute Abend gehen sie ins Konzert und nachher will Anna noch jemanden treffen.

Was würdest du dann vorschlagen?

ANNA:	Grüß dich, Onkel Werner. Entschuldige die Verspätung.
WERNER:	Komm, erzähl mal von deinem ersten Tag in Berlin.
ANNA:	Haben wir Zeit?
WERNER:	Klar. Die Philharmonie fängt erst um 20 Uhr an. Wir essen erst eine Kleinigkeit.
ANNA:	Also, es war recht interessant, aber frustrierend. Ich wollte als erstes den Reichstag sehen. Aber der war geschlossen, wegen Umbauarbeiten.
WERNER:	Ja, der Reichstag wird momentan renoviert.
ANNA:	Und dann bin ich zum Brandenburger Tor gelaufen, weil ich die Mauer sehen wollte, aber da war nichts. Und ich hätte sie so gern gesehen!
WERNER:	Was? Es gibt doch Mauerreste direkt hinter dem Reichstag! Aber ich hätte dich warnen sollen. Wir könnten ja morgen oder übermorgen zur East Side Gallery oder mal zum Mauerpark. Dort gibt es Mauerreste.
ANNA:	Gut. Das würde mich schon interessieren.
WERNER:	Abgemacht. Und was hast du für morgen vor?
ANNA:	Tja, ich würde gern Potsdam sehen. Vielleicht morgen Nachmittag …
WERNER:	Nee, nee, pass mal auf. Allein für den Park Sanssouci braucht man einen ganzen Tag! Wir sollten damit bis Samstag warten. Dann habe ich mehr Zeit.
ANNA:	Klingt gut. Aber was würdest du dann für morgen vorschlagen?
WERNER:	An deiner Stelle würde ich am Vormittag einen Bummel auf dem Kurfürstendamm machen, die Gedächtniskirche besuchen und so. Und am Nachmittag könnten wir zusammen Unter den Linden hochlaufen und Berlin-Mitte sehen – die Humboldt-Universität, das Nikolaiviertel und die Museumsinsel.
ANNA:	Das wäre schön. Und ich würde gern sehen, wo das neue Regierungsviertel entsteht …
WERNER:	Ja, das könnten wir machen.
ANNA:	Fantastisch! Und Onkel Werner, ich hätte noch einen Wunsch: Könnten wir nach der Philharmonie zum Prenzlauer Berg fahren?

WERNER:	Was willst du denn dort um diese Zeit?
ANNA:	Tja, ich habe heute jemanden kennen gelernt, der dort wohnt. Und der hat von der Clubszene am Prenzlauer Berg geschwärmt.
WERNER:	Am Wochenende wäre es aber lebendiger …
ANNA:	Aber ich bin für heute Abend verabredet!
WERNER:	Ah. Das hätte ich gleich ahnen sollen!

Absprungtext I: Die Geschichte Berlins

Sie hören jetzt eine Aufnahme des Absprungtexts Nummer Eins „Die Geschichte Berlins". Siehe Seite 489 und Seite 494 bis 495 Ihres Lehrbuches.

Berlin hat in der deutschen Geschichte eine wichtige Rolle gespielt. Zu verschiedenen Zeiten war Berlin Hauptstadt, Regierungssitz, Kulturzentrum und auch das Hauptquartier Adolf Hitlers. Später wurde Berlin Brennpunkt des Kalten Krieges und die Hauptstadt der Deutschen Demokratischen Republik, bevor es die Hauptstadt des vereinten Deutschlands wurde. In der Geschichte Berlins spiegelt sich die politische Geschichte Deutschlands wider.

1740. Friedrich der Zweite. Friedrich der Große wird König von Preußen. Berlin gewinnt als Hauptstadt Preußens europäischen Rang.

1871. Gründung des Deutschen Reiches. Berlin wird Residenz des deutschen Kaisers und Reichshauptstadt.

1918. Den 9. November. Vom Balkon des Reichstages in Berlin ruft der Sozialdemokrat Philipp Scheidemann die „Deutsche Republik" aus. Berlin ist Hauptstadt der Weimarer Republik.

1933. Machtergreifung der Nationalsozialisten. Hitler wird Reichskanzler. Berlin wird Zentrum der nationalsozialistischen Diktatur, aber auch des Widerstandes.

1936. Die elften Olympischen Sommerspiele finden in Berlin statt.

1938. Den 9. November. Reichspogromnacht („Kristallnacht"). Jüdische Geschäfte werden von den Nazis zerstört.

1945. Berlin wird durch die Rote Armee erobert. Berlin wird von den vier Siegermächten (den USA, der UdSSR, Großbritannien und Frankreich) besetzt und verwaltet.

1948/49. Die Blockade Berlins: Die Stadt wird politisch geteilt. Die westlichen Alliierten reagieren mit der „Luftbrücke", dem größten Lufttransportunternehmen der Geschichte.

1949. Aus den westdeutschen Besatzungszonen wird die Bundesrepublik Deutschland mit Hauptstadt Bonn gegründet. Aus der sowjetischen Besatzungszone entsteht die Deutsche Demokratische Republik mit Hauptstadt Berlin (Ost).

1953. Den 17. Juni. Die Arbeitsnormen und auch die Preise für Lebensmittel werden in Ost-Berlin erhöht. Es kommt zum Aufstand Ost-Berliner Arbeiter.

1961. Den 13. August. Die Stadt wird durch den Bau der Mauer geteilt.

1963. Berlin wird vom amerikanischen Präsidenten Kennedy besucht. „Ich bin ein Berliner. "

1972. Das Vier-Mächte-Abkommen regelt den Transit sowie Reisen und Besuche in die DDR.

1989. Den 9. November. Die Mauer fällt und die Grenzen zu West-Berlin und zur Bundesrepublik Deutschland werden von der DDR geöffnet.

1990. Den 3. Oktober. Die DDR tritt der Bundesrepublik Deutschland nach Artikel 23 des Grundgesetzes bei. Die deutsche Einheit ist vollendet.

Absprungtext II: Maikäfer flieg! (von Christine Nöstlinger)

Sie hören jetzt eine Aufnahme des Absprungtexts Nummer Zwei „Maikäfer flieg!" von Christine Nöstlinger. Siehe Seite 504 und Seite 506 bis 508 Ihres Lehrbuches.

In diesem Auszug aus ihrer Erzählung „Maikäfer flieg!" beschreibt die Autorin Christine Nöstlinger ihre Kindheit am Ende des Zweiten Weltkrieges in Wien. Das Jahr ist 1945. Österreich kämpft auf der Seite von Nazi-Deutschland. Ihr Vater kommt als verwundeter Soldat von der Front zurück und muss ins Krankenhaus. Die Rote Armee ist nicht mehr weit von Wien. Die Stadt wird bombardiert und man sitzt mit den Nachbarn zehn Stunden lang im Luftschutzkeller. Es herrscht Angst, Panik und Wut. Das Haus wird zerstört, aber sie überleben.

„Maikäfer flieg" von Christine Nöstlinger

Im Jahr neunzehnhundertfünfundvierzig kam der Frühling sehr früh. Das war gut, weil wir kein Holz und keine Kohlen mehr zum Heizen hatten. Viel besser war noch, daß im März mein Vater von der Front kam.

Mein Vater lag nun in Wien in einem Lazarett. Vorher war er in Deutschland in einem Lazarett gewesen und noch vorher in einem Lazarett in Polen. Und noch davor in Rußland in einem Eisenbahnzug, irgendwo auf den Schienen, ohne Lokomotive. Mit dreißig anderen Soldaten in einem offenen Güterwaggon und darüber russische Tiefflieger. Mein Vater hatte zerschossene Beine, und überall auf seinem Körper eiterten Granatsplitter aus dem Fleisch. Doch er konnte mühselig herumhumpeln, und er bekam jeden Morgen im Spital einen Urlaubsschein und durfte zu uns nach Hause kommen und bis zum Abend bei uns bleiben.

Daß mein Vater nun in Wien im Lazarett war, war weder Zufall noch Glück. Das hatte mein Onkel, der Bruder meiner Mutter, erreicht. Der war ein großer SS-Nazi, in Berlin im Führerhauptquartier. Und daß mein Vater jeden Tag einen Urlaubsschein bekam, war auch kein Zufall. Unter den Uhrenfurnituren vom Großvater, ganz unten in der letzten Lade vom Schrank, waren noch etliche Uhren gewesen, Armbanduhren und Wecker und eine Küchenuhr. Der Großvater hatte sie wie einen Schatz gehütet. Nun bekam sie der Unteroffizier in der Schreibstube vom Lazarett. Der schrieb dafür die vielen Urlaubsscheine aus.

Die Russen waren nicht mehr weit von Wien weg. Wo sie waren, wußte niemand genau. Jeden zweiten Tag fiel die Schule aus. Wegen der Bombenangriffe in der Nacht. Das war aber ganz gleich, weil wir sowieso nicht lernen konnten. In unserer Schule waren jetzt auch die Schüler von zwei anderen Volksschulen, die zerbombt worden waren.

Die Frau Brenner grüßte noch immer mit Heil Hitler, und die Frau Sula, die bei der Frau Brenner einmal in der Woche die Fenster putzte, sagte, daß sich die Frau Brenner eine Menge Gift besorgt habe. Wenn die Russen kämen, würde die Frau Brenner sich selber und den Herrn Brenner und die Brenner-Heidi und den Brenner-Hund vergiften. Mir tat der Brenner-Hund leid.

Dann kam ein Tag, da heulten um fünf Uhr am Morgen die Luftschutzsirenen auf den Dächern. Um sieben heulten sie wieder, und um acht heulten sie auch. Zu Mittag konnte nur noch eine Sirene heulen. Die anderen Sirenen lagen auf den Schutthaufen unter Dachziegeln und Mauerbrocken und zerschlagenen Türen und zerbrochenen Fenstern und umgefallenen Schornsteinen. Mein Vater sagte, daß wir trotzdem Glück haben, weil die Amerikaner keine Brandbomben herunterwerfen.

Wir saßen seit zehn Stunden im Keller. Wir waren hungrig. Doch niemand getraute sich aus den Wohnungen Essen zu holen. Niemand wagte den Keller zu verlassen. Im Keller war kein Klo. Die Leute hockten sich in die Kellerwinkel. Der Berger Schurli sang: „Drunt' in Stein am Anger steht ein Kampfverband, ein langer, rechts keine Jäger, links keine Flak, doch wir schießen alle ab!"

Die Frau Brenner empörte sich darüber und jammerte wieder einmal ihr „wenn-das-der-Führer-wüßte", und die Frau Berger, die Mutter vom Schurli, schaute die Frau Brenner an und sagte langsam: „Wissen Sie, was mich Ihr Führer kann? Ihr Führer kann mich am A---- lecken!"

Die anderen Kellerhocker nickten zustimmend.

Als die Bombe in unser Haus einschlug, sauste und krachte und wackelte es auch nicht mehr als vor einer Stunde, als das Nachbarhaus kaputtgegangen war. Doch der ganze Keller war voll Mauerstaub, und der Verputz fiel von den Wänden und ein paar Ziegelsteine hinterher. Dem Herrn Benedikt fiel ein Ziegelstein auf den Kopf. Der Herr Benedikt bekam große Angst. Er wollte aus dem Keller. Er schlug wild um sich. Er boxte alle, die ihm im Weg waren, zur Seite. Er trat mich in den Bauch. Das tat weh.

Unsere Nachbarin brüllte: „Wir sind verschüttet! Wir sind lebendig begraben! Wir kommen da nie mehr heraus!"

Das war aber nicht wahr. Wir waren nicht verschüttet. Die Kellertür war aus den Angeln gerissen und lag zerbrochen auf der Kellertreppe, und darauf lagen die gußeiserne Bassena und die Hausleiter und der Vogelkäfig der Hausmeisterin (ohne Vogel) und Ziegel und Schutt. Doch das war leicht wegzuräumen.

Unser Haus sah aus wie ein trauriges Puppenhaus. Die eine Hälfte war eingestürzt, und die andere Hälfte stand hilflos und sehr allein mit offenen, halben Zimmern. Das Stiegenhaus war auch weg.

Zieltext: Ich habe mich nie wohl gefühlt

Es folgt der Zieltext „Ich habe mich nie wohl gefühlt" auf Seite 513 Ihres Lehrbuches. Hören Sie sich den Text ein paar Mal an – zuerst mit dem Buch zu und dann mit dem Buch auf.

Anna unterhält sich mit ihrer Freundin Barbara, die in der sozialistischen DDR aufgewachsen ist. Sie diskutieren die Vereinigung Deutschlands. Barbara spricht von der Zeit vor der Wende: von ihrer Einstellung zur DDR, von ihrer Familiensituation und den Reisemöglichkeiten der damaligen DDR-Bürger.

ANNA: Wie war die Stimmung nach der Wende?

BARBARA: In den ersten Monaten euphorisch, sehr euphorisch. Und da gab's eine Zeit, da hab' ich geglaubt, ach es ist schön, dass man jetzt in Deutschland wohnt.

ANNA: Im Gegenteil zur DDR?

BARBARA: Ja. Ich habe mich nie identifiziert damit, mit der DDR.

ANNA: Warum nicht, Barbara?

BARBARA: Schwierig zu sagen. Weil …, erst einmal waren meine ganzen Verwandten außer meinen Großeltern in Westdeutschland oder in anderen Ländern, Holland, USA, sonst wo. Und der Einfluss von der Familie, was sie darüber gedacht haben, meine Großeltern und so. Ich habe mich nie wohl gefühlt. Also, mir hat's nicht gefallen. Na ja, man hat dann halt in der Schule mit zwei Zungen gesprochen, ist klar. Eben zu Hause und außerhalb, das war was Verschiedenes.

ANNA: Das waren fast zwei verschiedene Persönlichkeiten oder?

BARBARA: Nee, also Schizophrenie nicht. Zwei verschiedene Welten. Man hat das von früh an gelernt zu trennen. Das war nicht schwierig.

ANNA: Wann sind die anderen Familienangehörigen eigentlich weggegangen?

BARBARA: Nach dem Krieg. Und in den 50er-Jahren. Bevor die Mauer gebaut worden ist. Große Teile der Verwandschaft sind alle weggegangen.

ANNA:	Wie habt ihr in den Jahren Kontakt aufrechterhalten?
BARBARA:	Briefkontakt … Besuch, aber nicht so oft. Mein Onkel, der in den Staaten war, er ist nach Dresden gekommen.
ANNA:	Und hat es auch umgekehrt geklappt?
BARBARA:	Nee, nein. Nur mein Großvater durfte.
ANNA:	Warum?
BARBARA:	Ja, der war ja nicht mehr wichtig für das Bruttosozialprodukt. Denn wenn er weg war, wenn er nicht mehr zurückgekommen ist, dann musste man ihm auch keine Rente mehr zahlen. Er hat nichts mehr geleistet für den Staat. Rentner durften in die Bundesrepublik fahren. Sie durften auch weiter weg fahren.
ANNA:	Ist er eigentlich in der Bundesrepublik geblieben?
BARBARA:	Uh-uh, er ist zurückgekommen. Einen alten Baum verpflanzt man nicht. Es gab schon Fälle, aber die meisten sind wieder zurückgekommen. Was sollten sie dort? Sollten sie mehr Rente bekommen, aber wenn sie ihre ganzen Kinder im Osten hatten? Eine persönliche Entscheidung.

WEITERE HÖRTEXTE UND ÜBUNGEN

Hörtext 1: Übung A. Leipzig kennen lernen. Anna und ihre Kusine Katja haben beschlossen, ein paar Tage in Leipzig zu verbringen, denn beide interessieren sich für diese alte Stadt in der ehemaligen DDR. Anna hat sehr viel davon gehört und wollte die Stadt auch schon lange besuchen. Sie sind am Hauptbahnhof angekommen und haben eine Pension gefunden, die nicht zu teuer ist. Jetzt diskutieren sie, wie sie die Stadt am besten kennen lernen. Bevor Sie sich den Text anhören, schauen Sie sich in Ihrem Arbeitsbuch die neuen Vokabeln an. Sehen Sie sich dann die Karte von Leipzig an. Umkreisen Sie alles, was Anna und Katja sehen oder was der Fremdenführer erwähnt.

KATJA:	Ich bin mit dem Auspacken fertig. Was machen wir nun?
ANNA:	Ich schlage vor, wir machen einen Stadtbummel. Wir könnten zur Orientierung den Reiseführer mit der Karte mitnehmen.
KATJA:	Oder wie wäre es, wenn wir eine kurze Führung mitmachen? So bekommen wir einen Überblick von Leipzig. Nachher könnten wir uns genauer ansehen, was uns interessiert.
ANNA:	Klingt gut – also abgemacht!

Eine Stunde später stehen die zwei mit einigen anderen Touristen im Stadtzentrum. Die Führung beginnt.

TOUR GUIDE:	Guten Tag, meine Damen und Herren! Willkommen in Leipzig! Wie Sie schon wissen, ist Leipzig eine sehr alte Stadt, die aber jetzt auch moderne Teile hat. Diese Führung konzentriert sich zum größten Teil auf das Historische. Wenn Sie Fragen haben, unterbrechen Sie mich. In ein paar Minuten fangen wir bei der Thomaskirche an. Unterwegs möchte ich Sie über den historischen Hintergrund der Stadt informieren.
	Leipzig ist eine alte Stadt; sie wurde im Jahre 1174 gegründet. Leipzig war und ist ein wichtiges Zentrum für Handel, Industrie und Kultur. Der Handel ist seit dem Mittelalter sehr wichtig, weil viele Ost-West Handelswege durch Leipzig führten. Heute ist die Leipziger Messe weltweit bekannt. Was die Industrie betrifft, ist Leipzig für Pelz, Chemikalien, Papier,

Instrumente und Textilien bekannt. Vor dem Zweiten Weltkrieg war Leipzig das Zentrum des Verlagswesens in Deutschland – und das Verlagswesen ist auch heute noch in Leipzig präsent. Kultur diskutieren wir erst später, während der Führung.

Am Ende des Zweiten Weltkrieges hat Leipzig sehr gelitten; ein Viertel der Stadt wurde zerstört. Aber man hat vieles restauriert, und – wie Sie überall sehen können – wird noch vieles restauriert und renoviert. Umbauarbeiten sind überall zu sehen.

Jetzt kommen wir zur Thomaskirche. Die Kirche wurde im Jahre 1212 gebaut. Im 15. Jahrhundert wurde sie im spätgotischen Stil umgebaut. Martin Luther hat hier gepredigt, und Johann Sebastian Bach war Kapellmeister. Nicht zur selben Zeit, natürlich! Gegenüber finden Sie die Bacharchive.

Gehen wir weiter zum Alten Rathaus. Das Alte Rathaus stammt aus dem Jahre 1556. Es wurde innerhalb von neun Monaten gebaut – in den Monaten zwischen zwei Handelsmessen! Das Gebäude wurde später stark verändert. Da sehen Sie es. Merken Sie, wie unsymmetrisch der Turm ist. Auf der rechten Seite des Turms stehen vier Giebeldächer, auf der linken Seite nur zwei. Wie bitte? Was haben Sie gefragt? Ob man das Rathaus besuchen kann? Natürlich. Es gibt drinnen sogar ein Museum über die Geschichte Leipzigs. Wenn Sie in das Museum gehen, brauchen Sie mich nicht anzuhören! Dort drüben sehen Sie Auerbachs Keller. Wie Sie vielleicht wissen, ist Johann Wolfgang von Goethe oft in diese Kneipe gegangen, und eine Szene aus seinem „Faust" findet dort statt. Wenn Sie mal 'reingehen, sehen Sie an der Decke eine Skulptur aus Holz, die auch Szenen von „Faust" zeigt. Auerbachs Keller liegt am Eingang der Mädlerpassage, wo Sie dann einen schönen Einkaufsbummel machen können.

Und jetzt kommen wir zum Markt.

KATJA: Auerbachs Keller! Das möchte ich später besuchen. Du nicht?

ANNA: Klar. Und nachher, zu Hause, versuche ich vielleicht sogar, „Faust" zu lesen! Kommen wir morgen hierher zurück? Ich würde gern durch die Altstadt bummeln.

KATJA: Ja, das wäre schön. Machen wir!

TOUR GUIDE: Und hier kommen wir zur Nikolaikirche. Die Nikolaikirche stammt aus dem 12. Jahrhundert. Sie ist eine sehr schöne Kirche im romanischen Stil mit einem Langschiff im spätgotischen Stil. Die Kirche ist jetzt besonders bekannt, weil sie in den letzten Jahren eine wichtige Rolle in der Geschichte Deutschlands gespielt hat. Im September und Oktober 1989 sind viele Leute jeden Montag hierher gekommen. Hier, in der Kirche, konnten sie sich ungestört treffen und Demonstrationen gegen die Regierung planen. Übrigens hat Johann Sebastian Bach hier die Orgel gespielt – aber nicht zur selben Zeit wie die Demonstrationen natürlich!

In ein paar Minuten kommen wir zur Universität Leipzig. Dieser Teil der Universität ist sehr modern, mit einem Hochhaus von 34 Stockwerken – aber die Universität selbst ist viel älter. Sie wurde 1409 gegründet. Nach der Universität Heidelberg ist die Universität Leipzig die zweitälteste Universität Deutschlands. Von 1953 bis 1990 hat der Staat die Universität „Karl-Marx Universität" genannt, aber jetzt heißt sie wieder die Universität Leipzig. Im 18. und 19. Jahrhundert war sie das Zentrum des kulturellen und literarischen Lebens in ganz Europa. Bekannte Studenten der Leipziger Universität sind der Mathematiker Leibnitz, der Dichter Goethe, der

Philosoph Johann Fichte und der Komponist Richard Wagner – aber nicht alle zur selben Zeit natürlich!

Und dort drüben sehen Sie das Neue Gewandhaus, in dem das berühmte Gewandhaus Orchester ...

Hörtext 2: Übung B. Die Geschichte Deutschlands. In Kapitel 11 Ihres Lehrbuches haben Sie viel über die Geschichte Deutschlands und Berlins erfahren. Bestimmt haben Sie einiges schon gewusst, aber andere Tatsachen waren Ihnen vielleicht neu. Sie hören jetzt eine Zusammenfassung der wichtigsten Daten der neueren deutschen Geschichte. Hören Sie gut zu und kreuzen Sie dann in Ihrem Arbeitsbuch an, ob die Aussagen stimmen oder nicht.

Im Vergleich zu vielen anderen Ländern ist Deutschland relativ spät zu einem Nationalstaat geworden. Erst im Jahre 1871 fand die Gründung des deutschen Reiches statt. Der erste moderne Kaiser war Wilhelm I, und Otto von Bismarck war sein Kanzler. Während dieser Zeit hat Bismarck viele soziale Reformen eingeführt, wie zum Beispiel reduzierte Arbeitsstunden für Frauen und Kinder, die Krankenversicherung und Pensionen für alte Leute. Im Jahre 1888 ist Wilhelm I gestorben, und sein Sohn, Wilhelm II, ist an die Macht gekommen. Wilhelm II blieb Kaiser bis zum Ende des Ersten Weltkrieges.

Der Erste Weltkrieg fand von 1914 bis 1918 statt. Offiziell fing der Krieg nach der Ermordung des österreichischen Erzherzogs Ferdinand in Sarajewo an. Am 11. November 1918 endete der Krieg, und am 28. November dankte Wilhelm II ab. Ein paar Monate später wurde die Weimarer Republik gegründet, mit Berlin als Hauptstadt. Die Weimarer Republik war die erste parlamentarische Demokratie in der Geschichte Deutschlands.

Die Weimarer Republik war wirtschaftlich nicht sehr stark, denn nach dem Ersten Weltkrieg musste Deutschland sehr viel Geld an seine ehemaligen Gegner bezahlen – 132 Milliarden Mark in Reparationen und mehr als ein Viertel aller Exporte. Zum Teil waren die Reparationen der Grund, warum die Inflation immer höher stieg. Die Inflation wurde so schlimm, dass zum Beispiel im Jahre 1923 ein Liter Milch 360 Milliarden Mark kostete; Brot kostete 201 Milliarden Mark. Die Zahl der Arbeitslosen war auch sehr hoch, und viele Leute konnten sich Essen und Kleider nicht leisten. Die Regierung war auch nicht stabil – es gab immer wieder neue Wahlen. Nach dem Zusammenbruch des Börsenmarktes und dem Beginn der Weltwirtschaftskrise im Jahre 1929 wurde die Situation in Deutschland noch schlimmer. Mit ihren Versprechungen, Arbeitsplätze zu schaffen und andere Probleme des Landes zu lösen, wurden die Nationalsozialisten immer populärer bei den Deutschen. Im Jahre 1933 kamen Hitler und die Nationalsozialisten an die Macht; Hitler wurde zuerst Reichskanzler und bald war seine Position als Diktator etabliert.

Unter Hitler gab es keine Pressefreiheit mehr, und andere Rechte wurden auch bald abgeschafft. Juden, politische Gegner, Homosexuelle und andere wurden in Konzentrationslager geschickt. Im Jahre 1938 wurde Österreich an Deutschland angeschlossen. Ein Jahr später wurde Polen angegriffen. Der Angriff auf Polen signalisierte den Beginn des Zweiten Weltkriegs. Der Krieg dauerte sechs Jahre, bis zum Jahre 1945. Im Mai 1945 kapitulierten die Deutschen.

Nach dem Krieg wurde Deutschland von den Alliierten in vier Besatzungszonen geteilt: eine amerikanische, eine englische, eine französische und eine sowjetische. Die drei Westländer – Amerika, England und Frankreich – haben den Deutschen in den westlichen Besatzungszonen geholfen, alles aufzubauen und eine demokratische Republik einzuführen. In der sowjetischen Zone wurde nur eine Partei – die Kommunistische Partei – unterstützt. Im Jahre 1949 wurde die Teilung offiziell: das heißt aus den Zonen der Amerikaner, Franzosen und Engländer wurde die Bundesrepublik Deutschland gegründet, mit Bonn als provisorische Hauptstadt und Konrad Adenauer als Kanzler; im Osten, das heißt in der sowjetischen Besatzungszone, wurde die Deutsche Demokratische Republik gegründet, unter der Führung von Walter Ulbricht, mit Ost-Berlin als Hauptstadt. Die Kluft zwischen den zwei Nationen wurde immer größer. Viele

Ostdeutsche sind nach Westdeutschland gegangen, weil es dort mehr Freiheit und einen höheren Lebensstandard gab. Deswegen baute die DDR-Regierung im Jahre 1961 die Mauer. Deutschland war dann nicht nur politisch, sondern auch physisch geteilt.

Das nächste große Ereignis in der Geschichte Deutschlands fand achtundzwanzig Jahre später statt. 1989 ist der sogenannte „Eiserne Vorhang" gefallen. Die Regierungen in Polen und Ungarn haben Ostdeutschen erlaubt, durch ihre Länder in den Westen zu fahren. Viele Ostdeutsche sind dann über Ungarn nach Österreich und dann nach Westdeutschland gefahren. In der DDR fingen andere an, gegen die DDR-Regierung zu protestieren; es gab viele Demonstrationen, besonders in Leipzig. Am 9. November 1989 fiel die Mauer und die Grenzen wurden geöffnet. Ein Jahr später, am 3. Oktober 1990, wurde Deutschland wieder ein Land.

Hörtext 3: Übung C. Die Nachkriegszeit in Ost-Berlin. Sie hören jetzt einen Auszug aus dem Roman „Die Eisheiligen" von Helga M. Novak. Die bekannte Schriftstellerin Helga Novak wurde 1935 in Berlin geboren. Während des Krieges wurde die Familie wegen der Bombenangriffe aufs Land evakuiert. Nach dem Krieg zog sie nach Ost-Berlin zurück. „Die Eisheiligen" erzählt von ihren Kriegs- und Nachkriegserlebnissen. Als 1948 die Blockade Berlins stattfand, war Novak 13 Jahre alt.

Bevor Sie sich den Text anhören, schauen Sie sich die neuen Vokabeln in Ihrem Arbeitsbuch an. Hören Sie sich den Auszug an und beantworten Sie dann die Fragen in Ihrem Arbeitsbuch. Passen Sie auf! Mehr als eine Antwort kann richtig sein.

Der Besitz von Westgeld ist verboten. Das Lesen von Westzeitungen ist verboten. Der Besuch der Westzonen ist verboten. Jetzt sitzen die Westberliner bei Stromsperre genauso im Dunkeln wie wir. Es gibt keine Kerzen und nicht genug zu essen, weil die Russen nichts rein und nichts durchlassen. Keine Eisenbahn, keine Lastwagen, keine Schiffe dürfen durch die Zone nach West-Berlin fahren. Im Oderbruch treffen wir manchmal Westberliner, die bei den Bauern um Essen betteln wie wir. Aber Karl sagt: Die Amerikaner haben genug Flugzeuge, um Kleider und Essen nach West-Berlin zu bringen. Sie haben gerade die ersten Maschinen eingesetzt. Karl fährt zu Tante Herta. Sie wohnt im Westen am Vinetaplatz und gibt Karl alte Westzeitungen mit. Karl steckt sich die Zeitungen unters Hemd und zieht den Gürtel fest an. Zu Hause liest er zuerst leise, dann liest er vor, dann erklärt er, was er eben vorgelesen hat, dann verbrennt er die Blätter in der Küche im Herd.

Hörtext 4: Übung D. Das Leben in der ehemaligen DDR. Martina ist zwölf Jahre alt und wohnt in Berlin. Ihre Großmutter wohnt auch in Berlin. Sie besuchen einander mindestens einmal im Monat und immer zu Fest- und Feiertagen. Vor der Wende war das aber nicht möglich, denn Martina wohnte in West-Berlin und ihre Großmutter in Ost-Berlin. Damals war Martina noch klein und sie erinnert sich nicht sehr gut daran. Jetzt interessiert sie sich für diese Zeit und stellt ihrer Oma Fragen. Hören Sie sich ihr Gespräch an. Schauen Sie sich dann die zwei Listen in Ihrem Arbeitsbuch an. Welche Vorteile und Nachteile der ehemaligen DDR erwähnt die Großmutter? Kreuzen Sie die richtigen Aussagen an.

MARTINA: Oma, das ist wirklich schön, dass du zu meinem Geburtstag gekommen bist. Ich weiß noch, als ich klein war, warst du nicht immer dabei. Warum denn nicht?

OMA: Tja, Martina, ich wollte immer zu deinem Geburtstag kommen, und nicht nur zu Geburtstagen und Weihnachten und so, sondern auch viel öfter. Aber solange ich noch nicht Renterin war, ging das nicht.

MARTINA: Warum nicht?

OMA: Weil nur Leute, die in Rente waren, also die nicht mehr arbeiteten, in den Westen fahren durften. Ihr konntet mich besuchen, aber ich konnte nicht 'rüber zu euch fahren. Das war mir sehr peinlich. Aber manchmal haben wir einander in Ungarn getroffen, als deine Eltern dort auf Urlaub waren. Denn in andere Ostblock-Länder durften wir fahren. Erinnerst du dich nicht daran?

MARTINA:	Nein, eigentlich nicht. Aber ich hab' Fotos davon gesehen. Also freust du dich jetzt, dass es die DDR nicht mehr gibt?
OMA:	Zum größten Teil, ja. Vieles ist besser geworden. Mir ist die Reisefreiheit das Wichtigste und der Kontakt mit der Familie. Außerdem kann ich vieles kaufen, was vorher schwer zu finden war – zum Beispiel Orangen und Bananen. Du weißt, wie gern ich frisches Obst esse.
MARTINA:	Hast du denn nicht genug Geld gehabt?
OMA:	Doch, aber Geld war nicht das Problem. Geld hatten die meisten genug. Aber die Sachen waren einfach nicht in den Geschäften. Man musste überall suchen, oder stundenlang Schlange stehen. Die Schlangen! Das war furchtbar.
MARTINA:	Was hat sonst gefehlt außer Orangen und Bananen?
OMA:	Also, manchmal waren nicht die Sachen selbst das Problem, sondern die Qualität. Die besten Sachen – Strickwaren und andere Kleidung, Schmuck und so – wurden meistens exportiert. Was für uns in der DDR übrigblieb, war nicht so gut. Aber wenn wir Westgeld bekommen konnten oder Dollar, kauften wir im Intershop ein. Im Intershop nämlich konnte man keine Ostmark benutzen, nur Geld vom Ausland. Aber die Waren dort waren von bester Qualität. Sogenannte Exquisitläden gab es auch. Da konnte man zwar Ostgeld benutzen – aber alles war so teuer, da bin ich fast nie 'reingegangen.
MARTINA:	Aber ich finde, du warst immer gut angezogen. Und bist es immer noch natürlich!
OMA:	Danke. Aber erinnerst du dich noch an unser altes Auto – an den Trabi? Das waren schlechte Autos – aber gute Autos gab es nicht, und es war sowieso schwer, ein Auto zu bekommen. Oft gab es für ein neues Auto – ein neues schlechtes Auto – zehn bis zwölf Jahre Wartezeit. Für Reparaturen und Ersatzteile musste man auch lange warten.
MARTINA:	Zehn bis zwölf Jahre! Das kann ich mir gar nicht vorstellen.
OMA:	Tja, wir haben uns ans Warten gewöhnt. Wir mussten für frisches Obst und gutes Fleisch Schlange stehen. Wir mussten lange warten, um ein Telefon zu bekommen, oder auch Waschmaschinen und …
MARTINA:	Aber wenn das alles so schwer war, warum hast du gerade gesagt, du freust dich nur zum Teil?
OMA:	Tja, was Konsumgüter betrifft, leben wir jetzt viel besser. Aber alles in der DDR war nicht so schlecht! Zum Beispiel gab es fast keine Arbeitslosigkeit – und wie du weißt, ist die Arbeitslosigkeit jetzt ein großes Problem geworden. Deswegen sind viele Leute jetzt unzufrieden, und manche fragen sich sogar, ob die Vereinigung wirklich eine gute Sache war. Dein Onkel Thomas, zum Beispiel, der in Dresden wohnt, sucht schon seit zwei Jahren eine Stelle. Und in der DDR haben nicht nur fast alle Männer gearbeitet, sondern auch die meisten Frauen. Die Regierung hatte viele Kinderkrippen eingerichtet, und man hatte während der Arbeitszeit keine Sorgen um die Kinder. Krankenversicherung und Rente waren auch kein Problem – aber das hat man auch in Westdeutschland. Kurz und gut, die Sozialleistungen waren ausgezeichnet. Wir haben uns sehr sicher gefühlt. Kriminalität gab es fast nicht. Es war nur die Freiheit, die gefehlt hat.
MARTINA:	Das Reisen, meinst du.
OMA:	Nein, nicht nur das Reisen, aber Freiheit überhaupt. Zum Beispiel durften wir keine Westzeitungen kaufen; wir sollten nur das lesen, was die Regierung

erlaubt hat. Trotzdem haben wir die Nachrichten aus dem Westen bekommen – wir haben ganz hohe Antennen angebaut und Westfernsehen angesehen! Und für junge Leute war das auch nicht so schön – Kinder konnten Schwierigkeiten in der Schule bekommen, wenn sie nicht der FDJ angehören wollten. Auch Erwachsene mussten mehr oder weniger an den politischen Aktivitäten der Partei teilnehmen. Und die Regierung durfte man überhaupt nicht kritisieren! Aber vielleicht bin ich jetzt zu kritisch – vielleicht ist man nirgendwo in der Welt vollkommen frei. Zum Beispiel hier im Westen, sagt dir keiner, was du studieren musst. Du kannst dein Hauptfach an der Uni wählen. Aber wer weiß, ob du einen Studienplatz bekommst? Man wird nicht von der Regierung begrenzt, aber vom freien Markt.

Aber genug jetzt von solchen ernsten Themen! Erzähl mir mal, wie dein Geburtstag weiter verläuft!

MARTINA: Klar! Also später kommen meine Freundinnen vorbei …

Übung E. Anna und Katja in Leipzig. Sie hörten schon, wie Anna und Katja in Leipzig angekommen sind und eine kurze Führung mitgemacht haben. Jetzt erfahren Sie mehr von ihren Plänen für ihren Aufenthalt in Leipzig. Sie hören zehn Aussagen. Kreuzen Sie für jede Aussage an, ob Sie den Indikativ oder den Konjunktiv hören. Sie hören jede Aussage zweimal.

1. Ich würde gern in Auerbachs Keller gehen. Du nicht?

2. Doch, und es wäre auch schön, wenn wir dort essen könnten.

3. Nachher können wir in der Mädlerpassage Andenken kaufen.

4. An deiner Stelle würde ich deinen Eltern eine Postkarte schicken.

5. Dann müssen wir auch zur Post gehen.

6. Meine Eltern hätten Leipzig auch gern gesehen.

7. Wie wäre es jetzt mit einem Eis?

8. Ich hätte lieber eine Tasse Kaffee.

9. Wollen wir heute Abend ins Konzert gehen und uns das Gewandhaus-Orchester anhören?

10. Ja, das möchte ich gern tun.

Übung F. Logisch oder unlogisch? Sie hören acht Aussagen. Nach jeder Aussage hören Sie eine Antwort. Wenn die Antwort logisch ist, kreuzen Sie **logisch** an. Wenn die Antwort unlogisch ist, kreuzen Sie **unlogisch** an. Sie hören jede Aussage und Antwort zweimal.

1. Nach dem Konzert hätte ich dich anrufen sollen.

   Ja, das war nett von dir.

2. An deiner Stelle wäre ich nach Leipzig gefahren.

   Ja, es tut mir Leid, dass ich die Stadt nicht gesehen hab'.

3. Mein Vater hat gesagt, dass er mir einen Brief hätte schreiben sollen.

   Wann hast du den Brief bekommen?

4. Meine Mutter hat mir gesagt, dass sie mir ein Paket geschickt hat.

   Hat sie es per Luftpost geschickt?

5. Wir hätten uns dafür interessiert, Potsdam zu sehen.

   Wo habt ihr dort übernachtet?

6. Anstatt nach Heidelberg, sind wir an die Nordsee gefahren.

   Wie war das Wasser – immer noch kalt?

7. Wir hätten ein besseres Hotel finden sollen.

   Ja, hier ist das Essen schlecht und die Betten sind unbequem.

8. Wir hätten lieber im Sommer fahren sollen.

   Ja, dann wäre das Wetter bestimmt schöner gewesen.

Übung G. Tatsachen im Passiv. Sie hören acht Aussagen im Passiv. Für jede Aussage sehen Sie in Ihrem Arbeitsbuch zwei andere Sätze. Welcher Satz hat dieselbe Bedeutung wie die Aussage, die Sie hören? Kreuzen Sie den richtigen Satz an. Sie hören jede Aussage zweimal.

1. Berlin wurde vom Präsidenten besucht.

2. Die alten Häuser werden abgerissen.

3. Der alte Mann ist vom Soldaten gerettet worden.

4. Die Stadt ist renoviert worden.

5. Hier wird schwer gearbeitet.

6. Das Land wurde durch die Armee erobert.

7. Dem Bürgermeister ist nicht gedankt worden.

8. Mit den Umbauarbeiten wird angefangen.

Übung H. Annas Berlinbesuch. Wie Sie wissen, war Anna bei ihrem Onkel Werner in Berlin. Sie hören acht Aussagen aus einem ihrer Gespräche. In jeder Aussage hören Sie eine Form des Verbs **werden.** Aber **werden** hat nicht immer dieselbe Funktion. Manchmal ist es das Hauptverb mit der englischen Bedeutung *to become* – z. B.: **Das Auto wird alt.** Manchmal zeigt es das Futur an – z.B.: **Ich werde das Auto fahren.** Und manchmal zeigt **werden** das Passiv an – z. B.: **Das Auto wird gefahren.** Kreuzen Sie in Ihrem Arbeitsbuch an, ob **werden** das Hauptverb ist oder Indikator für das Futur oder das Passiv. Sie hören jede Aussage zweimal.

Zum Beispiel:

Sie hören:

Das Holz wird immer teurer.

Sie kreuzen **Hauptverb** an.

Zweites Beispiel:

Sie hören:

Das Flugzeug wurde abgeschossen.

Sie kreuzen **Passiv** an.

Sie hören jede Aussage zweimal. Fangen wir an.

1. Wir haben viel Zeit, denn die Tage werden immer länger.

2. Zuerst werden wir die Mauerreste sehen.

3. Wann ist die Mauer abgerissen worden?

4. Ich werde auch einen Bummel auf dem Ku'damm machen.

5. In letzter Zeit wurden viele neue Geschäfte geöffnet.

6. Aber die Sachen werden sehr teuer.

7. Im Berliner Zoo werden die Tiere sehr gut behandelt.

8. Ist diese Kirche auch renoviert worden?

Hörtext 5: Übung I. Eine kurze Reise nach Stuttgart. Baden-Württemberg ist eines der schönsten Länder Deutschlands. Es liegt im Süden; der Rhein und die Donau fließen durch das Land und der Bodensee bildet die Grenze mit der Schweiz. Die Landschaft ist sehr abwechslungsreich: es gibt zum Beispiel schöne grüne Täler, den Schwarzwald und auch Berge.

Inge war übers Wochenende in Stuttgart. Es ist jetzt Dienstag früh, und Inge und Anna treffen sich in der Küche im Wohnheim. Hören Sie sich ihr Gespräch an und beantworten Sie dann die Fragen in Ihrem Arbeitsbuch.

ANNA: Grüß dich, Inge. Wo warst du am Wochenende? Ich habe dich überhaupt nicht gesehen.

INGE: Ich habe eine Freundin in Stuttgart besucht. Naja, eigentlich wohnt sie außerhalb der Stadt.

ANNA: Ich war noch nie in Stuttgart. Wie ist die Stadt?

INGE: Stuttgart ist schön – ziemlich modern, aber nicht zu groß. Es ist die Landeshauptstadt von Baden-Württemburg. Die Leute sind sehr freundlich. Sie sollen auch sehr fleißig sein: Vielleicht kennst du das schwäbische Sprichwort, „Schaffe, schaffe, Häusle bauen!" Aber ich hab' nicht nur Stuttgart gesehen.

ANNA: Nein? Was habt ihr gemacht?

INGE: Trotz des Wetters haben wir einige Ausflüge gemacht, zum Beispiel nach Heilbronn und Heidelberg. Beide Städte sind sehr schön und auch interessant. Gut, dass ich im Oktober hingefahren bin. Wegen des alten Schlosses gibt es im Sommer in Heidelberg viele Touristen.

ANNA: Das stimmt. Als ich im August in Deutschland angekommen bin, habe ich mit meiner Tante und meinem Onkel Heidelberg besucht. Es waren wahnsinnig viele Touristen in der Stadt.

INGE: Während meines Besuches hab' ich guten Wein getrunken; die ganze Gegend ist dafür bekannt. Leider konnte ich nur ein paar Tage dort bleiben. Wegen des Seminars musste ich am Montag wieder zu Hause sein. Tja, so ist das Leben.

ANNA: Eben.

Kapitel 12: Das neue Europa

Anlauftext: Stefan und Anna sprechen über ihre Zukunft

Sie hören den Anlauftext „Stefan und Anna sprechen über ihre Zukunft". Siehe Seite 522 und Seite 524 bis 525 Ihres Lehrbuches. Hören Sie sich den Text ein paar Mal an.

Seit Anna den Betriebswirtschaftsstudenten Stefan im Studentenwohnheim kennen gelernt hat, verbringt sie viel Zeit mit ihm. Annas Aufenthalt in Deutschland geht bald zu Ende, aber Anna und Stefan wollen den Kontakt auch nach Annas Rückkehr in die USA aufrechterhalten. Stefan hofft, dass er später einmal eine Stelle bei einer internationalen Organisation findet und dass er im Ausland – vielleicht in den USA – arbeiten kann. Deswegen hat er sich für ein Praktikum bei der UNO in Wien beworben. Stefan bekommt die folgende Antwort. Er kann nächstes Jahr bei der UNO in Wien als Praktikant arbeiten. Anna wird sich für das Bundestag-Internship-Programm bewerben, damit sie wieder nach Deutschland zurückkommen kann. Sie spricht mit Stefan vor seinem Postfach im Wohnheim.

Stefan und Anna sprechen über ihre Zukunft.

ANNA: Na, Stefan, gute Nachrichten erhalten?

STEFAN: Und wie! Ich bin bei der UNO als Praktikant angenommen worden!

ANNA: Das ist ja fantastisch! In Wien, nicht?

STEFAN: Ja, für den Herbst. Das ist wirklich optimal. Ich habe mit Dr. Osswald in meinem Hauptseminar gesprochen, und die hat gemeint, ein Praktikum bei der UNO wäre eine ideale Gelegenheit, internationale Erfahrungen zu sammeln. Sie hat auch gesagt, ich hätte dort gute Chancen, später einmal eine feste Stelle in Genf oder New York zu finden. Und die USA klingen immer attraktiver, seitdem mir eine gewisse Amerikanerin bekannt ist …

ANNA: Tja, das wäre natürlich ganz toll, wenn du nach Amerika kommen würdest. Aber was würde passieren, wenn ich zu der Zeit nach Deutschland zurückkäme?

STEFAN: Ach, du wolltest dich ja für dieses Bundestag-Programm bewerben.

ANNA: Ja, ein Jahr als Assistentin im Bundestag zu arbeiten, würde ich schon interessant finden. Sogar mein Vater hat gesagt, es wäre Wahnsinn, auf eine solche Gelegenheit zu verzichten.

STEFAN: Wann könntest du dich denn dafür bewerben?

ANNA: Ich wünschte, ich wüsste das genau. Ich glaube, die Bewerbung muss im Herbst eingeschickt werden, aber sonst habe ich wirklich keine Ahnung.

STEFAN: Kannst du vielleicht deine Eltern bitten, dir die Unterlagen zu schicken?

ANNA: Schon möglich. Aber ich sollte ihnen vielleicht zuerst sagen, warum ich mich so sehr für internationale Beziehungen interessiere … oder eventuell nach New York ziehen möchte.

Absprungtext: EU zieht neue Grenzen: Das ändert sich beim Zoll

Sie hören jetzt eine Aufnahme des Absprungtexts „EU zieht neue Grenzen: Das ändert sich beim Zoll." Siehe Seite 537 und Seite 539 Ihres Lehrbuches.

Seit Januar 1995 ist Österreich Mitglied der Europäischen Union. Das hat jetzt noch verschiedene Folgen, besonders in Kärnten. Weil die Grenzen zu den anderen EU-Nachbarländern weniger kontrolliert werden, verlieren viele österreichische Grenzbeamte, die an der italienischen Grenze arbeiten, ihre Stelle. An der Grenze zu Slowenien, einem Nicht-EU-Land, steigt der legale aber auch der illegale Transitverkehr. Darum machen sich jetzt die österreichischen Beamten große Sorgen.

Neue Aufgaben für „Grenzwächter" in Kärnten. Reisende erwarten offene Schlagbalken, aber auch schärfere Kontrollen.

von Johann Palmisano

Nach dem Beitritt Österreichs zur EU warten auf Kärntens Zöllner neue Aufgaben: Sie werden verstärkt im Kampf gegen Schlepper, Drogendealer und Waffenschieber eingesetzt. Aber auch für Reisende wird sich einiges ändern: Sie müssen an der Grenze zu Slowenien in Zukunft mit verschärften Kontrollen rechnen!

Durch die Öffnung der Grenze zu Italien wurden viele „Grenzwächter" über Nacht arbeitslos. Und auch die wenigen Beamten, die hier noch Passkontrollen durchführen, sollen in spätestens zwei Jahren abgezogen werden. Für die rund 570 Zöllner in Kärnten wurde deshalb ein neuer Einsatzplan erstellt. Und so sieht das Konzept im Detail aus:

- Verstärkte Kontrollen an den Zollämtern zu Slowenien. Die 170 Kilometer lange EU-Außengrenze wird durch Patrouillen rund um die Uhr hermetisch abgeriegelt.

- Unterstützt wird der Grenzdienst im Kampf gegen Schlepper, Drogen- und Waffenschmuggler durch zwei Sondereinsatzgruppen beim Zollamt Karawankentunnel und auf dem Flughafen Klagenfurt.

- Zusätzlich geplant sind fünf mobile Einsatzgruppen für stichprobenartige Kontrollen im Landesinnern.

Doch Kärntens Zöllner sind verunsichert. Zollgewerkschafter Max Klemenjak:

„Es ist noch völlig unklar, wie viele Beamte wohin versetzt werden. Viele Kollegen werden bald wohl stundenlange Anreisen zu ihren neuen Dienststellen in Kauf nehmen müssen."

Er verlangt daher von den Politikern klare Vorgaben:

„Die Beamten müssen sich ja endlich entscheiden können, ob sie in den Grenzdienst oder aber zur Gendarmerie wechseln sollen!"

Und das erwartet die Reisenden: Der tausend Schilling-Freibetrag für Slowenien wird noch genauer kontrolliert. Hingegen bleibt der Grenzbalken zu Italien noch offen. Doch das will nichts heißen. Denn in Zukunft können Zöllner auch im Landesinnern den Kofferraum öffnen lassen …

Zieltext: Studenten besprechen die EU

Es folgt der Zieltext „Studenten besprechen die EU" auf Seite 553 Ihres Lehrbuches. Hören Sie sich den Text ein paar Mal an – zuerst mit dem Buch zu und dann mit dem Buch auf.

Die Europäische Union bringt viele Änderungen für die Staaten und die Menschen Europas. Auf der einen Seite gibt es klare Vorteile, aber auf der anderen Seite sind viele Leute noch sehr skeptisch. In diesem letzten Zieltext spricht Anna mit ihren Freunden Karl, Inge und Stefan über eventuelle Probleme in der Europäischen Union der Zukunft.

ANNA:	Was haltet ihr eigentlich von der Europäischen Union? Seht ihr irgendwelche Schwierigkeiten damit?
STEFAN:	Also wir müssen uns da wahrscheinlich kräftig umstellen in der Zukunft. Wenn die Europäische Union richtig Tritt gefasst hat.
KARL:	Bisher hat man ja das Gefühl, dass diese Einrichtung eher auf dem Papier existiert als praktisch.
INGE:	Ja, ich habe gehört, dass für die Bestimmungen für Karamelbonbons 35.000 Seiten gedruckt wurden, damit alle Karamelbonbons in Europa einheitlich sind.
STEFAN:	Ja, und wenn man sich die Organe mal anguckt in der Europäischen Union, was gibt's denn da?
KARL:	Da gibt's den Europäischen Gerichtshof, den Ministerrat, den Gesetzgeber ...
INGE:	Ja, und das Europäische Parlament, das wir seit 1979 wählen ...
KARL:	Ja, in Straßburg.
STEFAN:	Ja, aber ich glaube, dass sich von der Politik von oben her nicht viel ändern wird. Wenn man zum Beispiel was für die Umwelt machen will, dann müsste man im Privaten anfangen ...
KARL:	Was könnte man denn machen?
STEFAN:	Ich habe gehört, dass einer von den Grünen Politikern ein ökologisches Steuersystem vorschlägt.
INGE:	Hmm, gute Idee!
STEFAN:	... und das würde dann also alle, die die Umwelt belasten, höher besteuern.
KARL:	Na, aber wie soll das gemessen werden?
STEFAN:	Na, das hat er nicht genau gesagt. Das ist eben problematisch ...
INGE:	Ja, und dann gibt es auch noch die kulturellen Unterschiede in Europa.
STEFAN:	Also, ich denke, dass man die mit der richtigen Einstellung überwinden könnte ... Wenn man so den Anfang sieht, mit einer gemeinsamen Währung, mit dem Euro, obwohl ich mich kaum daran gewöhnen kann ...
KARL:	Ja, alles wird eben umgestellt. Aber vielleicht ist es auch nur deshalb, weil man Angst vor dem Neuen hat.
INGE:	Vielleicht ist es in der nächsten Generation, die schon in der Schule mit dieser Mentalität erzogen wird, dass die weniger Schwierigkeiten haben als unsere Generation ...

WEITERE HÖRTEXTE UND ÜBUNGEN

Hörtext 1: Übung A. Der Roman von Herrn Kaluder. Wir sind fast am Ende des Romans von Herrn Kaluder angelangt. An einem Samstagvormittag im Januar ist Susanne wie üblich bei Janus. Hören Sie sich ihr Gespräch an. Kreuzen Sie dann an, ob die Aussagen in Ihrem Arbeitsbuch stimmen oder nicht.

JANUS:	Ich möchte heute Morgen meine Mutter besuchen. Sie würde sich sehr freuen, wenn du mitkommen würdest.
SUSANNE:	Ich würde sie auch gern kennen lernen. Aber, weißt du, ich möchte in die Buchhandlung gehen, und die Geschäfte haben nur bis zwei Uhr offen. Also, wie wär's, wenn wir am Nachmittag hinfahren würden?

JANUS:	Von mir aus ginge das, aber ich müsste die Mutti fragen, näturlich. Ich rufe sie an. Grüß dich, Mutti. Du, Susanne und ich würden am Nachmittag gern zu dir fahren. Ginge das, oder hast du schon 'was vor? Wir würden nicht lange bleiben. Höchstens eine Stunde oder so. Ah uh. Mmmm. Ja, ja. Na, am Abend geht's nicht. Wir haben mit Gerhardt ausgemacht, dass wir mit ihm und Antonia ins Kino gehen. Ah uh. Moment mal, ich frage die Susanne. Sie will wissen, ob wir nicht morgen bei ihr zu Mittagessen könnten.
SUSANNE:	Das geht überhaupt nicht, denn ich muss schon um ein Uhr abfahren. Montag um 9 Uhr früh habe ich ein Vorstellungsgespräch, und ich will gut vorbereitet sein. Am besten gehst du allein hin. Ich hätte sie gern endlich kennen gelernt, aber dieses Wochenende geht's anscheinend nicht. Vielleicht nächstes Wochenende.
JANUS:	Das geht auch nicht. Nächstes Wochenende fahre ich zu dir.
SUSANNE:	Richtig. Wie wär's übernächstes Wochenende?
JANUS:	Das wird wahrscheinlich auch nicht gehen, denn sie fährt an dem Montag darauf auf zwei Monate nach Spanien, und sie wird sicher viel zu tun haben.
SUSANNE:	Ach ja. Ich hab's vergessen. Schade. Wenn wir nur früher daran gedacht hätten, hätten wir mit Gerhardt und Antonia nichts ausgemacht.
JANUS:	Naja, da kann man nichts machen. Mutti, die Susanne muss morgen früher abfahren, also es wird nicht gehen. Aber weißt du, ich komme alleine zu dir. Du solltest dir aber keine Umstände machen. Essen wir nur eine Kleinigkeit, und was würdest du dazu sagen, wenn wir dann in der Stadt einen Spaziergang machten? Gut, gut. Also, bis morgen gegen eins. Tschüss.
SUSANNE:	Was machst du dann jetzt am Vormittag? Kommst du mit mir in die Buchhandlung?
JANUS:	Nein. Ich bleibe lieber zu Hause. Ich möchte die Bewerbungen für die Praktikantenstellen fertig schreiben.

Übung B. Noch einmal: Janus und Susanne. Sie hören das Gespräch noch einmal. Nach dem Gespräch hören Sie sechs Fragen. Für jede Frage sehen Sie in Ihrem Arbeitsbuch zwei Antworten. Kreuzen Sie die richtige Antwort an. Sie hören jede Frage zweimal.

1. Was würde Janus am Samstagvormittag gern machen?

2. Was würde Susanne am Samstagvormittag lieber machen?

3. Möchte Susanne Janus' Mutter kennen lernen?

4. Was fragt die Mutter ihren Sohn?

5. Was sagt Susanne über die Pläne mit Gerhardt und Antonia?

6. Was will Janus, dass seine Mutter tut?

Hörtext 2: Übung C. Radio Vorsprung unterwegs! Radio Vorsprung bringt ein Interview mit Frau Krause. Hören Sie sich die Sendung ein paar Mal an. Achten Sie beim ersten Zuhören nur auf einige Informationen, nicht auf alle Details. Bevor Sie sich die Sendung anhören, schauen Sie sich die Fragen in Ihrem Arbeitsbuch an. Beantworten Sie die Fragen in Ihrem Arbeitsbuch, während Sie zuhören.

EVA SCHWARZL:	Guten Tag, liebe Zuhörer und Zuhörerinnen! Herzlich Willkommen bei „Radio Vorsprung unterwegs!" Wir sind heute in Österreich – dem Land von Mozart, Beethoven und dem Wiener Walzer. Wir sprechen mit Martine Krause, einer Amerikanerin, die schon lange in Österreich lebt.
	Guten Tag, Frau Krause. Vielen Dank, dass Sie gekommen sind.

MARTINE KRAUSE:	Bitte.
EVA SCHWARZL:	Sie sind amerikanische Staatsbürgerin, nicht wahr, Frau Krause?
MARTINE KRAUSE:	Ja, aber ich bin in Slowenien geboren. Meine Familie ist zuerst nach Deutschland ausgewandert und dann in die USA emigriert. Meine Eltern und zwei Brüder wohnen immer noch in den USA.
EVA SCHWARZL:	Wie lange leben Sie schon in Österreich, Frau Krause?
MARTINE KRAUSE:	Seit 24 Jahren lebe ich hier.
EVA SCHWARZL:	Haben Sie Familie in Österreich?
MARTINE KRAUSE:	Nein, nicht hier in Österreich. Meine Eltern und meine Brüder wohnen in den Vereinigten Staaten, aber meine Tante, mein Onkel und deren Kinder sind in Slowenien.
EVA SCHWARZL:	Sie haben also keine Familie hier in Österreich?
MARTINE KRAUSE:	Nein, keine Verwandten oder Familie.
EVA SCHWARZL:	Wieso sind Sie dann nach Österreich gekommen?
MARTINE KRAUSE:	Ich bin damals als Studentin nach Wien gekommen – für das *Junior-Year-Abroad* – und habe ein Jahr hier Deutsch studiert – Germanistik war mein Hauptfach an der Uni – und bin wieder zurück in die Staaten gefahren, um meinen Abschluss – meinen BA – zu machen.
	Österreich hat mir so gut gefallen, dass ich nach Beendigung meines Studiums wieder zurückkam. Zuerst arbeitete ich für ein Reisebüro in Baden bei Wien – einem sehr schönen Kurort, circa 60 Kilometer südlich von Wien entfernt.
EVA SCHWARZL:	Arbeiten Sie noch im Reisebüro?
MARTINE KRAUSE:	Nein, seit 1973 bin ich in Wien bei einer der größten Banken Österreichs angestellt. Baden war mir doch zu klein, und ich wollte wieder in Wien wohnen und arbeiten.
EVA SCHWARZL:	Was machen Sie bei der Bank, Frau Krause?
MARTINE KRAUSE:	Ich bin Sachbearbeiterin für Auslands-Akkreditiv-Geschäfte und arbeite mit Firmen, die Waren exportieren. Ich prüfe die Dokumente für Exportgeschäfte, bzw. überprüfe die Transaktionen. Als ich bei der Bank angefangen habe, habe ich mich mit Exporten in das damalige Jugoslawien befasst. Jetzt befasse ich mich aber hauptsächlich mit Exporten in den arabischen Raum. Die Arbeit ist interessant. Ich muss sehr oft Deutsch oder Englisch reden und schreiben. Man hat sehr viel Kontakt zu den Kunden. Manche Kunden sind Ausländer, die nur Englisch sprechen. Unsere Kontakte im Ausland sind die Banken.
EVA SCHWARZL:	Sie sind amerikanische Staatsbürgerin, Frau Krause. Müssen Sie als Ausländerin österreichische Steuern zahlen?
MARTINE KRAUSE:	Ja, da ich für eine österreichische Bank arbeite und in Österreich lebe, zahle ich auch meine Steuern an Österreich. Circa 30 Prozent werden für die Krankenkasse, Lohnsteuer und Pensionsversicherung vom Bruttogehalt abgezogen. In Österreich zahlt man auch separat pro Quartal Kirchensteuer an die katholische oder protestanische Kirche oder an die jüdische Gemeinde.
	Wissen Sie, Kirchensteuer gibt es in den USA nicht. Das war für mich 'was Neues.

EVA SCHWARZL: Bekommen Sie auch die Sozialleistungen, wie die Österreicher?

MARTINE KRAUSE: Ja, ich bekomme dieselben Sozialleistungen wie die Österreicher, zum Beispiel Krankenkasse, Arbeitslosengeld oder Pension.

EVA SCHWARZL: Bezahlen Sie auch Steuern an die amerikanischen Behörden?

MARTINE KRAUSE: Nein. Wenn man bereits in Österreich Steuern zahlt, braucht man in den USA nicht zusätzlich Steuern zu zahlen.

EVA SCHWARZL: Haben Sie eine Arbeitserlaubnis?

MARTINE KRAUSE: Ja, da ich Amerikanerin bin, muss ich eine Arbeitserlaubnis haben. Wäre ich Staatsbürger eines EU-Landes, wäre eine Arbeitsbewilligung nicht nötig.

    Für einen Amerikaner, der jetzt nach Österreich kommt, ist eine Arbeitsbewilligung nicht mehr so leicht zu bekommen. Der Jobmarkt ist auch hier knapp geworden.

EVA SCHWARZL: Gibt es gewisse Bedingungen, die Sie als Bürgerin eines Nicht-EU-Landes erfüllen müssen?

MARTINE KRAUSE: Ja, ich brauche ein Visum, d.h. eine Aufenthaltsbewilligung, gültig für zwei Jahre. Sie wird jedes zweite Jahr verlängert. Bevor ich das Visum bekomme, muss ich eine Bestätigung von meiner Bank haben, dass ich seit 1973 bei der Bank beschäftigt bin. Einen Meldezettel – dass ich hier in Wien bei der Polizei gemeldet bin –, Visum, Arbeitsbewilligung – alles muss ich alle zwei Jahre selber in die Wege leiten. Leute aus den EU-Ländern benötigen kein Visum und keine Arbeitsbewilligung. Sie müssen sich aber schon bei der Polizei anmelden – wie die Österreicher.

EVA SCHWARZL: Sie haben gesagt, dass Ihre Familie in den USA wohnt.

MARTINE KRAUSE: Ja, meine Eltern wohnen in Chicago und einer meiner Brüder in Kalifornien. Der andere wohnt in New York.

EVA SCHWARZL: Fliegen Sie öfters in die USA, oder kommt Ihre Familie auf Besuch nach Österreich?

MARTINE KRAUSE: Naja, ich fahre jedes zweite Jahr nach Amerika, um die Familie und Freunde zu besuchen. Meine Eltern waren nur zweimal hier in Österreich auf Besuch. Meine Brüder gar nicht, da sie beide eine eigene Familie haben und bis jetzt noch nicht die Zeit gefunden haben, mich zu besuchen.

EVA SCHWARZL: Nach so vielen Jahren in Wien haben Sie sicher viele Freunde hier, nicht?

MARTINE KRAUSE: Ja, sehr viele gute Freunde – Österreicher, Italiener, Amerikaner, Ungarn, Griechen, Türken – eine internationale Mischung.

EVA SCHWARZL: Was gefällt Ihnen besonders an Österreich, Frau Krause?

MARTINE KRAUSE: Mir gefällt die Lebensart hier in Österreich, die Tradition, die Sprache, die Kultur (zum Beispiel die Oper, die Konzerte, das Theater, die Kinos, die Filme in der Originalsprache bringen), die vielen verschiedenen Restaurants, die Kaffeehäuser, die Heurigen und die Gemütlichkeit.

    Das Leben ist anders als in den USA. Ich gebe Ihnen ein kleines Beispiel. Hier in Österreich ruft man den Ober, um zu zahlen. Der Ober präsentiert die Rechnung nicht sofort, nachdem er das Essen oder die Getränke gebracht hat, wie das in Amerika so üblich ist.

    Wien ist zwar eine Großstadt, aber die Kriminalität ist noch nicht so hoch wie in den USA. Wir haben sehr viele Grünanlagen in der Stadt, aber auch die Umgebung ist vielfältig – der Wienerwald, die Wachau, das Burgenland sind nicht weit entfernt.

Tja, ich fühle mich sehr wohl hier in Österreich. Ich bin hier zu Hause.

EVA SCHWARZL: Ja, wir sind auch gern in Österreich, nicht wahr liebe Zuhörer und Zuhörerinnen? Vielen Dank, Frau Krause. Es war angenehm, Sie kennen zu lernen, und wir wünschen Ihnen eine angenehme Woche. Auf Wiedersehen.

MARTINE KRAUSE: Bitte. Auf Wiedersehen.

EVA SCHWARZL: Das ist unsere Sendung für heute, liebe Zuhörer und Zuhörerinnen. Wir wünschen Ihnen alles Gute und hoffen, dass Sie auch weiterhin Deutsch studieren werden. Bis demnächst, und wie die Österreicher zu ihren Freunden sagen: „Servus" aus Österreich.

Übung D. Die Sendung wird wiederholt. Hören Sie sich die Sendung von Radio Vorsprung noch einmal an. Bevor Sie sich die Sendung anhören, schauen Sie sich die Aussagen in Ihrem Arbeitsbuch an. Hören Sie sich das Interview an. Ergänzen Sie dann die Aussagen mit den richtigen Wörtern und Ausdrücken.

Hörtext 3: Übung E. Das Ende des Romans. Sie hören das letzte Kapitel des Romans von Michael Kaluder. Hören Sie sich das Kapitel an. Kreuzen Sie dann in Ihrem Arbeitsbuch an, ob die Aussagen stimmen oder nicht.

NARRATOR: Es ist Montag, sieben Uhr. Janus wacht auf. Er steht aber nicht auf. Das Telefon läutet. Janus hebt ab. Seine Mutter ruft an. Sie fliegt um 14.00 Uhr nach Madrid, um Verwandte zu besuchen. Sie bleibt zwei Monate – den ganzen Januar und den ganzen Februar – in Madrid. Gott sei Dank. Bevor sie fliegt, möchte sie Janus unbedingt nochmal besuchen. Sie spricht und spricht.

MUTTER: Na, Janus, was machst du? Wann stehst du auf? Wann gehst du in die Vorlesung? Warum studierst du so wenig? Du studierst schon 15 Semester? Warum studierst du Geschichte? Warum studierst du nicht Informatik oder Mathematik? Du findest dann eine bessere Arbeit. Du antwortest überhaupt nicht. Schläfst du? Warum rufst du deine Freundin nicht an? Wie heißt sie? Susanne, nicht? Sie ist hübsch. Ruf sie an! Sie hat blonde Haare, nicht?

JANUS: *(in background)* Ja, Ja.

MUTTER: Ja, ja, blond ist sie. Warum du noch ledig bist, verstehe ich nicht. Deine Freundin ist doch so nett. Wann kommt sie zurück? Du, ich habe eine Bitte – kannst du mich zum Flughafen fahren? Ich könnte mit einem Taxi fahren, aber das kostet so viel. Wenn du ein bisschen früher kommen würdest, könnten wir zusammen essen gehen.

NARRATOR: Janus denkt nach – er liebt seine Mutter, aber er will sie im Moment nicht sehen.

JANUS: Sie würde nur weitere Fragen über Susanne stellen.

NARRATOR: Er bedauert schon, dass er ihr Bilder von ihr gezeigt hat.

JANUS: Zumindest haben sie einander nicht kennen gelernt. War das nur eine Ausrede, als Susanne vor ein paar Wochen sagte, dass sie am Sonntag früh nach München zurückfahren musste? Es wäre besser gewesen, wenn ich der Mutter die Fotos vom Urlaub nicht gezeigt hätte. Ich hätte ihr lieber gar nichts von Susanne sagen sollen. Gott sei Dank hat sie mir geglaubt, als ich ihr sagte, dass Susanne für die Arbeit viel reisen muss.

Wenn Susanne ihre Stelle nur nicht verloren hätte. Naja, wenn sie nur eine neue Stelle bekommen hätte! Sie hätte mich um Geld bitten sollen! Ich hätte es ihr gegeben, ohne zu fragen. Ich hätte das gern getan!

Ich hätte mit ihr einkaufen gehen sollen. Vielleicht, wenn sie mehr Vertrauen zu mir gehabt hätte, hätte sie mich um das Geld gebeten, das sie für die Bücher brauchte. Das war schrecklich, als die Polizei sie verhaftet und abgeführt hat. Jetzt ist sie im Gefängnis. Was kann ich nur machen? Sie will mich nicht sehen, nicht mit mir sprechen, nicht einmal Briefe will sie von mir. Wenn sie nur einen besseren Anwalt gehabt hätte! Sie hat die Diebstähle sowieso gestanden, aber vielleicht, wenn der Anwalt klüger gewesen wäre, müsste sie jetzt nicht so lange im Gefängnis sitzen.

Ach, wenn wir jetzt nur zusammen in Griechenland wären!

Hörtext 4: Übung F. Die Diebin und der Detektiv. Als wir zuletzt von Inspektor Prachner hörten, waren er und sein Kollege gerade dabei, eine Frau anzusprechen. Hören Sie, wie der Fall der gestohlenen Bücher zu Ende geht. Nach dem Text hören Sie zehn Aussagen. Kreuzen Sie in Ihrem Arbeitsbuch an, ob die Aussagen im Passiv, im Zustandspassiv oder im Aktiv sind. Sie hören jede Aussage zweimal.

KOLLEGE:	Was macht sie?
INSP. PRACHNER:	Sie will anscheinend jemanden abholen – jemanden, der über der Bäckerei wohnt. Welche Nummer hat das Haus? 63. Mmm Mommsenstraße 63. Das müssen wir notieren. Wer wohnt da?
KOLLEGE:	Ich kann von meiner Seite gar nichts sehen.
INSP. PRACHNER:	Sie steigt aus dem Auto. Sie holt etwas von dem hinteren Sitzplatz. Den Rucksack. Schauen Sie – etwas ist aus dem Rucksack gefallen. Was ist es? Wo ist es gelandet? Es liegt unter dem Auto. Sie versucht es aufzuheben. Es ist ein Buch. Ich bin sicher. Gehen wir. Helfen wir ihr das Buch von unter dem Auto zu holen.
KOLLEGE:	Ich gehe zuerst.
INSP. PRACHNER:	Ich bleibe vor der Bäckerei stehen und schaue in das Schaufenster – als ob ich mir überlege, was ich kaufe.
KOLLEGE:	Ich spreche sie an. Sobald wir genug Beweise haben, verhaften wir sie.
	Kann ich Ihnen helfen?
CLAUDIA:	Danke, das ist sehr nett. Ein Buch ist aus meinem Rucksack gefallen. Es liegt unter dem Auto. Sie werden aber schmutzig, wenn Sie …
KOLLEGE:	Es geht schon. Nur ein bisschen weiter … da ich hab's schon. Wie heißt der Titel? „Tipps für Arbeitssuchende". Ich hoffe, Sie haben das Buch geschrieben und brauchen das Buch nicht zu lesen.
CLAUDIA:	Leider habe ich es nicht geschrieben. Ich werde es aber bald lesen.
KOLLEGE:	Suchen Sie eine neue Stelle? Ich möchte meinen Arbeitsplatz wechseln, aber ich habe noch nicht angefangen, eine neue Stelle zu suchen. Haben Sie das Buch schon gelesen?
CLAUDIA:	Nein, noch nicht. Ich wurde im August entlassen und suche schon seit Herbst eine Stelle.
KOLLEGE:	Tut mir Leid. Suchen Sie hier in Tübingen eine Stelle?

CLAUDIA:	Nein. Ich würde gern hier wohnen, aber meine Eltern sind in München, und sie werden immer älter. Also muss ich in München bleiben. Mein Freund lebt hier in Tübingen, und ich bin am Wochenende öfters hier.
KOLLEGE:	Haben Sie andere solcher Bücher gelesen?
CLAUDIA:	Ja, einige. Ich arbeitete 7 Jahre lang bei derselben Firma. Ich weiß nicht mehr, wie man eine Stelle sucht.
KOLLEGE:	Können Sie mir einige solcher Bücher empfehlen?
CLAUDIA:	Ja, natürlich. Ich hab sogar ein paar andere mit. Hier. Dieses ist sehr gut – es hat viele Tipps, wie man sich bei einem Vorstellungsgespräch vorstellt.
KOLLEGE:	Kaufen Sie die Bücher, oder kann man sie von der Stadtbibliothek ausleihen?
CLAUDIA:	Uh, ich kaufe sie.
KOLLEGE:	Wo kaufen Sie sie? Kann man sie in allen Buchhandlungen finden? Oder muss man sie bei der Buchhandlung bestellen, oder muss man zu einer bestimmten Buchhandlung gehen?
CLAUDIA:	Die gibt's überall zu kaufen.
KOLLEGE:	Sind sie teuer?
CLAUDIA:	Mmmm, nicht zu teuer.
KOLLEGE:	Wie viel hat dieses Buch gekostet? Es sieht ganz neu aus, oder haben Sie es schon gelesen? Vielleicht haben Sie den Zettel der Buchhandlung noch dabei. Dann können Sie mir genau sagen, wie viel es gekostet hat.
CLAUDIA:	Nein, ich habe es noch nicht gelesen. Ich habe es … uh, ich weiß nicht mehr genau, wie viel es gekostet hat. Mmmmm. Wissen Sie, ich muss eigentlich gehen.
KOLLEGE:	Ich heiße Anton. Wie heißen Sie? Möchten Sie vielleicht einen Kaffee trinken gehen? Sie können mir erklären, wie man heutzutage eine Stelle sucht.
CLAUDIA:	Ach ja … Enkelmann, Claudia Enkelmann. Wie gesagt, ich muss jetzt gehen. Ich habe im Moment keine Zeit. Aber wir könnten uns vielleicht irgendwann einmal treffen. Also, auf Wiedersehen …
INSP. PRACHNER:	Frau Enkelmann, ich heiße Prachner, Inspektor Heinz Prachner, und das ist Inspektor Anton Wegner. Bitte, kommen Sie mit uns zur Polizeiwache. Wir möchten Sie fragen, wie Sie in den Besitz dieser Bücher gekommen sind.
CLAUDIA:	Aber … ich verstehe nicht … ich … ich
INSP. PRACHNER:	Am besten sagen Sie jetzt nichts, Frau Enkelmann.
MICHAEL:	Entschuldigung. Claudia, was gibt's? Was geht hier vor?
INSP. PRACHNER:	Kennen Sie die Dame?
MICHAEL:	Ja. Sie ist meine Freundin. Ist was passiert? Claudia?
INSP. PRACHNER:	Wie heißen Sie?
MICHAEL:	Kaluder, Michael Kaluder.
INSP. PRACHNER:	Tja, Herr Kaluder, am besten kommen Sie auch mit zur Polizeiwache. Wir verhaften Ihre Freundin wegen Diebstahls. Wir möchten Ihnen auch einige Fragen stellen.

Sie hören jetzt zehn Aussagen zu dem Fall der gestohlenen Bücher. Kreuzen Sie in Ihrem Arbeitsbuch an, ob die Aussage im Passiv, im Zustandspassiv oder im Aktiv sind. Sie hören jede Aussage zweimal.

1. Eine Diebin muss von der Polizei verhaftet werden.

2. Diebstahl ist verboten.

3. Die Polizei folgt einer Frau.

4. Ein Buch fällt aus dem Rucksack heraus.

5. Ein Mann hat die Frau angesprochen.

6. Das Buch ist von dem Mann geholt worden.

7. Viele Fragen wurden von dem Mann an die Frau gestellt.

8. Sie wollte die Fragen nicht beantworten.

9. Die Polizisten haben den Freund der Frau auch mitgenommen.

10. Claudia ist verhaftet.

Übung G. Was meinen Sie? Beanworten Sie die Fragen in Ihrem Arbeitsbuch. Wenn nötig, hören Sie sich Hörtext 1 und Hörtext 3 noch einmal an.

Hörtext 5: Übung H. Ein Happy End? Wie es oft beim Drehen eines Filmes passiert, will der Filmemacher den Schluss des Filmes ändern. Der berühmte deutsche Filmemacher Manfred Manfred erzählt jetzt Schriftsteller Michael Kaluder, wie der Film seiner Meinung nach enden soll. Bevor Sie sich seine Ideen anhören, schauen Sie sich die neuen Vokabeln an. Hören Sie gut zu. Kreuzen Sie dann an, ob die Aussagen in Ihrem Arbeitsbuch stimmen oder nicht.

Ich möchte, dass der Film anders ausgeht, Herr Kaluder. Der Roman ist zum Schluss viel zu tragisch, wie Sie ihn geschrieben haben, und ich fürchte, der Film, wenn er auch so endet, wird bei dem Publikum nicht gut ankommen. Ich habe zwei Ideen, um dem Film ein Happy End zu geben. In der ersten Szene soll Susanne nicht ins Gefängnis gehen. Zu ihrer Verteidigung kommt der Chef einer Firma, die sie gerade anstellen wollte. Der Mann sagt, dass er Verständnis für sie hat, und obwohl sie vorbestraft ist, würde er ihr die Stelle geben. Der Richter hat auch Verständnis für ihre Lage, und anstatt sie zu sechs Monaten Gefängnis zu verurteilen, verurteilt er sie zu einem Jahr Aushilfe in einem Spital, natürlich ohne Bezahlung. Sie muss aber nur abends und samstags und sonntags aushelfen, also kann sie die Stelle bei der Firma annehmen. Außerdem müssen die gestohlenen Bücher bezahlt werden. Nachdem der Richter das Urteil vorliest, dreht sich Susanne zu ihren Eltern um und sieht den Janus, der da steht. Sie lächelt ihn nur an.

In der anderen Endszene kommt derselbe Mann zu ihrer Verteidigung, aber sie wird trotzdem zu sechs Monaten Gefängnis verurteilt. Nach sechs Monaten kommt sie aus dem Gefängnis. Vor dem Gefängnis steht ein Auto. Janus sitzt in dem Auto und wartet auf sie. Ohne ein Wort zu sagen, steigt sie in das Auto ein und das Auto fährt weg. In der nächsten Szene sehen wir Janus und Susanne auf der Motorhaube des Autos sitzen. Man sieht die Landschaft Griechenlands. Vor ihnen liegt das blaue Meer – das Mittelmeer. Hinter ihnen sieht man ein kleines Dorf. Ihre Gesichter sehen wir aber nicht. Vielleicht hat Janus einen Arm um Susanne. Sie sprechen aber nicht. Wie gesagt, sie schauen nur in die Ferne – aufs Meer.

Was meinen Sie, Herr Kaluder?

Hörtext 6: Übung I. Rainer Maria Rilke. Einer der bedeutendsten Dichter der österreichisch-ungarischen Monarchie war Rainer Maria Rilke. Sie hören zunächst eine kurze Biographie des Dichters. Danach hören Sie sechs Aussagen zum Text. Kreuzen Sie in Ihrem Arbeitsbuch an, ob die Aussagen stimmen oder nicht. Sie hören jede Aussage zweimal.

Rainer Maria Rilke wurde 1875 in Prag geboren. Sein Vater war Militäroffizier und später Beamter bei der Eisenbahn. Seine Mutter war für die damalige Zeit eine sehr eigenwillige Frau. In seinen ersten Jahren wurde er von seiner Mutter als Mädchen erzogen, weil sie sich eine Tochter gewünscht hatte. Seine Eltern trennten sich im Jahre 1884.

Er besuchte Militärschulen in St. Pölten und Mährisch-Weißenkirchen und studierte Philosophie und Kunst- und Literaturgeschichte an den Universitäten Prag und München. Er konnte Deutsch, Tschechisch, Russisch, Französisch, Italienisch und Dänisch sprechen. Er übersetzte unter anderem Werke von Michelangelo und Elisabeth Barrett-Browning ins Deutsche und schrieb Gedichte nicht nur auf Deutsch sondern auch auf Tschechisch, Russisch und Französisch. Seine ersten Gedichte erschienen 1894.

Im Jahre 1896 traf er in München Lou Andreas-Salomé, die eine Freundin seiner Mutter war. Er folgte ihr nach Berlin und reiste zweimal mit ihr in den Jahren 1899 und 1900 nach Russland, wo er Tolstoi begegnete. 1901 heiratete er Clara Westhoff, eine Bildhauerin, die einst eine Schülerin Rodins war. 1902 und 1903 hielt er sich in Paris auf. Er reiste auch nach Rom und Schweden und Deutschland. In den Jahren 1905/1906 war er Privatsekretär Rodins in Paris. In den folgenden Jahren unternahm er Reisen durch Deutschland, Frankreich, Italien, Böhmen, Nordafrika und Spanien. Von 1914 bis 1919 wohnte er in München. Nach dem Ersten Weltkrieg übersiedelte er in die Schweiz, wo er 1926 in Val Mont/Wallis starb.

Sie hören jetzt sechs Aussagen zu der Biographie von Rainer Maria Rilke. Kreuzen Sie in Ihrem Arbeitsbuch an, ob die Aussagen stimmen oder nicht. Sie hören jede Aussage zweimal.

1. Rainer Maria Rilke lebte von 1875 bis 1926.

2. Rainer Maria Rilke wurde in Wien geboren.

3. Er konnte viele Sprachen, aber er hat nur auf Deutsch gedichtet.

4. Er reiste viel.

5. Er hat in Paris bei dem Bildhauer Rodin gearbeitet.

6. Am Ende seines Lebens wohnte er in der Schweiz.

Hörtext 7: Übung J. Herbsttag. Sehen Sie sich das Gedicht „Herbsttag" von Rainer Maria Rilke in Ihrem Arbeitsbuch an. Lesen Sie zuerst das Gedicht und versuchen Sie die Fragen in Ihrem Arbeitsbuch zu beantworten. Sie müssen die Antworten nicht schreiben. Hören Sie sich zum Schluss das Gedicht an.

Herbsttag

von Rainer Maria Rilke

Herr: es ist Zeit. Der Sommer war sehr groß.

Leg deinen Schatten auf die Sonnenuhren,

und auf den Fluren laß die Winde los.

Befiehl den letzten Früchten voll zu sein;

gieb ihnen noch zwei südlichere Tage,

dränge sie zur Vollendung hin und jage

die letzte Süße in den schweren Wein.

Wer jetzt kein Haus hat, baut sich keines mehr.

Wer jetzt allein ist, wird es lange bleiben,

wird wachen, lesen, lange Briefe schreiben

und wird in den Alleen hin und her

unruhig wandern, wenn die Blätter treiben.

UNTERWEGS!
VIDEO TRANSCRIPT

UNTERWEGS! VIDEO TRANSCRIPT

Szene 1

WILLKOMMEN IN TÜBINGEN

SABINE:	8 Uhr 21, 8 Uhr 24, 8 Uhr 26, 8 Uhr 35, 8 Uhr 42, ahh. Ja, 8 Uhr …
JULIAN:	Heh, Sabine.
SABINE:	Ah. Ah, hallo Julian!
JULIAN:	Es tut mir Leid. Ich bin zu spät, das weiß ich.
SABINE:	Das macht nichts! Sie ist noch nicht da.
JULIAN:	Entschuldige bitte. Nicht? Gut. Wie heißt denn deine Kusine?
SABINE:	Lisa heißt sie.
JULIAN:	Ja?
SABINE:	Mm.
JULIAN:	Und woher kommt sie?
SABINE:	Sie kommt jetzt aus Hamburg. Ja.
JULIAN:	Ja, und warum kommt sie nach Tübingen?
SABINE:	Ach, sie will die Stadt Tübingen sehen und vor allen Dingen die Universität.
JULIAN:	Ah, ja. Gut. Ja, wie sieht sie aus, erzähl mal!
SABINE:	Sie ist sehr klein …
JULIAN:	Aha.
SABINE:	… und sie hat ganz kurze lockige Haare…
JULIAN:	Mmhm.
SABINE:	… und sie sind hellbraun oder blond, ich weiß nicht. Außerdem trägt sie eine Brille, und sie ist ziemlich mollig.
JULIAN:	Sag mal, bist du sicher, dass sie nicht schlank ist?
SABINE:	Nein, nein, nein, sie war schon als Kind relativ dick.
JULIAN:	Und bist du sicher, dass sie eine Brille trägt?
SABINE:	Ja, immer schon.
JULIAN:	Bist du sicher, dass das stimmt, was du sagst?
SABINE:	Ja, aber natürlich.
LISA:	Hallo.
SABINE:	Lisa? Ah, hallo! Schön, dich zu sehen. Darf ich vorstellen? Das ist Julian, ein Freund. Das ist meine Kusine Lisa. Du siehst ganz anders aus als vor 5 Jahren.
LISA:	Ja, Gott sei Dank.

SABINE:	Schön, dass du da bist.
LISA:	Ja, finde ich auch.
SABINE:	Habt ihr Lust …? Sollen wir einen Kaffee trinken gehen?
LISA:	Oh ja, gerne!
JULIAN:	Ja. Gerne.
SABINE:	Einen Kaffee in der Altstadt?
LISA:	Gut. Gute Idee.
JULIAN:	Lisa, ich kann dir deine Tasche hinten in den Wagen reintun.
LISA:	Das wäre sehr nett, ja.
SABINE:	Gut, dann geh'n wir zum Auto!
LISA:	Danke.
JULIAN:	O.K., gehen wir.
SABINE:	Und, hattest du eine gute Fahrt?
LISA:	Ja, hatte ich.

Szene 2

MEINE FAMILIE

JULIAN:	Also, ihr beiden seid Kusinen.
LISA:	Ja.
SABINE:	Ja. Unsere Väter sind Brüder.
LISA:	Mm.
SABINE:	Aber wir haben uns seit fünf Jahren nicht mehr gesehen.
LISA:	Hm. Ja, es ist sehr lange her.
SABINE:	Lange Zeit.
LISA:	Ich habe Fotos dabei. Wollt ihr sie sehen?
SABINE:	Oh ja, gerne.
JULIAN:	Oh ja bitte, zeige sie uns!
LISA:	Es sind nur zwei Stück, aber…
SABINE:	Hm.
LISA:	… immerhin. So.
SABINE:	Ah, wer ist das?
JULIAN:	Wer ist die Dame hier?
LISA:	Das hier, das ist meine Stiefmutter.

SABINE:	Ahh.
LISA:	Meine Eltern sind geschieden. So, mein Vater hat nochmal geheiratet.
SABINE:	Sie ist so groß wie dein Vater.
LISA:	Ja. Und sie hat Locken.
SABINE:	Mm. Mm.
LISA:	Ein bisschen. Das ist mein Vater.
SABINE:	Ah, er ist auch groß und schlank. Wie früher.
JULIAN:	Wer ist denn …, wer ist diese Dame in diesem gelben Kleid?
LISA:	Das ist meine Schwester.
SABINE:	Sie hat jetzt Locken?
LISA:	Ja.
SABINE:	Und dunklere Haare.
LISA:	Hm.
SABINE:	Ah ah.
LISA:	Sie hat an diesem Tag geheiratet.
SABINE:	Gut.
LISA:	Das ist der Mann von meiner Schwester.
SABINE:	Ahhh. Den habe ich noch nie gesehen.
LISA:	Ne.
SABINE:	Er trägt eine Brille.
LISA:	Mm.
SABINE:	Und der hat wenig Haare.
LISA:	Mm. Na ja, so ist das bei Männern.
SABINE:	Und deine Schwester auch, die gleiche Augenfarbe wie du?
LISA:	Ja, sie hat auch braune Augen.
SABINE:	Auch braune Augen.
LISA:	Und das hier, das ist meine Mutter.
SABINE:	Ah, sie sieht noch genauso aus wie früher.
LISA:	Ja.
SABINE:	Gut.
LISA:	Sie hat sich nicht sehr verändert.
SABINE:	Ja.
LISA:	Sie trägt noch immer gerne Hüte.
SABINE:	Jaha. Mm.
LISA:	Ja, hier hat sie sich sehr schick gemacht natürlich wegen der Hochzeit.
SABINE:	Immer noch schwarzes Haar?
LISA:	Yup.

SABINE:	Mm. Genau. Gut.
LISA:	Sag mal, sind deine Eltern eigentlich da diese Woche, oder sind sie wieder auf Reisen? Sie sind ja immer unterwegs.
SABINE:	Ja, sie sind verreist, sie sind bei meinem Opa in Heidelberg.
LISA:	Ah ja.
SABINE:	Mm. Aber sie kommen morgen schon wieder.
LISA:	Na. Schön, da freue ich mich drauf.
JULIAN:	Sag mal, was machst du eigentlich so gerne?
LISA:	Ahm. Ja. Also ich interessiere mich sehr für Naturwissenschaften.
JULIAN:	Aha.
LISA:	Deswegen habe ich auch in der Schule jetzt Biologieleistungskurs gewählt. Und ich habe, hm, ein Klavier, ich spiel' Klavier.
SABINE:	Spielst du immer noch?
LISA:	Ja, und ich singe.
SABINE:	Ja?
LISA:	Und … mm. Ja, und ich bin in einem Verein. So ein kleiner Verein, wir engagieren uns für den Umweltschutz.
SABINE:	Ah.
JULIAN:	Du hast eine vielseitige Kusine.
SABINE:	Ja. Früher schon.
LISA:	Ja, schon in der Tat. Ahm, ja, was machst du denn?
JULIAN:	Ich, ich studiere hier Medienwissenschaften. Ich fotografiere gerne.
LISA:	Mm. Und du bist hier geboren, oder kommst du von hier? Oder?
JULIAN:	Nein, ich komme aus Stuttgart. Ich studiere hier und habe jetzt hier ein Zimmer.
LISA:	Ah ja. Bist du also an der Uni eingeschrieben?
JULIAN:	Ja. übrigens, wie viel Uhr ist es denn?
SABINE:	Oh, es ist gleich halb elf. Sollen wir gehen?
LISA:	Mm.
JULIAN:	Ja, wir sollten mal gehen.
SABINE:	Gut. Mm.
LISA:	O.K., dann brechen wir auf.
JULIAN:	Brechen wir auf.

Szene 3

ICH MÖCHTE GERN ...

SABINE:	Ahm, sollen wir ein bisschen Obst kaufen?
LISA:	Mm.
JULIAN:	Ach, das lass uns mal.
SABINE:	Das sieht aber gut aus.
JULIAN:	Ach ja.
SABINE:	Guck mal, die Kirschen sehen lecker aus.
JULIAN:	Die andern sehen auch gut aus.
SABINE:	Lieber Kirschen oder Erdbeeren?
LISA:	Lieber Kirschen.
SABINE:	Lieber Kirschen?
JULIAN:	Lass uns beides kaufen! Erdbeeren, Kirschen.
SABINE:	Gut.
JULIAN:	Ja?
SABINE:	Ah, wir brauchen auch noch Käse und ein bisschen Gemüse.
JULIAN:	Hm.
SABINE:	Magst du ...? Welchen Käse magst du lieber?
JULIAN:	Ach, ich mag Gouda, Edamer, was auch immer.
LISA:	Also, ich möcht' lieber Limburger Käse.
JULIAN:	Ja? Gut, dann kauf ich alles drei. Ja? Das mach' ich. Bis dann. Ja?
SABINE:	Also ...
VERKÄUFER:	Jetzt kriaget Se a Kilo oder a Pfund?
SABINE:	Ein Pfund Kirschen, bitte.
VERKÄUFER	A Pfund Kirschen?
SABINE:	Nehmen wir noch ein paar Erdbeeren?
LISA:	Ja, ja. Vielleicht 500 Gramm?
SABINE:	500 Gramm? Mm?
LISA:	Also. Eine Schale ist, glaube ich, 500 Gramm. Na?
VERKÄUFER	So, jetzt omol.
SABINE:	Und 500 Gramm Erdbeeren, bitte. Danke schön.
LISA:	Mm.
SABINE:	Vielleicht noch ein paar Äpfel? Die Äpfel sehen gut aus.
LISA:	Ja, vielleicht von den sauren Äpfeln. Ja.
SABINE:	Ein halbes Kilo?

LISA:	Mm.
SABINE:	Ja, danke. Und von den sauren Äpfeln, bitte. Ein halbes Kilo.
LISA:	Mm. Die sehen aber gut aus.
VERKÄUFER	Also.
SABINE:	Ja, wie viel macht das?
VERKÄUFER	Aaaahm. D'Erdbeere drei Mark, ond d'Kirsche drei fufzig, send sechs fufzig, sieba fufzig.
SABINE:	Ja. Danke.
VERKÄUFER	Ond zwoi fufzig. Danke schen.
SABINE:	Danke schön. Ade. Tschüss.
LISA:	Tschüss.
SABINE:	Mm. Oh, guck mal, hier hat's schönes Gemüse.
LISA:	Mm.
SABINE:	Sieht gut aus. Wollen wir uns hier ein bisschen Gemüse kaufen?
LISA:	Ja. Guten Tag.
VERKÄUFER	Guten Tag.
SABINE:	Guten Tag. Was brauchen wir denn?
LISA:	Von dem Salat hätte ich gerne.
SABINE:	Ein Kopfsalat.
VERKÄUFER	Schöner Kopfsalat.
SABINE:	Wie teuer ist der?
VERKÄUFER	s'Stück zwoi Mark.
SABINE:	Ja, hätten wir einen gern, bitte. Können Sie so reinlegen. Mm.
VERKÄUFER	Einfach so?
SABINE:	Mm.
VERKÄUFER	O.K.
SABINE:	Und vielleicht noch …
LISA:	Und von den Karotten. Mit dem Grünen dran.
VERKÄUFER	Ein Bund?
SABINE:	Mm. Ein Bund Mohrrüben. So, das wär's dann schon.
VERKÄUFER	Vielen Dank.
SABINE:	Wie viel macht das zusammen?
VERKÄUFER	Ist zusammen vier Mark und sechzig Pfennig.
SABINE:	Mmmm. So.
VERKÄUFER	Danke schön.
SABINE:	Bitte schön.
VERKÄUFER	Des wär fünf Mark …

SABINE:	Ahm.
VERKÄUFER	Und fünf ischt zehn. Vielen Dank.
SABINE:	Danke. Danke auch.
LISA:	Danke schön.
SABINE:	Auf Wiederschauen.
LISA:	Vielen Dank.
SABINE:	Wir können auch so viel zusammen unternehmen, nach so vielen Jahren endlich mal.
JULIAN:	Lisa, hast du Lust auf ein Afro-Brazil-Konzert zu gehen?
SABINE:	Aber sie ist doch gerade erst in Tübingen. Möchtest du nicht lieber erst mal den Hölderlinturm besichtigen?
JULIAN:	Nein, lass uns ins Kino gehen.
SABINE:	Aber ins Kino, das kann sie auch in Hamburg gehen.
JULIAN:	Ja, aber ich meine doch die französischen Filmtage.
SABINE:	Ja, aber nun mag sie schon lieber zuerst mal das Schloss besichtigen. Das Museum mit der Kunsthalle. Wozu hast du Lust?
LISA:	Also, ich würd' am liebsten zuerst die Altstadt sehen, dann die Uni, und dann abends noch auf ein schönes Konzert, fänd' ich gut.
JULIAN:	Gut, wenn du die Altstadt sehen möchtest, wenn sie morgen eine Klausur schreibt, dann kann ich dir die Altstadt zeigen.
LISA:	Mm, ja, toll. Mm.
JULIAN:	Ja? Gut.
LISA:	Machen wir es so!
SABINE:	Dann treffen wir uns abends wieder und machen abends was gemeinsam.

Deutsch im Beruf 1

WAS SIND SIE VON BERUF?

SCHAUSPIELER:	Ich bin Schauspieler und spiele hauptsächlich im Theater. Mach aber nebenbei auch etwas Fernsehen.
LEHRERIN:	Also, ich bin von Beruf Sonderschullehrerin für sprachbehinderte Kinder und Jugendliche. Ja, und was macht man da? Ich bin sowohl Lehrerin als auch Therapeutin.
PROFESSOR:	Also, die offizielle Berufsbezeichnung ist Universitätsprofessor. Gleichzeitig bin ich geschäftsführender Direktor des Anatomischen Institutes.
ANGESTELLTER:	Ich arbeite als Leiter des Fremdenverkehrsbüros hier in Tübingen. Und meine Arbeit sind hauptsächlich organisatorische Tätigkeiten, also schon hauptsächlich im Büro, und ein bisschen auch außerhalb. Repräsentative Tätigkeiten.

Szene 4

DENK DRAN!

LISA:	Ach, ich hätte auch gern so 'ne schöne Weste. Vielleicht find' ich eine in Tübingen. In irgendeiner Boutique. Aber auf jeden Fall brauch' ich ein Geschenk für meine Mutter. Die hat nächste Woche nämlich Geburtstag.
SABINE:	Mm. Dann geh in die Stadt und kauf aber nicht direkt am Marktplatz, sondern geh ein bisschen außerhalb Richtung Stiftskirche. Da gibt's eine kleine Boutique. Da kannst du gut Sachen einkaufen, eine Weste zum Beispiel. Aber kauf dir keine Hose. Das lohnt sich nicht, die Preise sind viel zu teuer.
LISA:	Aha.
SABINE:	Und für deine Mutter kauf am besten ein Buch. Es gibt einen kleinen Buchladen nicht weit vom Marktplatz.
LISA:	Ja.
SABINE:	Da wirst du ein gutes Buch finden.
LISA:	Meinst du?
SABINE:	Ganz bestimmt.
LISA:	Mm.
SABINE:	Das tut mir wirklich Leid, dass ich nicht mitkommen kann. Leider muss ich die Klausur schreiben und muss vorher noch lernen. Aber auf jeden Fall werd ich dir zeigen, wo Julian wohnt.
LISA:	Mm.
SABINE:	Ich werde dich hinbringen.
LISA:	Ja du, mache dir ja keine Sorgen. Wir werden dich zwar auf jeden Fall vermissen in der Stadt, aber Julian weiß ja, wo alles ist. Und der kennt sich ja aus in Tübingen. Der kennt die Stadt doch. Der weiß doch, wo er mich hinführen muss.
SABINE:	Ja, aber schaut euch nicht nur die Jazzkeller an und setzt euch nicht nur in die Cafés.
LISA:	Ja. Warum nicht?
SABINE:	Geht auf den Hölderlinturm rauf. Es ist sehr interessant, das lohnt sich.
LISA:	Ja!
SABINE:	Und das Stadtmuseum.
LISA:	Ja!
SABINE:	Schaut euch das Stadtmuseum an.
LISA:	Ja!
SABINE:	Und die Stiftskirche.
LISA:	Jaaa!
SABINE:	Länger in die Stiftskirche.
LISA:	Jaa!

SABINE:	Und am Neckar entlang.
LISA:	Jaaa!
SABINE:	Hast du alles eingepackt, was du brauchst?
LISA:	Ja!
SABINE:	Bist du dir sicher?
LISA:	Mm.
SABINE:	Hast du die Haarbürste?
LISA:	Hab' ich.
SABINE:	Hast du den Fotoapparat?
LISA:	Mhm, hab' ich auch.
SABINE:	Mm. Und hast du den Regenschirm?
LISA:	Ja, ich hab' auch den Regenschirm.
SABINE:	Aber das Wetter wechselt bestimmt. Hast du auch 'ne Sonnenbrille dabei?
LISA:	Ja. Hab' ich auch.
SABINE:	Mm. Und den Schlüsselbund?
LISA:	Mm. Mit beiden Schlüsseln dran.
SABINE:	Hast du Schecks? Du willst doch so viel einkaufen.
LISA:	Mm. Ich hab' sogar die Scheckkarte.
SABINE:	Ja, genau, vergiss nicht! Hast du das Portmonee?
LISA:	Hab' ich auch.
SABINE:	Ja, und draußen ist es kalt. Nimm deine Jacke mit!
LISA:	Hab' ich.
SABINE:	Denkst du, du hast alles?
LISA:	Mm.
SABINE:	Bist du dir sicher, hast du wirklich alles?
LISA:	Du, ich bin mir sehr sicher. Hast du denn alles?
SABINE:	Ja, natürlich, ich brauch' nur mein Buch. Ich hab' mein Buch.
LISA:	Bist du dir sicher?
SABINE:	Ja.
LISA:	Ganz sicher?
SABINE:	Ich brauch' nur mein Buch.
LISA:	Bist du felsenfest überzeugt?
SABINE:	Mm.
LISA:	Möchtest du deinen Geldbeutel nicht mitnehmen? Nicht?
SABINE:	Oh doch. Doch.
LISA:	Ich meine du könntest ihn brauchen. Unter Umständen benötigt man manchmal etwas Geld.

SABINE:	Ich brauche mein'n Geldbeutel.
LISA:	Siehste!
SABINE:	Danke schön, Lisa.
LISA:	Ja. Bitte.

Szene 5

FREUNDSCHAFTEN

LISA:	Oh, schön, die Sonne scheint.
SABINE:	Ja. Aber es ist noch stark bewölkt.
LISA:	Oh ja, da hinten. Mm.
SABINE:	Seit Wochen hat es auch nur geregnet.
LISA:	Ja?
SABINE:	Ja. Hast du den Regenschirm dabei?
LISA:	Mm. Jaaa, hab' ich dabei.
SABINE:	Gut.
LISA:	Weißt du doch.
SABINE:	Es ist sehr wechselhaft noch.
LISA:	Mm. Sag mal, seit wann kennst du Julian eigentlich?
SABINE:	Ah, seit ungefähr einem Jahr. Ja, seit elf Monaten kennen wir uns.
LISA:	Mm. Und wie habt ihr euch kennen gelernt?
SABINE:	Mm. Wir haben zusammen eine Fahrradtour gemacht an der Ostsee. Wir sind mit dem Zug bis nach Rostock gefahren und von dort auf die Fahrräder, ja, und dann sind wir zum Beispiel auf der Insel Rügen gewesen, einen Tag.
LISA:	Mm.
SABINE:	Ja, er war mit seiner damaligen Freundin zusammen.
LISA:	Damalig.
SABINE:	Mm. Und an einem Tag war so schönes Wetter, dass ich unbedingt surfen gehen wollte.
LISA:	Das kannst du? Toll.
SABINE:	Ja, und keiner wollte mitgehen außer Julian. Und so sind wir halt näher ins Gespräch gekommen.
LISA:	Näher ins Gespräch gekommen, und noch?
SABINE:	Nichts noch.
LISA:	Nichts noch? Nur so.
SABINE:	Julian und ich sind lose Freunde.

LISA:	Aha.
SABINE:	Ich finde ihn sehr nett, er ist sehr sympathisch, aber er ist mir viel zu chaotisch.
LISA:	Aha. Ja, hm. Und seine damalige Freundin, was ist jetzt mit der heute?
SABINE:	Nichts mehr. Also, soweit ich weiß, die machen seit Monaten nichts mehr zusammen.
LISA:	Aja.
SABINE:	Die sehen sich nicht mehr.
LISA:	Und du findest ihn ja zu chaotisch. Also ich find' ihn sehr nett.
SABINE:	Ah ja.
LISA:	Schon, also ich find ihn schon recht sympathisch. Muss ich sagen. Irgendwie.
SABINE:	Mm.
LISA:	Wie weit ist es denn noch bis zu Julians Studentenwohnheim?
SABINE:	Oh, wir sind schon da. Es ist gleich hier um die Ecke.
LISA:	Oh. Endlich. Schön.
SABINE:	Mm.
LISA:	Gut.

Szene 6

BEI JULIAN

SABINE:	Ah, hallo Julian!
LISA:	Hallo, guten Morgen!
JULIAN:	Ah, hallo ihr beiden. Da seid ihr ja.
LISA:	Ja.
SABINE:	Noch beim Frühstücken?
JULIAN:	Ich habe gerade zu Ende gegessen. Kann ich euch eine Tasse Kaffee anbieten?
SABINE:	Nein danke.
JULIAN:	Nicht?
LISA:	Danke, wir haben schon gefrühstückt.
JULIAN:	Na, gut. Dann habt ihr gefrühstückt. Soll ich euch mein Zimmer zeigen? Ja?
SABINE UND LISA:	Ja ... gern!
JULIAN:	Gut. Dann kommt mal mit.
SABINE:	Siehst du jetzt, was ich meine? Das ist Julians Zimmer, total chaotisch.
JULIAN:	Stimmt nicht, ich hatte nur keine Zeit aufzuräumen.
LISA:	Oh, was ist das denn?

JULIAN:	Hm, das ist ein Poster von mir, das sind Sprachübungen, ich lerne Türkisch.
LISA:	Das ist aber toll. Den Film, den habe ich gesehen, der ist ganz schön. Der ist mit, hm, mehreren Kindern, die …
JULIAN:	Genau.
LISA:	… so ein Kinderkrimi.
JULIAN:	Genau.
SABINE:	Ich weiß gar nicht wann, wo er spielt.
JULIAN:	Rat mal, wo er spielen könnte.
LISA:	Hm. Keine Ahnung.
JULIAN:	Hier in Tübingen.
LISA:	Nein.
JULIAN:	Doch.
LISA:	Echt?
JULIAN:	Ja.
LISA:	Hätt' ich nicht erkannt. Was ist hier drunter?
JULIAN:	Oh. Das ist …
LISA:	Oh, ein Computer.
JULIAN:	Ja.
LISA:	Habe ich erzählt? Mein Vater wird mir einen schenken, einen Computer, wenn ich anfange …
JULIAN:	Kriegst einfach einen Computer geschenkt?
LISA:	Ja, wenn ich, wenn ich anfange zu studieren, kriege ich einen geschenkt.
JULIAN:	Ich habe ihn von meinem Bruder geliehen.
LISA:	Ja. Hauptsache du hast einen, geliehen, geschenkt, egal.
JULIAN:	Ja, ja.
LISA:	Ganz egal. Oh, das ist aber eine große Anlage.
JULIAN:	Ja.
LISA:	Mit allem drum und dran.
JULIAN:	Ich muss dazu sagen, dass ich diese Anlage von meiner ehemaligen Freundin geliehen habe.
LISA:	Mm. Na ja, Gott. Wenn, wenn sie mal da steht.
JULIAN:	Ich hatte noch keine Zeit es ihr zurückzugeben.
LISA:	Aha.
JULIAN:	Kennst du diese Gruppe?
LISA:	Ja, die kenne ich, die sind gut. Die sind ganz toll.
JULIAN:	Ja. Habe ich von einem guten Freund geliehen.
SABINE:	Was?
LISA:	Ja, sag mal, gehört dir irgendwas überhaupt selber in diesem Zimmer?

JULIAN:	Doch. Und zwar alle Bücher in diesem Regal gehören mir.
SABINE:	Bist du dir sicher, alle Bücher?
JULIAN:	Natürlich.
SABINE:	Vor ungefähr einem halben Jahr habe ich dir ein Buch geliehen.
JULIAN:	Hast du mir ein Buch geliehen.
SABINE:	Jaaa. Mit dem Titel, „Der Kuss" …
JULIAN:	Du mir?
SABINE:	Ja.
JULIAN:	Ja?
SABINE:	Ja.
JULIAN:	„Der Kuss". Muss ich mir überlegen, „Der Kuss", wo könnte der sein?
SABINE:	Jaaa.
JULIAN:	Mm.
SABINE:	Vielleicht finden wir ihn ja?
JULIAN:	Oh. Das ist er da.
SABINE:	Ja, aber was ist das?
LISA:	Ja, eeeee!
JULIAN:	Es tut, es tut, es tut mir wirklich Leid, ich hatte …
SABINE:	Julian. Was hast du denn damit gemacht?
JULIAN:	Ich lag im Bett und habe Kaffee getrunken, und da ist das hier passiert. Aber …
SABINE:	Typisch!
JULIAN:	Ich schlage dir vor, dass ich dir ein neues Buch kaufe. Ja?
SABINE:	O.K., aber es eilt nicht. Momentan komme ich sowieso nicht zum Lesen. Ich muss lernen. Apropos lernen, ich muss zur Universität.
LISA:	Ja. Wir müssen uns beeilen.
JULIAN:	Ja, dann lass uns mal losgehen. Ich muss mich noch kurz umziehen.
LISA:	Mm.
JULIAN:	Dann komm' ich nach.
SABINE:	Wir warten auf dich in der Küche?
JULIAN:	Gut.
SABINE:	O.K.
LISA:	Bis gleich.

Deutsch im Beruf 2

WAS GEFÄLLT IHNEN AN IHREM BERUF?

PROFESSOR: Am meisten gefällt mir an meiner Arbeit, dass ich forschen kann, was ich will. Es gibt die große Freiheit, die Dinge zu untersuchen, die mich selber interessieren, und wenn es mir gelingt, dafür Geld aufzutreiben, dann habe ich absolute Freiheiten, und das ist das Beste dran.

SCHAUSPIELER: Dass ich auf der Bühne stehen kann, spielen kann und das Publikum begeistern. Das gefällt mir außergewöhnlich gut.

LEHRERIN: Ja, in erster Linie gefällt es mir natürlich, mit schwierigen Kindern zu arbeiten, mit problematischen Kindern zu arbeiten und denen helfen zu können. Das macht dann schon sehr viel Spaß. Je schwieriger ein Fall oder ein Kind ist, sagen wir natürlich, um so schöner ist es dann.

ANGESTELLTER: An der Arbeit gefällt mir besonders, dass ich kreativ gefordert bin und mit Menschen umgehen muss.

Was gefällt Ihnen nicht an der Arbeit?

PROFESSOR: Das einzige, das mir daran nicht so sehr gefällt, ist, dass wir in Deutschland sehr viele Studenten haben. Und das ist ein Nachteil.

SCHAUSPIELER: Ja, nicht gut ist, dass man sehr oft am Abend spielen muss und auch Probe hat, während andere Leute spazieren gehen und frei haben, nicht? Und das ist manchmal etwas störend, aber das habe ich ja vorher gewusst. Bevor ich den Beruf ergriffen habe.

LEHRERIN: Was mir nicht so gefällt ist, dass Kinder doch häufig aus sehr problematischen Familienverhältnissen kommen und wir so wenig Handhabe haben, dann da letztendlich was zu ändern.

ANGESTELLTER: Mir gefällt es nicht so sehr, dass, ich, weil ich auf 'nem Amt arbeite, von bürokratischen Hürden umgeben bin und nicht immer so frei agieren kann, wie ich möchte.

Welche Fähigkeiten braucht man in Ihrem Beruf?

PROFESSOR: Für die Arbeit braucht man eigentlich keine besonderen Fähigkeiten. Man muss einfach neugierig sein, sich für bestimmte biologische Zusammenhänge interessieren und dieser Neugierde halt systematisch nachgehen. Das ist alles.

SCHAUSPIELER: Ja, man braucht in der ersten Linie Talent. Dann muss man eine Schauspielschule besuchen, vor allen Dingen gut sprechen lernen, Rollenstudium, Tanz, Singen und auch Körpertraining; damit der Körper fit bleibt, wird oft gefochten am Theater, auf der Schauspielschule. Und das alles braucht man. Also, es ist sehr vielseitig.

LEHRERIN: Ach ja, da denke ich in erster Linie: GEDULD, GEDULD, GEDULD. Und dann vielleicht auch die Fähigkeit, sich selber nicht so ernst zu nehmen, zurückzunehmen, das, was an einen herangebracht wird, ist nicht so wichtig.

ANGESTELLTER: Ich muss betriebswirtschaftliche Kenntnisse haben, das also von der sachlichen Seite auf jeden Fall, und ah, ich brauche Ideen, ich brauche jeden Tag neue Ideen, um Sachen zu organisieren.

Szene 7

IN DER ALTSTADT

JULIAN:	Da drüben ist das Schloss Hohentübingen.
LISA:	Hm.
JULIAN:	Das Gebäude mit den grünen Dächern ....
LISA:	Schön.
JULIAN:	... das ist das Rathaus.
LISA:	Ach was, das ist ein Rathaus.
JULIAN:	Ja. Und die Gebäude da oben auf diesem Berg, das sind die Kliniken.
LISA:	Mit den Kränen.
JULIAN:	Ja. Und daneben, das sind die Fakultäten, die verschiedenen, für Naturwissenschaften wie Chemie, Physik, Mathematik.
LISA:	Medizin.
JULIAN:	Zum Beispiel. Hier, um, in der Altstadt fährst du ja normalerweise mit dem Fahrrad.
LISA:	Ahm.
JULIAN:	Aber, um dort hochzukommen, ...
LISA:	Ahm.
JULIAN:	... nimmst du natürlich den Bus.
LISA:	Ahm.
JULIAN:	Du kannst aber auch trampen. Und zwar, siehst du die Straße da drüben?
LISA:	Ja.
JULIAN:	Da ist das Trampereck.
LISA:	Ja.
JULIAN:	Da kannste hochtrampen.
LISA:	Daumen raus.
JULIAN:	Daumen raus zum Beispiel.
LISA:	Hm.
JULIAN:	Und dort, wo ich studiere, das ist der Brechtbau, den kannst du drüben sehen. Das ist das Gebäude, dieses braune Gebäude, das moderne . . .
LISA:	Eeeh, ist er hässlich.
JULIAN:	Kann man nichts machen.
LISA:	*(lachend)* Nee.
JULIAN:	Übrigens, ich muss noch da was abholen. Lass uns mal reingehen. Ich werde es dir zeigen.
LISA:	O.K., gut. Klar.
	...

JULIAN:	Und, wie hat es dir in der Bibliothek gefallen?
LISA:	Gut! Sehr schön da drin.
JULIAN:	Ja. Könntest du das bitte in deine Tasche tun?
LISA:	Ja. Kein Problem.
JULIAN:	Gut. Wir werden jetzt zum Brechtbau gehen.
LISA:	Alles klar.
	…
JULIAN:	Ja, hier muss die Sabine ihre Klausur schreiben.
LISA:	Die Arme, während wir uns einen schönen Tag machen.
JULIAN:	Ja. Übrigens, da sind noch andere Fakultäten untergebracht.
LISA:	Ja. Was denn?
JULIAN:	Für moderne Sprachen, wie Romanistik, Germanistik, Slawistik.
LISA:	Und deine Vorlesungen finden auch da drinnen statt?
JULIAN:	Ja, meine Vorlesungen, meine Seminare. Ah, ich muss da drin was erledigen. Komm, lass uns mal reingehen.
LISA:	Ja, O.K.
	…
JULIAN:	Übrigens, das ist das Zimmertheater hier.
LISA:	Ah, lass uns doch ins Theater gehen.
JULIAN:	Gern, wenn du Lust hast?
LISA:	Ja, was wird denn gegeben?
JULIAN:	Hm, es wird der „Faust" aufgeführt.
LISA:	Ja, toll!
JULIAN:	Du, ich lade dich ein. Ja?
LISA:	Oh ja, vor dem Konzert.
JULIAN:	Wir könnten vor dem Konzert hier reingehen.
LISA:	Gerne.
JULIAN:	Gut.
LISA:	Ganz toll! Au ja! Da freue ich mich drauf.
JULIAN:	Ich auch.
LISA:	Prima Idee.
	…
JULIAN:	Heh, kennst du diesen Jazzkeller?
LISA:	Ja, ich hab' davon gehört. Der ist ziemlich berühmt.
JULIAN:	Ja, hier gibt es echt tolle Konzerte unten im Gewölbekeller. Blues Sessions, Jam Sessions, alle, alle Sorten von Musik.
LISA:	Und was für Leute gehen da rein?

JULIAN:	Ach verschiedenes. Ein gemischtes Publikum. Studenten, Angestellte, Arbeiter. Ach, ganz verschieden. Du, wenn du Lust hast, wir können da mal reingehen.
LISA:	Ja.
JULIAN:	Ja? O.K.
LISA:	Gerne.
JULIAN:	O.K. Dann können wir's uns ja mal anschauen.
LISA:	Ja, alles klar.
JULIAN:	Vielleicht heute Abend, morgen, ich weiß nicht.
	…
LISA:	Guck, ich habe mir einen Bildband über Tübingen gekauft. Gar nicht mir, sondern meiner Mutter. Die hat Geburtstag nächste Woche.
JULIAN:	Und ich habe mir eine Biographie über Uwe Johnson gekauft.
LISA:	Der ist interessant.
JULIAN:	Ja.
LISA:	Das ist ein toller Schriftsteller.
JULIAN:	Heh, Sia.
LISA:	Hallo.
SIA:	Hallo Julian.
JULIAN:	Das ist Sia. Das ist Lisa, die Kusine von Sabine.
SIA:	Freut mich.
JULIAN:	Lisa, das ist die Sia, eine Bekannte, die ich aus dem Jazzkeller kenne. Du studierst doch Medizin, hm. Lisa interessiert sich dafür. Sie möchte das auch studieren.
LISA:	Vielleicht.
JULIAN:	Kannst du ihr nicht etwas darüber erzählen?
SIA:	Ja, klar, mach ich gern. Aber, am besten ich nehm' dich morgen mit zur Anatomievorlesung.
LISA:	Gerne. Prima.
SIA:	Ne?
LISA:	Das wär toll. Wann?
SIA:	Um acht.
LISA:	Ja, das schaff' ich.
SIA:	Wir können uns …
LISA:	Ganz schön früh…
SIA:	Ja, ist klar. Aber wir können uns ja, hm, an der Neckarbrücke treffen.
LISA:	Hm.
SIA:	Und von dort aus zusammen runterlaufen.
LISA:	Ja. Ganz toll. Ja. Prima. Das find' ich auch.

SIA:	Oder so. O.K.
LISA:	Gut, danke.
SIA:	Aham.
JULIAN:	Ich muss Lisa nach Hause bringen. Hm. Ich rufe dich dann nachher mal an. Da können wir was ausmachen.
SIA:	O.K.
JULIAN:	Also bis dann.
SIA:	Gerne. Ciao.
LISA:	Tschüss.
SIA:	Ciao.
LISA:	Du hast das Buch vergessen für Sabine zu kaufen.

Szene 8

AN DER UNI

SIA:	Also, hier hab' ich einmal die Woche Vorlesung.
LISA:	Ahm.
SIA:	Und sonst hab' ich hier noch einen Präparationskurs.
LISA:	Was ist denn das?
SIA:	Das ist ein bisschen … Na ja, du hast da Sezierkurs, wo du an der Leiche praktisch alles sehen kannst, wie die Organe liegen, und …
LISA:	Also man schneidet die auf.
SIA:	Genau, praktisch, und kann dann genau sehen, wie die Organe aussehen.
LISA:	Hm. Hm.
SIA:	Dreidimensional.
LISA:	Hm.
SIA:	Da kannst du es dir besser vorstellen als wie im Buch.
LISA:	Ja, das ist klar, es ist zum Anfassen.
SIA:	Hm. Und sonst noch habe ich auf dem Schnarrenberg Biochemie, wo du dann auch im Labor arbeitest.
LISA:	Und Versuche macht man dort.
SIA:	Genau, so kleinere Sachen.
LISA:	Klar.
SIA:	Es ist schon acht. Wir sollten uns vielleicht ein bisschen beeilen.
LISA:	Ja, O.K., ich freue mich drauf. Schön.

SIA:	Das ist also der Hörsaal. Er ist ziemlich voll. Der Professor ist sehr beliebt.
LISA:	Sieht auch nett aus.
SIA:	Hm. Wenn du zu seiner Sprechstunde willst, musst du total lang Schlange stehen.
LISA:	Ahm. Wollen wir uns hier hinsetzen?
SIA:	Das ist eine gute Idee. Jetzt sind wir auch vorne dran.

Pointing to a skeleton, the professor explains the spine (Wirbelsäule).

SIA:	Also schau, hier ist die Morgenstelle, da hab' ich Physik und Chemie und hier hab' ich Laborübungen.
LISA:	Ah ja.
SIA:	Wie ich dir erzählt hab.
LISA:	Und hier?
SIA:	Da werd' ich sehr wahrscheinlich irgendwann einmal mit 'nem weißen Kittel mit den Ärzten Praktikum machen.
LISA:	Oh! Und, wann wird es sein?
SIA:	Nach dem Physikum.
LISA:	Was ist das denn? Sag mal, wie lange braucht man eigentlich für ein Medizinstudium?
SIA:	Also, du musst schon so rechnen, so mit 12, 13 Semestern, unbedingt, und danach also das Physikum. Das ist so eine schwere Klausur, wo wirklich jeder schwer zu büffeln hat, …
LISA:	Hm.
SIA:	… und wo du auch drei Versuche hast, um es wirklich zu schaffen.
LISA:	Oh je. Ja, und was willst du danach machen?
SIA:	Also, ich würde gern Kinderärztin werden. Weil, ich habe drei Geschwister, und …
LISA:	Hm.
SIA:	… wir verstehen uns ziemlich gut, und ich kann gut mit Kindern umgehen.
LISA:	Hm.
SIA:	Hab' gedacht, das wär' gerade das Richtige für mich.
LISA:	Hm. Es hört sich gut an. Also, ich weiß noch nicht was ich tun werde, ich bin noch unentschlossen. Ich möchte schon gerne Medizin studieren,…
SIA:	Hm.
LISA:	… vor allen Dingen nachdem ich das alles gesehen habe jetzt hier, die Vorlesung und so, aber … ich denke ich werd' erst mal mein Abitur machen müssen, und …
SIA:	Wirst du schaffen. Bestimmt.
LISA:	Das muss gut sein, so dass ich halt, wenn's gut ist, habe ich größere Chancen, einen Studienplatz zu bekommen. Das ist ja nicht so einfach da reinzukommen.
SIA:	Numerus clausus. Und so.

LISA:	Ja, genau.
SIA:	Klar.
LISA:	Und dann mach' ich also entweder Medizin, oder ich werde Biologie studieren, damit ich mich für die Umwelt besser engagieren kann.
SIA:	Wir sehen uns dann ja, auf jeden Fall, irgendwann entweder als Biologin oder als Medizinerin.
LISA:	Ja, ja.
SIA:	Klar. O.K. Ich muss nämlich zu einer Verabredung.
LISA:	O.K. Gut, dann dank' ich dir. Du, vielleicht kannst du mir noch sagen, wo ich zur Bushaltestelle komme.
SIA:	Klar. Du gehst am besten gleich hier runter,…
LISA:	Hm.
SIA:	… und nimmst den Vierer.
LISA:	O.K. Danke.
SIA:	Nochmals, tschüss, schönen Tag.
LISA:	Ciao.
SIA:	Dir auch, ciao.

Szene 9

Im Beruf

GUDRUN:	Bitte bedient euch doch. Ihr esst ja gar nichts.
LISA:	Ich bin satt, danke.
GUDRUN:	Hast du einen schönen Tag gehabt?
LISA:	Ja, sehr schön. Ich war mit Sia bei den Kliniken und in einer Vorlesung, und sie ist unheimlich nett und sympathisch. Das hat sehr viel Spaß gemacht. Eine tolle Frau ist das.
GUDRUN:	Ja, ja.
LISA:	War gut. Hat mir schön gefallen. Aber ich weiß immer noch nicht, was ich studieren soll. Medizin, Bio, keine Ahnung.
WERNER:	Mach dir keine Sorge, das hat noch Zeit. Vielleicht könntest du in den Ferien in einem Krankenhaus arbeiten.
LISA:	Ja, das ist eine gute Idee.
WERNER:	Um zu erfahren, ob dir dieser Arbeitsplatz gefällt.
LISA:	Hm.
WERNER:	Da bekommst du gleich einen guten Eindruck.
LISA:	Ja. Sag mal, wie hast du denn das gemacht, als du Schauspieler wurdest?

WERNER:	Ja, das war kompliziert. Meine Eltern wollten, dass ich zuerst einen anständigen Beruf lerne.
LISA:	Oh je.
SABINE:	Wir kennen die Geschichte, Papa.
WERNER:	Dann habe ich eine kaufmännische Lehre gemacht, danach die Schauspielschule, mein erstes Stück war ein Shakespeare auf einer Freilichtbühne. Danach war ich in München, in Schwabing, und dann kam ich nach Tübingen.
SABINE:	Hast du damals eigentlich auch schon gearbeitet, Mutti?
GUDRUN:	Ja, ja, ich habe gerade mein Praktikum abgeschlossen gehabt, das habe ich an einer Schule für körperbehinderte Kinder absolviert, und dann, ah, habe ich meine erste Anstellung an einer Schule für sprachbehinderte Kinder und Jugendliche bekommen. Das war so ein Behindertenzentrum in der Nähe von Tübingen. Ich habe damals eine erste Klasse gehabt. Du, das hat mir unheimlich viel Spaß gemacht. Aber schwierige Kinder waren das. Meine Güte.
LISA:	Ja, und heute?
GUDRUN:	Heute ist es so, dass ich, also noch immer an dieser Schule tätig bin, aber nur noch einen halben Lehrauftrag habe.
SABINE:	Also, ich möchte lieber einen interessanteren Beruf machen später. Also am liebsten im kulturellen Bereich oder im journalistischen Bereich, ja, so dass ich viele Menschen kennen lerne und viele verschiedene Kulturen, vielleicht schaff' ich's ja bis nach Brüssel ins Europaparlament, wer weiß das schon?
GUDRUN:	Unsre Tochter.
WERNER:	Ja ja, ja ja.
SABINE:	Ja. Oder ich möcht' erst mal viel Geld verdienen. So als Managerin, könnt ihr euch das vorstellen?
LISA:	Ja ja.
SABINE:	Oder?
LISA:	Klar.
GUDRUN:	Du wirst dich umgucken.
LISA:	Ja. Also ich find' es wesentlich wichtiger, dass man sich für seine Ziele einsetzt, dass man diese Ziele vor allen Dingen, mit, hm, gewissen Idealen verbindet. Und ich möcht' dann doch was für den Umweltschutz eben tun, oder eben für Menschen irgendetwas entwickeln.
WERNER:	Na, vielleicht findest du eine Lösung fürs Ozonloch,…
LISA:	Ah ja!
WERNER:	… oder zum sauren Regen.
LISA:	Da warten die Leute drauf.
GUDRUN:	Ja.
WERNER:	Und bekommst dafür einen Nobelpreis.
SABINE:	Ja, ja.
LISA:	Und Geld. Da haben wir's doch.

SABINE:	Doch bevor es soweit ist, ihr denkt an morgen, ich muss doch zu meinem Vorstellungsgespräch ins Fremdenverkehrsbüro. Was mach' ich da, wie reagier' ich?
WERNER:	Du darfst da keine Angst haben. Gehst du heute Abend früh schlafen, bist morgen fröhlich, fit, ziehst dich gut an. Du hast doch einen Vater, der Schauspieler ist.
SABINE:	Oh!
WERNER:	Du kennst doch den großen Auftritt.
GUDRUN:	Ja, ja Werner. Du Sabine, ich würd' einfach so ein bisschen auf das abheben, was du neben deiner beruflichen Laufbahn gemacht hast. Also …
SABINE:	Ja.
GUDRUN:	Sag den Leuten ruhig, dass du im Sportverein aktiv tätig gewesen bist, dass du Skifreizeiten organisiert und geleitet hast, ja, und dann würde ich auch sagen, dass du hier aufgewachsen bist in Tübingen, dass du dich in der Geschichte Tübingens sehr gut auskennst, …
WERNER:	Stimmt!
GUDRUN:	… dass du immer Austauschschüler gehabt hast und die hier herumgeführt hast, Jahr für Jahr. Ich glaube, so was will man da am Fremdenverkehrsbüro oder was das ist, wissen. Ich denk', das wird schon ganz gut laufen. Und dann so wie der Papa gesagt hat, ne?
LISA:	Wir drücken dir die Daumen.
GUDRUN:	Ja, ja.
WERNER:	Du darfst keine Angst haben.
LISA:	Ganz feste.
GUDRUN:	Ganz dicke. Aber es ist spät. Ich würde sagen, wir gehen nach oben. Nicht?
WERNER:	Ja.
GUDRUN:	Net? Es wird langsam Zeit. Sabine hat einen anstrengenden Tag. Sabine, du, wir stoßen auf dich an, auf deinen Erfolg morgen, gell?
SABINE:	Danke schön.
WERNER:	Zum Wohl.
LISA / GUDRUN:	Prosit.
WERNER/ SABINE:	Prost.

Deutsch im Beruf 3

WAS FÜR EINE AUSBILDUNG BRAUCHT MAN FÜR IHREN BERUF?

SCHAUSPIELER:	Ja, man braucht eine Schauspielschule. Da muss man vorher, eh, einige Rollen einstudieren und da muss man vorsprechen, und dann entscheiden die, ob man Talent hat oder nicht, ob man für die Bühne geeignet ist, und

wenn man Glück hat, dann wird man aufgenommen, und dann bekommt man die Ausbildung, nach drei bis dreieinhalb Jahren etwa ist dann die Abschlussprüfung.

PROFESSOR: Als Ausbildung braucht man ein abgeschlossenes Medizinstudium oder naturwissenschaftliches Studium, man muss nachweisen, dass man erfolgreich Wissenschaft machen kann und dass man ein guter Lehrer ist.

ANGESTELLTER: Also der normale Weg ist eigentlich, dass man Touristikfachausbildung macht an der Fachhochschule. Den Weg hab' ich allerdings nicht gewählt, sondern ich hab's etwas anders gemacht, ich hab' zunächst Sprachen und Kunstgeschichte studiert, bin dann ah als Fremdenführer tätig gewesen und im Animationsbereich in der Touristikbranche und hab' dann 'was ganz, hmm, sag ich mal schwerpunktmäßig Organisatorisches gemacht, bin in einem Kongressveranstaltungsunternehmen gewesen, und von da aus hab' ich dann letztendlich hierher gewechselt zum Fremdenverkehrsbüro.

LEHRERIN: Ja, ich habe ein abgeschlossenes Hochschulstudium an einer pädagogischen Hochschule gehabt, und dann hab ich mich für ein Praktikum beworben, weil mir das normale Lehrerdasein in Anführungsstrichen schon immer zu wenig gewesen ist. Ich wollte zusätzlich etwas machen. Und da hab' ich dann ein Jahr lang mit schon schwierigen Kindern zusammengearbeitet. Ich hab' festgestellt, dass mir das gefällt, und hab' dann ein Aufbaustudium in Heidelberg gemacht, das heißt, dass ich dann vier Semester dann Sprachbehindertenpädagogik zusätzlich noch studiert habe.

Szene 10

BEIM VORSTELLUNGSGESPRÄCH

INTERVIEWER: Ja, Frau Holtzmann, warum interessieren Sie sich denn für die Arbeit in einem Fremdenverkehrsamt?

SABINE: Also, ich reise selber sehr gerne und sehr oft, ich bin viel mit meinen Eltern gereist und mit Freunden.

INTERVIEWER: Mm.

SABINE: Und von daher würde ich mich freuen, Reisenden in Tübingen behilflich zu sein.

INTERVIEWER: Ah ja.

SABINE: Außerdem lerne ich gerne andere Menschen kennen aus möglichst vielen verschiedenen Ländern.

INTERVIEWER: Mm. Was für Reisen haben Sie schon unternommen?

SABINE: Ganz verschiedener Art. Ich bin einerseits mit meinen Eltern unterwegs gewesen, wir sind in den vornehmen Hotels gewesen, haben dort gewohnt, haben uns die Sehenswürdigkeiten angeguckt, also viel Städtetouren gemacht. Andererseits war ich mit vielen Freunden unterwegs, habe sogenannte Rucksacktouren unternommen.

INTERVIEWER: Mm.

SABINE:	Dann sind wir da meistens, ja, in Jugendherbergen gewesen in ganz verschiedenen Ferienorten.
INTERVIEWER:	Das Geld.
SABINE:	Genau. Und da gibt es viele Erlebnisse zu erzählen.
INTERVIEWER:	Ja.
SABINE:	Eines vielleicht. Also, eines Tages wir waren in Spanien und suchten ganz dringend ein Museum, das wir unbedingt besichtigen wollten, aber wir hatten nicht genügend Informationen, und die Leute waren nicht so hilfsbereit vielleicht, wie wir es uns gewünscht hätten, vielleicht weil wir noch so jung waren. Und dann schließlich, nachdem wir endlich angekommen waren, schlossen sie das Museum gerade. Also, diese Art von Reiseerfahrungen gibt es auch.
INTERVIEWER:	Ja ja, natürlich. Und es gab natürlich kein Fremdenverkehrsbüro in der Stadt.
SABINE:	Nein, leider nicht.
INTERVIEWER:	Frau Holtzmann, aus Ihren Unterlagen geht hervor, dass Sie auch schon im Hotel- und Gaststättengewerbe gearbeitet haben.
SABINE:	Ja, im Ausland.
INTERVIEWER:	Im Ausland. Wo war das?
SABINE:	In Italien.
INTERVIEWER:	Italien. Ah ja.
SABINE:	Ich habe in einem Restaurant gearbeitet und kenne mich dadurch auch viel mit anderen Kulturen aus. Habe gelernt, andere Bräuche und Sitten zu respektieren und auch zu verstehen.
INTERVIEWER:	Also das war nicht nur für Einheimische, sondern, ah?
SABINE:	Hauptsächlich für Touristen.
INTERVIEWER:	Hauptsächlich für Touristen.
SABINE:	Mm.
INTERVIEWER:	Ah ja.
SABINE:	Von daher kann ich mir auch gut vorstellen, später in so einem Beruf zu arbeiten, gerade im kulturellen Bereich.
INTERVIEWER:	Mm.
SABINE:	Oder im Bereich des Reisens. Ja.
INTERVIEWER:	Sehr schön. Haben Sie Fremdsprachenkenntnisse?
SABINE:	Ja.
INTERVIEWER:	Nehme ich an.
SABINE:	Ich studiere Englisch und Französisch. Ich spreche beide Sprachen fließend und kann auch Italienisch.
INTERVIEWER:	Mm. Ja, durch den Italienaufenthalt natürlich.
SABINE:	Genau.
INTEVIEWER:	Mm. Ahm, Englisch und Französisch ist bei uns absolute Grundbedingung, damit muss man sich hier verständigen können, weil die meisten Gäste

kommen bei uns schon aus England, Amerika, Frankreich, sehr viele Amerikaner, natürlich auch aus anderen Ländern, Japaner kommen natürlich, aber aus dem deutschsprachigen Raum auch.

SABINE:	Mm.
INTERVIEWER:	Schweiz, Österreich und so. Mm. Zur Arbeit selber. Sie werden die Fremdsprachenkenntnisse nicht immer benötigen, es wird viel Büroarbeit sein. Sie müssen da im Sommer einige Lücken bei uns füllen, …
SABINE:	Ja.
INTERVIEWER:	…werden aber auch in der Information eingesetzt werden. Das heißt, einerseits am Telefon, das bei uns eben rund um die Uhr besetzt ist, und auch vorne an der Theke.
SABINE:	Mm.
INTERVIEWER:	Da haben wir ziemlich viel Betrieb im Sommer.
SABINE:	Das ist gut, weil ich auch aus Tübingen komme, also ich kenn' mich sehr gut aus in der Stadt.
INTERVIEWER:	Ja, hm.
SABINE:	Ich habe schon viele Leute herumgeführt.
INTERVIEWER:	Hm.
SABINE:	Also wir hatten viele Austauschschülerinnen, denen ich die Stadt gezeigt habe.
INTERVIEWER:	Na ja. Gut, apropos herumführen, ich werde Sie jetzt mal kurz durch die Räumlichkeiten führen, Ihnen mal die Mitarbeiter vorstellen und noch ein bisschen was zu der Tätigkeit erklären. Und, ah, ich denke, ich werd' mich in einer Woche dann etwa bei Ihnen melden, um Ihnen zu sagen, ob's klappt. Mit dem Gehalt … ahm.
SABINE:	Das stand in der Anzeige.
INTERVIEWER:	Das stand in der Anzeige. Gut, dann wissen Sie Bescheid. Dann gehen wir mal kurz raus.
SABINE:	Mm.

Szene 11

ICH WÜRDE GERN …

LISA:	Du siehst toll aus. Wie war es denn bei deinem Vorstellungsgespräch?
SABINE:	Ach, ich glaube es war ganz gut. Es ist ganz gut gelaufen. Obwohl ich sehr nervös and sehr aufgeregt gewesen bin.
LISA:	Hm.
SABINE:	Aber ich glaub' es ging ganz gut. Und die Arbeit, die würde mir echt Spaß machen.
LISA:	Warum?

SABINE:	Also, ich käme in Kontakt mit vielen verschiedenen Menschen aus vielen verschiedenen Ländern.
LISA:	Hm.
SABINE:	Ich würde ihnen halt Tübingen zeigen, und ich würd' halt den Tourismus aus einer ganz anderen Perspektive kennen lernen.
LISA:	Hm.
SABINE:	Obwohl im Grunde wäre ich lieber wieder selber Touristin. Und würde viele verschiedene Länder bereisen, viele Kulturen kennen lernen.
LISA:	Hm. Echt. Ach, ich würde am liebsten hier bleiben.
SABINE:	Echt?
LISA:	Ich würde jetzt gar nicht gerne weg. Ich finde die Stadt so wunderschön. Die ganzen Fachwerkhäuser und die verwinkelten Gassen und alles, das ist so wunderbar.
SABINE:	Ja.
LISA:	Und die Leute sind unheimlich nett hier. Das würde mir gut gefallen.
SABINE:	Mm.
LISA:	Sag mal, wann ist eigentlich Tübingen gegründet worden?
SABINE:	Tübingen wurde vor 1500 Jahren von Allemannen gegründet. Und dann im elften Jahrhundert wurde von den Grafen von Tübingen eine Burg errichtet.
LISA:	Hm.
SABINE:	Ja, und daraufhin wurde dann schon langsam aus dem Dorf Tübingen die Stadt Tübingen. Mit einem Marktplatz, einer Stadtmauer rundherum, ja, und der Kirche.
LISA:	Oh, da war ich gestern mit Julian oben.
SABINE:	Oh! Mm.
LISA:	Auf dem Turm, und man hat einen wunderschönen Blick über die ganze Stadt.
SABINE:	Ja.
LISA:	Es war sehr schön.
SABINE:	Mm.
LISA:	Ja. Und die Uni, wie alt ist die?
SABINE:	Die Uni wurde 1477 gegründet. Ja, und dann gut 50 Jahre später, 1530, entstand das Evangelische Stift.
LISA:	Mm.
SABINE:	Das ist weiter runter hier am Neckar. Ja, und berühmte Menschen, wie der Dichter Hölderlin, der Philosoph Hegel und auch Schelling haben hier studiert, und man erzählt sich sogar, sie haben sich ein Zimmer geteilt.
LISA:	Aber wie war das denn, da waren ja früher, das waren ja nicht nur Studenten, die hier gelebt haben.
SABINE:	Nein.
LISA:	Was haben denn die anderen Leute gemacht?
SABINE:	Also die Stadt wurde unterteilt in die Oberstadt …

LISA:	Mm.
SABINE:	Das sind auch die Häuser, die gehören dazu. Und die Unterstadt.
LISA:	Ja.
SABINE:	Die ist dahinter.
LISA:	Mm.
SABINE:	Und in der Oberstadt lebten hauptsächlich akademische Bürger, adelige Familien und einige wenige Handwerker. Und in der Unterstadt dahinter lebten die meisten Handwerker, Weinbauern und die einfachen Bauern. Mm.
LISA:	Damals hätte ich gerne hier gelebt auch. Mmm. Die ganzen Sachen, was die anhatten, und so die Kleidung, das muss sehr interessant gewesen sein.
SABINE:	Ja.
LISA:	Aber das geht ja leider nicht.
SABINE:	Also wenn ich die Zeit und das Geld hätte, würde ich am liebsten nach Australien fliegen.
LISA:	Oh ja.
SABINE:	Ja. Ich würde mir gerne Sydney angucken, die große Stadt, viel größer als Tübingen, und außerdem würde ich gerne ein paar Wochen oder vielleicht sogar Monate mit den Aborigines zusammenleben. Endlich erfahren, wie sie leben, wie sie denken, wie ein Tag von ihnen aussieht, doch …
LISA:	Das ist ja toll.
SABINE:	Ja, Australien, das reizt mich.
LISA:	Ja, das glaub' ich. Aber ich würde am liebsten nach Norwegen fahren.
SABINE:	Echt?
LISA:	Ja.
SABINE:	Mm.
LISA:	Ja, und zwar einfach weil die Natur unheimlich schön dort sein muss. Es gibt sehr seltene Pflanzen dort…
SABINE:	Ja.
LISA:	… die es nirgends anders gibt. Und, doch, die Natur selber ist eben noch nicht so weit zerstört wie woanders.
SABINE:	Ja.
LISA:	Die Umweltzerstörung ist noch nicht so weit fortgeschritten. Und es hat Fjorde dort.
SABINE:	Mm.
LISA:	Die kann man auch anschauen.
SABINE:	Stimmt.
LISA:	Und was auch spannend ist, ist einfach, dass die Zeitzone eine andere ist als bei uns, und es gibt eben oben am Nordkap, es ist so, dass einfach, es ist sehr lange hell.
SABINE:	Mm.
LISA:	Einfach, es gibt keine Nacht mehr.

SABINE:	Mm.
LISA:	Und das würde mir gut gefallen.
SABINE:	Doch. Sehr interessant.
LISA:	Ja, ja.
SABINE:	Leider bist du die Einzige, die jetzt 'ne Reise macht, und zwar nach Hause.
LISA:	Mm. Mm.
SABINE:	Du musst bestimmt noch einige Sachen zusammenpacken.
LISA:	Ja.
SABINE:	Oder? Sollen wir gehen? Ja?
LISA:	Ja.
SABINE:	O.K.

Szene 12

IM CAFÉ

JULIAN:	Ja, Lisa, ich hoffe es hat dir hier in Tübingen gefallen.
LISA:	Mm. Sehr gut.
JULIAN:	Ja.
LISA:	Ich fand es auch so nett von dir, dass du mich so ausführlich herumgeführt hast. Mir alles gezeigt hast.
JULIAN:	Das habe ich gerne gemacht.
LISA:	Sagt Sia nochmals vielen Dank, wenn ihr sie seht. Das war auch sehr nett von ihr.
JULIAN:	Das machen wir.
LISA:	Aber ich denk', ich werde schon bald wiederkommen, nach meinem Abitur, und werde hier Medizin studieren.
SABINE:	Ja. Schön.
LISA:	Ja.
SABINE:	Hast du dich entschlossen?
LISA:	Ja, ich hab' mich entschlossen und noch mehr. Ich hab' mir was überlegt. Und zwar Folgendes: Wenn ich fertig bin mit meinem Studium, dann könnte ich in die neuen Bundesländer gehen...
SABINE:	Mm.
LISA:	... und dort vielleicht einfach als Ärztin Forschung betreiben, in Bezug auf die, hm, Auswirkung in der Umweltverschmutzung auf die Gesundheit der Menschen.
SABINE:	Gut.

LISA:	Das wär doch wunderbar.
JULIAN:	Also das hört sich interessant an.
LISA:	Also, ich würde gerne nach Dresden, oder Halle, oder Leipzig, oder Jena gehen. Ich hab gehört, das sind sehr schöne Städte.
SABINE:	Gut.
LISA:	Mm.
JULIAN:	Weißt du, was ich gut finden würde: wenn wir Umwelttechnik schaffen könnten, ohne auf den Fortschritt zu verzichten.
LISA:	Ja, klar.
SABINE:	Das ist gut.
JULIAN:	Und damit könnten wir vielleicht auch neue Arbeitsplätze…
LISA:	Mm.
JULIAN:	… in den neuen Bundesländern schaffen.
LISA:	Mm.
SABINE:	Ja.
LISA:	Was wirklich nötig ist, ja.
JULIAN:	Die brauchen's bitter nötig. Ja.
SABINE:	Die Europäische Union tut viel für den Umweltschutz. Hoffentlich ist es noch nicht zu spät. Aber so hat es viele Vorteile. Man kann viel einfacher reisen, zum Beispiel.
LISA:	Mm.
JULIAN:	Aber es ist nicht nur das Reisen alleine, du kannst ja heute im europäischen Ausland leben und wohnen.
SABINE:	Ja.
LISA:	Ja. Das stimmt.
JULIAN:	Kannst Eigentum besitzen, wo du willst …
LISA:	Arbeiten.
JULIAN:	Arbeiten, ja. Ich möchte zum Beispiel nach London gehen und dort im Filmgeschäft arbeiten.
LISA:	Toll.
JULIAN:	Das finde ich so toll, dass ich das machen kann.
LISA:	Mm. Das ist wirklich gut. Und für dich ist es auch toll. Du reist ja sowieso so gerne …
SABINE:	Mm.
LISA:	Und du kannst jetzt noch leichter reisen.
SABINE:	Ja.
LISA:	Und vor allem kannst du jetzt wirklich Karriere machen im Europäischen Parlament.
SABINE:	Ja.

LISA:	Mm.
SABINE:	Doch.
LISA:	Als Geschäftsfrau.
SABINE:	Jaaaa.
LISA:	Und, also was ich auch toll finde, ist, dass man einfach nicht mehr so viel Ärger hat mit Geldwechseln an der Grenze.
JULIAN:	Das ist wichtig.
SABINE:	Ja.
LISA:	Du hast einfach … also, jetzt noch nicht. Aber man wird dann den, den Euro haben?
JULIAN:	Den Euro, ja.
SABINE:	Ja.
LISA:	Eine europäische Einheitswährung …
SABINE:	Mm.
LISA:	… und wunderbar. Kannst einfach losfahren und bist weg.
SABINE:	Gut. Aber bis dahin dauert es ja noch sehr lange. Nicht aber bis zu unserem Abschied.
LISA:	Ach ja.
SABINE:	Es rückt immer näher.
JULIAN:	Heh Lisa, wir müssen dich jetzt … [*inaudible*]
SABINE:	Ja. Es ist richtig schön, dass du da gewesen bist.
LISA:	Ja, gell.
SABINE:	Es hat mir gut gefallen.
LISA:	Kommt ihr doch mal nach Hamburg. Ihr seid herzlich eingeladen.
JULIAN:	Das werden wir tun.
SABINE:	Gerne.
LISA:	Die Sia auch.
SABINE:	Ja, die bringen wir mit. Da freuen wir uns.
LISA:	Zeig ich euch mal alles dort.
SABINE:	Bestell an deine Eltern viele Grüße.
LISA:	Mm. Mach' ich.
SABINE:	Und deiner Schwester mit ihrem Mann.
LISA:	Ja. Mach' ich.
SABINE:	Doch. Und schreib uns einen Brief. Genau.
LISA:	Mach' ich. Oder 'ne Karte.
SABINE:	Genau.
LISA:	Ja, mach' ich auch.
SABINE:	Aber ich glaube, es wird Zeit. Der Zug fährt bald, wir müssen zum Bahnhof.

LISA: Ja, und lass uns zahlen.

JULIAN: Ja, ja lass uns mal zahlen. Ja – Hallo, zahlen!

Deutsch im Beruf 4

WAS IST AUS IHNEN GEWORDEN?

Sabine wohnt in Brüssel. Dort arbeitet sie als Dolmetscherin für die EU.

Lisa vollendet ihr medizinisches Studium in Tübingen. Sie hofft nach Ostdeutschland umzusiedeln, um dort eine AIDS-Klinik zu eröffnen.

Julian zog nach Berlin, um in der Filmindustrie zu arbeiten. Er machte sein erstes Auftreten als Direktor [Regisseur] mit einem Dokumentarfilm unter dem Titel „Ost begegnet West".

TEST BANK

WITH TESTING CASSETTE SCRIPT AND ANSWER KEY

TEST BANK

Introduction

The Test Bank for *Vorsprung* consists of twelve tests corresponding to the twelve chapters of the Student Text. The tests are perforated and in ready-to-copy format. Each test is divided into seven parts:

I.	Hörverständnis		V.	Kultur
II.	Leseverständnis		VI.	Zum Schreiben
III.	Struktur		VII.	Zum Sprechen
IV.	Vokabeln			

Each part includes two or more exercises. Note that *Vorsprung* offers a complete testing program and that each test covers all four traditional skills as well as culture.

The Instructor's Testing Cassette, shrinkwrapped with the Instructor's Resource Manual, contains the oral cues for the listening comprehension exercises in part I. **Hörverständnis** of each test. The script for these oral exercises is printed on the Instructor's Page that precedes each test. If you prefer, read these cues aloud to the class instead of using the tape.

The final section of each test, part VII. **Zum Sprechen** provides stimuli for conversation. There are several ways to administer this oral section of each test. You may wish to call time for the written part of the test and have students work simultaneously in pairs on this oral section while you go from pair to pair and assign grades. Or you may wish to have students meet with you separately in pairs, either while the written test is being taken or after class during office hours. As another option, each student could come to you individually and you could take on the role of the student's conversation partner.

The complete answer key for the Test Bank is found at the end of the Test Bank.

Although instructors will have different experiences using the *Vorsprung* Test Bank, most will find that each test can be administered in one class period. Instructors will each prefer to choose their own scoring method, assigning weight to items to complement their own teaching style.

CONTENTS

Kapitel 1: Instructor's Page

TEIL I. HÖRVERSTÄNDNIS

Übung A. Die Deutschklasse. You will hear five statements about your German class. Check each statement on your test sheet as either true **(richtig)** or false **(falsch)**. You will hear each statement twice.

Let's begin.

1. Im Klassenzimmer sind keine Fenster.
2. In der Deutschklasse sind neunzehn Studenten.
3. Wie schreiben Sie Deutsch? D - e - u - t - s - c - h
4. Die Leinwand ist an der Wand.
5. Im Klassenzimmer sind zwei Türen.

Note: The following activity, **Übung B,** requires you to act out each request twice either correctly or incorrectly. Since no movements are prescribed, be sure to note how you acted out each command and be sure to act it out the same way both times.

Übung B. Aufforderungen. You will hear eight commands. Your instructor will execute each one. If your instructor executes the command correctly, check **Ja, das stimmt** on your test sheet. If your instructor executes the command incorrectly, check **Nein, das stimmt nicht.** You will hear each command twice.

Let's begin.

1. Stehen Sie auf.
2. Öffnen Sie das Buch.
3. Gehen Sie an die Tür.
4. Zeigen Sie auf die Tafel.
5. Sagen Sie „Guten Tag".
6. Drehen Sie sich um.
7. Gehen Sie an die Tafel.
8. Schreiben Sie die Zahl 46 an die Tafel.

Kapitel 1

I. HÖRVERSTÄNDNIS (*LISTENING COMPREHENSION*)

A. Die Deutschklasse. You will hear five statements abour your German class. Check each statement as either true **(richtig)** or false **(falsch).** You will hear each statement twice.

	Richtig	Falsch
1.	_____	_____
2.	_____	_____
3.	_____	_____
4.	_____	_____
5.	_____	_____

B. Aufforderungen°. You will hear eight commands. Your instructor will execute each one. If your instructor executes the command correctly, check **Ja, das stimmt.** If your instructor executes the command incorrectly, check **Nein, das stimmt nicht.** You will hear each command twice.   *commands*

	Ja, das stimmt.	Nein, das stimmt nicht.
1.	_____	_____
2.	_____	_____
3.	_____	_____
4.	_____	_____
5.	_____	_____
6.	_____	_____
7.	_____	_____
8.	_____	_____

II. LESEVERSTÄNDNIS (*READING COMPREHENSION*)

C. An der Abendschule. Read the following passage and then mark each statement about the text as true **(T)** or false **(F).**

Franz Kannengießer ist dreiundzwanzig Jahre alt. Er kommt aus Weinheim. Er studiert in Mannheim an der Abendschule. Im Moment sucht er Zimmer 30. Er hat einen Computerkurs.
Franz fragt eine Studentin: „Guten Abend. Wo ist Zimmer 30?"
Die Studentin sagt: „ Zimmer 30 ist gleich da vorne. Gehen Sie da vorne rein."
Franz sagt: „Danke sehr." Franz öffnet die Tür und geht hinein.
Ein Mann fragt Franz: „Was suchen Sie?"
Franz sagt: „Ich suche meinen Computerkurs. Sind Sie Doktor Steiger?"
Doktor Steiger sagt: „Ja. Kommen Sie doch rein. Nehmen Sie Platz. Herzlich willkommen."

True (T) or false (F)?

_____   1. Franz is twenty-two years old.

_____   2. His computer course is probably in the morning.

_____ 3. The woman he asks for directions is helpful.

_____ 4. Franz asks another man what he is looking for.

_____ 5. Doktor Steiger tells Franz to come in and take a seat.

III. STRUKTUR (STRUCTURE)

D. Ein Interview mit Professor Fuchs. Reconstruct the conversation between new student, Thomas Strahl, and Professor Fuchs, by writing the missing questions.

1. PROFESSOR FUCHS: _____?
   THOMAS STRAHL: Ich heiße Strahl, Thomas Strahl.

2. PROFESSOR FUCHS: _____?
   THOMAS STRAHL: Ich komme aus Hamburg.

3. THOMAS STRAHL: _____?
   PROFESSOR FUCHS: Die Universität ist alt und schön.

4. PROFESSOR FUCHS: _____?
   THOMAS STRAHL: Ich studiere Physik.

5. THOMAS STRAHL: _____?
   PROFESSOR FUCHS: Das ist meine Assistentin, Frau Kretschmer.

E. Der Anrufbeantworter°. Karl left Anna a message on her answering   *answering machine*
machine. Complete his message by filling in the correct forms of the verb **sein**.

Hallo, Anna! Hier (1)_____ Karl. Ich (2)_____ mit meinen Freunden Peter und Imke

im Café. Wir (3)_____ im Garten. (4)_____ du zu Hause? Hast du Zeit°,   *time*

einen Kaffee zu trinken? Heute (5)_____ das Wetter° so schön! Komm doch   *weather*

vorbei! Tschüss!

F. Hörsaal 20. Complete Anna's description of the lecture hall by filling in the correct definite articles **(der, das, die)**.

Hörsaal 20 hat viele Sachen. Hier ist (1)_____ Tafel. Da ist (2)_____

Fenster. (3)_____ Overheadprojektor ist in der Mitte. In der Ecke steht

(4)_____Papierkorb. (5)_____ Leinwand ist groß und weiß. Da vorne ist

(6)_____ Uhr. Wo ist (7)_____ Steckdose? Hier (8)_____ Fernseher.

G. Der Neinsager. Hanno always responds to Hanna with negative statements. Complete his responses with either **kein-** or **nicht**.

1. HANNA: Verstehst du Arabisch?
   HANNO: Nein, ich verstehe _____ Arabisch.

2. HANNA: Bist du nervös?
   HANNO: Nein, ich bin _____ nervös.

3. HANNA: Ist das ein Stuhl?

   HANNO: Nein, das ist _____ Stuhl. Das ist der Schreibtisch.

4. HANNA: Ist die Wand schwarz?

   HANNO: Nein, die Wand ist _____ schwarz.

H. Die Deutschklasse. Complete the following sentences you overhear in your German class. Use the correct pronoun **(er, es, sie).**

1. Hier steht der Schreibtisch. _____ ist alt und kaputt.

2. Ist die Antwort richtig? Ja, _____ ist korrekt.

3. Petra ist Österreicherin. _____ ist in meiner Klasse.

4. Wo ist der Student aus Bonn _____ sitzt im Klassenzimmer.

5. Ist das Buch interessant? Ja, _____ ist sehr interessant.

6. Wo ist der Fernseher? _____ ist nicht im Klassenzimmer.

IV. VOKABELN *(VOCABULARY)*

I. Gegenteile°. Max and Moritz are always contradicting each other. Complete their statements with a word that has the opposite meaning of the italicized word.   *opposites*

1. MAX: Ich finde Professor Schimmel *unfreundlich.*

   MORITZ: Ach, nein! Ich finde Professor Schimmel _____.

2. MORITZ: Mein Heft ist *dunkel*blau.

   MAX: Nein! Dein Heft ist _____blau.

3. MAX: Annas Haar ist blond und *kurz.*

   MORITZ: Das stimmt nicht! Annas Haar ist _____ .

4. MORITZ: Die Studenten an der Uni sind *alt.*

   MAX: Unsinn! Die Studenten sind _____ .

5. MORITZ: Frau Schröder ist *unattraktiv.*

   MAX: Das stimmt nicht! Frau Schröder ist _____ .

J. Elfriedes Freunde und Bekannte°. Elfriede knows people from all over the   *acquaintances*
world. Complete the following descriptions with the appropriate nationality or country name.

- Marie-Blanche und Pierre kommen aus Frankreich. Sie sind _Franzosen_ .

1. Julia kommt aus der Schweiz. Sie ist _____.

2. Julio und Pepe kommen aus Mexiko. Sie sind _____.

3. Joachim wohnt in Berlin. Berlin ist in _____.

4. Frau Yokoyama kommt aus Japan. Sie ist _____.

5. Marie und Phil sind Kanadier. Sie kommen aus _____.

K. Mathematikaufgaben. Help Frank with his math homework. Spell out the answers to each of the following math problems.

■ Sechs plus sechs ist *zwölf*.

1. Neunzehn plus zwölf ist _____.

2. Dreiundvierzig plus vierzehn ist _____.

3. Siebenundsiebzig plus fünf ist _____.

4. Zehn plus sieben ist _____.

5. Acht minus acht ist _____.

6. Vierundzwanzig minus dreizehn ist _____.

L. Was ist logisch? Complete the following sentences with a word that fits logically.

■ Das *Buch* heißt *Vorsprung*.

1. Die US-Flagge ist rot, _____ und _____.

2. Wir _____ Deutsch in diesem Kurs.

3. Meine Haare sind _____.

4. Deutschlands Flagge ist _____, _____ und gold.

M. Im Seminar. In the drawing below, two students are talking with their professor after class. Describe the physical attributes of the professor and the two students. Write at least two sentences about each person.

_____

_____

_____

_____

_____

_____

V. Kultur (Culture)

N. **Was ist logisch?** Circle the item that best answers a question or completes a statement about the German-speaking countries.

1. What is the most appropriate form of address for an older German woman named Barbara Metzler?

    a. Tag, Babs!

    b. Guten Tag, Fräulein Metzler!

    c. Guten Tag, Frau Metzler!

    d. Grüß dich, Barbara!

2. Which of the following would you most likely hear upon entering a small shop in Bavaria around 10:00 A.M.?

    a. Guten Abend.   c. Tschüss.

    b. Grüß Gott.   d. Wie geht's?

3. Once inside the shop, what pronoun would you use to address the two clerks working there? One clerk is in his forties, the other is in her twenties.

    a. Sie   c. er

    b. du   d. ihr

4. Katja Maier was making her way through a crowded bus to be near the door as the bus was nearing her stop. What did she probably say to other passengers as she moved forward?

    a. Gott sei Dank!

    b. Mahlzeit!

    c. Entschuldigung!

    d. Danke!

5. Imagine you are flying to Zurich and are listening to instructions in German that are being given by a Swiss flight attendant. He is speaking very fast. Suddenly he asks you a question, which you do not understand. How would you reply?

    a. Stehen Sie auf!

    b. Wie bitte?

    c. Schreiben Sie!

    d. Verstehen Sie?

6. If your sales receipt reads **Euro 1.999,50** …

    a. it means you owe about 2 euros.

    b. it means you owe about 2,000 euros.

    c. it means you owe about 200,000 euros.

    d. it means there has been an error.

VI. Zum Schreiben (WRITING)

O. Der Student/Die Studentin im Deutschkurs. In five to seven sentences, describe a classmate in your German class. Include your classmate's name, age, nationality, where he/she is currently living, and a physical description, e.g., eye color, hair color and length.

_____

_____

_____

_____

_____

_____

VII. Zum Sprechen (SPEAKING)

P. Persönliche Fragen. You are new in the German class and are trying to gather information about your classmates and the class. With a partner, carry on a conversation in German using the following questions as a guide. Alternate asking and answering the questions.

1. Wie heißen Sie?

2. Wie schreiben Sie Ihren Namen?

3. Was für Haar haben Sie?

4. Wo wohnen Sie?

5. Woher kommen Sie?

6. Wie alt sind Sie?

7. Wie finden Sie das Deutschbuch *Vorsprung?*

8. Wie ist der Deutschprofessor/die Deutschprofessorin?

Kapitel 2: Instructor's Page

TEIL I. HÖRVERSTÄNDNIS

Übung A. Heike Müllers Familie. Heike Müller talks about her family and herself. Listen to her monologue and complete the chart on your test sheet with the missing information about her family members' ages and occupations. Then answer the questions about Heike. You will hear the monologue twice.

Let's begin.

Guten Tag! Ich heiße Heike Müller. Sie hören jetzt Informationen über meine Familie.

Meine Eltern heißen Maria und Thomas. Sie sind ganz nett. Meine Mutter ist achtundvierzig Jahre alt und sehr fit! Meine Mutter und mein Stiefvater sind beide Lehrer auf meiner alten Schule. Mutti ist Mathelehrerin. Ihr neuer Mann ist Englischlehrer. Er heißt Thomas und ist jünger als meine Mutter. Er ist sechsundvierzig Jahre alt.

Ich habe auch Geschwister. Mein Bruder ist älter als ich. Sein Name ist Christian. Er ist dreiundzwanzig Jahre alt und studiert Erziehungswissenschaft an der Universität Regensburg. Meine kleine Stiefschwester heißt Hannelore. Sie ist so lieb. Sie ist erst elf Jahre alt und geht auf die Realschule.

Und ich? Ich studiere auch an der Universität Regensburg. Ich studiere Chemie. Chemie finde ich sehr interessant.

You will now hear the monologue again.

Übung B. Aus Wolfgangs Wochenplaner. Wolfgang describes the upcoming events for next week. Listen to the description, then complete the page from his weekly planner on your test sheet. Add specific times and activities. Three days are already filled in. You will hear Wolfgang talk about his plans twice.

Let's begin.

Tag! Ich heiße Wolfgang. Diese Woche mache ich sehr viel! Jeden Tag mache ich was anderes. Morgen ist Montag. Am Montag gehe ich schwimmen. Ich schwimme um elf Uhr.

Am Dienstag kaufe ich ein Geschenk für Martina. Ich gehe am Vormittag um halb zehn einkaufen. Ich kaufe ein schönes Geschenk für sie, denn sie hat am Mittwoch Geburtstag.

Martina hat am Mittwoch Geburtstag. Die Party ist am Abend. Sie beginnt um einundzwanzig Uhr.

Donnerstags spiele ich immer Basketball. Ich spiele diesen Donnerstag mit Klaus. Wir spielen um sechzehn Uhr.

Am Freitag lerne ich Englisch mit Herbert. Wir lernen um Viertel nach zehn.

Samstag ist der zwölfte Mai. Am Abend gehe ich mit Martina ins Restaurant. Wir gehen um zwanzig Uhr.

Am Sonntag fliege ich mit meinen Eltern nach Berlin. Wir fliegen um Viertel vor sieben in der Früh.

You will now hear Wolfgang's description again.

Kapitel 2

I. HÖRVERSTÄNDNIS

A. Heike Müllers Familie. Heike Müller talks about her family and herself. Listen to her monologue and complete the chart with the missing information about her family members' ages and occupations. Then answer the questions about Heike. You will hear the monologue twice.

Heike Müllers Familie

Mutter	Stiefvater	Bruder	
	Thomas	Christian	Hannelore
48 Jahre alt			11 Jahre alt
Mathelehrerin			Schülerin

Heike

1. Wo studiert Heike? _____

2. Was studiert sie? _____

B. Aus Wolfgangs Wochenplaner°. Wolfgang describes the upcoming events *weekly planner* for next week. Listen to the description, then complete the page from his weekly planner. Add specific times and activities. Three days are already filled in. You will hear Wolfgang talk about his plans twice.

das Geschenk = *gift*

MO	07. Mai	um 11.00 schwimmen gehen
DI	08. Mai	
MI	09. Mai	um 21.00 auf Martinas Geburtstagsparty gehen
DO	10. Mai	
FR	11. Mai	
SA	12. Mai	um 20.00 mit Martina ins Restaurant gehen
SO	13. Mai	

II. LESEVERSTÄNDNIS

C. Gunde fährt nach Chemnitz. Read the letter that Gunde has written to her family and mark the statements that follow as **richtig (R)** or **falsch (F).**

Rostock, den 21. Mai

Liebe Eltern,

    schöne Grüße aus Rostock. Ich habe eine Woche frei und möchte meine Freunde und Verwandten in Chemnitz besuchen, bevor der Sommer kommt. Ich habe jetzt ein bisschen Zeit. In zwei Monaten fliege ich aber nach Namibia. In Windhoek gibt es eine deutsche Schule. Dort habe ich eine Stelle[1] als Deutschlehrerin. Ich freue mich sehr auf[2] Namibia, aber ich habe ein bisschen Angst, denn ich verbringe ein ganzes Jahr dort! Es ist meine erste Reise ins Ausland. Ich fliege ganz allein, und ich spreche überhaupt kein Afrikaans und mein Englisch ist nicht so gut.

    Ich komme am Freitagabend um 17.35 Uhr mit der Bahn[3] in Chemnitz an. Ich fahre mit dem Bus nach Hause. Ich freue mich darauf, meine Familie, meine Freunde und meine Heimatstadt zu sehen. Bis Freitag!

Eure Gunde

_____
[1]_eine Stelle = einen Job;_ [2]_ich freue mich auf: I'm looking forward to;_ [3]_mit der Bahn: by train_

Richtig (R) oder falsch (F)?

_____ 1. Gunde ist ein Mann.

_____ 2. Gunde hat nur vier Tage Zeit.

_____ 3. Gundes Familie wohnt in Chemnitz.

_____ 4. Im Juli fliegt Gunde nach Namibia.

_____ 5. In Namibia studiert Gunde an der Uni.

_____ 6. Gunde hat gar keine Angst.

_____ 7. Gunde fährt mit dem Bus von Rostock nach Chemnitz.

_____ 8. Gunde kommt aus Chemnitz.

III. STRUKTUR

D. Minidialoge. Complete the following dialogues with an appropriate form of **haben.**

1. TANTE USCHI: _____ ihr Durst?

   ANNA UND JEFF: Nein. Aber wir _____ Hunger.

2. THOMAS: Tag, Hans-Peter! Wir gehen heute wandern. _____ du Zeit?

   HANS-PETER: Nein, ich _____ keine Zeit. Aber Oliver _____ heute Zeit. Vielleicht geht er mit.

E. Nein, nein, nein! Answer the following questions in the negative. Use **nicht** or **kein**.

1. Geht Thomas gern einkaufen?

   Nein, _____

2. Hat Frau Meier viel Zeit?

   Nein, _____

3. Sehen die Studenten einen Schreibtisch?

   Nein, _____

4. Machen wir eine Pause?

   Nein, _____

F. Hannes Günthers Tagesablauf. Complete each statement about Hannes Günther's daily routine with an appropriate conjugated verb from the list.

ankommen • anrufen • aufstehen • schlafen gehen • spazieren gehen

1. Um Viertel nach sieben _____ Herr

   Günther _____.

2. Nach dem Frühstruck fährt er zur Arbeit. Normalerweise

   _____ er pünktlich um zehn nach neun

   _____.

3. Am Vormittag _____ er oft seine Frau

   _____, denn er hat ein Telefon im Büro.

4. Hannes und Uschi _____ am Abend

   _____.

5. Um Viertel vor elf _____ die Günthers

_____.

G. Hans' erster° Tag an der Uni. Complete the following sentences by circling the correct definite or indefinite article.

first

1. Heute hat Hans _____ Albtraum.
   a. ein   b. einen   c. eine

2. Um acht Uhr beginnt _____ Computerkurs.
   a. der   b. den   c. das

3. _____ Universität ist aber sehr groß.
   a. Der   b. Das   c. Die

4. Hans findet _____ Hörsaal nicht.
   a. der   b. den   c. die

5. Schließlich° fragt er _____ Studenten.
   a. einen   b. ein   c. eine

Finally

6. _____ Student zeigt auf die erste Tür links.
   a. Der   b. Das   c. Die

IV. Vokabeln

H. Wie spät ist es? Write out the times in German.

1. 8.00   Es ist _____

2. 1.15   Es ist _____

3. 5.30   Es ist _____

4. 6.55   Es ist _____

5. 11.20   Es ist _____

I. Persönliche Fragen. Answer the following personalized questions in complete sentences.

1. Wann haben Sie Geburtstag? _____

2. Wann haben Sie Deutsch? (Tag und Zeit) _____

3. Was spielen Sie gern? _____

4. Sind Sie Deutsch oder Amerikaner? _____

5. Hat Ihre Mutter eine Schwester? _____

J. **Familie Schulz' Gewohnheiten°.** Complete the sentences with a suitable   *habits*
conjugated verb.

fliegen • gehen • haben • schreiben • spielen • sein

1. Frau Schulz _____ oft klassische Musik im Radio.

2. Die Kinder _____ gern Fußball und Tennis.

3. Frau Schulz fragt die Kinder oft am Nachmittag: „_____ ihr jetzt
Hausaufgaben?"

4. Die Kinder antworten: „Wir _____ fertig°."   *done*

5. Herr Schulz _____ donnerstags einkaufen.

6. Im Sommer _____ die Familie nach Österreich.

K. **Was ist logisch?** Circle the item that best completes each statement.

1. Manfred Schneider hat eine Frau namens Sabine. Er ist …

   a. ledig.   c. verheiratet.
   b. verwitwet.   d. geschieden.

2. Der Vater von Annas Mutter heißt Friedrich Kunz. Er ist Annas …

   a. Vetter.   c. Vater.
   b. Großvater.   d. Onkel.

3. Meine Tante hat einen Sohn. Er ist mein …

   a. Kusine.   c. Vetter.
   b. Onkel.   d. Sohn.

4. Mein Bruder hat eine Tochter. Sie ist meine …

   a. Nichte.   c. Vetter.
   b. Tochter.   d. Schwester.

5. Claudia und Petra lesen *Motoren und Turbinen*. Sie studieren wahrscheinlich°…   *probably*

   a. Medizin.   c. Ingenieurwesen.
   b. Kunstgeschichte.   d. Chemie.

6. Renate hat viele Bücher über FORTRAN und C++ Programme. Sie studiert wohl …

   a. Geschichte.   c. Pädagogik.
   b. Volkswirtschaft.   d. Informatik.

V. KULTUR

L. **Was ist logisch?** Circle the best response to each question.

1. Werner Günther dislikes alcohol. To be polite when offered a glass of wine he would most
likely say

   a. Ich habe keine Angst.   c. Ich habe keinen Durst.
   b. Ich habe keinen Hunger.   d. Ich habe keine Zeit.

2. Which of the follolwing names is <u>not</u> a German family name.

    a. Manning   c. Spielman
    b. Snyder   d. Chrysler

3. Approximately what percentage of U.S. Americans are of German background?

    a. 5%   c. 20%
    b. 10%   d. 40%

VI. ZUM SCHREIBEN

M. Einen Brief schreiben. You have just received word that you will be living with the Dornhofer family next year while studying at the University of Regensburg. Write a brief letter of introduction in which you describe yourself, your interests, your family, and your excitement about living in Germany. Don't forget to write today's date. Be sure to use appropriate opening and closing statements. Your letter should be ten to twelve sentences long.

VII. Zum Sprechen

N. Persönliche Fragen. You already know a little about your classmates. Find out more. With a partner, carry on a conversation in German using the following questions as a guide. Alternate asking and answering the questions.

1. Was studieren Sie?

2. Wann haben Sie Deutsch?

3. Haben Sie Geschwister?

4. Haben Sie Verwandte in Europa?

5. Wann haben Sie Geburtstag?

6. Welche Fächer haben Sie gern?

7. Welche Fächer haben Sie nicht gern?

8. Was machen Sie gern in Ihrer Freizeit?

Kapitel 3: Instructor's Page

TEIL I. HÖRVERSTÄNDNIS

Übung A. In der Bäckerei. You will hear a conversation between a baker, Herr Krause, and his customer, Frau Knopf. Listen to their conversation, then check each statement on your test sheet as either true **(richtig)** or false **(falsch)**. You will hear the conversation twice.

Let's begin.

FRAU KNOPF:	Guten Morgen.
HERR KRAUSE:	Guten Morgen. Bitte schön?
FRAU KNOPF:	Ich möchte ein halbes Weißbrot und vier Brötchen.
HERR KRAUSE:	Wir haben heute nur noch Vollkorn- und Sesambrötchen.
FRAU KNOPF:	Na, dann nehme ich drei Vollkorn und ein Sesam, bitte.
HERR KRAUSE:	Sonst noch 'was?
FRAU KNOPF:	Das war's.
HERR KRAUSE:	Das macht drei Mark neunzig.
FRAU KNOPF:	Bitte schön.
HERR KRAUSE:	Danke. Und eine Mark zehn zurück.
FRAU KNOPF:	Wiedersehen.
HERR KRAUSE:	Auf Wiedersehen.

You will now hear the conversation again.

Übung B. Was ist logisch? You will hear five questions. On your test sheet are three responses to each question. Circle the most logical response. You will hear each question twice.

For example:

You hear the question **Wann fliegt Anna nach Deutschland?**

You circle **c. In zwei Wochen,** because it is the only logical response.

Let's begin.

1. Warum isst Thomas kein Fleisch?
2. Möchten Sie ein Bier?
3. Können Sie reiten?
4. Was ist in dem großen Fass im Keller?
5. Wie viel Butterkäse möchten Sie?

Kapitel 3

I. HÖRVERSTÄNDNIS

A. In der Bäckerei. You will hear a conversation between a baker, Herr Krause, and his customer, Frau Knopf. Listen to their conversation, then check each statement as either true (**richtig**) or false (**falsch**). You will hear the conversation twice.

	Richtig	**Falsch**	
1.	_____	_____	Frau Knopf geht am Abend in die Bäckerei.
2.	_____	_____	Sie möchte ein halbes Weißbrot und vier Brötchen.
3.	_____	_____	Sie möchte drei Vollkornbrötchen und ein Sesambrötchen.
4.	_____	_____	Das Brot und die vier Brötchen kosten eine Mark zehn.
5.	_____	_____	Frau Knopf sagt am Ende: „Wiedersehen".

B. Was ist logisch? You will hear five questions. Below are three responses to each question. Circle the most logical response. You will hear each question twice.

- Wann fliegt Anna nach Deutschland?
  a. Nach Weinheim.
  b. Allein.
  c. In zwei Wochen.

1. a. Er isst gern Bratwurst.
   b. Er ist wohl Vegetarier.
   c. Er isst bestimmt nur Schweinefleisch.

2. a. Ja, ich fahre jetzt nach Hause.
   b. Ich esse im Restaurant.
   c. Nein, ich trinke lieber Cola.

3. a. Ja, ich schreibe gern.
   b. Ja, relativ gut.
   c. Ich fahre gern Rad.

4. a. Meine Tochter.
   b. Eis.
   c. Rotwein.

5. a. 250 Gramm, bitte.
   b. 3 Liter, bitte.
   c. 2 Meter, bitte.

II. LESEVERSTÄNDNIS

C. **Restaurant *Zum Roten Hahn*.** Read the ad for a restaurant in Vienna, then mark the statements that follow as true (**T**) or false (**F**).

Restaurant
ZUM ROTEN HAHN

Ob[1] Sie zu Mittag viel oder wenig Zeit haben,
bei uns finden Sie immer das Richtige!
Ideale Atmosphäre für Geschäftsleute[2].

Montag bis Freitag von 11.30 – 14.30 Uhr:
Mittags-Buffet
Eine große Auswahl[3] kalter Vorspeisen vom Buffet.
Täglich neue Suppen und Hauptgerichte frisch in der Küche
zubereitet[4] und rasch serviert.
Zum Abschluss köstliche Desserts vom Buffet.
... und das alles zum Preis von ÖS 290,– pro Person.

Jeden Sonntag von 12.00 – 15.30 Uhr unser:
Familien-Brunch
zum Preis von ÖS 350,– pro Person inklusiv
ein Glas Sekt[5] zur Begrüßung.
Kinder unter 12 Jahren zahlen die Hälfte.
Wir freuen uns auf Ihre Tischreservierung!
Parkmöglichkeiten in der Nähe.

Zum Roten Hahn
Schottenring 3, Tel. 34 35 78

---

[1]*whether;* [2]*business people;* [3]*selection;* [4]*prepared;* [5]*sparkling wine (similar to champagne)*

True (T) or false (F)?

_____ 1. Business people looking for a restaurant in which to linger for an hour or more would probably not find what they are looking for at the restaurant **Zum Roten Hahn**.

_____ 2. The restaurant is only open until 2:30 P.M. on Sunday.

_____ 3. **Vorspeisen** is the German word for *appetizers*.

_____ 4. The ad states that there are new salads and desserts each day for the noon buffet.

_____ 5. Sunday patrons are greeted with a complimentary glass of champagne.

_____ 6. Children under twelve eat for half price on Sunday.

_____ 7. There is parking available nearby.

8. If this restaurant's culinary offerings lived up to the restaurant's name, would you expect it to serve more pork, poultry, or beef? _____ (Tip: **Hähnchen** is the diminutive of **Hahn**.)

D. Unsere Kusine aus Amerika kommt zu Besuch. Gabi and Inge, two sisters from Heidelberg, are excited about their American cousin's upcoming visit. Inge, who is now studying in Freiburg, sends Gabi the following e-mail message with suggestions of things to do with Amy. Read the e-mail message, and then mark the statements that follow a true (**T**) or false (**F**).

Di., den 22. Mai

Liebe Gabi!

Am Samstag kommt Amy! Ich freue mich sehr auf ihren Besuch! Du freust dich auch, nicht wahr? Ich mache schon große Pläne!

Am Freitag fahre ich nach Hause. Ich bin sicher um elf Uhr da. Wir putzen[1] dann das ganze Haus! Amy schläft in meinem alten Zimmer. Ich möchte ihr einen Schokoladenkuchen backen. Alle Amerikaner essen gern Schokoladenkuchen, nicht wahr?

Was machen wir dann mit Amy am Samstag? Hast du schon eine Idee? Ich weiß, Mutti möchte nach Mannheim fahren. Sie meint, es gibt dort viel zu sehen. Sie findet das Rathaus, den Marktplatz und die Fußgängerzone so schön, denn sie ist in Mannheim aufgewachsen[2]. Findest du Mannheim auch so schön? Ich habe unsere Stadt viel lieber. Heidelberg ist doch so alt und für Amerikaner „typisch deutsch", nicht wahr? Wir zeigen Amy das Schloss. Am Nachmittag machen wir einen langen Spaziergang in der Altstadt.

Am Abend zeigen wir Amy ein bisschen Nightlife. Gehen wir doch in die alten Studentenkneipen in der Nähe von der Uni! So was[3] findet Amy bestimmt interessant.

Jetzt muss ich aber los[4]! Bis Freitag! Liebe Grüße an[5] die Eltern!

Deine Inge

---

[1]clean; [2]grew up; [3]So was: something like that; [4]Jetzt ... los!: I have to go now!; [5]to

True (T) or false (F)?

_____ 1. According to Inge's e-mail, Amy is arriving on Saturday.

_____ 2. Inge will accompany Amy by train from Freiburg.

_____ 3. Amy will sleep in Inge's old room.

_____ 4. Inge is planning to make a chocolate cake because she figures that all Americans like chocolate cake.

_____ 5. Among other things, Inge's mother finds Mannheim's supermarkets nice.

_____ 6. Inge thinks that Heidelberg is viewed as "typically German" by Americans.

_____ 7. In the afternoon, Inge plans to take Amy to the student bars near the university.

_____ 8. Before concluding her message, Inge sends greetings to her parents.

III. STRUKTUR

E. **Oma und Opa Kunz' Gewohnheiten.** Complete each statement about the Kunz's habits with an appropriate conjugated verb from the list.

fahren • fernsehen • lesen • trinken • sprechen • tragen • werden

1. Oma Kunz _____ gern am Telefon.

2. Oma Kunz _____ oft eine Bluse mit einer Strickweste°. *knit vest*

3. Donnerstagabends _____ Opa Kunz _____. Er hat Spielfilme mit Clint Eastwood besonders gern.

4. Um Mitternacht _____ Opa Kunz immer sehr müde.

5. Oma und Opa Kunz _____ jeden Sommer zu Kusinen in die Schweiz.

6. Oma Kunz _____ ihren Kaffee mit Zucker°. *sugar*

7. Vormittags _____ Opa Kunz die Zeitung°. *newspaper*

F. **Heidi spricht mit ihren Großeltern.** Complete the following conversation with the missing pronouns.

OMA: Besuchst (1)_____ uns am Wochenende?

HEIDI: Ich möchte (2)_____ und Opa besuchen, aber ich kann nicht.

OMA: Warum denn nicht? Möchtest du (3)_____ nicht sehen?

HEIDI: Doch! Ich besuche (4)_____ gern. Im Moment hab' ich aber keine Zeit.

G. **In Heidelberg.** Your tour guide asks you if you can see all of the landmarks he is pointing out to you. Use pronouns to say that you can.

■ „Sehen Sie das Fass?" Ja, ich sehe <u> es </u>.

1. „Sehen Sie das Schloss?" Ja, ich sehe _____.

2. „Sehen Sie den Kirchturm?" Ja, ich sehe _____.

3. „Sehen Sie die Universität?" Ja, ich sehe _____.

4. „Sehen Sie die Studentenkneipen?" Ja, ich sehe _____.

5. „Sehen Sie mich?" Ja, ich sehe _____.

H. Frau Redlang und Frau Sagmehr – die Klatschfrauen! Two busybodies are gossiping at a party. Complete their conversation with the appropriate possessive adjectives.

■ FRAU REDLANG: Da kommt Herr Teuchert. _Sein_ Sohn ist Architekt.

1. FRAU SAGMEHR: Da sitzt Frau Brecht. Ich sehe _____ Mann nicht!

2. FRAU REDLANG: Die Brechts sind jetzt geschieden°. Herr Brecht und _____ neue Freundin wohnen in Wiesbaden.   *divorced*

3. FRAU SAGMEHR: Aber die Brechts haben Kinder! Wo wohnen _____ Kinder?

4. FRAU REDLANG: Katrin und Melanie studieren schon an der Universität Regensburg. _____ Enkel, Klaus Redlang, studiert auch in Regensburg.

5. FRAU SAGMEHR: Kenne ich _____ Enkel?

   FRAU REDLANG: Nein, ich glaube nicht.

6. FRAU SAGMEHR: Schauen Sie! Jetzt kommen _____ Männer mit den Getränken.

I. Jens und Hans, die Alleswisser°. Complete the following statements with the   *know-it-alls*
correct forms of **wissen, kennen,** or **können**.

1. JUTTA: Ich bin nicht sicher, wo Edith wohnt.

   JENS: Ich _____ es! Sie wohnt in der Pentlingerstraße.

2. JUTTA: Sprichst du nur Deutsch?

   HANS: Nein! Ich _____ auch Italienisch und Englisch.

3. JUTTA: _____ du, wann der Kurs beginnt?

   JENS: Ja, natürlich. Der Kurs beginnt um Viertel nach zehn.

4. JUTTA: Nürnberg ist eine wunderschöne alte Stadt, nicht?

   JENS UND HANS: Ja, wir _____ Nürnberg sehr gut.

5. JUTTA: _____ ihr meine Freundin Nadja?

   JENS UND HANS: Natürlich. Sie ist in unserem Kurs.

J. Paul und Peter sind Zwillinge°. The twins Paul and Peter have two of everything.   *twins*
Complete each statement by filling in the plural of the noun in parentheses.

1. Die zwei _____ haben auch zwei _____. (Bruder / Schwester)

2. Paul und Peter haben zwei _____. (Computer)

3. Die zwei _____ auf dem Tisch gehören° Paul. (Buch)   *belong to*

4. Paul und Peter haben zwei _____. (Bett)

5. Heute isst Peter zwei _____. (Banane)

IV. Vokabeln

K. Einkaufsliste. You are in charge of the grocery shopping for a small buffet set for Sunday. Make up your shopping list. Write at least three items under each heading.

<u>Getränke</u>	<u>Obst</u>	<u>Fleisch / Geflügel</u>	<u>Gemüse</u>
_____	_____	_____	_____
_____	_____	_____	_____
_____	_____	_____	_____
_____	_____	_____	_____

L. Helenes Gewohnheiten. Complete each statement about Helene's habits with an appropriate conjunction from the list. One conjunction will not be used.

aber • denn • oder • sondern • und

1. Normalerweise arbeitet Helene nicht am Donnerstag, _____ am Freitag.

2. Helene kommt aus Deutschland, _____ sie trägt keine Lederhosen.

3. Heute spricht Helene nur Englisch, _____ ihre Tante aus England besucht sie.

4. Helene treibt jeden Tag Sport. An Wochentagen° geht sie zum Sportclub   *weekdays*
   _____ am Wochenende spielt sie Basketball.

M. Freizeitaktivitäten. Fill in words that complete the sentences logically.

1. Onkel Max hat Golf gern. Er spielt aber _____ Tennis.

2. Tante Inge _____ gern Spaghetti.

3. Wir _____ oft im See.

4. Haben die Deutschen oft Wanderlust? _____ sie gern in den Alpen?

5. Zuerst besichtigen wir das Schloss und _____ besuchen wir die alte Kirche.

6. Im Sommer _____ Hans und Helmut nach Kalifornien reisen.

N. Wo denn? Where would Anna most likely find the items mentioned in the statements? Complete each statement with a logical place from the list.

Altstadt • Bahnhof • Hafen • Jugendherberge • Kirche • Musikgeschäft • Schloss • Theater

1. Im _____ gibt es viele CDs und Kassetten.

2. Junge Leute, Schüler und Studenten schlafen oft in der

   _____.

3. Wir sehen ein Drama von Schiller im _____.

4. Eine Schifffahrt beginnt immer im _____.

5. In der _____ gibt es romantische Lokale und viele

   interessante Sehenswürdigkeiten.

V.   KULTUR

O. Was ist logisch? Circle the best response to each question.

1. You are standing in front of a small sign that reads: **Frische Semmeln**. Where are you?

   a. In a bakery in southern Germany.

   b. In a butcher shop in Switzerland.

   c. In an appliance shop in northern Germany.

   d. In a wine cellar in Austria.

2. Hartmut and Gudrun Altenberg, a German couple living in Bonn, have been shopping for a new refrigerator and have chosen a model whose capacity is comparable to that of a smaller apartment-sized unit found in the U.S. Which factors have likely influenced their choice?

   a. The Altenbergs buy groceries daily except Sunday.

   b. The Altenberg's kitchen is extremely modest in size.

   c. The Altenbergs are energy-conscious.

   d. All of the above.

3. Hartmut and Gudrun Altenberg have invited you over for what they consider to be a traditional main meal. When would the meal most likely be served and of what would it consist?

    a. Around noon; cold cuts, cheese and breads.

    b. Around noon; three courses, with at least one of them served hot.

    c. In the evening; cold cuts, cheese and breads.

    d. In the late afternoon; coffee and cake.

4. Which of the following drinks would the Altenbergs most likely <u>not</u> serve with the main meal?

    a. Mineral water.

    b. Dark beer.

    c. Tap water with ice cubes.

    d. Wine.

5. In a German restaurant, you order **ein Viertel Weißwein.** What do you expect the waiter to bring?

    a. A quarter liter of white wine.

    b. A half bottle of the house wine.

    c. A liter of light beer.

    d. A quart of wine.

P. **Mannheim oder Heidelberg?** How much do you remember about the cities Anna will visit with the Günthers? Fill in **M** if the statement describes Mannheim and **H** if it describes Heidelberg.

    1. _____ is home to the oldest university in Germany.

    2. The downtown area in _____ was rebuilt after WWII as a square grid.

    3. _____ is on the Neckar River and _____ is on the Rhine River.

VI. Zum Schreiben

Q. **Wie sind typische Amerikaner und Amerikanerinnen?** Write a brief essay in German in which you describe the stereotypical habits and activities of Americans. Incorporate the words **bestimmt, sicher,** and **wohl** as you describe your assumptions. Perhaps the Günthers' assumptions about Anna will help you. Write at least ten sentences.

_____

_____

_____

_____

_____

_____

_____

_____

VII. Zum Sprechen

R. Persönliche Fragen. Find out a classmate's likes and dislikes, using the following questions as a guide. Alternate asking and answering questions.

1. Was liest du gern?

2. Was isst du zum Frühstück?

3. Wie findest du meine Kleidung?

4. Was möchtest du im Sommer machen?

5. Was gibt es in (Heidelberg) zu tun?

6. Was machst du gern am Wochenende?

7. Hörst du lieber klassische Musik oder Rockmusik?

8. Wie findest du typisches amerikanisches Essen?

Kapitel 4: Instructor's Page

Teil I. Hörverständnis

Übung A. Mensch, hab' ich Angst! Benno spricht mit seiner Mutter am Frühstückstisch über seine Probleme. Hören Sie sich das Gespräch an. Lesen Sie dann die Aussagen auf Ihrem Prüfungsblatt und umkreisen Sie das richtige Wort. Sie hören das Gespräch zweimal.

Fangen wir an. *(Let's begin.)*

MUTTER:	Was ist, Benno? Hast du noch Hunger? Möchtest du noch ein Brötchen oder ein Toastbrot?
BENNO:	Nein, nichts. Danke, Mama. Heute hab' ich wenig Hunger.
MUTTER:	Warum denn? Ach, Kind, du siehst so ernst aus. Normalerweise bist du so heiter und lustig. Machst du dir große Sorgen?
BENNO:	Ja, Mama. Heute Morgen schreib' ich wieder einen Mathetest. Mensch, hab' ich Angst!
MUTTER:	Deine Mathenote war letztes Schuljahr nicht so toll. Du sollst nachmittags mehr lernen. Du willst doch nicht wieder eine Vier bekommen.
BENNO:	Aber Mama, du verstehst das nicht. Ich will nachmittags Fußball spielen …
MUTTER:	Also, das darfst du jetzt nicht mehr. Du musst deine Mathe-Hausaufgaben fertig machen, bevor du Fußball spielst.
BENNO:	Aber Mutti …

Sie hören jetzt das Gespräch noch einmal.

Übung B. Was ist logisch? Sie hören fünf Aussagen. Auf Ihrem Prüfungsblatt sehen Sie für jede Aussage drei Sätze. Umkreisen Sie die Sätze, die die Aussagen am besten erklären. Sie hören jede Aussage zweimal.

- ■ Zum Beispiel:
  Sie hören die Aussage **Anna vergisst ihre Tasche zu Hause.**
  Sie umkreisen **a. Anna ist ohne ihre Tasche,** denn das ist der einzige Satz, der die Aussage am besten erklärt.

Fangen wir an. *(Let's begin.)*

1. Anna will die Sehenswürdigkeiten besichtigen.
2. Gib nicht zu viel Geld aus!
3. In Wien wollen die Touristen viel machen.
4. Rauchen ist hier verboten!
5. Wie erkennen wir Karin?

Kapitel 4

I. HÖRVERSTÄNDNIS

A. Mensch, hab' ich Angst! Benno spricht mit seiner Mutter am Frühstückstisch über seine Probleme. Hören Sie sich das Gespräch° an. Lesen Sie dann die Aussagen°, und umkreisen° Sie das richtige Wort. Sie hören das Gespräch zweimal.

conversation

statements/circle

1. Benno isst heute relativ **viel/wenig** zum Frühstück.

2. Seine Mutter meint, Benno sieht heute **ernst/heiter** aus.

3. Benno macht sich **große/keine** Sorgen, denn er schreibt heute einen Test in Mathematik.

4. Seine Mutter meint, Benno **will/soll** mehr lernen.

5. Am Nachmittag **darf/möchte** Benno nicht Fußball spielen.

6. Benno **muss/will** seine Hausaufgaben fertig machen, bevor er Fußball spielt.

B. Was ist logisch? Sie hören fünf Aussagen. Hier sehen Sie für jede Aussage drei Sätze. Umkreisen Sie die Sätze, die° die Aussagen am besten° erklären. Sie hören jede Aussage zweimal.

which/best

- ■ Anna vergisst ihre Tasche zu Hause.
  - (a.) Anna ist ohne ihre Tasche.
  - b. Anna hat nichts in ihrer Tasche.
  - c. Anna trägt ihre Tasche.

1. a. Sie will zu Hause bleiben.
   b. Sie sieht einen Hund.
   c. Sie möchte das Schloss und die alte Kirche sehen.

2. a. Trink den Tee aus!
   b. Kauf keine Andenken!
   c. Iss das nicht!

3. a. Die Touristen hören ein Konzert mit den Wiener Sängerknaben.
   b. Sie besuchen Mozarts Geburtshaus.
   c. Sie gehen in das Hofbräuhaus.

4. a. Hier kann man immer Zigaretten rauchen.
   b. Hier darf man nicht rauchen.
   c. Hier muss man rauchen.

5. a. Sie trägt einen blauen Rucksack.
   b. Sie kauft Rosen.
   c. Sie lernt Michael kennen.

II. LESEVERSTÄNDNIS

C. **Aus Thereses Tagebuch.** Lesen Sie den Auszug° aus Thereses Tagebuch über ihre Freundin Bärbl Maierhofer. Bestimmen Sie° dann, ob die Aussagen **richtig (R)** oder **falsch (F)** sind.

excerpt
determine

---

den 23. Jänner 1928

Meine Güte! Das Leben ist aber ungerecht[1]. Die arme Bärbl hat es nicht leicht. Das Mädl[2] darf nicht mehr mit mir in die Schule kommen. Bärbl muss jetzt zu Hause bleiben und im Haushalt[3] oder auf dem Feld arbeiten. An Wochenenden kocht sie für eine Familie in Lienz.

Seit dem Tod ihres Vaters[4] hat die Familie nicht genug Geld. Bärbl hat nicht mal genug warme Kleidung für den Winter. Morgen sollen alle Schüler ein paar Groschen in die Schule bringen. Dann kauft die Frau Lehrerin Wolle und macht Handschuhe, Strümpfe und einen Pulli für Bärbl. Wir machen uns große Sorgen! Nächste Woche will ich Bärbl besuchen. Ich habe ein nettes Geschenk für sie: eine kleine Flöte aus Holz[5].

---

[1]*unjust;* [2]*girl;* [3]*household;* [4]*Seit ... Vaters: Bärbls Vater lebt nicht mehr;* [5]*wood*

Richtig (R) oder falsch (F)?

_____ 1. „Jänner"(23. Jänner 1928) ist das österreichische Wort für Juli.

_____ 2. Bärbl ist eine alte Frau.

_____ 3. Bärbl muss jeden Tag durch den Schnee zur Schule laufen.

_____ 4. Am Samstag arbeitet Bärbl auf dem Feld.

_____ 5. Bärbl hat jetzt keinen Vater mehr, und ihre Familie hat wenig Geld.

_____ 6. Bärbl braucht Winterkleidung.

_____ 7. Morgen sollen die Schüler Geld in die Schule bringen.

_____ 8. Die Lehrerin kauft Bärbl neue Handschuhe und einem Mantel.

_____ 9. Nächste Woche bringt Therese ihrer Freundin ein kleines Instrument.

D. **Benno beschreibt seine Eltern.** Lesen Sie Bennos Beschreibung° und zeichnen° Sie seine Eltern.

description
draw

Meine Mutter ist groß und schlank. Sie hat lange Haare. Ihr Name ist Brigitte. Heute trägt sie einen kurzen Rock und eine Bluse. Sie trägt auch dunkle Stiefel. Sie hat einen Wintermantel, aber sie trägt ihn nicht. Sie trägt auch eine Sonnenbrille.

Mein Vater heißt Antonio. Er kommt aus Italien. Er ist klein und mollig. Seine Haare sind sehr kurz. Er trägt immer einen dunklen Anzug. Heute trägt er ein gestreiftes° Hemd, aber keine Krawatte. Seine Schuhe sind schwartz.

striped

III. Struktur

E. **Mutti Metz' Ratschläge**. Mutti Metz gibt ihrer Familie viele Ratschläge. Nehmen Sie die Rolle von Mutti Metz an. Benutzen Sie den Imperativ.

■ Gerda und ihr Bruder Hans sollen nicht zu viel Bier trinken.

Gerda und Hans, _trinkt nicht zu viel Bier_____!

1. Hans soll das Bett machen.

Hans, _____!

2. Gerda soll pünktlich in Frankfurt sein.

Gerda, _____!

3. Hans soll nicht so viel für Software ausgeben.

Hans, _____!

4. Papa Metz soll nicht so schnell fahren.

Papa, _____!

5. Der Nachbar, Herr Leinentuch, soll morgen anrufen.

Herr Leinentuch, _____!

6. Alle (Papa Metz, Gerda, Hans und Mutti Metz) sollen am Nachmittag spazieren gehen.

_____!

7. Gerda soll das Portmonee nicht vergessen.

Gerda, _____!

F. Verkehrsregeln. Was bedeuten die folgenden Verkehrsschilder? Ergänzen Sie jeden Satz mit einem passenden° Modalverb. Benutzen Sie jedes Verb nur einmal°. *appropriate/once*

darf • kann • muss • soll

1. Hier _____ man halten.

2. Hier _____ man nicht hineinfahren.

3. Hier _____ man oft Kinder und Fußgänger sehen.

4. Bei gelb darf man über die Kreuzung° fahren, aber man _____ vorsichtig sein. *intersection*

G. Minidialog. Ergänzen Sie den Dialog mit der richtigen Form von **mögen** oder **möchte**.

UWE: (1)_____ du ein Glas Rotwein?

URSULA: Nein, danke. Ich (2)_____ lieber Mineralwasser.

UWE: (3)_____ du keinen Wein?

URSULA: Doch, ich (4)_____ Wein, aber ich muss noch Auto fahren.

H. Die Lausbuben°! Opa Ringlein ist heute bei° seinen Enkeln, Klaus und Heinz. Ergänzen Sie jeden Dialog mit einem passenden Modalverb in der richtigen Form. Es gibt mehr Verben als Sie brauchen werden°. *the rascals/at the home of* *als ... werden: than you will need*

dürfen • können • müssen • sollen • wollen

1. OPA: _____ ihr jetzt einen Spaziergang machen?

   KLAUS UND HEINZ: Nein, wir wollen lieber fernsehen.

2. OPA: Ihr _____ aber nur eine Stunde fernsehen.

   KLAUS UND HEINZ: Aber, Opa! Mutti hat gesagt, zwei Stunden!

3. OPA: _____ du nicht für die Schule lernen, Klaus?

   KLAUS: Natürlich muss ich ein bisschen lernen. Aber erst später!

4. OPA: Ich _____ meine Lesebrille nicht finden.

   HEINZ: Klaus hat sie!

IV. VOKABELN

I.   Jeff reist im Sommer nach Deutschland. Im Juli macht Annas Bruder Jeff eine Reise nach Deutschland. Was nimmt er mit? Kreuzen Sie an, was logisch ist.

Jeff nimmt … mit.

_____ einen Wintermantel	_____ den Reisepass
_____ einen Hund	_____ zwei Koffer
_____ ein Kleid	_____ Reiseschecks
_____ Unterwäsche	_____ Sandalen
_____ eine Kamera	_____ einen Fernseher
_____ Kreditkarten	_____ ein Paar Handschuhe

J.   Was ist logisch? Umkreisen Sie das beste Satzende.

1. Im Kulturbeutel hat Anna …

    a. einen Rock, eine Bluse, eine Strumpfhose und Unterwäsche.

    b. ihr Portmonee und ihren Flugschein.

    c. eine Zahnbürste, einen Lippenstift und ein Deospray.

    d. ein Geschenk für die Günthers und ihr Wörterbuch.

2. Meine Tante kann ausgezeichnet kochen. Das bedeutet° …   *means*

    a. sie kocht sehr gut.

    b. sie kocht überhaupt nicht.

    c. sie kocht schlecht.

    d. sie kocht nur ein bisschen, weil sie oft ausgeht.

3. Hanno ist nach der Reise todmüde. Er …

    a. möchte jetzt Fußball spielen.

    b. möchte Andenken kaufen.

    c. will schlafen.

    d. soll acht Stunden arbeiten.

4. Das kleine Kind isst gern Obst. Es …

    a. isst nie Obst.

    b. muss aber Schokolade essen.

    c. mag besonders Kirschen.

    d. will nur Erbsen essen.

K. **Gegenteile**. Bernd sagt immer das Gegenteil von Beate. Setzen Sie Wörter ein, die das Gegenteil von den kursiv gedruckten° Wörtern bedeuten. *italicized*

1. BEATE: Der Spielfilm ist *interessant*.

   BERND: Nein, ich finde ihn _____.

2. BEATE: Die Studenten im Kurs sind relativ *fleißig*.

   BERND: Nein! Sie sind sehr _____.

3. BEATE: Der neue Student sieht total *freundlich* aus!

   BERND: Nein, er sieht _____ aus.

4. BEATE: Unser Hund ist sehr *laut*.

   BERND: Nein, er ist _____.

5. BEATE: Ich finde Onkel Rudi *ernst*.

   BERND: Ganz im Gegenteil! Er ist _____.

L. **Annas Reise nach Deutschland**. Ergänzen Sie jeden Satz mit einer passenden Präposition aus der Liste.

durch • für • gegen • ohne • um

1. Frau Adler hat viele Ratschläge _____ ihre Tochter Anna, bevor sie nach Deutschland fliegt.

2. Anna fliegt allein nach Deutschland. Sie reist _____ Jeff und ihre Eltern.

3. Anna hat nichts _____ den langen Flug. Sie fliegt sehr gern.

4. Auf Annas Flugticket steht: *Arrival in Frankfurt: 7:56 A.M.* Anna schreibt Tante Uschi: „Ich komme _____ acht Uhr in Frankfurt an."

5. In Frankfurt muss Anna _____ den Zoll gehen.

V. KULTUR

M. **Was stimmt**? Kreuzen Sie alles an, was stimmt.

1. Frankfurt . . .

   _____ a. was once the capital of Bavaria.

   _____ b. is on the Main River.

   _____ c. houses the headquarters of **Lufthansa** and the **Deutsche Bahn**.

   _____ d. serves as the hub of the German business and banking community.

   _____ e. is famous for its many old castles, monasteries, and university buildings, which remained completely unscathed after WWII.

2. In order to get a driver's license in Germany, one must . . .

_____ a. pay tuition to attend a private driving school.

_____ b. pass both a written and practical driving exam.

_____ c. pass the driving class offered at most high schools.

_____ d. be trained in night driving and driving on the **Autobahn**.

_____ e. log at least 100 hours of practice driving with any licensed driver.

3. The **Goethe-Institut** . . .

_____ a. promotes the study of the German language and culture.

_____ b. is presently under the directorship of Johann Wolfgang von Goethe.

_____ c. offers students the opportunity to work as interns in the German parliament.

_____ d. has offices in Germany as well as abroad which offer courses in German.

VI. ZUM SCHREIBEN

N. **Ein Jahr im Ausland**. Sie waren° letztes Jahr als Austauschstudent/Austauschstudentin *were*
in Deutschland. Jetzt möchte eine Freundin für ein Jahr in Deutschland studieren.
Schreiben Sie die Fragen Ihrer Freundin und Ihre Antworten in Dialogform auf. Sagen Sie
Ihrer Freundin, was sie überall in Deutschland machen kann und was sie nach Deutschland
mitbringen soll. Geben Sie ihr gute Ratschläge. Schreiben Sie mindestens zehn Sätze für den
Dialog.

_____

_____

_____

_____

_____

_____

_____

_____

_____

_____

_____

_____

_____

_____

_____

_____

O. Ein Brief an Carola. Ihre Kusine Carola aus Heidelberg möchte Sie im Sommer in Amerika besuchen. Geben Sie Carola ein paar Tipps. Was soll sie mitbringen? Was darf sie nicht vergessen? Was kann sie in Amerika alles machen? Schreiben Sie einen Brief mit mindestens zehn Sätzen.

Liebe Carola,

_____

_____

_____

_____

_____

_____

_____

_____

_____

_____

_____

_____

Dein/Deine_____

VII. ZUM SPRECHEN

P. Persönliche Fragen. Sie wollen etwas über die Aktivitäten von einem Mitstudenten/einer Mitstudentin erfahren[1]. Er/Sie möchte auch einiges über Sie erfahren. Nehmen Sie die folgenden Fragen zu Hilfe[2] und führen Sie ein Gespräch[3] auf Deutsch. Wechseln Sie sich ab[4].

1. Was musst du jeden Tag machen?

2. Was kannst du gut machen?

3. Was kannst du nicht so gut machen?

4. Was darfst du zu Hause nicht machen?

5. Was möchtest du in den Semesterferien machen?

---

[1]*learn about;* [2]*nehmen ... zu Hilfe: use the following questions as a guide;* [3]*führen ... ein Gespräch: have a discussion;* [4]*Wechseln ... sich ab: alternate*

Kapitel 5: Instructor's Page

TEIL I. HÖRVERSTÄNDNIS

Übung A. Damals. Oma Stich erzählt ihrem Enkel Alex von ihrem Leben in Hamburg. Hören Sie sich das Gespräch an. Lesen Sie dann die Aussagen auf Ihrem Prüfungsblatt. Sind sie richtig oder falsch? Kreuzen Sie **richtig** oder **falsch** an. Sie hören das Gespräch zweimal.

Fangen wir an.

ALEX: Oma, wie lange wohnst du schon hier in Hamburg?

OMA: Ach, Kind, seit langer, langer Zeit! Seit dreiundachtzig Jahren. Ich bin hier in Hamburg geboren.

ALEX: Wirklich? Was hast du als Kind gemacht?

OMA: Bei schönem Wetter habe ich oft mit meinen vier Brüdern gespielt. Am Abend haben wir oft Radio gehört. Du weißt ja, wir haben keinen Fernseher gehabt.

ALEX: Furchtbar!

OMA: Na, so furchtbar ist es ja auch nicht gewesen! Nach der Schule haben wir fünf Kinder im Haushalt gearbeitet. Meine Brüder haben zum Beispiel Kochen gelernt.

ALEX: Was habt ihr zum Essen gehabt?

OMA: Oft haben wir Fisch gegessen. Sonntags ist die ganze Familie auf den Fischmarkt gegangen. Da haben wir alles ganz frisch gekauft. Das war doch so schön! Ich bin immer gern auf den Fischmarkt gegangen.

Sie hören jetzt das Gespräch noch einmal.

Übung B. Kommt jetzt der Frühling? Zwei alte Menschen, Herr Steinbacher und Frau Lehmann, treffen sich im Park. Sie sprechen über das Wetter. Hören Sie sich das Gespräch an. Lesen Sie dann die Aussagen auf Ihrem Prüfungsblatt. Sind sie richtig oder falsch? Kreuzen Sie **richtig** oder **falsch** an. Sie hören das Gespräch zweimal.

Fangen wir an.

HERR STEINBACHER: Tag, Frau Lehmann!

FRAU LEHMANN: Ach, Herr Steinbacher, guten Tag!

HERR STEINBACHER: Schönes Wetter haben wir heute, nicht wahr?

FRAU LEHMANN: Ja! Es ist wunderschön! Der Frühling ist gekommen! Heute ist es heiter und warm!

HERR STEINBACHER: Na, morgen soll es wieder regnen, haben sie heute früh im Radio gesagt.

FRAU LEHMANN: Regnen?

HERR STEINBACHER: Es gibt vielleicht auch Gewitter. Kühler soll es auch sein: zwischen acht und zehn Grad in der Nacht.

FRAU LEHMANN: Ach, nicht schon wieder kaltes Wetter und Regen! Letzte Woche war es jeden Tag wolkig und regnerisch. Wirklich mies war es.

Herr Steinbacher: Aber das ist immer noch besser als Schnee, Frau Lehmann.

Frau Lehmann: Ja, das stimmt!

Sie hören jetzt das Gespräch noch einmal.

Kapitel 5

I. HÖRVERSTÄNDNIS

A. Damals. Oma Stich erzählt ihrem Enkel Alex von ihrem Leben in Hamburg. Hören Sie sich das Gespräch an. Lesen Sie dann die Aussagen. Sind sie richtig oder falsch? Kreuzen Sie **richtig** oder **falsch** an. Sie hören das Gespräch zweimal.

Richtig (R) oder falsch (F)?

_____ _____ 1. Seit 83 Jahren wohnt Oma Stich in Hamburg.

_____ _____ 2. Oma Stich hat keine Geschwister.

_____ _____ 3. Als Mädchen hat Oma Stich keinen Fernseher gehabt.

_____ _____ 4. Oma Stichs Brüder können kochen, weil sie kochen als Kinder gelernt haben.

_____ _____ 5. Als Kind hat Oma Stich oft Fisch gegessen.

_____ _____ 6. Der Fischmarkt am Sonntag hat Oma Stich immer gefallen.

B. Kommt jetzt der Frühling? Zwei alte Menschen, Herr Steinbacher und Frau Lehmann, treffen sich im Park. Sie sprechen über das Wetter. Hören Sie sich das Gespräch an. Lesen Sie dann die Aussagen. Sind sie richtig oder falsch? Kreuzen Sie **richtig** oder **falsch** an. Sie hören das Gespräch zweimal.

Richtig (R) oder falsch (F)?

_____ _____ 1. Herr Steinbacher meint, dass das Wetter heute schön ist.

_____ _____ 2. Frau Lehmann denkt, es ist jetzt Frühling.

_____ _____ 3. Frau Lehmann hat den Wetterbericht° im Radio gehört.   *weather forecast*

_____ _____ 4. Es gibt morgen vielleicht Gewitter, und die Temperaturen fallen in der Nacht.

_____ _____ 5. Letzte Woche ist es oft nass gewesen.

_____ _____ 6. Frau Lehmann hat Schnee lieber als Regen.

II. LESEVERSTÄNDNIS

C. Jobs. Lesen Sie den Auszug aus einem deutschen Jugendmagazin, in dem Anja und Markus über ihre Jobs erzählen. Bestimmen Sie dann, ob die Aussagen **richtig (R)** oder **falsch (F)** sind.

Jobs: Zwischen Post und Popcorn

Sie sortieren die Post, servieren Getränke oder stehen an der Drehbank: Viele Schüler und Studenten jobben nach der Schule oder in der Ferienzeit[1].

Anja, 20 J., Studentin aus Erlangen

Anja muss sehr früh aufstehen. Sie arbeitet als Briefträgerin bei der Post. Schon um 6.00 Uhr sortiert sie Briefe, die sie dann mit dem Postfahrrad austrägt. „Ich habe einfach angerufen und den Job bekommen", erzählt sie. „Zwei Wochen lang hat mich ein Briefträger auf der Tour begleitet[2] und mir alles erklärt. Die ersten drei Tage habe ich gedacht, dass ich es nicht schaffe. Jetzt mache ich die Arbeit schon seit zwei Monaten allein."

Markus, 16 J., Schüler aus Bad Münstereifel

Markus macht Popcorn. Er steht in einem bunt bemalten[3] Wagen und füllt Popcorn in Tüten oder verkauft Zuckerwatte[4]. Manchmal arbeitet er 11 Stunden am Tag! Jeden Morgen muss Markus früh aufstehen. Er wohnt in Bad Münstereifel, und sein Arbeitsplatz, der Erlebnispark Phantasialand, ist 40 Kilometer entfernt[5]. Sein Freund Peter nimmt ihn im Auto mit. Um neun Uhr öffnet der Park. Bei gutem Wetter bleiben einige Gäste bis zur letzten Minute. Wenn die beiden nach Hause kommen, sind sie todmüde.

---

[1]*vacation time;* [2]*accompanied;* [3]*painted;* [4]*cotton candy;* [5]*away*

Richtig (R) oder falsch (F)?

_____ 1. Im Text steht, dass viele junge Leute arbeiten und nie zur Schule oder zur Uni gehen.

_____ 2. Anja steht um sechs Uhr auf.

_____ 3. Anja trägt die Briefe mit dem Postwagen aus.

_____ 4. Der Briefträger hat Anja zwei Tage lang geholfen.

_____ 5. Anja macht die Arbeit schon zwei Monate ohne den Briefträger.

_____ 6. Markus kauft Popcorn und Zuckerwatte.

_____ 7. Er arbeitet manchmal elf Stunden pro Tag.

_____ 8. Er steht früh auf, weil er mit Peter vierzig Kilometer fahren muss.

_____ 9. Der Park macht morgens um 9 Uhr auf.

_____ 10. Nach der Arbeit hat Markus viel Energie.

III. STRUKTUR

D. Mini-Dialoge. Ergänzen Sie die Dialoge mit einer Form von **haben** oder **sein** im Perfekt.

1. INGO: Was hast du am Sonntag gemacht?

    AXEL: Nach dem Frühstück _____ ich zum Fischmarkt gegangen.

2. MARTIN: Wie lange _____ du bei Stefan geblieben?

    JENS: Bis Mitternacht.

3. FRAU PAULI: _____ Sie viel Zeit im Ausland verbracht?

    FRAU KAMM: Ja, wir waren letzten Mai in Portugal.

E. Liebe auf den ersten Blick. Gestern hat sich Katrin in Kurt verliebt. Helfen Sie Katrin, diese Seite ihres Tagebuchs zu schreiben. Ergänzen Sie die Sätze mit einem Partizip der kursivgedruckten Verben in Klammern.

■ Gestern habe ich einen ganz netten Typ _____*kennen gelernt*_____ (kennen lernen).

Er heißt Kurt. Ich habe ihn zuerst im Kaffeehaus mit meinen Bekannten Heiko und Nils

(1)_____ (sehen). Dort haben wir alle Kaffee (2)_____

und Karten (3)_____ (trinken, spielen). Wir haben über Sport und Politik

(4)_____ (sprechen). Kurt und ich haben uns sofort gut

(5)_____ (verstehen). Ich habe Kurt meine Telefonnummer

(6)_____ (geben). Am Abend hat er mich (7)_____ und

(8)_____ , ob ich am Samstag mit ihm zum Heine-Fest gehen möchte

(anrufen, fragen). Natürlich habe ich „ja" (9)_____ (sagen). Jetzt bin ich im

siebten Himmel° !   *siebten Himmel: seventh heaven*

F. Wer hat wen geküsst? Letzte Woche hat Tante Millie ihre Seifenoper°   *soap opera*
verpasst° . Benutzen Sie die Notizen auf der linken Seite und erzählen Sie   *missed*
Tante Millie, was passiert° ist.   *happened*

■ Jochen küsst Birgit. _____*Jochen hat Birgit geküsst.*_____

1. Fabian kauft einen Ring. _____

2. Georg und Rosi verloben sich. _____

3. Amelie geht mit Harald aus. _____

4. Paul fährt nach Sibirien. _____

5. Karin und Imke diskutieren viel. _____

6. Leo und Ina sterben. _____

G. So ein Pech!° Bringen Sie die Wörter in die richtige Reihenfolge°. *such bad luck/order*
Beginnen Sie jeden Satz mit dem **fett gedruckten** Satzteil.

1. **Seit August** / Hanno / geht / mit seiner alten Freundin / nicht mehr / aus

_____

2. **Nach dem großen Krach** / sie / haben / sich / getrennt

_____

H. Uli und Jochen sind beste Freunde. Machen Sie aus den zwei Sätzen einen neuen Satz.
Benutzen Sie die Konjunktion in Klammern und achten Sie auf die Wortstellung im neuen
Satz.

1. Uli und Jochen machen einen Spaziergang an der Alster. Das Wetter ist so schön. (weil)

_____

2. Uli ist nicht enttäuscht. Seine kleine Schwester kommt nicht mit. (dass)

_____

3. Gestern sind die zwei Freunde zu Hause geblieben. Es hat furchtbar geregnet. (weil)

_____

IV. VOKABELN

I. Was ist logisch? Umkreisen Sie das beste Satzende.

1. Erwin sagt: „Ach, ich habe wieder eine Erkältung!" Minna reagiert°: *reacts*

   a. „Dann heiraten wir!"

   b. „Du tust mir Leid."

   c. „Gib mir einen Kuss!"

   d. „Herr Bach ist wieder im Krankenhaus."

2. Flirten, sich verlieben, sich verloben und dann ...

   a. verbringen.

   b. sich versöhnen.

   c. heiraten.

   d. einladen.

3. Herr Beck gibt kein Trinkgeld,

   a. weil die Kellnerin so schlecht ist.

   b. weil er nichts trinkt.

   c. weil er sein Portmonee hat.

   d. weil er im Restaurant isst.

J. Was bedeutet das? Umkreisen Sie den Satz, der die gleiche Bedeutung hat wie die Aussage.

1. Im Moment ist es heiter.

   a. Es gibt jetzt Gewitter.

   b. Die Sonne scheint jetzt.

   c. Es regnet jetzt.

   d. Es donnert und blitzt im Moment.

2. Eine gute Freundin muss zu Elfriede stehen, mit ihr durch dick und dünn gehen.

   a. Elfriedes Freundin muss ihre Probleme lösen°.   *solve*

   b. Elfriedes Freundin muss in guten und in schlechten Zeiten da sein.

   c. Elfriedes Freundin darf nicht eifersüchtig sein.

   d. Elfriedes Freundin muss wie Elfriede aussehen: nicht zu mollig und nicht zu schlank.

3. Die Temperatur liegt um den Gefrierpunkt.

   a. Es ist heiter und warm.

   b. Es schneit ziemlich stark.

   c. Es ist null Grad Celsius.

   d. Es ist zweiunddreißig Grad Celsius.

K. Ihr Traumpartner/Ihre Traumpartnerin. Welche Eigenschaften soll Ihr Traumpartner/Ihre Traumpartnerin haben? Schreiben Sie die folgenden Sätze zu Ende.

1. Es ist wichtig, dass _____

   _____

2. Es ist gar nicht wichtig, dass _____

   _____

L. Im Winter schneit es. Wie ist das Wetter in den anderen drei Jahreszeiten? Beginnen Sie jeden Satz mit **Im...**

■ Im *Winter schneit es.*

   1. Im _____ .

   2. Im _____ .

   3. Im _____ .

V. KULTUR

M. Die Stadt Hamburg. Kreuzen Sie die richtige Antwort an.

1. Which is correct?

_____ a. The northern German city of Hamburg is Germany's only seaport.

_____ b. Hamburg has approximately 1.7 million inhabitants, making it Germany's second largest city.

_____ c. Hamburg was never considered part of the Hanseatic League.

_____ d. a and c.

2. Which attraction would a tourist <u>not</u> find in Hamburg?

_____ a. A fish market on Sunday.

_____ b. Ferry-boat trips on the Rhine.

_____ c. A red-light district.

_____ d. The famous church, **St. Michaeliskirche**.

3. What does Hamburg <u>not</u> have in common with Bremen?

_____ a. Both cities are charter members of the Hanseatic League.

_____ b. Both cities are on the Elbe River.

_____ c. Each city is a city-state constituting one of Germany's sixteen states (**Länder**).

_____ d. Each city is located in Northern Germany.

N. Andere Länder, andere Sitten°. Wie benehmen sich° die Deutschen? Lesen   *customs / act*
Sie die Aussagen und kreuzen Sie **typisch** oder **untypisch** an.

Typisch   Untypisch

_____   _____   1. Doctor Hermann Kollwitz und Doctor Hartmut Helm have been working together at a clinic in Munich for more than two years. These men always address each other with **Sie**. The doctors do not call each other by their first names.

_____   _____   2. Most Germans claim to have significantly more acquaintances (**Bekannte**) than friends (**Freunde**).

_____   _____   3. The Hammerling family, originally from a medium-sized town in Bavaria, has lived in four different German towns in the past eleven years.

VI. Zum Schreiben

O. Mutters Anruf. Ihre Mutter ruft Sie am Montag an, weil sie alles über das Wochenende wissen will. Erzählen Sie Ihrer Mutter, was Sie gemacht haben. Ob° Sie Ihrer Mutter die ganze Wahrheit° erzählen oder nicht, bleibt Ihre Entscheidung°. Schreiben Sie mindestens zwölf Sätze.

whether
truth/decision

_____

_____

_____

_____

_____

_____

_____

_____

_____

_____

_____

_____

VII. Zum Sprechen

P. Persönliche Fragen. Sie möchten etwas über Kindheit°, Gewohnheiten°, Freunde usw. eines Mitstudenten/einer Mitstudentin erfahren. Nehmen Sie die folgenden Fragen zu Hilfe und führen Sie ein Gespräch auf Deutsch. Wechseln Sie sich ab.

childhood /customs

1. Was hast du gern als Kind gemacht?

2. Wann bist du heute aufgestanden?

3. Welche Eigenschaften haben deine Freunde?

4. Seit wann lernst du Deutsch?

5. Warum lernst du Deutsch?

6. Seit wann studierst du schon an dieser Uni?

Kapitel 6: Instructor's Page

TEIL I. HÖRVERSTÄNDNIS

Übung A. Mir geht's nicht so gut! Karl trifft Anna in der Gemeinschaftsküche. Anna geht es nicht so gut. Hören Sie sich das Gespräch an. Lesen Sie dann die Aussagen auf Ihrem Prüfungsblatt und kreuzen Sie die richtige Antwort an. Sie hören das Gespräch zweimal.

Fangen wir an.

KARL: Tag, Anna!

ANNA: Grüß dich, Karl!

KARL: Wie geht's dir heute?

ANNA: Ach, mir geht's nicht so gut.

KARL: Was ist denn?

ANNA: Heute Morgen bin ich vom Rad gefallen.

KARL: Ach, nein! Tut's dir noch weh?

ANNA: Ja, der rechte Arm tut mir weh.

KARL: Sollst du nicht zum Arzt gehen?

ANNA: Nein, so schlimm ist es nicht. Morgen geht's mir bestimmt besser. Ich kann nur im Moment nicht so gut schreiben. Das ist alles.

KARL: Na, vielleicht hilft dir jetzt eine Tasse heißer Tee. Hier, den Zitronentee habe ich gerade gekocht. Trink ihn aber mit der linken Hand.

ANNA: Danke schön, Karl.

KARL: Bitte schön.

Sie hören jetzt das Gespräch noch einmal.

Übung B. Was ist logisch? Sie hören fünf Fragen. Auf Ihrem Prüfungsblatt sehen Sie für jede Frage drei Antworten. Umkreisen Sie die beste Antwort. Sie hören jede Frage zweimal.

Zum Beispiel:

Sie hören die Frage **Wann spielt Erik Fußball?**

Sie umkreisen **b. Morgen Abend**, weil das die beste Antwort ist.

Fangen wir an.

1. Tag, Frau Thönessen! Wie geht's Ihnen heute?

2. Was will Wolfgang für die neue Wohnung kaufen?

3. Kannst du mir Geld wechseln?

4. Was hat Martina im Kühlschrank?

5. Warum machst du das Fenster auf?

Kapitel 6

I. HÖRVERSTÄNDNIS

A. **Mir geht's nicht so gut!** Karl trifft Anna in der Gemeinschaftsküche. Anna geht es nicht so gut. Hören Sie sich das Gespräch an. Lesen Sie dann die Aussagen und kreuzen Sie die richtige Antwort an. Sie hören das Gespräch zweimal.

	Ja, das stimmt.	**Nein, das stimmt nicht.**
1. Karl fragt Anna, wie es ihr geht.	_____	_____
2. Anna ist vom Rad gefallen.	_____	_____
3. Anna tut der Fuß weh.	_____	_____
4. Anna geht morgen zum Arzt.	_____	_____
5. Weil Anna die rechte Hand weh tut, soll sie den Tee mit der linken Hand trinken.	_____	_____

B. **Was ist logisch?** Sie hören fünf Fragen. Hier sehen Sie für jede Frage drei Antworten. Umkreisen Sie die beste Antwort. Sie hören jede Frage zweimal.

■ Wann spielt Erik Fußball?

    a. Gestern Vormittag.

    (b.) Morgen Abend.

    c. Auf dem Fußballplatz.

1. a. Ach, das tut mir Leid!

    b. Gut, danke.

    c. Ich gehe jetzt in den Park.

2. a. Er bringt seine alte Stereoanlage zum Leihhaus°.   *pawn shop*

    b. Er wohnt in der Nähe vom Kaufhaus.

    c. Er kauft ein Bett, einen Schreibtisch und ein Sofa.

3. a. Nein, ich habe dein Geld nicht.

    b. Ja, hier ist eine Kopie.

    c. Ja, ich habe viel Kleingeld.

4. a. Klamotten.

    b. Butter und Käse.

    c. Zwei große Töpfe und drei Pfannen.

5. a. Mir ist heiß.

    b. Das tut mir Leid.

    c. Ich weiß nicht, wo das Fenster ist.

II. Leseverständnis

C. **Zwei Zettel hängen am schwarzen Brett.** Lesen Sie die zwei Zettel. Bestimmen Sie dann, ob die Aussagen **richtig (R)** oder **falsch (F)** sind.

ZU VERKAUFEN!

1. *Weiße Stehlampe:* DM 90. Halogen. 1,70 m groß.

2. *Dreitüriger Kleiderschrank mit Spiegel:* DM 450. Antiker Schrank aus Mahagoni. Abschließbar.

3. *Sony Farbfernseher.* DM 250. Mit Fernbedienung.

4. *Moderner Schreibtisch:* DM 150. Groß und schwer.

Telefon: 06150 / 4589 abends

Richtig (R) oder falsch (F)?

_____ 1. Die Stehlampe steht wahrscheinlich auf dem Boden und nicht auf einem Tisch, weil sie so groß ist.

_____ 2. Wenn man den Schrank kauft, bekommt man wahrscheinlich auch einen Schlüssel.

_____ 3. Der Schrank hat zwei Türen.

_____ 4. Der Fernseher ist schwarz-weiß.

_____ 5. Man soll um 12 Uhr mittags anrufen.

Medizinstudent, 25 J., sucht Zimmer in nikotinfreier WG
- Uni – Nähe
- unmöbliert
- bis DM 375 inkl.
- vom 01. 03. bis 31. 09.

Ruft bitte sofort an:
Stefan Stark
Tel. 0872 / 89 02 99

Richtig (R) oder falsch (F)?

_____ 6. Stefans Hauptfach an der Uni ist Medizin.

_____ 7. Wahrscheinlich raucht Stefan nicht.

_____ 8. **WG** ist die Abkürzung° für **Wohnung**.   *abbreviation*

_____ 9. Stefan sucht ein Zimmer ohne° Bett oder Schreibtisch.   *without*

_____ 10. Er braucht das Zimmer vom Anfang März bis Ende September.

III. STRUKTUR

D. **Im Studentenheim**. Ergänzen Sie die folgenden Mini-Dialoge mit den richtigen Pronomen.

1. ANNA: Hilfe! Ich krieg' die Tür nicht auf!

   BARBARA: Gib _____ deinen Schlüssel! Ich schließe sie auf.

2. JAN UND UTE: Karl, wir brauchen ein bisschen Geld. Kannst du _____ bitte 20 Mark leihen?

   KARL: Was? Ihr wollt schon wieder Geld? Ich habe _____ erst letzte Woche Geld geliehen.

3. ANNA: Was schenkst du deiner Schwester zum Geburtstag?

   BARBARA: Ich schenke _____ meine alte Stereoanlage.

4. HAUSMEISTER: Ist dieser Zettel für mich?

   ANNA: Ja, er ist für _____ .

5. BARBARA: Wem schreibst du die Postkarte? Deinen Eltern?

   KARL: Ja, natürlich schreibe ich sie _____ . Sie vermissen mich sehr!

6. BARBARA: Hast du meine schwarze Jacke gesehen?

   ANNA: Ich glaube, _____ hängt in deinem Schrank.

E. **Die braven° Kinder**. Axel und Armin sind immer brav und höflich°.   *well-behaved/polite*
   Ergänzen Sie die Mini-Dialoge mit einem konjugiertenVerb aus der Liste. Benutzen Sie jedes Verb nur einmal.

   danken • gefallen • gehören • helfen • schmecken

1. MUTTER: Wie findet ihr euer neues Kinderzimmer?

   AXEL UND ARMIN: Schön! Es _____ uns sehr!

2. VATER: Ich muss heute die Wäsche aufhängen. Könnt ihr mir bitte _____ ?

   AXEL UND ARMIN: Natürlich. Wir kommen gleich.

3. VATER: Jetzt sind wir fertig mit der Wäsche. Ich _____ euch sehr!

   AXEL UND ARMIN: Bitte.

4. TANTE MILLIE: Wie _____ euch der Schokoladenkuchen?

   AXEL UND ARMIN: Lecker!

5. MUTTER: Wem _____ die weißen Turnschuhe auf der Treppe?

   AXEL: Das sind meine! Ich habe sie heute getragen.

F. Reisepläne. Sabine und Stefan besprechen ihre Pläne mit Markus am Telefon. Ergänzen Sie die Mini-Dialoge mit **wenn** oder **wann**.

1. SABINE UND STEFAN: Wir möchten dich bald besuchen.

   MARKUS: _____ ihr mich besucht, zeig' ich euch die Stadt.

2. SABINE UND STEFAN: _____ sollen wir kommen?

   MARKUS: Im Frühling ist die Stadt wirklich schön! Aber _____ ihr im April nicht kommen könnt, ist es im Herbst auch recht schön.

3. MARKUS: Wisst ihr schon, _____ ihr nach Spanien fliegt?

   SABINE UND STEFAN: _____ wir genug Geld haben!

G. Im Seminar. Professor Helling spricht am ersten Tag des° Kafka-Seminars mit   *of the*
seinen Studenten. Ergänzen Sie die Wörter mit den richtigen Adjektivendungen.

PROFESSOR HELLING: In dies_____(1) Seminar besprechen wir einige Werke von Franz Kafka. Leider können wir nicht all_____(2) Kafka-Bücher diskutieren.

BARBARA: Mit welch_____(3) Buch beginnen wir denn?

PROFESSOR HELLING: Mit „Der Prozess". Über dieses Buch soll jed_____(4) Student ein kurzes Referat schreiben. Dies_____(5) Arbeit ist in zwei Wochen fällig°.   *due*

DIETMAR: Machen wir das mit all_____(6) Bücher_____(7)?

PROFESSOR HELLING: Ja, natürlich.

IV. VOKABELN

H. Was ist logisch? Umkreisen Sie das beste Satzende.

1. der Mensch hat im Gesicht …
   a. keinen Mund.
   b. kein Bein.
   c. kein Kinn.
   d. keine Nase.

2. Über° dem Waschbecken im Bad hängt …   *above*
   a. ein Wecker.
   b. ein Schlüssel.
   c. ein Spiegel.
   d. ein Drucker.

3. Mir tun die Augen weh, weil ich …
   a. vom Fahrrad gefallen bin.
   b. zu viel gegessen habe.
   c. ohne meine Lesebrille gelesen habe.
   d. nichts getrunken habe.

4. Florian kennt niemanden in Tübingen, weil er …
   a. jemanden kennt.
   b. neu ist.
   c. jeden Tag viele Leute trifft.
   d. eine Freundin hat.

I. Annas erste Woche im Studentenheim. Ergänzen Sie jeden Satz mit einer Präposition aus der Liste. Benutzen Sie jede Präposition nur einmal.

aus • außer • bei • mit • nach • seit • von • zu

1. Anna wohnt _____ einer Woche im Studentenheim.

2. _____ Anna und Chung kommen alle Studenten im ersten Stock aus Deutschland.

3. Anna trinkt oft eine Tasse Tee _____ Karl und Inge in der Gemeinschaftsküche.

4. Morgen essen Karl, Inge, Anna und Barbara _____ einer Freundin von Inge.

5. Chung leiht Anna seinen Reiskocher. Anna sagt: „Danke! Das ist nett _____ dir. "

6. Am Wochenende fahren die zwei Studentinnen aus Hamburg _____ Hause.

7. Minna bleibt am Samstag nicht im Studentenheim. Sie fährt _____ ihrem Freund.

8. Anna sagt Minna: Pass auf! Das Fenster ist offen. Deine Bahnkarte fliegt _____

   dem Fenster.

J. Das Einfamilienhaus. Schauen Sie sich das Einfamilienhaus an. Beschriften° Sie   *label*
das Bild mit den richtigen Buchstaben.

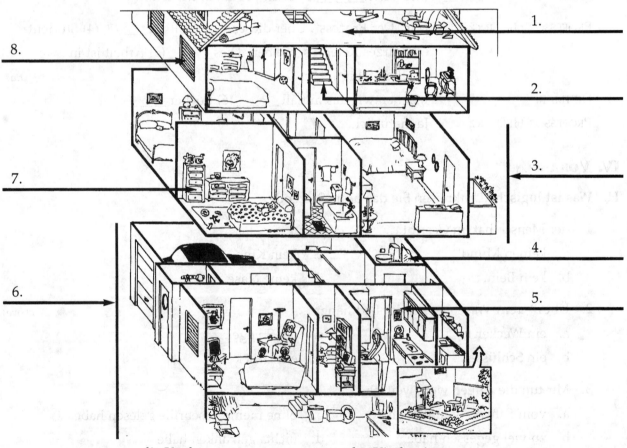

a. die Küche
b. der erste Stock
c. die Treppe
d. die Rollläden

e. das Kinderzimmer
f. das Klo
g. der Dachboden
h. das Erdgeschoss

K. Wo findet man die folgenden Gegenstände? Geben Sie auf jede Frage eine logische Antwort. Beginnen Sie jede Antwort mit **In...** oder **Im...**

- Wo ist das Auto?   *In der Garage.*

1. Wo sind die Zahnbürsten? _____

2. Wo wachsen die Tomaten und Gurken? _____

3. Wo sind die Betten? _____

4. In welchem Zimmer steht der Mikrowellenherd? _____

5. Wo stehen die leeren Bierflaschen? _____

L. Was ist logisch? Ergänzen Sie jeden Satz mit einem logischen Körperteil aus der Liste. Es gibt mehr Körperteile in der Liste als Sie brauchen werden.

Arm • Augen • Bauch • Bein • Fuß • Ohren • Schultern

1. Beatrix liest mit den _____.

2. Wenn Dieter die Antwort nicht weiß, zieht er die _____ hoch.

3. Elfriede bekommt eine Spritze° in den _____.   *injection*

4. Wenn Ingo zu viel isst, tut ihm der _____ weh.

5. Florian hört nichts, weil er die Finger in den _____ hat.

V. KULTUR

M. Das Studentenleben in Deutschland. Umkreisen Sie das richtige Satzende.

1. The buttons in the elevator in Anna's dorm read, **K, E, 1, 2,** and **3**. The button **E** stands for the German word . . .

   a. **Erdgeschoss.**

   b. **Einzelzimmer.**

   c. **Etage.**

   d. **Elektronik.**

2. If Anna pushed button **2**, the elevator would stop on the floor which North Americans would consider to be the . . .

   a. first floor.

   b. second floor.

   c. third floor.

   d. basement.

3. Students residing in dormitories in Germany would most likely <u>not</u> . . .

   a. be able to find a vending machine in the dorm dispensing beer.

   b. be able to cook their own meals in a communal kitchen.

   c. have a roommate.

   d. be able to find a telephone booth in the dorm.

4. Generally, German universities . . .

    a. are not arranged in an insular, campus setting.

    b. are able to offer subsidized dorm rooms to approximately 95% of their students.

    c. provide students and staff inexpensive meals in a dining facility (**die Mensa**).

    d. a and c.

5. Young Turks living in Germany . . .

    a. often speak better German than their parents.

    b. have no contact with Germans.

    c. are not allowed to attend German schools or universities.

    d. are right-wing radicals.

6. In Tübingen, a tourist would most likely <u>not</u> see . . .

    a. architecturaly interesting half-timbered houses (**Fachwerkhäuser**).

    b. the red-light and entertainment district (**die Reeperbahn**).

    c. the famous castle, **Schloss Hohentübingen**.

    d. the tower in which the poet, Friedrich Hölderlin, spent the last 36 years of his life (**der Hölderlinturm**).

VI. ZUM SCHREIBEN

N. Im Fremdenverkehrsbüro°. Sie arbeiten im Fremdenverkehrsbüro in der Fantasiestadt Neuheim am Main. Eine Touristin kommt ins Büro und möchte wissen, was man in der Stadt machen kann. Schreiben Sie einen fantasievollen Dialog. Erzählen Sie der Touristin, wo alle Sehenswürdigkeiten sind. Sagen Sie ihr auch, wo sie gut essen kann und was sie unbedingt° machen muss. Schreiben Sie mindestens zwölf Sätze.

tourist information

absolutely

_____

_____

_____

_____

_____

_____

_____

_____

_____

VII. ZUM SPRECHEN

O. **Persönliche Fragen**. Sie möchten einen Mitstudenten/eine Mitstudentin näher kennen lernen. Nehmen Sie die folgenden Fragen zu Hilfe und führen Sie ein Gespräch auf Deutsch. Wechseln Sie sich ab.

1. Wie geht's dir heute?

2. Seit wann studierst du an der Uni?

3. Wohnst du in einem Haus, in einer Wohnung oder in einem Studentenheim?

4. Was hast du in deinem Zimmer? Wie viele Zimmer hat deine Wohnung? Was hast du in deinem Wohnzimmer?

5. Wohin gehst du nach diesem Kurs?

6. Was machst du, wenn dir langweilig ist?

Kapitel 7: Instructor's Page

TEIL I. HÖRVERSTÄNDNIS

Übung A. Was machen wir denn morgen? Weil Frau Hemmlinger auf Geschäftsreise ist, macht Herr Hemmlinger Pläne für Samstagmorgen mit seiner Tochter Hilde. Hören Sie sich das Gespräch an. Was macht Hilde? Was macht ihr Vater? Was machen sie zusammen? Kreuzen Sie auf Ihrem Prüfungsblatt die richtigen Aktivitäten an. Sie hören das Gespräch zweimal.

Fangen wir an.

VATER:	Na, Hilde, Mutti ist nicht zu Hause. Sie kommt erst am Sonntag wieder. Was machen wir denn morgen? Hast du schon Pläne?
HILDE:	Ja, sicher Papa! Morgen ist doch Samstag. Wir stehen beide sehr früh auf!
VATER:	Warum denn?
HILDE:	Wir haben doch viel zu tun, bevor Mutti wieder zurückkommt. Also nochmal von vorne: Wir stehen beide sehr früh auf. Du gehst dann in die Bäckerei und kaufst uns Brötchen zum Frühstück.
VATER:	Und du? Du kommst nicht mit in die Bäckerei?
HILDE:	Nein, ich bleibe zu Hause und koche uns einen Tee. Mutti hat mir schon gezeigt, wie man Tee kocht.
VATER:	Na, gut. Und dann?
HILDE:	Am Vormittag fahren wir dann in die Stadt. Du musst Mutti doch ein Geschenk kaufen. Am Montag hat sie Geburtstag!
VATER:	Ja, richtig! Das hab' ich fast vergessen. Mutti will das neue Buch von Gerd Fuchs. Das finde ich sicher in der Buchhandlung.
HILDE:	Ich gehe aber nicht mit dir in die Buchhandlung. Ich möchte in das Kaufhaus neben der Buchhandlung, weil ich mir Rollschuhe angucken will.
VATER:	Und nach dem Einkaufen lade ich dich auf ein Eis ein. Wie gefällt dir das?
HILDE:	Toll! Schokoladeneis für mich und Erdbeereis für dich!
VATER:	Ich freue mich auf morgen!
HILDE:	Ja, Papa, ich freue mich auch!

Sie hören jetzt das Gespräch noch einmal.

Übung B. Was ist logisch? Sie hören fünf Fragen. Auf Ihrem Prüfungsblatt sehen Sie für jede Frage drei Antworten. Umkreisen Sie die beste Antwort. Sie hören jede Frage zweimal.

Zum Beispiel:

Sie hören die Frage **Wo kauft Ingeborg Zeitschriften und Zeitungen?**

Sie umkreisen **c. Am Kiosk,** weil das die beste Antwort ist.

Fangen wir an.

1. Am Sonntagnachmittag kommen Gäste zum Kaffee. Wo kauft Tante Vera Kuchen und frisches Gebäck?

2. Familie Aschenbach isst im Moment im Restaurant. Wo sitzen die Aschenbachs?

3. Axel und Gisela sind verlobt. Wo heiraten sie wahrscheinlich?

4. Gustav möchte das Buch „Die Abrechnung" in der Buchhandlung kaufen. Wo bezahlt er für das Buch?

5. Elisabeth hat die Bilder von Albrecht Dürer sehr gern. Wo kann sie seine Bilder finden?

Kapitel 7

I. HÖRVERSTÄNDNIS

A. Was machen wir denn morgen? Weil Frau Hemmlinger auf Geschäftsreise ist, macht Herr Hemmlinger Pläne für Samstagmorgen mit seiner Tochter Hilde. Hören Sie sich das Gespräch an. Was macht Hilde? Was macht ihr Vater? Was machen sie zusammen? Kreuzen Sie die richtigen Aktivitäten an. Sie hören das Gespräch zweimal.

	Hilde	Vater	zusammen
früh aufstehen			
in die Bäckerei gehen			
den Tee kochen			
in die Stadt fahren			
ein Geschenk kaufen			
in die Buchhandlung gehen			
sich Rollschuhe angucken			
Eis essen			
sich auf morgen freuen			

B. Was ist logisch? Sie hören fünf Fragen. Hier sehen Sie für jede Frage drei Antworten. Umkreisen Sie die beste Antwort. Sie hören jede Frage zweimal.

■ Wo kauft Ingeborg Zeitschriften und Zeitungen?

    a. In der Fleischerei.

    b. Auf der Sparkasse.

    (c.) Am Kiosk.

1. a. Auf dem Lande.

    b. In der Konditorei.

    c. Im Reformhaus.

2. a. Am Tisch.

    b. Im Bad.

    c. Auf der Straße.

3. a. In der Oper.

   b. In der Kirche.

   c. In der Kneipe.

4. a. An der Kasse.

   b. In der Tüte.

   c. Zum Preis.

5. a. In der Nähe.

   b. Im Konzert.

   c. Im Kunstmuseum.

II. LESEVERSTÄNDNIS

C. Rock gegen Rechts. Lesen Sie den Text aus einem Jugendmagazin über Rockmusik in Deutschland und bestimmen Sie, ob die Aussagen **richtig (T = true)** oder **falsch (F = false)** sind.

Rock gegen Rechts

Es ist traurig, aber wahr: Es gibt sie, die rechten Extremisten, die in Deutschland Jagd[1] auf Ausländer machen und Asylhäuser anzünden[2]. Und: Sie haben ihre eigene Musik. Mit Namen wie „Endsieg", „Radikahl" oder „Oythanasie"[3] zeigen die Bands deutlich, zu welcher Szene sie gehören. In ihren Texten hört man die gleichen Parolen[4], die man aus Rostock und Hoyerswerda kennt. Die rechtsextremistischen Rocker singen über Nationalstolz[5], Ausländerhass und Lust auf Gewalt[6]. Musikalisch erinnert der Nazi-Rock an Metal und Punk – und ist meistens fürchterlich schlecht. Mit Gitarre, Bass, Schlagzeug und Gesang hämmern die Bands ihre Parolen in die Köpfe ihrer Fans.

Aus der Skinhead- und Hooligan-Szene kommen die „Böhsen Onkelz". Die Band stammt aus Frankfurt und ist seit 1986 bundesweit bekannt: Der Staatsanwalt[7] hat den Verkauf ihrer ersten Platte verboten. Die Texte handeln von Gewalt, Hass auf Ausländer und Pornographie. Am Ende der 80-er Jahre haben sich die Onkelz vom Rechtsrock distanziert. Aber vor kurzem, als die Band bei einem Festival gegen die Gewalt von Rechts singen wollte[8], verweigerte man ihr das[9]. Beim jungen Publikum dagegen ist die Gruppe noch sehr populär. Gute Plattenverkäufe und volle Konzerthallen sind der Beweis[10].

---

[1]hunt; [2]ignite; [3]play on the skinhead cry *"Oy!"*, and *Euthanasie*; [4]mottos; [5]*Stolz: pride*; [6]violence; [7]attorney general; [8]wanted; [9]*verweigerte ... das: die Band hat das nicht machen dürfen*; [10]proof

True (T) or false (F)?

_____ 1. The first line of the text suggests that the author has no feelings about living in a country with right-wing extremists.

_____ 2. The name of a rock group can be an indication of its political beliefs.

_____ 3. The lyrics for right-wing rock songs are composed in Hoyerswerda or Rostock.

_____ 4. According to the text, neo-Nazi rock music sounds like heavy metal or punk rock.

_____ 5. The first record by the "Böhsen Onkelz" was outlawed in Germany.

6. In the late 1980s, the "Böhsen Onkelz" decided to distance themselves from right-wing extremism.

7. After changing their political stance, the "Böhsen Onkelz" performed at a concert against right-wing violence.

8. Well-attended concerts and good record sales indicate that the group is still popular.

III. STRUKTUR

D. Frau Ems' Albtraum: Chaos in der Küche! Schauen Sie sich das Bild von Frau Ems' chaotischer Küche an. Ergänzen Sie jeden Satz mit einer logischen Präposition und dem richtigen bestimmten Artikel.

■ Frau Ems will gar nicht ___*in die*___ Küche gehen.

1. Die Blumen stehen _____ Weinflaschen *(pl.)*.

2. Die Katze springt _____ Tisch.

3. Der kleine Wolfi schreibt _____ Wand.

4. Die Pflanze hängt _____ Fenster.

5. Herr Ems stellt noch eine Weinflasche _____ Kühlschrank.

6. Die Äpfel rollen _____ Tisch.

7. Die Lampe hängt _____ Waschbecken *(n.)*.

E. **Fahren wir mit der Straßenbahn!** Uli und Birgit fahren mit der Straßenbahn in die Stadt. Schauen Sie sich das Bild an. Wohin fährt die Straßenbahn? Wo sind die Haltestellen? Ergänzen Sie jeden Satz mit einem bestimmten Artikel.

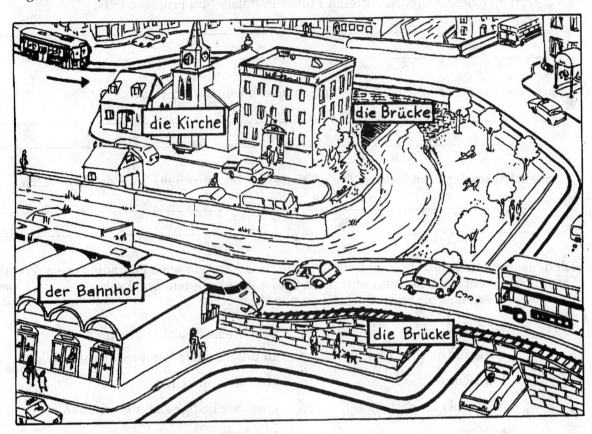

- Uli und Birgit fahren mit der Straßenbahn in _die_____ Stadt.

1. Uli sieht keine Haltestelle hinter _____ Kirche.

2. Die Straßenbahn fährt über _____ Brücke.

3. Auf _____ Brücke gibt es keine Haltestelle.

4. Neben _____ Bahnhof ist eine Haltestelle.

F. **Onkel Hannes' Pläne.** Was wissen Sie über Onkel Hannes' Pläne? Beantworten Sie jede Frage mit einer Präposition aus der linken Spalte und einem Zeitausdruck aus der rechten Spalte. Benutzen Sie jedes Wort oder jeden Zeitausdruck nur einmal.

am	einer Stunde
vor	13. August
im	einer Woche
in	Jahre 1974

1. Wann fährt Hannes heute nach Hause? _____

2. Wann hat Hannes Geburtstag? _____

3. Wann hat Hannes seine Eltern zuletzt angerufen? _____

4. Wann hat Hannes seine Frau kennen gelernt? _____

G. Schindlers Liste. Bringen Sie die folgenden Wörter in die richtige Reihenfolge. Beginnen Sie jeden Satz mit dem fettgedruckten° Wort. Benutzen Sie das Perfekt.   *boldfaced*

1. Steven Spielberg / drehen / **diesen Film** / in Polen / im Frühjahr 1993.

    _____

    _____

2. **wie viele Juden** / im Jahre 1942 / in Schindlers Fabrik / arbeiten?

    _____

    _____

3. der Schauspieler Liam Neeson / mit Spielberg / **im Jahre 1993** / gehen / nach Polen.

    _____

    _____

H. Ich denke nur an Gisela! In jeder freien Minute denkt Axel an seine Freundin Gisela. Wählen Sie ein passendes Satzende aus der rechten Spalte und beenden° Sie Axels   *finish*
Gedanken°. Benutzen Sie jeden Buchstaben nur einmal.   *thoughts*

1. __e__   Ich denke nur …   a.   auf Giselas Besuch morgen.

2. ____   Oft erinnere ich mich …   b.   an unsere letzte Verabredung im Mai.

3. ____   Wir lachen oft …   c.   über alles sprechen.

4. ____   Mit Gisela kann ich …   d.   über ihre lustige Zimmerkameradin.

5. ____   Jetzt warte ich …   e.   an Gisela.

I. So eine Hektik! Marta hat heute viel zu tun. Ergänzen Sie jeden Satz mit einem logischen Präpositionalausdruck. Benutzen Sie Wörter aus der Liste.

   Bahnhof • Bank • Bett • Buchhandlung • Post • Reformhaus • Wand

■ Marta will frische Eier und natürliche Kost kaufen. Sie geht _ins Reformhaus_.

1. Weil Marta Briefmarken kaufen muss, geht sie _____.

2. Für den Kurs braucht Marta zwei Bücher. Sie kauft die Bücher _____.

3. Weil sie ein Konto eröffnen möchte, geht Marta _____.

4. _____ kauft Marta eine Fahrkarte nach München.

5. Zu Hause hängt sie das neue Poster _____.

6. Marta macht das Schlafzimmer sauber. _____ findet Marta
   drei Socken und eine alte Pizza!

IV. Vokabeln

J. **Wie kommen Sie dahin?** Welches Verkehrsmittel ist das beste? Geben Sie auf jede Frage eine logische Antwort. Beginnen Sie jede Antwort mit **Mit ...** und benutzen Sie jedes Verkehrsmittel nur einmal.

■ Wie kommen Sie von einem Ende Mannheims zum anderen? Mit _der Straßenbahn_ .

1. Wie kommen Sie von Toronto nach München? Mit _____ .

2. Wie kommen Sie von München nach Köln? Mit _____ .

3. Wie kommen Sie von einem Rheinufer° zum anderen Rheinufer?   *Ufer: river bank*

   Mit _____ .

4. Wie kommen Sie von dieser Klasse zur nächsten Klasse?

   Mit _____ .

5. Wie kommen Sie von der Bibliothek nach Hause?

   Mit _____ .

K. **Harrys Lesegewohnheiten.** Ergänzen Sie die folgenden Sätze mit **weil** oder **damit**.

1. Als Kind hat Harry viele Krimis gelesen, _____ er sie sehr spannend gefunden hat.

2. Jeden Abend liest Harry sein Deutschbuch, *Vorsprung*, _____ er mehr über die

   deutsche Grammatik lernt.

3. _____ Harry meint, Hannah muss auch mehr über die deutsche Grammatik lernen,

   leiht er ihr sein Deutschbuch.

L. **Eins von den Dingen gehört nicht zu den anderen.** Umkreisen Sie in jeder Gruppe das Wort, das nicht zu den anderen passt°.   *das ... passt: that doesn't belong with the others*

1. die Kurzgeschichte   die Tüte   das Gedicht   der Roman
2. der Fahrschein   das Schiff   das Fahrrad   das Auto
3. der Preis   die Kasse   die Quittung   das Flugzeug
4. spannend   lustig   entlang   unterhaltend
5. beschreiben   schildern   bezeichnen   retten

M. **Was bedeutet das?** Umkreisen Sie das Wort oder den Satz mit der gleichen Bedeutung wie das kursiv gedruckte Wort.

1. Mutter: „Ich habe dir schon *x-mal* gesagt, du musst um elf zu Hause sein!"

   a. einmal

   b. niemals

   c. sehr oft

2. Was muss Barbara heute in der Stadt *erledigen?*

   a. machen

   b. erzählen

   c. brauchen

3. Fahren Sie *geradeaus!*

   a. Biegen Sie nicht ab!

   b. Fahren Sie um die Ecke!

   c. Halten Sie an der Ampel!

N. Mini-Dialoge. Umkreisen Sie das Wort, das° den Satz am besten ergänzt.   *that*

1. FRAU EMS: Können Sie mir ein gutes Restaurant in der Stadt _____?

   FRAU STRICK: Ja, das französische Restaurant in der Nähe von der Uni ist fantastisch!

    a. besorgen   b. empfehlen   c. holen

2. HANS: _____ hast du das leckere Brot?

   UWE: Von der Bäckerei um die Ecke.

    a. Wohin   b. Woher   c. Warum

3. KARL: Ich möchte dich zum Fest am Samstag _____.

   INA: Schade! Ich hab' leider keine Zeit.

    a. bestellen   b. stören   c. einladen

4. ILSE: Hast du die Katze gesehen?

   KARIN: Ja, sie _____ unter dem Sofa.

    a. liegt   b. hängt   c. legt

5. DIETER: Warum musst du heute auf die Bank gehen?

   PETRA: Ich muss Geld _____.

    a. aufgeben   b. handeln   c. abheben

V. KULTUR

O. Studenten – Einkäufe – Städte. Umkreisen Sie das passende° Satzende.   *appropriate*

1. Upon presenting their identification card, students in Germany . . .

   a. are eligible for a discounted admission to many museums and theaters.

   b. ride most major busses and subways in university towns in Germany for free.

   c. receive complimentary meals in the student cafeteria (**die Mensa**).

   d. a and b.

2. Most Germans take their own shopping bag or basket with them when they shop for groceries because . . .

    a. stores charge a small fee for grocery bags.

    b. service clerks charge a small fee for bagging a customer's groceries.

    c. some foods are rationed in Germany which often makes it difficult for Germans to buy more than one bag of groceries at a time.

    d. shopping carts and baskets are rarely available in supermarkets or specialty shops.

3. Stuttgart . . .

    a. is the capital of the federal state of **Bayern.**

    b. is home to two of the world's most famous car makers: **DaimlerChrysler** and **Porsche.**

    c. was not bombed in World War II and hence is known for its perfectly intact medieval city center and old cathedrals.

    d. a, b, and c.

4. **Frankfurt am Main, Rothenburg ob der Tauber,** and **Marburg an der Lahn** are all . . .

    a. German cities located near specific mountain ranges.

    b. suburbs situated on the outskirts of prominent German cities.

    c. German cities located on major rivers.

    d. German cities situated near major air fields.

P. **Deutsche Parteien.** Finden Sie für jede Partei die passende Definition.

    a. die Nationalsozialistische Deutsche Arbeiter Partei (NSDAP)
    b. die Grünen
    c. Partei des Demokratischen Sozialismus (PDS)
    d. die Republikaner

1. ____ The former communist party of East Germany formed this party after unification.

2. ____ This right-wing party gained popularity in the 1980s.

3. ____ Adolf Hitler was the leader of this right-wing nationalist party.

4. ____ This ecological party first emerged onto the national scene in the late 1970s.

Q. **Der Holocaust.** Bestimmen Sie, ob die folgenden Aussagen über den Holocaust **richtig (T = true)** oder **falsch (F = false)** sind.

True (T) or false (F)?

_____ 1. The Nazis came to power in 1918.

_____ 2. During their reign, the Nazis systematically killed more than six million people they deemed undesirable.

_____ 3. The Nazis targeted Jews as well as gypsies, homosexuals, political opponents, and the mentally ill.

_____ 4. The concentration camps in Buchenwald and Dachau in Germany and Auschwitz in Poland remain standing today as reminders of the dangers of nationalism, racism, and intolerance.

_____ 5. During the Holocaust, Oskar Schindler saved the lives of a number of Jews.

VI. Zum Schreiben

R. Ein Wochenende. Sie haben letztes Wochenende mit Ihren Freunden in Stuttgart
verbracht°. Schreiben Sie einen Brief an einen Freund/eine Freundin und beschreiben   *spent*
Sie das Wochenende. Sind Sie einkaufen gegangen? Haben Sie in einem Jazzkeller getanzt?
Sind Sie am Sonntag in die Kirche gegangen? Welche Verkehrsmittel haben Sie benutzt?
Schreiben Sie zehn bis fünfzehn Sätze.

Lieber ... / Liebe ...

_____

_____

_____

_____

_____

_____

_____

_____

_____

_____

_____

VII. Zum Sprechen

S. Persönliche Fragen. Sie wollen eine Person in Ihrer Deutschklasse näher kennen lernen.
Fragen Sie Ihren Partner/Ihre Partnerin, was er/sie gern in der Freizeit macht. Nehmen
Sie die folgenden Fragen zu Hilfe und führen Sie ein Gespräch auf Deutsch. Wechseln Sie
sich ab.

1. Was machst du, wenn du Geld brauchst? Wohin gehst du?

2. Was machst du in deiner Freizeit?

3. Was für Filme siehst du gern? Wohin gehst du, wenn du einen Film sehen willst?

4. Liest du lieber Gedichte oder Romane? Warum? Wohin gehst du, wenn du ein Buch
    brauchst?

5. Gehst du gern in die Oper? Gehst du lieber ins Theater oder in die Oper? Warum?

6. Kannst du mir ein gutes Restaurant empfehlen?

7. Wie kommst du nach der Klasse nach Hause?

8. Fährst du meistens mit dem Rad oder mit dem Auto? Warum?

9. Was musst du heute noch erledigen?

Kapitel 8: Instructor's Page

TEIL I. HÖRVERSTÄNDNIS

Übung A. Alex fühlt sich nicht wohl. Alex ist heute früh nach Hause gekommen, denn er fühlt sich nicht wohl. Er spricht mit seiner Mutter über seine Symptome. Hören Sie sich das Gespräch an. Lesen Sie dann die Aussagen auf Ihrem Prüfungsblatt. Sind sie **richtig (R)** oder **falsch (F)**? Sie hören das Gespräch zweimal.

Fangen wir an.

MUTTER:	Grüß dich, Alex. Dir geht's nicht so gut?
ALEX:	Nein, Mutter. Ich fühle mich gar nicht wohl.
MUTTER:	Hast du Schmerzen?
ALEX:	Ja, ganz furchtbare Bauchschmerzen.
MUTTER:	Hast du dich übergeben?
ALEX:	Nein, aber ich habe Durchfall.
MUTTER:	Was hast du denn in der Schule gegessen? Hast du wieder zu viel Eis gegessen?
ALEX:	Nein, ich hab' heute gar kein Eis gegessen. Mir war schon vor der Pause schlecht.
MUTTER:	Armes Kind. Leg dich hin. Ich hoffe, es ist kein Virus. Wenn du dich morgen nicht besser fühlst, werde ich wohl den Arzt anrufen.
ALEX:	Du meinst, ich darf heute Abend nicht auf Thorstens Geburtstagsfeier?
MUTTER:	Nein, besser nicht. Ich weiß, dass du dich schon die ganze Woche darauf gefreut hast, aber im Moment bist du zu krank. Du bleibst schön im Bett.
ALEX:	Vielleicht wird's mir in ein paar Stunden besser gehen. Wer weiß?
MUTTER:	Wir werden mal sehen, aber ich glaube nicht. Meinst du, du hast Fieber?
ALEX:	Weiß ich nicht …
MUTTER:	Na, dann hol' ich das Thermometer. Ich bin gleich wieder da.

Sie hören jetzt das Gespräch noch einmal.

Übung B. Ein Interview mit einem Austauschstudenten. Bertram, ein deutscher Austauschstudent, spricht mit Nancy über das Leben an der Michigan State University. Hören Sie sich das Gespräch an. Lesen Sie dann die Aussagen auf Ihrem Prüfungsblatt und umkreisen Sie den Satzteil, der am besten jede Aussage ergänzt. Sie hören das Gespräch zweimal.

Fangen wir an.

NANCY:	Na, Bertram, jetzt bist du schon ein Semester an der Michigan State University. Wie gefällt dir die Uni?
BERTRAM:	Ich bin recht glücklich hier. Die Kurse sind interessant, und es gefällt mir sehr, dass ich mit den Dozenten und Professoren so viel Kontakt habe. Das ist in Deutschland ganz anders.

NANCY:	Welche Kurse hast du dieses Semester belegt?
BERTRAM:	Anglistik ist mein Hauptfach. Ich habe zwei Anglistikkurse und einen Linguistikkurs belegt. Nur so zum Spaß habe ich auch einen Sprachkurs belegt: Spanisch für Anfänger. Irgendwann möchte ich mal nach Mexiko reisen.
NANCY:	Freust du dich schon auf die Ferien im März?
BERTRAM:	Natürlich! Alle Studenten freuen sich darauf. Ich habe ja nichts gegen die Arbeit dieses Semester, aber der Winter hier wird mir ein bisschen zu lang. Mit solchen Temperaturen hab' ich nicht gerechnet. Ich glaub', ich werde in den Ferien mit zwei Bekannten nach Florida fahren.
NANCY:	Das klingt toll!

Sie hören jetzt das Gespräch noch einmal.

Kapitel 8

I. HÖRVERSTÄNDNIS

A. Alex fühlt sich nicht wohl. Alex ist heute früh nach Hause gekommen, denn er fühlt sich nicht wohl. Er spricht mit seiner Mutter über seine Symptome. Hören Sie sich das Gespräch an. Lesen Sie dann die Aussagen. Sind sie **richtig** oder **falsch?** Sie hören das Gespräch zweimal.

Richtig   Falsch

1. _____ _____ Alex fühlt sich nicht wohl, denn er hat Bauchschmerzen.

2. _____ _____ In der Schule hat er sich übergeben.

3. _____ _____ Alex' Mutter glaubt, dass er vielleicht zu viel Eis gegessen hat.

4. _____ _____ Sie wird morgen den Arzt anrufen, wenn es ihrem Sohn nicht besser geht.

5. _____ _____ Alex' Mutter hat nichts dagegen, wenn er heute Abend zu Thorsten geht.

6. _____ _____ Seine Mutter wird jetzt das Thermometer suchen.

B. Ein Interview mit einem Austauschstudenten. Bertram, ein deutscher Austauschstudent, spricht mit Nancy über das Leben an der Michigan State University. Hören Sie sich das Gespräch an. Lesen Sie dann die Aussagen und umkreisen Sie den Satzteil, der° am *which* besten jede Aussage ergänzt. Sie hören das Gespräch zweimal.

1. Bertram studiert … an der Michigan State University.

   a. seit einem Semester

   b. schon ein Jahr

   c. seit einem Monat

2. Bertram ist glücklich an der Uni, weil er … Kontakt hat.

   a. mit so vielen Studenten

   b. mit Deutschen

   c. mit Dozenten und Professoren

3. Dieses Semester belegt Bertram …

   a. zwei Anglistikkurse und einen Linguistikkurs.

   b. einen Sprachkurs.

   c. a und b.

4. Bertram freut sich auf die Ferien in Florida, …

   a. weil er eine Bekannte in Florida besuchen will.

   b. weil ihm das kalte Wetter in Michigan nicht gefällt.

   c. weil er arbeiten will.

5. Nancy meint, dass …

    a. die Reise nach Florida eine sehr gute Idee ist.

    b. die Reise nach Florida sehr teuer sein wird.

    c. die Bekannten sich nicht wohl fühlen werden.

II. LESEVERSTÄNDNIS

C. Ein Brief an Tante Karin. Jennifer Thelen ist amerikanische Austauschstudentin an der Uni Dortmund. Lesen Sie Jennys Brief an Tante Karin, ihre deutsche Tante, die in Milwaukee lebt°. Bestimmen Sie dann, ob die Aussagen **richtig (R)** oder **falsch (F)** sind.

            die … lebt: who lives in Milwaukee

```
                                           Dortmund, den 2.10.02
Liebe Tante Karin,

vielen Dank für deinen letzten Brief! Ich habe dir nicht sofort
zurückgeschrieben, weil ich mich diese Woche nicht sehr wohl gefühlt
habe. Letzten Samstag habe ich mich erkältet. Zwei Tage lang war mir
wirklich schlecht: Schnupfen und Halsschmerzen. Jetzt geht's mir aber
besser.
     Erinnerst du dich noch an Stephanie Meyer, meine Schulfreundin? Sie
wird mich in den Semesterferien besuchen. Ich habe nicht damit gerechnet,
dass sie schon im März kommen konnte. Sie denkt daran, übernächstes Jahr
in Deutschland zu studieren. Allerdings weiß sie noch nicht, an welcher
Uni sie studieren möchte. Vielleicht wird sie sich für die Uni Dortmund
entscheiden. Ich freue mich sehr auf ihren Besuch.
     Meine Kurse gefallen mir sehr! Ich bereite mich jetzt auf ein Referat
über die Schwerindustrie in der Europäischen Union vor. Hoffentlich
klappt¹ alles! So, ich mache dann Schluss für heute, weil ich noch an die
Uni muss.

Viele liebe Grüße
deine Jenny
```

---

¹*works out*

Richtig (R) oder falsch (F)?

_____ 1. Jenny hatte eine schlimme Erkältung, aber jetzt fühlt sie sich besser.

_____ 2. Jenny fragt ihre Tante, ob sie in den Semesterferien zu Besuch kommen kann.

_____ 3. Seit letztem Jahr hat Jenny gewusst, dass Stephanie im März kommen konnte.

_____ 4. Stephanie wird vielleicht in drei Jahren an einer deutschen Uni studieren.

_____ 5. Jenny ist glücklich, dass Stephanie nach Dortmund kommt.

_____ 6. Jenny arbeitet jetzt an einem Referat.

_____ 7. Jenny macht Schluss mit dem Brief, weil sie heute ihren Studienabschluss von der Uni feiert.

III. STRUKTUR

D. Ruth hat sich auf den Abend vorbereitet. Was hat Ruth gerade gemacht? Schauen Sie sich die Bilder an und ergänzen Sie jeden Satz mit dem richtigen Partizip.

1. Ruth hat _____.

2. Mit einem Badetuch hat sie sich _____.

3. Sie hat sich dann _____.

4. Danach hat sie sich _____.

E. Zwei Schmuddelkinder°! Ergänzen Sie die folgenden Mini-Dialoge mit den richtigen Reflexivpronomen.

filthy kids

1. VATER: Kommt bitte zum Tisch! Wir essen gleich!

   STEFAN UND UDO: Ja, wir müssen _____ nur noch die Hände waschen.

2. VATER: Was riecht° hier so furchtbar? *smells*

   UDO: Stefan hat _____ die Socken ausgezogen.

3. VATER: Ach, Udo, wie du aussiehst!

   UDO: Soll ich _____ vielleicht die Haare bürsten?

4. STEFAN: Aber ich will meine Hausaufgaben nicht machen!

   VATER: Das ist mir wurscht!° Setz _____ hin und fang an! *I don't care.*

5. STEFAN UND UDO: Dürfen wir noch eine Stunde fernsehen, Vati?

   VATER: Nein. Putzt _____ die Zähne und geht ins Bett!

6. MUTTER: Udo, was machst du so lange im Bad? Komm doch raus!

   UDO: Nur noch eine Minute, Mutti! Ich beeile _____ schon.

F. Bald gibt's ein Gruppenreferat. Carsten und Tilmann machen Pläne für ihr Referat. Ergänzen Sie die Mini-Dialoge mit der richtigen Form von **werden**.

1. TILMANN: Wie lange _____ du denn reden?

   CARSTEN: Ich weiß nicht genau. Ich glaube, ich _____ mindestens eine Viertelstunde reden.

2. CARSTEN: _____ wir einen Overheadprojektor brauchen?

   TILMANN: Ja, ich glaube schon.

3. CARSTEN: _____ Professor Heine uns eine Landkarte besorgen?

   TILMANN: Sicher nicht.

G. Ein Interview mit Britta. Sie sprechen mit der neuen Studentin Britta über ihren Geschichtskurs. Stellen Sie ihr eine Frage mit **wo-** oder **wen/wem**.

■ SIE: _Wonach fragst du?_ _____?

   BRITTA: Ich frage nach dem nächsten Prüfungstermin.

1. SIE   _____?

   BRITTA: Ich habe Angst vor Prüfungen.

2. SIE: _____?

   BRITTA: Ich bereite mich auf das nächste Referat vor.

3. SIE: _____?

   BRITTA: Das Buch handelt von Helmut Kohl.

4. SIE: _____?

   BRITTA: Ich konzentriere mich auf die Nachkriegszeit.

5. SIE: _____?

   BRITTA: Die Professorin spricht über Konrad Adenauer, den ersten Bundeskanzler.

6. SIE: _____?

   BRITTA: Ich bin gespannt auf die Diskussion.

IV. VOKABELN

H. Wann ... ? Beantworten Sie die Fragen mit einem logischen Zeitausdruck aus der Liste.

diesen Samstag • heute • heute Abend • heute Nachmittag • in einer Woche •
in drei Tagen • jeden Tag • übermorgen

1. Morgen um acht schreibt Ute eine Prüfung in Mathematik. Heute muss sie bis 18 Uhr arbeiten. Wann lernt sie für die Prüfung? _____

2. Wann bekommt Ute frühestens° die Matheprüfung zurück? (Sie geht jeden   *at the earliest*

   Tag in den Mathekurs.)_____

3. Das Semester endet diesen Freitag. Wann kann Erwin frühestens nach Toronto fliegen?

_____

4. Inges BAFöG kommt jeden Monat am Zehnten. Heute ist der Dritte. Wann bekommt sie wohl ihr Geld? _____

I. So ein Pechvogel°! In der Großstadt hat Paolo nur Pech. Ergänzen Sie jeden   *unlucky person*
Satz mit einer Präposition aus der Liste.

an • auf • für • gegen • in • nach • über • um • von

1. Paolo wartet zwanzig Minuten _____ den Bus, aber der Bus kommt nicht.

2. Er ärgert sich _____ die Situation, aber er kann sie nicht ändern.

3. Er fragt eine Frau _____ dem Weg zum Kaufhaus.

4. Im Kaufhaus entscheidet sich Paolo _____ das blaue Hemd, aber in seiner Größe ist das blaue Hemd ausverkauft°.   *sold out*

5. Der Verkäufer bittet Paolo _____ Verständnis°.   *understanding*

6. Am Abend erzählt er seiner Freundin _____ seinem Pech, aber sie glaubt ihm nicht.

J. Eins von den Dingen gehört nicht zu den anderen. Umkreisen Sie in jeder Gruppe das Wort, das° nicht zu den anderen passt.   *that*

1. die Dusche   die Steckdose   die Badewanne   das Waschbecken

2. der Dozent   der Gips   das Aspirin   das Heftpflaster

3. Realschule   Gymnasium   Betriebswirtschaft   Gesamtschule

4. plaudern   erzählen   sprechen   denken

5. sich hinlegen   sich ausruhen   sich beeilen   sich erholen

K. Womit macht Gudrun das? Geben Sie auf jede Frage eine logische Antwort.

■ Womit kämmt Gudrun sich die Haare?   *Mit dem Kamm.* _____

1. Womit wäscht Gudrun sich die Haare? _____

2. Womit föhnt Gudrun sich die Haare? _____

3. Womit wäscht sie sich die Hände? _____

4. Womit trocknet sie sich ab? _____

5. Womit rasiert sie sich die Beine? _____

L. Was meinen Sie? Lesen Sie die folgenden Krankheitssymptome. Ergänzen Sie dann jede Aussage mit einer logischen Diagnose: Welche Krankheit ist es?

1. Werner braucht ein Taschentuch° nach dem anderen. Er hat _____.   *tissue*

2. Heinz liegt im Bett mit dem Thermometer im Mund. Das Thermometer zeigt 39,5 Grad Celsius an. Heinz hat _____.

3. Herrn Landsteiner tut der Bauch weh, und er muss oft schnell auf die Toilette gehen. Er hat _____.

4. Frau Bauer nimmt ein Aspirin und legt sich ins Bett. Der Kopf tut ihr weh. Sie hat

   _____.

5. Lydia ist gestern im Regen ohne Mantel und Regenschirm lange spazieren gegangen. Jetzt

   kann sie nicht schlucken° und trinkt viel Saft und heißen Tee. Lydia hat   *swallow*

   _____.

V. KULTUR

M. Das deutsche Universitätssystem. Umkreisen Sie das passende Satzende.

Manfred Henning is a typical student at the **Universität Regensburg**. Manfred ...

a. pays approximately DM 10,000 annually for tuition.

b. will be awarded his master's degree **(Magister)** after two years of study.

c. must work full-time because he has to finance his education himself.

d. receives a graded certificate **(Schein)** upon completion of a lecture **(Vorlesung)**.

e. must first complete a number of **Proseminare** before being allowed to attend advanced-level **Hauptseminare** focusing on specific themes.

f. must keep his class notes organized in a transcript book **(Studienbuch)** for presentation at the end of each semester.

N. Aus dem Alltag. Was ist logisch? Umkreisen Sie das beste Satzende.

1. Seventeen year-old Christa Enzensberger has just moved from Munich to a rural village in northern Bavaria. She feels the village is in the middle of nowhere and is very boring. While talking to one of her old friends on the phone, Christa describes her new environment with the expression:

   a. „Tote Hose!"

   b. „Spitze!"

   c. „Ein Ballungsraum!"

2. When Christa decides to introduce herself to the clerk at the post office, she begins her introduction with the phrase,

   a. „Darf ich mich vorstellen?"

   b. „Stellen Sie sich vor!"

   c. „Das kann ich mir vorstellen."

3. Christa visits her grandfather to cheer him up because he has had the flu for the past three days. Before leaving, she wishes him,

   a. „Solala!"

   b. „Gute Besserung!"

   c. „Gesundheit!"

VI. ZUM SCHREIBEN

O. Eine Entschuldigung. Sie sollen morgen mit zwei anderen Studenten ein Gruppenreferat halten, aber Sie und die anderen Studenten sind alle krank. Schreiben Sie eine Entschuldigung. Erklären Sie Ihrem Dozenten, warum Sie alle nicht kommen können. Beschreiben Sie die Krankheitssymptome. Schreiben Sie auch, wann Sie das Referat halten können und was Sie schon gemacht haben. Ihre Entschuldigung soll mindestens zehn Sätze lang sein.

_____

_____

_____

_____

_____

_____

_____

_____

_____

_____

VII. ZUM SPRECHEN

P. Persönliche Fragen. Sie wollen eine Person in Ihrer Deutschklasse näher kennen lernen. Fragen Sie Ihren Partner/Ihre Partnerin nach seiner/ihrer täglichen Routine und nach seinem/ihrem Studium. Nehmen Sie die folgenden Fragen zu Hilfe und führen Sie ein Gespräch auf Deutsch. Wechseln Sie sich ab.

1. Was machst du jeden Morgen?

2. Was machst du vor dem Frühstück?

3. Wie oft wäschst du dir die Haare?

4. Wie oft putzt du dir die Zähne am Tag?

5. Warum hast du dich für diese Uni entschieden?

6. Wie viele Kurse hast du belegt?

7. Wie oft schreibst du eine Prüfung?

8. Worüber ärgerst du dich dieses Semester?

9. Worauf freust du dich nächstes Jahr?

10. Was wirst du nach dem Studium machen?

Kapitel 9: Instructor's Page

TEIL I. HÖRVERSTÄNDNIS

Übung A. Wer sind die Leute in Ihrer Nachbarschaft? Sechs Personen sprechen über ihren Beruf. Hören Sie sich die kurzen Monologe an. Wer spricht? Schreiben Sie unter jedes Bild auf Ihrem Prüfungsblatt die Nummer der passenden Person. Sie hören die Monologe zweimal.

Fangen wir an.

PERSON 1: Normalerweise behandele ich sechs bis elf Patienten am Tag. Ab und zu bekomme ich Anrufe zu Hause, wenn Patienten schreckliche Zahnschmerzen haben.

PERSON 2: Wenn Sie ein Pfund Leberwurst brauchen, kommen Sie zu mir. In der Stadt sind meine Schnitzel und Würstchen sehr beliebt, denn sie sind immer frisch.

PERSON 3: Mein Chef ist Geschäftsmann. Im Büro beantworte ich das Telefon und tippe Briefe. Ich erledige praktisch alles im Büro.

PERSON 4: Wenn Sie Probleme mit Ihrem Auto haben, kommen Sie zu mir. Ich repariere auch gern ältere Modelle.

PERSON 5: Seit acht Jahren arbeite ich im Krankenhaus. Manchmal helfe ich den Patienten aus dem Bett, oder ich bringe ihnen Tabletten.

PERSON 6: Ich bin für alle acht Abteilungen in dieser Firma verantwortlich. Manchmal kann es ganz stressig sein!

Übung B. Was ist logisch? Sie hören fünf Fragen. Auf Ihrem Prüfungsblatt sehen Sie für jede Frage drei Antworten. Umkreisen Sie die beste Antwort. Sie hören jede Frage zweimal.

Zum Beispiel:

Sie hören die Frage **Wer bekommt normalerweise kein Trinkgeld?**

Sie umkreisen **b. eine Architektin,** weil das die beste Antwort ist.

Fangen wir an.

1. Was bringt man nicht zum Vorstellungsgespräch?
2. Was ist Ihre beste Eigenschaft?
3. Haben Sie schon Erfahrung als Bibliothekarin?
4. Haben Sie sich beim Fremdenverkehrsbüro beworben?
5. Ihr Freund Markus hat morgen ein Vorstellungsgespräch. Welchen Ratschlag geben Sie ihm?

Kapitel 9

I. HÖRVERSTÄNDNIS

A. Wer sind die Leute in Ihrer Nachbarschaft°? Sechs Personen sprechen über   *neighborhood*
ihren Beruf. Hören Sie sich die kurzen Monologe an. Wer spricht?
Schreiben Sie unter jedes Bild die Nummer der passenden° Person. Sie   *of the appropriate*
hören die Monologe zweimal.

_____

_____

_____

_____

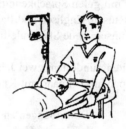
_____

_____

B. Was ist logisch? Sie hören fünf Fragen. Hier sehen Sie für jede Frage drei Antworten.
Umkreisen Sie die beste Antwort. Sie hören jede Frage zweimal.

■ Wer bekommt normalerweise kein Trinkgeld?

    a. Ein Fremdenführer.

    (b.) Eine Architektin.

    c. Eine Kellnerin.

1. a. Einen Lebenslauf.

    b. Eine Freundin.

    c. Ein Bewerbungsformular.

2. a. Ich bin immer zuverlässig.

    b. Ich bin nicht sehr pünktlich, denn ich bin undiszipliniert.

    c. Ich habe kein eigenes Auto.

3. a. Ja, ich fahre gern mit Karin in die Bibliothek.

    b. Ja, ich arbeite seit sechs Jahren in der Universitätsbibliothek.

    c. Ja, ich kann schon lange Auto fahren.

4. a. Ja. Ich hoffe, dass ich den Job bekomme!

   b. Nein, ich bekomme nicht viel Trinkgeld.

   c. Nein. Als Tourist brauche ich nicht so viele Informationen.

5. a. Ich drücke dir die Daumen!

   b. Was sind deine Gehaltsvorstellungen?

   c. Informiere dich über die neue Firma.

II. LESEVERSTÄNDNIS

C. **Stellenmarkt.** Lesen Sie die zwei Stellenanzeigen° aus der Zeitung. Welcher Kandidat/welche Kandidatin ist für jede Stelle besser qualifiziert? Beantworten Sie die Fragen auf deutsch. *job ads*

<table>
<tr>
<td>

Suchen

Skilehrer(in)

mit guten Sprachkenntnissen
(Deutsch, Englisch und Italienisch)
für unsere neue Skischule für Kinder.

Sie sollten mindestens zwei Jahre Erfahrung
und Spaß am Umgang mit Kindern haben.

Bewerbungen an
Lienzer Hof
Linker Drauweg 5
A-9900 Lienz

</td>
<td>

Junge dynamische

Verkäufer(innen)
mit Führerschein für unsere neueste
Filiale im Stadtzentrum Wiens.
Sie sollten sich für Teamarbeit interessieren,
aber auch selbstständig arbeiten können.

Wir bieten gute Bezahlung
und flexible Arbeitszeiten.

Bewerbungen mit Bild an
Uhren und Schmuck Ortlieb
Pentlingerstraße 38
1019 Wien

</td>
</tr>
</table>

Skilehrer(in) gesucht:

Barbara Klammer hat vor zwei Jahren als Skilehrerin in Kitzbühel gearbeitet. Sie hat am liebsten die Seniorengruppe unterrichtet. Abends ist sie oft mit den anderen Skilehrern ausgegangen. Weil sie kein Italienisch kann, hat sie mit dem italienischen Skilehrer Deutsch gesprochen. Diese Saison sucht sie eine Stelle, denn sie muss dringend Geld für ihre Amerikareise verdienen. Im Sommer wird sie ein zweites Praktikum bei Hallmark in Kansas City machen.

Johannes Gruber läuft seit seinem vierten Geburtstag Ski. Es hat ihm letzten Winter Spaß gemacht, seinen drei jungen Kusinen aus England Skiunterricht zu geben. Die letzten vier Wintersaisonen hat er als Skilehrer in Innsbruck gearbeitet. Als er zweiundzwanzig war, war er als Austauschstudent für ein Jahr in Rom.

1. Wer ist der bessere Kandidat/die bessere Kandidatin für die Skilehrer-Stelle?

   _____

2. Warum? Geben Sie zwei Gründe an. Schreiben Sie ganze Sätze.

_____

_____

_____

3. Warum ist die andere Person nicht geeignet° oder qualifiziert? Geben Sie zwei   *suitable*
   Gründe an. Schreiben Sie ganze Sätze.

_____

_____

_____

Verkäufer(innen) gesucht:

Susi Edel ist vierundvierzig Jahre alt und eine erfahrene Verkäuferin. Sie wohnt seit einem
Monat in Wien. Sie sucht eine Stelle im Stadtzentrum, damit sie mit dem Bus oder mit der
Straßenbahn zur Arbeit fahren kann. Frau Edel ist sehr selbstsicher, aber sie hat Angst vor
dem Autofahren.

Katrin Rothschild ist eine kontaktfreudige Studentin an der Uni. Im Moment schreibt sie
mit anderen Studenten ein Gruppenreferat für einen Wirtschaftskurs zu Ende. Katrin
arbeitet auch gern allein. Weil sie vormittags Kurse hat, sucht sie nachmittags einen
Teilzeitjob. Vor zwei Jahren hat sie ihren Führerschein gemacht.

4. Wer ist die bessere Kandidatin für die Verkäuferstelle? _____

5. Warum? Geben Sie zwei Gründe an. Schreiben Sie ganze Sätze.

_____

_____

_____

6. Warum ist die andere Person nicht ideal? Geben Sie zwei Gründe an. Schreiben Sie
   ganze Sätze.

_____

_____

_____

III. STRUKTUR

D. Ein fürchterlicher Albtraum! Gestern hat Albert einen fürchterlichen Albtraum über ein Vorstellungsgespräch gehabt. Ergänzen Sie die Wörter mit der richtigen Adjektivendung.

1. Gestern habe ich einen schrecklich_____ Albtraum gehabt.

2. In diesem Albtraum war mein Vorstellungsgespräch eine groß_____ Katastrophe.

3. Weil der blöd_____ Wecker nicht geklingelt° hat, bin ich zu spät aufgestanden.   *didn't ring*

4. Im Schrank habe ich dann kein sauber_____ Hemd gefunden.

5. Bei der neu_____ Firma bin ich sehr nervös gewesen.

6. Die unfreundlich_____ Sekretärin hat nicht mal „Gut_____ Morgen!" gesagt.

7. Dann hat sie mir auch die falsch_____ Tür gezeigt.

8. Im Büro habe ich nur zehn Minuten mit der unsympathisch_____ Personalchefin geredet.

9. Sie hat gleich gesagt: „Sie sind nicht der richtig_____ Kandidat für diesen
anspruchsvoll_____° Job."   *demanding*

10. Gott sei Dank war das nur ein schrecklich_____ Traum!

E. Die Arbeitswelt. Bilden Sie einen neuen Satz, indem° Sie die zwei Sätze mit einem   *by*
Relativpronomen verbinden.

■ Uwe arbeitet als Fremdenführer in einer kleinen Stadt. Er ist in dieser Stadt aufgewachsen.

  Uwe arbeitet als Fremdenführer in einer kleinen Stadt, in der er aufgewachsen ist.

1. Kinderliteratur gibt es in der neuen Abteilung. Frau Kolbe leitet die neue Abteilung.

   _____

   _____

2. Der Bewerber sollte um neun Uhr kommen. Wir warten auf den Bewerber.

   _____

   _____

3. Hier sind die Bücher. Der Kollege ist mit den Büchern schon fertig.

   _____

   _____

4. Kennen Sie den neuen Mitarbeiter? Früher hat der neue Mitarbeiter bei Siemens gearbeitet.

   _____

   _____

5. Dagmar hat ihr Praktikum in dem Betrieb gemacht. Der Betrieb bietet ihr eine Stelle an.

   _____

   _____

6. Der Grund war nicht überzeugend. Den Grund hat Helmut als Entschuldigung genannt.

   _____

   _____

F. Vier Geschwister. Schauen Sie sich die Tabelle an und vergleichen Sie die vier Geschwister Gabi, Georg, Gertrud und Greta.

	Gabi	Georg	Gertrud	Greta
Alter	14 Jahre	14 Jahre	7 Jahre	11 Jahre
Gewicht	50 kg	50 kg	26 kg	43 kg
Größe	1,57 m	1,59 m	1,03 m	1,35 m

■ Gertrud / Greta / klein   _Gertrud ist kleiner als Greta_   .

1. Gabi / Greta / groß _____

2. Georg / Gabi / schwer _____

3. Gertrud / Greta / jung _____

4. Gabi / Georg / alt _____

G. Wer ist am jüngsten? Schauen Sie sich die Tabelle in Übung F noch einmal an. Schreiben Sie dann für jedes Adjektiv zwei Aussagen im <u>Superlativ</u>.

■ ? / jung: _Gertrud ist am jüngsten.   Gertrud ist das jüngste Kind._

1. ? / groß: _____

_____

2. ? und ? / alt: _____

_____

3. ? / leicht: _____

_____

H. Fakten über Deutschland. Sie halten ein Referat über Deutschland. Bilden Sie Aussagen im Superlativ. Benutzen Sie die richtigen Adjektivendungen.

■ der Fluss / lang / der Rhein   _Der längste Fluss ist der Rhein._

1. die Stadt / nördlich / Flensburg _____

_____

2. die Ferieninsel / populär / die Insel Sylt _____

_____

3. das Bier / gut / im Süden _____

_____

4. die Bierbrauereien / viel / in Bayern _____

_____

5. das Bierfest / berühmt / in München _____

_____

I. **Regionale Besonderheiten°.** Nennen Sie die regionalen Besonderheiten, indem *speciality*
Sie aus dem Namen jeder Stadt ein Adjektiv machen.

■ Lothar isst gern ___*Königsberger Klopse*___. (Klopse aus Königsberg)

1. Meine Tante schenkt mir _____ zu Weihnachten.
(Lebkuchen aus Nürnberg)

2. Beim Metzger kauft Bruno _____. (Würstchen aus
Frankfurt)

3. Viele Touristen wollen im _____ Bier trinken. (Hofbräuhaus
in München)

4. Ein beliebtes Andenken aus Sachsen ist _____. (Porzellan
aus Meißen)

IV. VOKABELN

J. **Nennen Sie den Beruf.** Lesen Sie die folgenden Beschreibungen und ergänzen Sie jeden Satz
mit dem richtigen Beruf.

1. Hannelore arbeitet im Krankenhaus. Sie hilft Patienten. Sie ist keine Ärztin, aber sie ist
_____.

2. Friedrich arbeitet jeden Abend im Restaurant. Er sieht aber relativ wenige Kunden, denn
er arbeitet in der Küche. Friedrich ist _____.

3. Den ganzen Tag arbeiten Herr und Frau Perlmann mit Kindern. Sie unterrichtet Deutsch,
er unterrichtet Mathematik. Sie sind _____.

4. Frau Sandlinger verkauft Häuser in München. Sie ist _____.

5. Henning Stumpp behandelt Tiere in seiner Praxis. Ab und zu muss er sie auch operieren.
Er ist _____.

6. Luise schneidet Wurst und wiegt Fleisch ab. Sie ist _____.

7. Herr Wörth wäscht, schneidet und föhnt die Haare seiner Kundschaft°. Er *clientele*
ist _____.

K. **Eigenschaften für junge Bewerber.** Schreiben Sie unter jedes Bild das richtige Adjektiv.
Benutzen Sie jedes Wort nur einmal.

1. _____   2. _____   3. _____

4. _____ 5. _____ 6. _____

V. KULTUR

L. Dresden oder Leipzig? Bestimmen Sie, ob die folgenden Aussagen **Dresden (D)** oder **Leipzig (L)** beschreiben.

_____ 1. This city is the capital of Saxony **(Sachsen)**.

_____ 2. The famous "Monday night demonstrations" preceding the unification of Germany took place in this city.

_____ 3. In February 1945, large parts of this city were destroyed during Allied fire bomb raids.

_____ 4. Johann Sebastian Bach was associated with this city's famous churches: the **Thomaskirche** and the **Nikolaikirche.**

_____ 5. This city is often refered to as **das deutsche Florenz** and includes such great architectural masterpieces as **die Semperoper** and **der Zwinger.**

M. Sozialversicherung° und Ausbildung. Umkreisen Sie alle richtigen Aussagen.   *social security*

1. Berthold Friedemann is a seventy-year-old retired draftsman from Aschaffenburg.

   a. His social security benefits include a pension **(Rente)** equal to 70% of his salary as a draftsman.

   b. His health insurance **(Krankenversicherung)** covers at best 20% of the cost of most physician fees, medicine and hospitalization.

   c. Each month he receives a monthly subsidy for each grandchild **(Kindergeld)** living with his son and daughter-in-law in the nearby city of Darmstadt.

   d. Herr Friedemann was eligible for retirement at age 65.

2. The Friedemanns have three granddaughters: Minna is in second grade, Sophie attends ninth grade at the Georg-Büchner-Gymnasium, and Gretchen is completing an on-the-job apprenticeship with **Lufthansa** in Frankfurt.

   a. At the end of fourth grade, Minna and her parents will have to decide which one of the various school types she should attend.

   b. Minna thinks that she is interested in a business or administrative career, which would mean she would first attend the **Hauptschule** and then move to the **Gymnasium.**

   c. Sophie may very well go to a university after completing the **Gymnasium.**

   d. As an apprentice, or Azubi, Gretchen also attends academic classes one or two days a week at a **Berufsschule.**

VI. Zum Schreiben

N. Eine neue Stelle. Sie haben eine neue Stelle als Buchhalter/Buchhalterin bei der Firma Schulz in München. Wie sieht Ihr neues Büro aus? Wo steht Ihr Schreibtisch? Hat das Büro ein Fenster? Welche Farbe haben die Wände? Wie sind Ihre Mitarbeiter/Mitarbeiterinnen? Welche Eigenschaften haben sie und Ihr Chef/Ihre Chefin? Gefällt Ihnen der neue Job? Warum oder warum nicht? Schreiben Sie mindestens zehn Sätze. Versuchen Sie, für jedes Nomen ein Adjektiv zu benutzen.

_____

_____

_____

_____

_____

_____

_____

_____

_____

VII. Zum Sprechen

O. Persönliche Fragen. Sie wollen eine Person in Ihrer Deutschklasse näher kennen lernen. Fragen Sie Ihren Partner/Ihre Partnerin nach seiner/ihrer Familie, nach den Zukunftsplänen usw. Nehmen Sie die folgenden Fragen zu Hilfe und führen Sie ein Gespräch auf Deutsch. Wechseln Sie sich ab.

1. Wer ist kontaktfreudiger, dein Vater oder deine Mutter (du oder dein Bruder/deine Schwester, du oder dein Freund/deine Freundin)?

2. Wer ist älter, dein Vater oder deine Mutter (du oder dein Bruder/deine Schwester, du oder dein Freund/deine Freundin)?

3. Was ist deine Mutter (dein Vater/deine Schwester/dein Bruder/dein Mann/deine Frau/dein Onkel/deine Tante) von Beruf?

4. Was möchtest du werden?

5. Was für einen Beruf möchtest du nach dem Studium ergreifen°? Warum?

   einen Beruf ergreifen: to take up a career

6. Wie kann man sich auf ein Vorstellungsgespräch gut vorbereiten?

7. Morgen hast du ein Vorstellungsgespräch für eine wichtige Stelle. Was ziehst du an?

8. Was kann man machen, wenn man im Interview nervös wird?

9. Was sind deine besten Eigenschaften?

Kapitel 10: Instructor's Page

TEIL I. HÖRVERSTÄNDNIS

Übung A. Wer spricht? Fünf Märchenfiguren sprechen mit sich selbst oder zu jemand anderem. Hören Sie sich die kurzen Monologe an. Wer spricht? Schreiben Sie unter jedes Bild auf Ihrem Prüfungsblatt die Nummer der passenden Märchenfigur. Sie hören die Monologe zweimal.

Fangen wir an.

Märchenfigur 1:	Hier im Wald ist etwas nicht in Ordnung. Ich gehe tief in den Wald hinein zum Haus der Großmutter. Ich muss ihr helfen.
Märchenfigur 2:	Keine Panik, liebes Kind, du hast noch einen von den drei Wünschen frei. Denke dieses Mal gut darüber nach, was du dir wünschst.
Märchenfigur 3:	Wenn ich der Prinzessin einen Kuss gebe, wird sie aufwachen. Wir verlieben uns, und dann heiraten wir.
Märchenfigur 4:	Ach, wie ich die Königstochter hasse. Ich gebe ihr einen giftigen Apfel, damit sie stirbt.
Märchenfigur 5:	Arbeite, Kind! Arbeite! Du bleibst hier und arbeitest! Wenn du mit der Arbeit hier fertig bist, dann gehst du in die Küche und arbeitest dort! Du gehst nicht aus dem Haus!

Übung B. Urlaubserlebnisse. Elke ist vor ein paar Tagen aus dem Urlaub zurückgekommen. Sie ruft Jochen an und erzählt ihm von ihren Erlebnissen. Hören Sie sich das Gespräch an. Lesen Sie dann die Aussagen auf Ihrem Prüfungsblatt und umkreisen Sie den Satzteil, der am besten jede Aussage ergänzt. Sie hören das Gespräch zweimal.

Fangen wir an.

JOCHEN:	Leitner.
ELKE:	Tag, Jochen! Elke hier.
JOCHEN:	Grüß dich, Elke. Bist du schon aus dem Urlaub zurück?
ELKE:	Ja, ich bin seit zwei Tagen wieder zu Hause.
JOCHEN:	Wie war es denn in den Alpen?
ELKE:	Ganz toll! So 'ne märchenhafte Winterlandschaft hab' ich bisher nur in Bilderbüchern gesehen. Als Kind hab' ich die Alpen mal im Sommer erlebt. Aber im Winter sind die verschneiten Berge ein echtes Paradies!
JOCHEN:	Gab's viele Touristen?
ELKE:	Ja und nein. Die Restaurants und Kneipen im Dorf waren abends richtig platzvoll. Nach acht Uhr sah man keinen freien Platz in den Wirtschaften, aber auf den Pisten gab es gar nicht so viele Leute.
JOCHEN:	Und das Skilaufen?
ELKE:	Klasse! Es gab viele Anfängerpisten. Ich muss dir unbedingt meine Bilder zeigen. Sag mal, hast du Lust, später in die Stadt zu fahren? Treffen wir uns um halb vier im Café?

JOCHEN:	Gute Idee!
ELKE:	Ich bring' die Bilder mit.
JOCHEN:	Schön! Ich freue mich.
ELKE:	Gut. Bis dann! Tschüss!
JOCHEN:	Tschüss!

Sie hören jetzt das Gespräch noch einmal.

Kapitel 10

I. HÖRVERSTÄNDNIS

A. Wer spricht? Fünf Märchenfiguren sprechen mit sich selbst° oder zu jemand anderem. Hören Sie sich die kurzen Monologe an. Wer spricht? Schreiben Sie unter jedes Bild die Nummer der passenden Märchenfigur. Sie hören die Monologe zweimal.

sprechen mit sich selbst: are talking to themselves

B. Urlaubserlebnisse. Elke ist vor ein paar Tagen aus dem Urlaub zurückgekommen. Sie ruft Jochen an und erzählt ihm von ihren Erlebnissen. Hören Sie sich das Gespräch an. Lesen Sie dann die Aussagen und umkreisen Sie den Satzteil, der am besten jede Aussage ergänzt. Sie hören das Gespräch zweimal.

1. Jochen geht ans Telefon und sagt: …

    a. „Hallo!"

    b. „Leitner. "

    c. „Guten Tag."

2. Elke …

    a. ist seit zwei Tagen zu Hause.

    b. ruft aus der Schweiz an.

    c. ist nicht sehr begeistert vom Skilaufen.

3. Als Kind ist Elke …

    a. im Sommer in die Alpen gefahren.

    b. oft im Wald gewesen.

    c. wahrscheinlich jeden Winter Ski gelaufen.

4. Elke sah sehr viele Touristen …

    a. auf der Sonnenterrasse.

    b. auf den Pisten.

    c. in den Kneipen.

5. Elke trifft Jochen im Café, …

    a. damit er ihre Andenken zählen kann.

    b. weil sie ihm Bilder zeigen möchte.

    c. weil es abends keinen Platz im Restaurant gibt.

II. Leseverständnis

C. **Ein Märchen.** Lesen Sie das Märchen von den Brüdern Grimm und bestimmen Sie, ob die Aussagen **richtig (R)** oder **falsch (F)** sind.

Der süße Brei[1]

Es war einmal ein armes Mädchen, das lebte mit seiner Mutter allein, und sie hatten nichts mehr zu essen.

Da ging das Kind in den Wald und dort begegnete[2] ihm eine alte Frau, die wusste von seiner Not[3] und schenkte ihm ein Töpfchen[4], zu dem sollte es nur sagen: „Töpfchen koch!", so würde es süßen Hirsebrei[5] kochen. Und wenn es sagte: „Töpfchen, steh!", so würde es wieder aufhören zu kochen.

Das Mädchen brachte den Topf seiner Mutter, und nun brauchten sie nicht mehr in Armut zu leben und nie wieder Hunger zu leiden[6], und sie aßen süßen Brei, so oft sie wollten.

Eines Tages aber war das Mädchen ausgegangen, da sprach die Mutter: „Töpfchen, koch!" Da kocht es, und sie aß sich satt[7]. Dann will sie, dass das Töpfchen wieder aufhören soll, aber sie weiß das Wort nicht. Also kocht es fort[8], und der Brei steigt[9] über den Rand[10] hinaus und kocht immerzu, die Küche und das ganze Haus voll und das zweite Haus voll und dann die Straße, als wollte es die ganze Welt satt machen. Es ist die größte Not, aber kein Mensch weiß da zu helfen.

Endlich, wie nur noch ein Haus übrig ist, kommt das Kind heim[11] und sagt nur: „Töpfchen, steh!", da hört es auf zu kochen. Und wer wieder in die Stadt wollte, der musste sich durchessen.

---

[1]porridge; [2]traf; [3]great need, emergency; [4]ein kleiner Topf; [5]millet gruel; [6]suffer; [7]aß ... satt: ate her fill; [8]weiter; [9]geht; [10]edge; [11]nach Hause

Richtig (R) oder falsch (F)?

_____ 1. Das Mädchen hatte gar keinen Arm.

_____ 2. Die alte Frau hatte keine Ahnung° von der Not des Mädchens.   *idea*

_____ 3. Das Töpfchen konnte sprechen.

_____ 4. Nachdem Mutter und Kind den kleinen Topf bekommen hatten, hungerten° sie nicht mehr.   *did starve*

_____ 5. Nachdem das Mädchen ausgegangen war, aß die Mutter süßen Brei.

_____ 6. Weil die Mutter „Töpfchen, steh!" nicht wusste, kochte das Töpfchen mehr und mehr Brei.

_____ 7. Als das Mädchen zurückkam, waren die Häuser und die Straße voll mit Brei.

_____ 8. Nach dieser Katastrophe musste man viel Brei essen, wenn man in die Stadt gehen wollte.

III. STRUKTUR

D. Dornröschen. Ergänzen Sie jeden Satz mit einem Verb aus den Listen. Benutzen Sie jedes Verb nur einmal.

bekamen • luden … ein • gab • sagte • waren

Es (1)_____ einmal eine Königin und ein König, die sich ein Kind wünschten. Nach vielen Jahren (2)_____ sie eine Tochter. Es (3)_____ ein großes Fest. Der König und die Königin (4)_____ viele Freunde und Feen° _____. Eine Fee verwünschte° Dornröschen: *fairies / cursed* „An ihrem fünfzehnten Geburtstag soll sie sich an einer Spindel stechen und sterben." Eine andere Fee (5)_____: „Nein, Dornröschen soll nur hundert Jahre schlafen."

schliefen … ein • fiel • sah • wurde

Als Dornröschen fünfzehn Jahre alt (6)_____, ging sie die Treppe hinauf und in einen kleinen Turm des Schlosses hinein. Dort (7)_____ sie eine alte Spindel. Sie stach sich mit dieser Spindel in den Finger. Dornröschen (8)_____ in einen tiefen Schlaf. Alle Menschen und Tiere im Schloss (9)_____.

fand • ging • heirateten • kam • küsste

Nach hundert Jahren (10)_____ ein junger Prinz. Er (11)_____ ins Schloss. Dort (12)_____ er Dornröschen. Als er sie (13)_____, wachte sie auf. Alle Menschen und Tiere wachten auf. Dornröschen und der Prinz (14)_____. Und wenn sie nicht gestorben sind, dann leben sie noch heute.

E. Über Ihre Kindheit. Ergänzen Sie jeden Satz mit einem passenden Modalverb im Präteritum.

1. Als Kind _____ ich jeden Tag mein Zimmer aufräumen.

2. Ich _____ nur bis einundzwanzig Uhr fernsehen.

3. Als ich klein war, _____ ich nicht so gut Witze° erzählen.   *jokes*

4. Meine Mutter sagte, meine älteren Schwestern _____ auch mit mir spielen.

5. Was _____ du als Kind nach der Schule machen? Fernsehen oder Fußball spielen?

F. Was passierte dann im Märchen? Bringen Sie die Ereignisse in die logische Reihenfolge°, indem° Sie Nebensätze im Plusquamperfekt und die Hauptsätze im Präteritum bilden. Beginnen Sie jedem Satz mit *nachdem*.   *sequence/by*

■ Aschenputtels Mutter: krank werden / sterben

   Nachdem Aschenputtels Mutter krank geworden war, starb sie.

1. Aschenputtels Mutter: sterben / eine schlimme Zeit für ihre Tochter beginnen

   _____

   _____

2. Aschenputtel: mit dem Königssohn tanzen / allein nach Hause laufen

   _____

   _____

3. der Königssohn: den Vogel am Grab hören / die falsche Braut zurückbringen

   _____

   _____

4. Aschenputtel: den Schuh anprobieren / der Königssohn: das Mädchen vom Fest erkennen

   _____

   _____

G. Urlaub in Braunwald. Ergänzen Sie die folgenden Mini-Dialoge mit **wenn, wann, ob** oder **als**.

1. ANKE: Weißt du, _____ das Bähnli wieder hinauffährt?

   MICHEL: In zehn Minuten.

2. MICHEL: Machst du wieder eine Pause?

   ANKE: Ja! Immer, _____ ich keine Energie mehr habe, muss ich 'was Kalorienreiches essen.

3. MICHEL: _____ hast du zuletzt gegessen?

   ANKE: _____ ich mit Petra auf der Terrasse war.

4. FRAU IMLER: Machen Sie auch nächsten Winter Urlaub in Braunwald?

   HERR KIEL: Ich bin mir nicht sicher°, _____ ich mir nächsten Winter   *sure*
   wieder so einen teuren Urlaub leisten° kann.   *afford*

5. FRAU IMLER: Am Nachmittag möchte ich die andere Piste ausprobieren°.   *try*

   SKILEHRER: _____ Sie Anfänger sind, sollten Sie wirklich auf dieser Piste bleiben.

H. Die Hotelwirtin weiß einfach alles! Die Hotelwirtin Frau Palmer beantwortet allerlei° Fragen ihrer Gäste. Ergänzen Sie Frau Palmers Antworten mit einer passenden Genitivform.

all sorts of

- HERR LEHMANN: Wie ist die Telefonnummer vom Hotel?
  FRAU PALMER: Die Telefonnummer *des Hotels* ist 88 008.

1. HERR METZ: Was ist die Postleitzahl° vom Dorf?

   postal code

   FRAU PALMER: Die Postleitzahl _____ _____ ist 91020.

2. HERR BECK: Wie ist die Farbe von den Anfängerpisten auf der Karte?

   FRAU PALMER: Die Farbe _____ _____ ist grün.

3. FRAU STUMPP: Was sind die Öffnungszeiten von der Bergwirtschaft?

   FRAU PALMER: Die Öffnungszeiten _____ _____ sind täglich von 11 bis 24 Uhr.

I. Worüber klatschen° sie? Fünf Freunde sprechen über ihre Familie. Ergänzen Sie die folgenden Sätze mit einem Ausdruck im Genitiv.

gossip

- Monika sagt, dass ihre Mutter früher Skilehrerin war.

  Monika spricht über den Beruf *ihrer Mutter*.

1. Fritz und Holger erzählen, dass ihre Schwester im Jahr 240.000 DM verdient.

   Fritz und Holger sprechen über das Gehalt _____ _____.

2. Inge sagt, ihr Sohn wird im Mai eine Reise machen.

   Inge spricht über die Reisepläne _____ _____.

3. Helmut erklärt, dass sein Haus 204 m^2 hat.

   Helmut spricht über die Größe _____ _____.

4. Martina sagt, ihre Söhne haben diesen Sommer einundzwanzig Tage frei.

   Martina spricht über die Schulferien _____ _____.

IV. VOKABELN

J. Märchenzitate. Ergänzen Sie die folgenden Zitate aus berühmten Märchen.

1. „Spieglein, Spieglein an der _____, wer ist die Schönste im ganzen Land?"

2. „Rapunzel, Rapunzel, lass dein _____ herunter."

3. „Ei, Großmutter, was hast du für große _____!"
   „Damit ich dich besser sehen kann."

4. „Bäumchen, rüttel dich und schüttel dich, wirf _____ und Silber über mich."

K. Nein, das stimmt nicht! Hanna und Hanno streiten sich wieder. Hanno sagt immer das Gegenteil von Hanna. Ergänzen Sie jeden Satz mit dem Gegenteil von dem kursivgedruckten Wort.

1. HANNA: Unser Skilehrer ist *schlecht gelaunt.*

    HANNO: Nein, bestimmt nicht! Er ist _____ _____.

2. HANNA: Ich glaube, der Typ ist aus dem Bus *ausgestiegen.*

    HANNO: Das darf nicht wahr sein! Er ist doch gerade erst _____!

3. HANNA: Ich meine, alle *Fortgeschrittenen* sind in meiner Gruppe.

    HANNO: Nein! Ihr könnt nicht Ski laufen. Ihr seid alle _____.

4. HANNA: Das beste Restaurant in dieser Skigegend ist oben auf dem *Gipfel.*

    HANNO: Unsinn! Das beste Restaurant ist unten im _____.

L. Was ist logisch? Umkreisen Sie die beste Antwort.

1. Wo waren die Gäste untergebracht?

    a. Im Pulverschnee.

    b. In dem Bähnli.

    c. In der Jugendherberge.

2. Bist du nach diesem Projekt ferienreif°?   *ready for vacation*

    a. Ja, ich brauche dringend Urlaub.

    b. Nein, ich sehe oft fern.

    c. Ja, ich arbeite noch.

3. Wo macht ihr in der Zukunft Urlaub?

    a. Letztes Jahr waren wir in der Schweiz.

    b. Wir möchten nächstes Jahr nach Österreich fahren.

    c. Die Ferien fanden wir ganz toll!

4. Wessen Märchenbuch liegt auf dem Tisch?

    a. Es kommt nicht aus dem westlichen Teil Deutschlands.

    b. Das Buch liegt unter den Zeitschriften.

    c. Das ist mein Buch.

M. Eins von den Dingen gehört nicht zu den anderen. Umkreisen Sie in jeder Gruppe das Wort, das nicht zu den anderen passt.

1. rufen	nennen	proklamieren	wachsen
2. wünschen	klettern	steigen	hinaufgehen
3. verschneit	autofrei	sonnig	windig
4. die Insel	das Tal	die Braut	der Berg
5. die Ferien	der Wandel	der Urlaub	die Freizeit

V. KULTUR

N. Feiertage. Umkreisen Sie das passende Satzende.

1. Martina and Fritz are planning a costume ball in February in Augsburg, a town in southern Bavaria. The invitation would most likely refer to this riotous occasion as . . .
   a. **ein Faschingsball.**
   b. **ein Adventstanz.**
   c. **eine Fastenzeit.**

2. After **Rosenmontag** and **Karnevalsdienstag** follows . . .
   a. **Fischmittwoch.**
   b. **Aschermittwoch.**
   c. **Karnevalmittwoch.**

3. In the Rhineland, the **Karneval** season officially begins . . .
   a. Fat Tuesday.
   b. Easter Sunday.
   c. November 11th at 11:11 A.M.

4. On December 6th, good little boys and girls in German-speaking countries can expect . . .
   a. to find presents from the **Christkind** under the tree.
   b. to receive candy and nuts left in their shoes by **St. Nikolaus.**
   c. to bake **Lebkuchen** and **Christstollen** as they conclude the **Advent** celebrations.

5. October 3rd is a national holiday in Germany commemorating . . .
   a. the fall of the Berlin Wall.
   b. the official unification of the two Germanys.
   c. the first day of **Oktoberfest.**

O. Was stimmt? Umkreisen Sie **alle** richtigen Aussagen.

1. The central European country of Switzerland . . .
   a. is officially known as *Confoederatio Helvetica*.
   b. has two national languages: French and Italian.
   c. is divided into 16 provinces known as **Bundesländer.**
   d. houses one of the two European headquarters for the United Nations, which might seem ironic because Switzerland itself is not a member.

2. Jakob and Wilhelm Grimm . . .
   a. published important anthologies of folk and fairy tales and myths.
   b. wrote most of the fairy tales themselves which appeared in the anthology **Kinder- und Hausmärchen.**
   c. began compiling the first comprehensive **Deutsches Wörterbuch** which was completed many years after their deaths.
   d. are generally regarded as the founding fathers of oral tradition.

VI. ZUM SCHREIBEN

P. Märchenhafter Winterurlaub in Hinterwald. Schreiben Sie einen Artikel über Winterurlaubsmöglichkeiten in dem fiktiven Dorf Hinterwald. Ihr Artikel wird in einer Broschüre des Fremdenverkehrsbüros erscheinen°. Beschreiben Sie, was Touristen erwarten können. Welche Wintersportarten gibt es in Hinterwald? Welche Aktivitäten gibt es für Nicht-Skiläufer? Schreiben Sie mindestens zwölf Sätze. Geben Sie dem Artikel einen guten Titel. Vielleicht helfen Ihnen die folgenden Wörter.

appear

erleben • die Gastfreundschaft • die Landschaft • die Langlaufloipe •
der Pulverschnee • spazieren gehen • die Stille • die Zauberstimmung

_____

_____

_____

_____

_____

_____

_____

_____

_____

VII. ZUM SPRECHEN

Q. Persönliche Fragen. Sie wollen eine Person in Ihrer Deutschklasse näher kennen lernen. Fragen Sie Ihren Partner/Ihre Partnerin nach seiner/ihrer Kindheit° und nach seinen/ihren Urlaubsgewohnheiten. Nehmen Sie die folgenden Fragen zu Hilfe und führen Sie ein Gespräch auf Deutsch. Wechseln Sie sich ab.

childhood

1. Wie hast du als Kind deinen Geburtstag gefeiert? Wie feierst du jetzt am liebsten deinen Geburtstag?

2. Was konntest du besonders gut machen, als du klein warst?

3. Welche Märchen hast du gern als Kind gelesen?

4. Liest du immer noch Märchen? Warum?

5. Was machst du gern in den Semesterferien?

6. Was ist dein Traum-Urlaubsland? Warum?

7. Wann machst du am liebsten Urlaub? Warum?

8. Wo übernachtest du, wenn du unterwegs bist?

9. Welchen Feiertag feierst du gar nicht? Warum?

10. Was ist deiner Meinung nach die beste Verfilmung eines Märchens?

Kapitel 11: Instructor's Page

TEIL 1. HÖRVERSTÄNDNIS

Übung A. Berliner Sehenswürdigkeiten. Sie hören, wie fünf Berliner Sehenswürdigkeiten beschreiben. Schreiben Sie unter jedes Bild die Nummer der passenden Sehenswürdigkeit. Es gibt mehr Bilder als Beschreibungen. Sie hören jede Beschreibung zweimal.

Fangen wir an.

Sehenswürdigkeit 1: Diese Residenz steht mitten in der Stadt. Sie wurde als Sommerpalast für die Frau von König Friedrich dem Ersten, Sophie Charlotte, gebaut.

Sehenswürdigkeit 2: Hier spielt das berühmteste Orchester Deutschlands.

Sehenswürdigkeit 3: Knapp dreißig Jahre war diese Barriere als Symbol des Kalten Krieges zwischen Ost und West. Heute stehen nur noch die Reste von dieser Barriere in der Stadt.

Sehenswürdigkeit 4: Im Zweiten Weltkrieg wurde dieses Gebäude bombardiert. Diese Kirche ist heute noch eine Ruine, weil sie nach dem Krieg nicht wieder aufgebaut wurde.

Sehenswürdigkeit 5: Diese lebendige Hauptstraße im westlichen Teil Berlins nennt man den Kudamm. Hier kann man in einem Café sitzen oder einen Einkaufsbummel machen.

Übung B. Was ist logisch? Sie hören fünf Fragen. Auf Ihrem Prüfungsblatt sehen Sie für jede Frage drei Antworten. Umkreisen Sie die beste Antwort. Sie hören jede Frage zweimal.

Fangen wir an.

1. Möchtest du das Schloss Sanssouci besichtigen?
2. Wie war die Stimmung in der DDR nach der Wende?
3. Weißt du, ob der Reichstag noch geschlossen ist?
4. Hast du dich mit deiner Freundin verabredet?
5. Würdest du mir bitte DM 100 geben?

Kapitel 11

I. HÖRVERSTÄNDNIS

A. Berliner Sehenswürdigkeiten. Sie hören, wie fünf Berliner Sehenswürdigkeiten beschreiben. Schreiben Sie unter jedes Bild die Nummer der passenden Sehenswürdigkeit. Es gibt mehr Bilder als Beschreibungen. Sie hören jede Beschreibung zweimal.

_____   _____   _____   _____

_____   _____   _____   _____

B. Was ist logisch? Sie hören fünf Fragen. Hier sehen Sie für jede Frage drei Antworten. Umkreisen Sie die beste Antwort. Sie hören jede Frage zweimal.

1. a. Ja. Fahren wir nach Potsdam!

   b. Schade. Es gibt gar nicht so viel in der alten Kirche zu sehen.

   c. Ja. Ich hätte dich mitnehmen sollen.

2. a. Tragisch, weil viele Leute auswandern mussten.

   b. Euphorisch! Es wurde getanzt und gesungen.

   c. Ich würde sagen, negativ.

3. a. Nein, das Schloss ist jeden Tag offen.

   b. Ich bin ganz deiner Meinung.

   c. Ja, er wird im Moment renoviert.

4. a. Nein, meine Freundin heißt Vera.

   b. Nein, ich habe nichts vor.

   c. Macht nichts!

5. a. Das würde uns zu viel kosten.

   b. Nein, ich hätte mehr Geld.

   c. Ja, wenn ich das Geld hätte.

II. LESEVERSTÄNDNIS

C. **Bunte Bilder in Berlin.** Lesen Sie den Artikel über die Berliner Mauer aus einer Jugendzeitschrift. Umkreisen Sie dann die beste Antwort auf jede Frage.

Berlin hat eine neue Galerie: die alte Mauer. Fast drei Jahrzehnte trennte die Betonwand[1] Berlin in zwei Teile. Jetzt hat man sie fast überall abgerissen. Doch direkt neben einem Kanal stehen noch 1300 Meter. Eine Berliner Künstlerin hatte die Idee zu einer riesigen[2] Freiluft-Galerie. 118 Künstler aus 21 Ländern kamen. Sie bemalten 4196 Quadratmeter mit über 4000 Litern Farbe[3]. Die Bilder sind 20 bis 30 Quadratmeter groß. Themen: Umwelt, Toleranz oder Frieden[4].

Viele Touristen kommen, um[5] sich die bunten Bilder anzuschauen. Später will man die Kunstwerke zerlegen[6] und rund um die Welt schicken. Auch in Amerika und Asien kann man dann die Ausstellung sehen. Am Ende will man die Bilder versteigern[7]. Die Hälfte des Gewinns bekommt dann eine Schule für schwerhörige[8] Kinder. Die steht nämlich ganz in der Nähe der Freiluft-Galerie.

---

[1]concrete; [2]sehr großen; [3]paint; [4]peace; [5]in order to; [6]dismantle; [7]to auction; [8]hard of hearing

1. Was wurde laut° diesem Artikel aus einem Teil der Berliner Mauer gemacht? *according to*

   a. Ein Kanal.

   b. Eine Freiluft-Galerie.

   c. 20 bis 30 Quadratmeter.

2. Wer hatte die Idee, aus der Betonwand eine Galerie zu machen?

   a. 118 Künstler aus 21 Ländern.

   b. Schwerhörige Kinder.

   c. Eine Berliner Künstlerin.

3. Was wurde in den Bildern wahrscheinlich <u>nicht</u> thematisiert?

   a. Tourismus.

   b. Szenen mit toleranten Bürgern.

   c. Umweltprobleme.

4. Was will man mit den Kunstwerken machen?

   a. Nach Berlin schicken.

   b. Um die Welt senden.

   c. Nach Japan verkaufen.

5. Wer bekommt nach der Auktion fünfzig Prozent des Gewinns°? *profit*

   a. Amerika und Asien.

   b. Die Berliner Künstlerin.

   c. Eine Schule für schwerhörige Kinder.

6. Wann wurde dieser Artikel geschrieben?

   a. Vor der Wende.

   b. Nach der Wende.

   c. In der ehemaligen DDR.

III. STRUKTUR

D. Wie reagieren die Neffen? Tante Margot hat viele Vorschläge für ihre Neffen Martin und Max. Die Neffen sagen, was sie denken, in höflicher Form. Schreiben Sie die höflichen Antworten im Konjunktiv.

- Tante Margot sagt: Wir könnten Checkpoint Charlie besuchen.
  Martin denkt: Das ist eine gute Idee.

  Martin sagt: *Das wäre eine gute Idee.*

1. Tante Margot sagt: Wir könnten ins Museum gehen.
   Martin denkt: Das interessiert mich schon.

   Martin sagt: _____

2. Tante Margot sagt: Später könnten wir einen Kuchen backen.
   Martin und Max denken: Dazu haben wir keine Lust.

   Martin und Max sagen: _____

3. Tante Margot sagt: Wir könnten den Abend im Biergarten verbringen.
   Martin denkt: Die Idee gefällt mir schon.

   Martin sagt: _____

E. Eine Sonntagsfahrt. Oma Hubner macht mit ihrem Enkel Fritz eine Sonntagsfahrt und hat viele Vorschläge. Sie stellt ihm höfliche Fragen. Benutzen Sie den Konjunktiv.

- wir / Frau Winkler mitnehmen können
  Könnten wir Frau Winkler mitnehmen?

1. du / nicht den Ölstand prüfen° müssen   *Ölstand prüfen: check the oil*

   _____

   _____

   _____?

2. du / bitte langsamer fahren können

   _____

   _____

   _____?

3. ich / das Fenster aufmachen dürfen

   _____

   _____

   _____?

4. wir / unterwegs etwas essen sollen

   _____

   _____

   _____?

F. **Was wird hier gemacht?** Beschreiben Sie, was an jedem Ort gemacht wird.

- in der Bibliothek *Hier wird gelesen.*

1. in der Küche _____

2. im Spanischkurs _____

3. in der Kneipe _____

4. auf dem Fußballplatz _____

G. **Die Geschichte Berlins.** Beschreiben Sie einige Ereignisse° aus der Geschichte Berlins.   *events*
Benutzen Sie die Zeitausdrücke aus der Liste in der richtigen Passivform.

im Jahre 1990 • nach der Wende • im August 1961 • in der Kristallnacht • im Jahre 1918

- der Reichstag / renovieren

   Nach der Wende wurde der Reichstag renoviert.

1. die Weimarer Republik / gründen

   _____

   _____

2. jüdische Geschäfte / zerstören

   _____

   _____

3. die Mauer / abreißen

   _____

   _____

4. Berlin / durch die Mauer / teilen

   _____

   _____

IV. VOKABELN

H. **An ihrer Stelle ...** Was würden Sie in den folgenden Situationen machen? Beenden Sie die Sätze im Konjunktiv.

- Frau Wenders trinkt viel Tee und kann nachts nicht einschlafen.

   An ihrer Stelle *würde ich nicht so viel Tee trinken.*

1. Morgen hat Rüdiger sein erstes Vorstellungsgespräch, aber er hat keinen Anzug.

   An seiner Stelle _____

   _____

2. Ihre Mathematikprofessorin hat schreckliche Halsschmerzen.

   An ihrer Stelle _____

   _____

3. Otto und Petra haben eine Tasche mit 1000 Euro drin gefunden.

   An ihrer Stelle _____

   _____

4. Familie Roth fährt nächste Woche nach Berlin und will ein paar Sehenswürdigkeiten besichtigen.

   An ihrer Stelle _____

   _____

5. Antons Onkel hat eine Villa in Südfrankreich geerbt°.   *inherited*

   An seiner Stelle _____

   _____

I. **Mini-Dialoge.** Hanno spricht mit einer amerikanischen Austauschstudentin über seine Amerikareise letztes Jahr. Umkreisen Sie die beste Antwort.

1. In New Orleans hat ein Taschendieb° mein Geld gestohlen.   *pickpocket*

   a. Ich könnte dich warnen.

   b. Ich hätte dich warnen sollen.

   c. Ich warne dich.

2. Was sollte ich mir ansehen, wenn ich wieder nach Amerika reisen würde?

   a. Das wäre sehr schön.

   b. Ich hätte nichts gemacht.

   c. Ich würde den Südwesten besuchen.

3. In den Hotels von Atlanta gab es viele Umbauarbeiten.

   a. Wahrscheinlich wurde alles renoviert und geputzt.

   b. Ja, die Arbeiter in Atlanta geben viel aus.

   c. Ja, innerhalb der Stadt werden alle Gebäude abgerissen°.   *torn down*

4. Ich hatte nicht genug Zeit, alles in Amerika zu sehen.

   a. Du hättest eine Uhr mitbringen sollen.

   b. Ja, das hätte ich dir auch sagen können.

   c. Ja, es gibt oft Verspätungen.

J. Prüfungsangst. Dave hat Angst, weil er morgen eine Deutschprüfung schreibt. Ergänzen Sie die Sätze mit einer Präposition aus der Liste.

(an)statt • außerhalb • innerhalb • trotz • während • wegen

1. _____ seiner Prüfung morgen bleibt Dave heute Abend zu Hause.

2. _____ eines Biers trinkt er eine Cola, denn er muss sich konzentrieren.

3. Die Professorin sagte, dass man _____ der Prüfung kein Wörterbuch benutzen darf.

4. Am Wochenende ruft Dave seine deutsche Tante Ingeborg in Milwaukee an, denn er möchte auch _____ des Klassenzimmers Deutsch sprechen.

K. Eins von den Dingen gehört nicht zu den anderen. Umkreisen Sie in jeder Gruppe das Wort, das nicht zu den anderen passt.

1. die Oder   der Rhein   die Altstadt   die Spree

2. der Maikäfer   der Alexanderplatz   die Mauer   die Gedächtniskirche

3. heulen   weinen   jammern   zerbomben

4. Ganz toll!   Schade!   Prima!   Echt spitze!

5. der Bundespräsident der Kanzler   der Widerstand   der Bürgermeister

V. KULTUR

L. Helmut und Melanie wohnen in Berlin. Was ist logisch? Umkreisen Sie das passende Satzende.

1. Helmut has just proposed that he and Melanie meet tomorrow for coffee at a small café on the Kudamm. In order to confirm her interest, Melanie says,

   a. **Ach so.**

   b. **Das hört sich gut an.**

   c. **Wie bitte?**

2. Helmut suggests meeting at 3:30 P.M. in front of the café. Melanie lets Helmut know that he's got himself a date by responding,

   a. **An deiner Stelle.**

   b. **Vielleicht.**

   c. **Abgemacht.**

3. Helmut politely gives his order to the waiter in the café by saying,

   a. **Sie trinken Kamillentee am liebsten.**

   b. **Ich brauche einen Kamillentee.**

   c. **Ich hätte gern einen Kamillentee, bitte.**

4. On the Kudamm, Melanie and Helmut will definitely <u>not</u> see any . . .

    a. watch towers left standing as reminders of life on this former East German street.

    b. tourists checking out the action on this lively street.

    c. post-war buildings, because the Kudamm went virtually unscathed during World War II.

5. Helmut and Melanie know that Berlin . . .

    a. was a divided city before World War II.

    b. lies on the Rhine River.

    c. used to lie within the territory of East Germany.

M. BRD oder DDR? Welche Aussagen beschreiben die ehemalige BRD? Welche beschreiben die ehemalige DDR? Kreuzen Sie die richtige Antwort an.

Which country …	BRD	DDR
1. was known as a Marxist workers' state?	_____	_____
2. was occupied by France, Great Britain, and the U.S. after World War II?	_____	_____
3. erected a structure in 1961 known as "der antifaschistische Schutzwall"?	_____	_____
4. was characterized by a social market economy?	_____	_____
5. was regarded as the wealthiest state of all Warsaw Pact nations?	_____	_____

N. Regierung und Politik. Finden Sie für jede Definition in der linken Spalte den passenden Begriff oder Namen in der rechten Spalte.

1. _____ das deutsche Parlament

2. _____ die erste deutsche Republik (1918–1933)

3. _____ nationalsozialistische Diktatur

4. _____ Repräsentant im deutschen Parlament

5. _____ die Hauptstadt des vereinten Deutschlands

6. _____ eine Rettungsaktion für West-Berlin im Jahre 1948.

    a. die Luftbrücke
    b. die Weimarer Republik
    c. die Kristallnacht
    d. Berlin
    e. der Bundestag
    f. das Dritte Reich
    g. Adolf Hitler
    h. der Abgeordnete
    i. das Königtum
    j. der Kalte Krieg

VI. ZUM SCHREIBEN

O. Ihre Sorgen. Mein Rat. Frau Anneliese Sandler schreibt für eine süddeutsche Zeitung. Sie gibt Lesern und Leserinnen mit Problemen Rat. Lesen Sie den folgenden Leserbrief und schreiben Sie Frau Sandlers Antwortbrief. Benutzen Sie den Konjunktiv, z.B.: **An Ihrer Stelle hätte (würde) ich …** Schreiben Sie mindestens zehn Sätze.

JULIA K.: Meine fünfzehnjährige Tochter ist ganz wild. Sie lernt nicht mehr für die Schule und muss deswegen° die neunte Klasse   *on account of that* wiederholen. Jedes Wochenende geht sie aus und kommt oft betrunken nach Hause. Diesen Sommer möchte sie mit ihrem achtzehnjährigen Freund Urlaub machen. Ich bin absolut dagegen! Was soll ich machen? Wie kann ich meiner Tochter helfen?

Liebe Frau K.,

_____

_____

_____

_____

_____

_____

_____

_____

_____

_____

VII. ZUM SPRECHEN

P. Persönliche Fragen. Sie wollen eine Person in Ihrer Deutschklasse näher kennen lernen. Fragen Sie Ihren Partner/Ihre Partnerin, was er/sie gern in Deutschland alles sehen möchte und was er/sie von der DDR weiß. Nehmen Sie die folgenden Fragen zu Hilfe und führen Sie ein Gespräch auf Deutsch. Wechseln Sie sich ab.

1. Welches Bundesland würdest du am liebsten besuchen? Warum?

2. Würdest du gern nach Berlin fahren? Was würdest du gern dort sehen?

3. Wie informierst du dich über eine neue Stadt?

4. Wie war das Leben in der DDR vor der Vereinigung?

5. Was waren die positiven Aspekte des Lebens in der ehemaligen DDR?

6. Warum sind viele DDR-Rentner im Osten geblieben, obwohl sie in den Westen hätten ausreisen dürfen?

Kapitel 12: Instructor's Page

TEIL 1. HÖRVERSTÄNDNIS

Übung A. Umweltfreundliches Verhalten? Sie hören fünf Aussagen über Familie Schirmlingers Gewohnheiten. Kreuzen Sie auf Ihrem Prüfungsblatt an, ob diese Gewohnheiten umweltfreundlich oder nicht umweltfreundlich sind. Sie hören jede Aussage zweimal.

Fangen wir an.

1. Wenn Frau Schirmlinger einkaufen geht, vergisst sie immer eine Tasche mitzubringen. Sie kauft jedes Mal eine Plastiktüte.

2. Wenn das Wetter schön ist, fährt Herr Schirmlinger mit dem Fahrrad zur Arbeit.

3. Im Büro sortiert Herr Schirmlinger das Altpapier und bringt es zur Sammelstelle.

4. Frau Schirmlinger wirft alte Dosen in den Müll. Sie hat keine Zeit, den Müll zu sortieren.

5. Oma Schirmlinger benutzt keinen Föhn, um sich die Haare zu trocknen. Sie möchte weniger Strom verbrauchen.

B. Was ist logisch? Sie hören fünf Fragen. Auf Ihrem Prüfungsblatt sehen Sie für jede Frage drei Antworten. Umkreisen Sie die beste Antwort. Sie hören jede Frage zweimal.

Fangen wir an.

1. Weißt du, wann man die Bewerbung einschicken muss?

2. Dürfen Amerikaner in Deutschland arbeiten?

3. Wie sind deine Deutschkenntnisse?

4. Hast du gute Nachrichten erhalten?

5. Was machst du in deiner Freizeit?

Kapitel 12

I. HÖRVERSTÄNDNIS

A. Umweltfreundliches Verhalten°? Sie hören fünf Aussagen über Familie *behavior*
Schirmlingers Gewohnheiten. Kreuzen Sie an, ob diese Gewohnheiten
umweltfreundlich oder nicht umweltfreundlich sind. Sie hören jede Aussage zweimal.

	Umweltfreundlich	Nicht Umweltfreundlich
1.	_____	_____
2.	_____	_____
3.	_____	_____
4.	_____	_____
5.	_____	_____

B. Was ist logisch? Sie hören fünf Fragen. Hier sehen Sie für jede Frage drei Antworten.
Umkreisen Sie die beste Antwort. Sie hören jede Frage zweimal.

1. a. Die Bewerbung sieht schick aus.

   b. Nein, ich habe wirklich keine Ahnung.

   c. Ja, ich habe die Stelle bekommen.

2. a. Nein, ich habe keine Lohnsteuerkarte.

   b. Nein, die meisten Amerikaner arbeiten nicht in einem europäischen Land.

   c. Ja, wenn sie eine Arbeitserlaubnis haben.

3. a. In Deutschland brauche ich einen Stempel in meinem Pass.

   b. Nicht schlecht. Ich kann ziemlich gut Deutsch sprechen.

   c. Ich kenne viele Deutsche.

4. a. Ja, ich habe endlich eine Stelle bekommen!

   b. Nein, ich halte das nicht für richtig.

   c. Halt! Er sagt jetzt gute Nacht.

5. a. Ich würde nach Europa fliegen.

   b. In meiner Freizeit lese ich.

   c. Das hätte ich lieber nicht gemacht.

II. LESEVERSTÄNDNIS

C. Wem hilfst du? Ein Reporter für JUMA, ein Jugendmagazin, hat sechs Jugendlichen die gleiche Frage gestellt: Gibt es Menschen oder besondere Organisationen, denen du gern helfen würdest? Lesen Sie die Antworten. Ergänzen Sie dann jede Aussage mit dem richtigen Namen.

HEIKO:	Ich weiß jetzt nichts Spezielles. Aber ich weiß, wem ich nicht gerne helfen würde: aufdringlichen° Freunden.	*pushy*
MELANIE:	Ich helfe gerne allen, die mich fragen, wenn ich Lust dazu habe oder wenn ich muss. Allerdings° gibt es auch Leute, denen ich nicht helfen würde … Leute, die die ganze Hand nehmen, wenn man ihnen den kleinen Finger reicht.	*although*
TINA:	Ja. Ich möchte gerne einmal in einem Kinderhort° mitarbeiten. Das ist bestimmt anstrengend°, aber interessant.	*day care* *exhausting*
KATJA UND JULIA:	Ja, Tierschutzorganisationen. Seltene Tiere sollte man besonders schützen. Außerdem sind Tierversuche unserer Ansicht nach überflüssig.	
NIKLAS:	Ja, Umweltorganisationen. Umgekehrt° würde ich Leuten, die ich nicht mag, nur ungern helfen.	*vice versa*

1. _____ denkt, es wäre interessant, mit kleinen Kindern zu arbeiten.

2. _____, _____ und _____ sagen, dass sie bestimmten Leuten nicht helfen wollen.

3. _____, _____ und _____ würden wahrscheinlich einer Organisation gern helfen, die Tiere und Pflanzen im Regenwald schützt.

4. _____ hilft gerne, wenn sie helfen muss.

III. STRUKTUR

D. Wie wäre es, wenn … ? Schreiben Sie die folgenden Sätze zu Ende. Benutzen Sie den Konjunktiv.

1. Wenn ich mehr Geld hätte, _____

    _____

2. Wenn wir morgen keinen Deutschkurs hätten, _____

    _____

3. Wenn es keine Autos mehr gäbe, _____

    _____

4. Wenn es die Mauer zwischen Ost- und Westdeutschland noch gäbe, _____

    _____

E. **Es wäre schön, wenn ...** Der deutsche Wirtschaftsstudent Jan hat gerade erfahren, dass er eine Praktikantenstelle in New York bekommen hat. Jan spekuliert über seine Zukunft in den USA. Bilden Sie Konjunktivsätze, indem° Sie einen Satzteil aus der linken Spalte mit einem Satzteil aus der rechten Spalte verbinden.

by

1. wenn es die Möglichkeit gibt
2. wenn die Stelle in Massachusetts ist
3. wenn ich ein billiges Auto finde
4. wenn meine Eltern kommen

a. ich kann bei meinem Onkel in Boston wohnen
b. wir gehen im Central Park spazieren.
c. ich nehme meine Freundin Ute mit
d. ich fahre im Sommer allein nach Florida

■   *Wenn ich ein billiges Auto fände, würde ich im Sommer allein nach Florida fahren.*

1. _____

_____

2. _____

_____

3. _____

_____

F. **Umweltschutz.** Familie Grubner hilft, die Umwelt zu schützen. Verbinden Sie die zwei Sätze mit einer **um ... zu** Konstruktion.

■   Herr Grubner benutzt die Geschirrspülmaschine nur einmal pro Woche. Er spart Wasser.
Herr Grubner benutzt die Geschirrspülmaschine nur einmal pro Woche, um Wasser zu sparen.

1. Wir sammeln Altglas und Dosen. Wir recyceln so viele Sachen wie möglich im Haushalt°.

household

_____

_____

2. Herr Grubner fährt mit einer Kollegin zur Arbeit. Er spart Benzin.

_____

_____

3. Frau Grubner kauft nur loses° Obst. Sie produziert wenig Müll.

loose

_____

_____

4. Familie Grubner hat einen Komposthaufen im Garten. Sie tut etwas für die Umwelt.

_____

_____

G. **Der zerstreute° Professor.** Professor Kivol vergisst immer alles. Schreiben Sie   *absent-minded*
    auf, was er alles nicht gemacht hat. Bilden Sie Sätze mit der **ohne … zu**
    Konstruktion.

    ■ Professor Kivol kommt in die Klasse. Er bringt seine Bücher nicht mit.

       Professor Kivol kommt in die Klasse, ohne seine Bücher mitzubringen.

    1. Professor Kivol schickt die Unterlagen° zurück. Er unterschreibt sie nicht.   *documents*

       _____

       _____

    2. Am Nachmittag fährt er nach Hause. Er macht das Licht im Büro nicht aus.

       _____

       _____

    3. Professor Kivol geht morgen auf eine Konferenz. Er sagt seinen Studenten kein Wort
        davon.

       _____

       _____

H. **Das soll zusätzlich° gemacht werden.** Der Greenpeace-Aktivist Helmut   *in addition*
    Blumenfeld denkt darüber nach, was zusätzlich noch gemacht werden
    soll, um die Umwelt zu schützen.

    ■ Spraydosen überall verbieten

       Spraydosen sollen überall verboten werden.

    1. die Atomenergie noch strenger kontrollieren

       _____

    2. ein ökologisches Steuersystem vorschlagen

       _____

    3. die Gewohnheiten der Wegwerf-Gesellschaft radikal verändern

       _____

       _____

IV. Vokabeln

I. **Vorbereitungen auf eine internationale Karriere.** Eva möchte im Ausland arbeiten.
    Ergänzen Sie die folgenden Sätze mit einem Wort aus der Liste. Benutzen Sie jedes Wort
    nur einmal.

    bewerben • Lohnsteuerkarte • Mitgliedstaat • Praktikum • sammeln

    1. Eva denkt, ein _____ bei der UNO wäre der ideale Start für ihre
        internationale Karriere.

    2. Als Praktikantin bei der UNO könnte sie viel Erfahrung _____.

3. Sie würde sich auch um andere Praktikantenstellen _____, wenn sie die Stelle bei der UNO nicht bekäme.

4. Die Schweiz ist kein _____ der EU.

5. Wenn Eva in Deutschland arbeiten würde, würde sie eine _____ und eine Nummer brauchen, damit die Steuern abgezogen werden können.

J. Eins von den Dingen gehört nicht zu den anderen. Umkreisen Sie in jeder Gruppe das Wort, das nicht zu den anderen passt.

1. der Staatsbürger   der Grenzwächter   der Zöllner   der Grenzbeamte

2. die Verpackung   die Gelegenheit   die Dose   die Flasche

3. schaden   verschmutzen   schützen   ruinieren

4. das Erdöl   die Sonne   das Abgas   der Wind

K. Ein Referat über Umweltprobleme. Wolfgang hält ein Referat über Umweltprobleme und möchte die folgenden Bilder benutzen. Er weiß aber noch nicht, was er über die Bilder sagen will. Beschreiben Sie die Bilder für ihn. Benutzen Sie Wörter aus der Liste und schreiben Sie für jedes Bild mindestens einen Satz.

das Abgas • die Atomenergie • das Klima • die Luft • die Sammelstelle • sortieren • der Treibhauseffekt • der Unfall • verbreiten • verschmutzen

V. Kultur

L. Die Europäische Union und die Zukunft Europas. Umkreisen Sie das passende Satzende.

1. Beginning with a series of economic agreements, the European (Economic) Community **(Europäische Wirtschaftsgemeinschaft)** was established . . .

    a. right after World War I.

    b. to modernize East Germany after unification.

    c. in the early 1950s.

2. The fact that Fatima was born in Germany to Turkish parents before Jan. 1, 2000, . . .

    a. meant she automatically had dual citizenship.

    b. did not guarantee her German citizenship.

    c. guaranteed her German citizenship.

3. Atomic energy . . .

    a. was banned in all EU countries after the Chernobyl disaster in 1986.

    b. is the only type of energy that presently is not regulated in the EU.

    c. is widespread throughout the countries belonging to the EU.

4. A common currency for the European Union, called the **Euro** . . .

    a. is anticipated to be the greatest single unifier of all.

    b. was introduced as common currency for EU countries in 2002.

    c. is available to supplement each national currency throughout the EU.

M. Was wissen Sie über Österreich? Bestimmen Sie, ob die folgenden Aussagen **richtig (T = true)** oder **falsch (F = false)** sind.

True (T) or False (F)

_____ 1. Salzburg has been the capital of Austria for hundreds of years.

_____ 2. During World War II, Austria was annexed by Nazi Germany, and all Austrian citizens became German citizens subject to German law.

_____ 3. The Austro-Hungarian Empire still serves as a major force in European policy-making today.

_____ 4. Like Berlin, Vienna was occupied by all four Allied Powers after World War II.

_____ 5. Austria has yet to join the European Union.

VI. Zum Schreiben

N. Umweltschutz. Wer schadet der Umwelt am meisten: der Verbraucher° oder die   *consumer*
Industrie? Was meinen Sie? Können wir alle zusammen die Umwelt retten?
Wenn ja, wie? Wenn nicht, warum nicht? Schreiben Sie zwölf bis fünfzehn Sätze. Vielleicht
helfen Ihnen die folgenden Wörter.

> boykottieren • der Müll • die Pfandflasche • recyceln • sortieren • sparen •
> der Regenwald • umweltfreundlich • verschwenden

_____

_____

_____

_____

_____

_____

_____

_____

_____

_____

_____

_____

VII. Zum Sprechen

O. Persönliche Fragen. Sie wollen eine Person in Ihrer Deutschklasse näher kennen lernen.
Fragen Sie Ihren Partner/Ihre Partnerin nach seinen/ihren Zukunftsplänen und nach
seinen/ihren Gedanken zum Thema Umweltschutz. Nehmen Sie die folgenden Fragen zu
Hilfe und führen Sie ein Gespräch auf Deutsch. Wechseln Sie sich ab.

1. Was muss man in diesem Kurs machen, um eine gute Note zu bekommen?

2. Was sind deine Pläne für das nächste akademische Jahr?

3. Wo möchtest du nach deinem Studium am liebsten arbeiten? Warum?

4. Was ist für dich wichtiger – viel Geld zu verdienen oder anderen Menschen zu
   helfen? Warum?

5. Was würdest du jetzt machen, wenn du nicht weiter studieren könntest?

6. Würdest du ohne Bezahlung arbeiten, wenn du in einem Praktikum viel Erfahrung
   sammeln könntest?

7. Was würdest du machen, wenn du eine Tasche mit viel Geld finden würdest?

8. Gibt es Leute oder Organisationen, denen du nicht gern helfen würdest? Warum?

9. Was kann man für die Umwelt tun?

10. Ist Umweltschutz ein wichtiges Thema? Warum?

Test Bank Answer Key

Below are the answers for the twelve tests of the *Vorsprung* Test Bank. For test items that require more than one answer, the answers are separated by a semicolon. Alternate answers are separated by a slash. Optional elements of an answer appear in parentheses.

KAPITEL 1

A.
1. *Answer will vary.*
2. *Answer will vary.*
3. richtig
4. *Answer will vary.*
5. *Answer will vary.*

B. *Answers will vary.*

C.
1. F
2. F
3. T
4. F
5. T

D.
1. Wie heißen Sie?/Was ist Ihr Name?
2. Woher kommen Sie?
3. Wie ist die Universität?
4. Was studieren Sie?
5. Wer ist das?/Wer ist die Frau?

E.
1. ist
2. bin
3. sind
4. Bist
5. ist

F.
1. die
2. das
3. Der
4. der
5. Die
6. die
7. die
8. der

G.
1. kein
2. nicht
3. kein
4. nicht

H.
1. Er
2. sie
3. Sie
4. Er
5. es
6. Er

I.
1. freundlich
2. hell
3. lang
4. jung
5. hübsch/attraktiv

J.
1. Schweizerin
2. Mexikaner
3. Deutschland
4. Japanerin
5. Kanada

K.
1. einunddreißig
2. siebenundfünfzig
3. zweiundachtzig
4. siebzehn
5. null
6. elf

L.
1. weiß, blau
2. sprechen / lernen
3. *Answers will vary.*
4. schwarz, rot

M. *Answers will vary.*

N.
1. c
2. b
3. a
4. c
5. b
6. b

O. *Answers will vary.*

P. *Answers will vary.*

KAPITEL 2

A.

MUTTER	STIEFVATER
Maria	Thomas
48	**46**
Lehrerin	**Englischlehrer**

BRUDER	*Stiefschwester*
Christian	Hannelore
23	11
Student	Schülerin

HEIKE:
Universität Regensburg
Chemie

B. DI 08. Mai   um 9.30 (halb zehn) einkaufen gehen / um 9.30 (halb zehn) ein Geschenk (für Martina) kaufen

DO 10. Mai   um 16.00 (sechzehn Uhr) Basketball (mit Klaus) spielen

FR 11. Mai   um 10.15 (Viertel nach zehn) (mit Herbert) Englisch lernen

SO 13. Mai   um 6.45 (Viertel vor sieben) mit meinen Eltern nach Berlin fliegen

C.
1. F
2. F
3. R
4. R
5. F
6. F
7. F
8. R

D.
1. Habt; haben
2. Hast; habe; hat

E.
1. Nein, Thomas geht nicht gern einkaufen.
2. Nein, Frau Meier hat nicht viel Zeit./Nein, Frau Meier hat keine Zeit.
3. Nein, die Studenten sehen keinen Schreibtisch.
4. Nein, wir machen keine Pause.

F.
1. steht ... auf
2. kommt ... an
3. ruft ... an
4. gehen ... spazieren
5. gehen ... schlafen

G.
1. b
2. a
3. c
4. b
5. a
6. a

H.
1. Es ist acht Uhr./Es ist zwanzig Uhr.
2. Es ist Viertel nach eins./Es ist Viertel zwei./Es ist dreizehn Uhr fünfzehn.
3. Es ist halb sechs./Es ist fünf Uhr dreißig./Es ist siebzehn Uhr dreißig.
4. Es ist fünf (Minuten) vor sieben./Es ist sechs Uhr fünfundfünfzig./Es ist achtzehn Uhr fünfundfünfzig.
5. Es ist zwanzig (Minuten) nach elf./Es ist dreiundzwanzig Uhr zwanzig.

I.
1. *Answers will vary.*
2. *Answers will vary.*
3. *Answers will vary.*
4. *Answers will vary.*
5. *Answers will vary.*

J.
1. hört
2. spielen
3. Macht/Schreibt
4. sind
5. geht
6. fliegt/reist

K.
1. c
2. b
3. c
4. a
5. c
6. d

L.
1. c
2. a
3. c

M. *Answers will vary.*

N. *Answers will vary.*

KAPITEL 3

A.

	Richtig	Falsch
1.		✔
2.	✔	
3.	✔	
4.		✔
5.	✔	

B.
1. b
2. c
3. b
4. c
5. a

C.
1. F
2. F
3. T
4. F
5. T
6. T
7. T
8. Poultry

D.
1. T
2. F
3. T
4. T
5. F
6. T
7. F
8. T

E.
1. spricht
2. trägt
3. sieht ... fern
4. wird
5. fahren
6. trinkt
7. liest

F.
1. du
2. dich
3. uns
4. euch

G.
1. es
2. ihn
3. sie
4. sie
5. Sie

H. 1. ihren
2. seine
3. ihre
4. Mein
5. Ihren
6. unsere

I. 1. weiß
2. kann
3. Weißt
4. kennen
5. Kennt

J. 1. Brüder/Schwestern
2. Computer
3. Bücher
4. Betten
5. Bananen

K. *Answers will vary.*

L. 1. sondern
2. aber
3. denn
4. und

M. 1. *Answers will vary. Possible answers:*
auch, lieber
2. *Answers will vary. Possible answers:*
isst, kocht, macht
3. *Answers will vary. Possible answer:*
schwimmen
4. *Answers will vary. Possible answers:*
Wandern, Sind
5. *Answers will vary. Possible answers:*
dann, danach
6. möchten

N. 1. Musikgeschäft
2. Jugendherberge
3. Theater
4. Hafen
5. Altstadt

O. 1. a   4. c
2. d   5. a
3. b

P. 1. H
2. M
3. H; M

Q. *Answers will vary.*

R. *Answers will vary.*

KAPITEL 4

A. 1. wenig
2. ernst
3. große
4. soll
5. darf
6. muss

B. 1. c   4. b
2. b   5. a
3. a

C. 1. F   6. R
2. F   7. R
3. F   8. F
4. F   9. R
5. R

D. Students' drawings should include the following: The female (Brigitte) should be tall and thin with long hair. She should be wearing sunglasses, a short skirt, a blouse, and dark boots. A winter coat should be near by. The male (Antonio) should be short and over-weight with very short hair. He should be wearing a dark suit, a striped shirt, and (black) shoes. He should not be wearing a tie.

E. 1. Hans, mach das Bett!
2. Gerda, sei pünktlich in Frankfurt!
3. Hans, gib nicht so viel für Software aus!
4. Papa, fahr nicht so schnell!
5. Herr Leinentuch, rufen Sie morgen (bitte) an!
6. Gehen wir am Nachmittag spazieren!
7. Gerda, vergiss das Portmonee nicht!

F. 1. muss   2. darf
3. kann
4. soll

G. 1. Möchtest
2. möchte
3. Magst
4. mag

H. 1. Wollt
2. dürft
3. Musst
4. kann

I. *Students should have checked these items:*
Unterwäsche
eine Kamera
Kreditkarten
den Reisepass
zwei Koffer
Reiseschecks
Sandalen

J.
1. c
2. a
3. c
4. c

K.
1. langweilig/uninteressant
2. faul
3. unfreundlich
4. ruhig
5. lustig

L.
1. für
2. ohne
3. gegen
4. gegen/um
5. durch

M.
1. b; c; d
2. a; b; d
3. a; d

N. *Answers will vary.*

O. *Answers will vary.*

P. *Answers will vary.*

KAPITEL 5

A.

	Richtig	Falsch
1.	✔	
2.		✔
3.	✔	
4.	✔	
5.	✔	
6.	✔	

B.

	Richtig	Falsch
1.	✔	
2.	✔	
3.	✔	
4.	✔	
5.	✔	
6.		✔

C.
1. F
2. F
3. F
4. F
5. R
6. F
7. R
8. R
9. R
10. F

D.
1. bin
2. bist
3. Haben

E.
1. gesehen
2. getrunken
3. gespielt
4. gesprochen
5. verstanden
6. gegeben
7. angerufen
8. gefragt
9. gesagt

F.
1. Fabian hat einen Ring gekauft.
2. Georg und Rosi haben sich verlobt.
3. Amelie ist mit Harald ausgegangen.
4. Paul ist nach Sibirien gefahren.
5. Karin und Imke haben viel diskutiert.
6. Leo und Ina sind gestorben.

G.
1. Seit August geht Hanno mit seiner alten Freundin nicht mehr aus.
2. Nach dem großen Krach haben sie sich getrennt.

H.
1. Uli und Jochen machen einen Spaziergang an der Alster, weil das Wetter so schön ist.
2. Uli ist nicht enttäuscht, dass seine kleine Schwester nicht mitkommt.
3. Gestern sind die zwei Freunde zu Hause geblieben, weil es furchtbar geregnet hat.

I.
1. b
2. c
3. a

J.
1. b
2. b
3. c

K. *Answers will vary.*

L. *Answers will vary.*

M.
1. b
2. b
3. b

N. 1. typisch
   2. typisch
   3. nicht typisch

O. *Answers will vary.*

P. *Answers will vary.*

KAPITEL 6

A. 1. Ja, das stimmt.
   2. Ja, das stimmt.
   3. Nein, das stimmt nicht.
   4. Nein, das stimmt nicht.
   5. Ja, das stimmt.

B. 1. b   4. b
   2. c   5. a
   3. c

C. 1. R   6. R
   2. R   7. R
   3. F   8. F
   4. F   9. R
   5. F   10. R

D. 1. mir
   2. uns; euch
   3. ihr
   4. Sie
   5. ihnen
   6. sie

E. 1. gefällt
   2. helfen
   3. danke
   4. schmeckt
   5. gehören

F. 1. Wenn
   2. Wann; wenn
   3. wann; Wenn

G. 1. dies**em**   5. Diese
   2. alle   6. all**en**
   3. welch**em**   7. Büch**ern**
   4. jed**er**

H. 1. b   3. c
   2. c   4. b

I. 1. seit   5. von
   2. Außer   6. nach
   3. mit   7. zu
   4. Beim   8. aus

J. 1. g   5. a
   2. c   6. h
   3. b   7. e
   4. f   8. d

K. 1. Im Badezimmer./Im Bad.
   2. Im Garten.
   3. Im Schlafzimmer./In den Schlafzimmern.
   4. In der Küche.
   5. Im Keller./In der Küche./In der Garage.

L. 1. Augen
   2. Schultern
   3. Arm
   4. Bauch
   5. Ohren

M. 1. a   4. d
   2. c   5. a
   3. c   6. b

N. *Answers will vary.*

O. *Answers will vary.*

KAPITEL 7

A. Hilde=H; Vater=V; zusammen=z
   früh aufstehen: z
   in die Bäckerei gehen: V
   den Tee kochen: H
   in die Stadt fahren: z
   ein Geschenk kaufen: V
   in die Buchhandlung gehen: V
   sich Rollschuhe angucken: H
   Eis essen: z
   sich auf morgen freuen: z

B. 1. b   4. a
   2. a   5. c
   3. b

C. 1. F   5. T
   2. T   6. T
   3. F   7. F
   4. T   8. T

D. 1. zwischen den
   2. auf den
   3. an die
   4. vor dem

5. neben den
6. unter den
7. über dem

E. 1. der
   2. die
   3. der
   4. dem

F. 1. in einer Stunde
   2. am 13. August
   3. vor einer Woche
   4. im Jahre 1974

G. 1. Diesen Film hat Steven Spielberg im Frühjahr 1993 in Polen gedreht.
   2. Wie viele Juden haben im Jahre 1942 in Schindlers Fabrik gearbeitet?
   3. Im Jahre 1993 ist der Schauspieler Liam Neeson mit Spielberg nach Polen gegangen.

H. 1. e   4. c
   2. b   5. a
   3. d

I. 1. auf die/zur Post
   2. in der Buchhandlung
   3. auf die Bank
   4. Im Bahnhof
   5. an die Wand
   6. Unter dem Bett

J. 1. Mit dem Flugzeug.
   2. Mit dem Zug./Mit der Bahn./Mit dem Auto.
   3. Mit dem Schiff./Mit dem Boot.
   4. Mit dem Rad./Mit dem Bus./Mit dem Auto.
   5. Mit dem Rad./Mit dem Bus./Mit dem Auto.

K. 1. weil
   2. damit
   3. weil

L. 1. die Tüte
   2. der Fahrschein
   3. das Flugzeug
   4. entlang
   5. retten

M. 1. c
   2. a
   3. a

N. 1. b   4. a
   2. b   5. c
   3. c

O. 1. a   3. b
   2. a   4. c

P. 1. c   3. a
   2. d   4. b

Q. 1. F   4. T
   2. T   5. T
   3. T

R. *Answers will vary.*

S. *Answers will vary.*

KAPITEL 8

A.   **Richtig Falsch**
   1. ✔
   2.   ✔
   3. ✔
   4. ✔
   5.   ✔
   6. ✔

B. 1. a   4. b
   2. c   5. a
   3. c

C. 1. R   5. R
   2. F   6. R
   3. F   7. F
   4. F

D. 1. gebadet/gewaschen
   2. abgetrocknet
   3. angezogen
   4. geschminkt

E. 1. uns
   2. sich
   3. mir
   4. dich
   5. euch
   6. mich

F. 1. wirst; werde
   2. Werden
   3. Wird

G. 1. Wovor hast du Angst?
2. Worauf bereitest du dich vor?
3. Von wem handelt das Buch?
4. Worauf konzentrierst du dich?
5. Über wen spricht die Professorin?
6. Worauf bist du gespannt?

H. 1. Heute Abend.
2. Übermorgen.
3. Diesen Samstag.
4. In einer Woche.

I. 1. auf
2. über
3. nach
4. für
5. um
6. von

J. 1. die Steckdose
2. der Dozent
3. Betriebswirtschaft
4. denken
5. sich beeilen

K. 1. Mit dem Shampoo./Mit dem Haarwaschmittel.
2. Mit dem Föhn.
3. Mit der Seife./Mit dem Wasser.
4. Mit dem Badetuch.
5. Mit dem Rasierapparat.

L. 1. (den) Schnupfen/eine Erkältung
2. Fieber
3. Durchfall
4. Kopfschmerzen
5. Halsschmerzen

M. *Students should have checked* d *and* e.

N. 1. a
2. a
3. b

O. *Answers will vary.*

P. *Answers will vary.*

KAPITEL 9

A. Row One: 3; 2; 6
Row Two: 1; 4; 5

B. 1. b   4. a
2. a   5. c
3. b

C. 1. Johannes Gruber
2. *Answers may vary. Possible answers:* Johannes hat Spaß am Umgang mit Kindern. Er kann Deutsch, Italienisch und Englisch. Er hat vier Jahre Erfahrung.
3. *Answers may vary. Possible answers:* Barbara ist nicht qualifiziert, weil sie nur ein Jahr Erfahrung hat. Sie arbeitet am liebsten mit der Seniorengruppe/mit älteren Leuten. Sie kann kein Italienisch.
4. Katrin Rothschild
5. *Answers may vary. Possible answers:* Katrin hat ihren Führerschein. Sie ist eine kontaktfreudige Person. Sie arbeitet auch gern allein.
6. *Answers may vary. Possible answers:* Susi Edel ist nicht ideal, weil sie schon älter ist. Weil sie Angst vor dem Autofahren hat, hat sie wahrscheinlich keinen Führerschein.

D. 1. schrecklich**en**
2. groß**e**
3. blöd**e**
4. sauber**es**
5. neu**en**
6. unfreundlich**e**; Gut**en**
7. falsch**e**
8. unsympathisch**en**
9. richtig**e**; anspruchsvoll**en**
10. schrecklich**er**

E. 1. Kinderliteratur gibt es in der neuen Abteilung, die Frau Kolbe leitet.
2. Der Bewerber, auf den wir warten, sollte um neun Uhr kommen.
3. Hier sind die Bücher, mit denen der Kollege schon fertig ist.
4. Kennen Sie den neuen Mitarbeiter, der früher bei Siemens gearbeitet hat?
5. Dagmar hat ihr Praktikum in dem Betrieb gemacht, der ihr eine Stelle anbietet.
6. Der Grund, den Helmut als Entschuldigung genannt hat, war nicht überzeugend.

F. 1. Gabi ist größer als Greta.
2. Georg ist (genau) so schwer wie.
3. Gertrud ist jünger als Greta.
4. Gabi ist (genau) so alt wie Georg./ Georg ist (genau) so alt wie Georg.

G. 1. Georg ist am größten. / Georg ist das größte Kind.
2. Georg und Gabi sind am ältesten. / Georg und Gabi sind die ältesten Kinder.
3. Gertrud ist am leichtesten. / Gertrud ist das leichteste Kind.

H. 1. Die nördlichste Stadt ist Flensburg.
2. Die populärste Ferieninsel ist die Insel Sylt.
3. Das beste Bier gibt es im Süden.
4. Die meisten Bierbrauereien sind in Bayern.
5. Das berühmteste Bierfest ist in München.

I. 1. Nürnberger Lebkuchen
2. Frankfurter Würstchen
3. Münchner Hofbräuhaus
4. Meißner Porzellan

J. 1. Krankenschwester
2. Koch/Geschirrspüler
3. Lehrer
4. Maklerin
5. Tierarzt
6. Metzgerin/Fleischerin
7. Friseur

K. 1. selbstständig
2. pünktlich
3. kontaktfreudig
4. analytisch
5. qualifiziert
6. gründlich

L. 1. D   4. L
2. L   5. D
3. D

M. 1. a, d
2. a, c, d

N. *Answers will vary.*

O. *Answers will vary.*

KAPITEL 10

A. Row One: 3; 5; –
Row Two: 1; 4; 2

B. 1. b   4. c
2. a   5. b
3. a

C. 1. F   5. R
2. F   6. R
3. F   7. R
4. R   8. R

D. 1. waren
2. bekamen
3. gab
4. luden ... ein
5. sagte
6. wurde
7. sah
8. fiel
9. schliefen ein
10. kam
11. ging
12. fand
13. küsste
14. heirateten

E. 1. musste/sollte
2. durfte/konnte
3. konnte
4. sollten/wollten
5. wolltest/konntest

F. 1. Nachdem Aschenputtels Mutter gestorben war, begann eine schlimme Zeit für ihre Tochter.
2. Nachdem Aschenputtel mit dem Königssohn getanzt hatte, lief sie allein nach Hause.
3. Nachdem der Königssohn den Vogel am Grab gehört hatte, brachte er die falsche Braut zurück.
4. Nachdem Aschenputtel den Schuh anprobiert hatte, erkannte der Königssohn das Mädchen vom Fest.

G. 1. wann
2. wenn
3. Wann; Als
4. ob
5. Wenn

H. 1. des Dorfes
    2. der Anfängerpisten
    3. der Bergwirtschaft

I. 1. ihrer Schwester
    2. ihres Sohnes
    3. seines Hauses
    4. ihrer Söhne

J. 1. Wand
    2. Haar
    3. Augen
    4. Gold

K. 1. gut gelaunt
    2. eingestiegen
    3. Anfänger
    4. Tal

L. 1. c   3. b
    2. a   4. c

M. 1. wachsen
    2. wünschen
    3. autofrei
    4. die Braut
    5. der Wandel

N. 1. a   4. b
    2. b   5. b
    3. c

O. 1. a; d
    2. a; c

P. *Answers will vary.*

Q. *Answers will vary.*

KAPITEL 11

A. Row One: 2; 4; –; 5
    Row Two: –; –; 1; 3

B. 1. a   4. b
    2. b   5. c
    3. c

C. 1. b   4. b
    2. c   5. c
    3. a   6. b

D. 1. Das würde mich schon interessieren.
    2. Dazu hätten wir keine Lust.
    3. Die Idee würde mir schon gefallen.

E. 1. Müsstest du nicht den Ölstand prüfen?
    2. Könntest du bitte langsamer fahren?
    3. Dürfte ich das Fenster aufmachen?
    4. Sollten wir unterwegs etwas essen?

F. *Answers will vary. Possible answers:*
    1. Hier wird gekocht.
    2. Hier wird Spanisch gesprochen.
    3. Hier wird Bier getrunken.
    4. Hier wird Fußball gespielt.

G. 1. Im Jahre 1918 wurde die Weimarer Republik gegründet.
    2. In der Kristallnacht wurden jüdische Geschäfte zerstört.
    3. Im Jahre 1990 wurde die Mauer abgerissen.
    4. Im August 1961 wurde Berlin durch die Mauer geteilt.

H. *Answers will vary. Possible answers:*
    1. An seiner Stelle würde ich einen Anzug kaufen.
    2. An ihrer Stelle würde ich zu Hause bleiben.
    3. An ihrer Stelle würde ich das Geld zurückgeben.
    4. An ihrer Stelle würde ich (den Reichstag) besuchen.
    5. An seiner Stelle würde ich sie verkaufen.

I. 1. b   3. a
    2. c   4. b

J. 1. Wegen
    2. (An)statt
    3. während
    4. außerhalb

K. 1. die Altstadt
    2. der Maikäfter
    3. zerbomben
    4. Schade!
    5. der Widerstand

L. 1. b   4. a
    2. c   5. c
    3. c

M. 1. DDR
2. BRD
3. DDR
4. BRD
5. DDR

N. 1. e   4. h
2. b   5. d
3. f   6. a

O. *Answers will vary.*

P. *Answers will vary.*

KAPITEL 12

A.

	Umweltfreundlich	Nicht umweltfreundlich
1.		✔
2.	✔	
3.	✔	
4.		✔
5.	✔	

B. 1. b   4. a
2. c   5. b
3. b

C. 1. Tina
2. Heiko, Melanie, Niklas
3. Katja, Julia, Niklas
4. Melanie

D. *Answers will vary.*

E. *Answers will vary. Possible answers:*
1. Wenn es die Möglichkeit gäbe, würde ich meine Freundin Ute mitnehmen.
2. Wenn die Stelle in Massachusetts wäre, könnte ich bei meinem Onkel in Boston wohnen.
3. Wenn meine Eltern kämen, würden wir im Central Park spazieren gehen.

F. 1. Wir sammeln Altglas und Dosen, um so viele Sachen wie möglich im Haushalt zu recyceln.
2. Herr Grubner fährt mit einer Kollegin zur Arbeit, um Benzin zu sparen.
3. Frau Grubner kauft nur loses Obst, um wenig Müll zu produzieren.
4. Familie Grubner hat einen Komposthaufen, um etwas für die Umwelt zu tun.

G. 1. Professor Kivol schickt die Unterlagen zurück, ohne sie zu unterschreiben.
2. Am Nachmittag fährt er nach Hause, ohne das Licht im Büro auszumachen.
3. Professor Kivol geht morgen auf eine Konferenz, ohne seinen Studenten ein Wort davon zu sagen.

H. 1. Die Atomenergie soll noch strenger kontrolliert werden.
2. Ein ökologisches Steuersystem soll vorgeschlagen werden.
3. Die Gewohnheiten der Wegwerf-Gesellschaft sollen radikal verändert werden.

I. 1. Praktikum
2. sammeln
3. bewerben
4. Mitgliedstaat
5. Lohnsteuerkarte

J. 1. der Staatsbürger
2. die Gelegenheit
3. schützen
4. das Abgas

K. *Answers will vary.*

L. 1. c   3. c
2. b   4. a

M. 1. F   4. T
2. T   5. F
3. F

N. *Answers will vary.*

O. *Answers will vary.*

ANSWER KEYS TO ARBEITSBUCH

Answer Key to Workbook

Answer Key to Lab Manual

Answer Key to *Unterwegs!* Video Workbook

Answer Key to Workbook

KAPITEL 1 (S. 3–12)

A. Untertitel.
1. Entschuldigung, bin ich hier richtig?
2. Die Tür knallt zu. Alle drehen sich um.
3. Anna, Anna, wach auf!
4. Setzen Sie sich! Aber schnell!
5. Anna findet Hörsaal 20.

B. Fragen und Antworten.
Answers may vary slightly.
1. Groß, grau, unpersönlich
2. In Tübingen
3. Hörsaal 20
4. Nichts
5. Setzen Sie sich! Aber schnell!
6. Wie heißen Sie? Wie ist Ihr Name? Verstehen Sie nicht? Sprechen Sie Deutsch?

C. Untertitel.
1. Anna versteht nicht.
2. Anna sucht den Hörsaal.
3. Der Professor begrüßt Anna.
4. Anna öffnet die Tür und geht hinein.
5. Da ist die Universität in Tübingen.

D. Grüezi!
1. Guten Morgen!
2. Grüezi!
3. Servus!
4. Gute Nacht!
5. Grüß Gott!

E. *Sie, ihr* oder *du?*
1. ihr
2. du
3. Sie
4. du
5. Sie
6. ihr

F. Die Überweisung.
1. zwölf Mark fünfundzwanzig
2. dreihundertelf Euro neunundsiebzig
3. fünfhundertneunundsiebzig Mark einundsechzig
4. (ein)tausendvierundneunzig Euro
5. (ein)hundertachtunddreißig Mark achtundneunzig

G. Beschreibungen.
Answers will vary. Possible answers:
1. *Answers will vary.*

2. Er ist alt und mollig.
3. *Answers will vary.*
4. Sie sind jung und hübsch.
5. Sie ist mollig. Sie hat braunes Haar.
6. Er ist groß. Er hat graues Haar.
7. Sie sind klein und alt.

H. Fragen und Antworten.
1. c. Sie / Ich
2. e. Was / Die Uni (in Tübingen)
3. f. Sie / Ich
4. b. Sie / Ich
5. d. Wer / Ich
6. a. Die Uni (in Tübingen) / Sie

I. Interview.
1. heißt
2. Wie alt bist du?
3. Woher
4. Wie heißt
5. Wo ist sie? *(or)* Wo ist deine Universität?
6. Wie ist sie? *(or)* Wie ist deine Universität?
7. Ist sie
8. Sind die Studenten freundlich?

J. Der Deutschkurs.
1. Das
2. Die
3. Die
4. Die
5. Der
6. Das
7. Die
8. Der
9. Der
10. Die
11. Die

K. Obstsalat.
1. Nein, das sind keine Blaubeeren. Das ist ein Apfel.
   Nein, er ist rot / grün (und weiß).
2. Nein, das sind keine Erdbeeren. Das ist eine Kiwi.
   Nein, die Kiwi ist nicht schwarz. Sie ist grün (grau).
3. Nein, das ist keine Wassermelone. Das ist eine Orange.
   Nein, die Orange ist nicht braun. Sie ist orange.
4. Nein, das ist keine Banane. Das sind Blaubeeren.
   Nein, die Blaubeeren sind nicht beige. Sie sind blau.

L. Aus aller Welt.
1. Nein, er ist kein Kanadier. Er ist Schweizer.
2. Nein, sie sind keine Schweizerinnen. Sie sind Japanerinnen.
3. Nein, sie ist keine Americanerin. Sie ist Österreicherin.
4. Nein, sie ist keine Japanerin. Sie ist Mexikanerin.
5. Nein, sie sind keine Mexikaner. Sie sind Engländer.
6. Nein, er ist kein Österreicher. Er ist Deutscher.
7. Nein, sie ist keine Japanerin. Sie ist Kanadierin.
8. Nein, er ist kein Deutscher. Er ist Amerikaner.

M. Subjekte.
1. ich	6. Er
2. Sie	7. Er
3. Sie	8. Er
4. Er	9. sie
5. Sie	

N. Kreuzworträtsel.
Waagerecht →	Senkrecht ↓
1. blau	1. Amerikanerin
2. alt	2. schlank
3. Schweizer	3. achtundzwanzig
4. schwarz	4. groß
5. fünf	5. vierzehn
6. Deutsche	6. Boris Becker
7. ist	7. unattraktiv
8. Engländerin	
9. Herzog	
10. Tafel	
11. Steffi Graf	
12. Haar	

O. Das Klassenzimmer.
Answers will vary.

P. Ein Zeitungsartikel.
Answers will vary. Possible answers:
1. Florida
2. There are lot of German-speaking tourists.
3. She is asking the German tourists for a handout.
4. It is a weekly paper. The date is June 6-12.

Q. Schreiben Sie.
Answers will vary.

KAPITEL 2 (S. 13–23)

A. Untertitel.
1. Ich bin Studentin.
2. Ich gehe auch gern wandern.
3. Ich möchte so viel sehen und so viel lernen.
4. Ich höre gern Musik.

B. Die Familie.
1. Bruder
2. Tante
3. Vetter
4. Großvater, Opa
5. Enkelin
6. Neffe
7. ledig
8. Kusine
9. Katharina
10. Ulrich
11. Mechthild
12. Thomas
13. Hans-Jürgen
14. Martina
15. Hanno
16. Jennifer
17. Dirk
18. Daniel

C. Werner Günther hat viele Verwandte.
1. haben
2. habe
3. habe
4. habe
5. hat
6. haben
7. haben
8. hat
9. hat

D. *Du, ihr* oder *Sie?*
1. Habt ihr viele Verwandte?
2. Haben Sie viele Verwandte?
3. Hast du viele Verwandte?
4. Haben Sie viele Verwandte?
5. Hast du viele Verwandte?
6. Habt ihr viele Verwandte?

E. Studienfächer.
Georg Günther hat Biologie sehr gern. Er hat Englisch gern. Er hat Chemie nicht sehr gern und er hat Mathematik überhaupt nicht gern.
Katja Günther hat Physik sehr gern. Sie hat Deutsch gern. Sie hat Musik nicht sehr

gern und sie hat Soziologie überhaupt
nicht gern.
Jeff Adler hat Französisch sehr gern. Er hat
Geschichte gern. Er hat Informatik nicht sehr
gern und er hat Kunst überhaupt nicht gern.

F. Katja Günthers Familie und Verwandte.

1.	bin	6.	ist
2.	ist	7.	ist
3.	sind	8.	sind
4.	sind	9.	bist
5.	ist	10.	Bist

G. Das Klasenzimmer.

1. Wir haben kein Radio im
   Klassenzimmer. *(or)* Wir haben ein
   Radio im Klassenzimmer.
2. Wir haben keinen Computer im
   Klassenzimmer. *(or)* Wir haben einen
   Computer im Klassenzimmer.
3. Wir haben kein Fax-Gerät im
   Klassenzimmer. *(or)* Wir haben ein
   Fax-Gerät im Klassenzimmer.
4. Wir haben keine Tennisbälle im
   Klassenzimmer. *(or)* Wir haben
   Tennisbälle im Klassenzimmer.
5. Wir haben kein Telefon im
   Klassenzimmer. *(or)* Wir haben ein
   Telefon im Klassenzimmer.
6. Wir haben keinen Fernseher im
   Klassenzimmer. *(or)* Wir haben einen
   Fernseher im Klassenzimmer.
7. Wir haben keine Mathematikbücher
   im Klassenzimmer. *(or)* Wir haben
   Mathematikbücher im Klassenzimmer.
8. Wir haben keine Steckdose im
   Klassenzimmer. *(or)* Wir haben eine
   Steckdose im Klassenzimmer.

H. Am Telefon.

1.	b	5.	e
2.	a	6.	f
3.	d	7.	h
4.	g	8.	c

I. Kalender.

1.	Juli	Mittwoch
2.	September	Freitag
3.	März	Sonntag
4.	November	Montag
5.	August	Dienstag
6.	Januar	Donnerstag
7.	Mai	Samstag
8.	Februar	Donnerstag
9.	Dezember	Montag

J. Was macht Anke wann?

1. Dienstags und donnerstags um
   Viertel nach acht.
2. Montags, mittwoch und freitags um
   Viertel nach neun.
3. Donnerstags um Viertel vor fünf.
4. Freitags um halb eins.
5. Dienstags um Viertel vor fünf.
6. Dienstags und donnerstags um
   fünfundzwanzig nach zehn.

K. Annas Fax.

1. Sie
2. Universität
3. Deutschkurs
4. Oktober
5. bisschen
6. Semester
7. kommen
8. besuchen

L. Kreuzworträtsel.

Waagerecht →	Senkrecht ↓
1. Enkelin	1. Neffe
2. Enkel	2. ledig
3. Kunst	3. sieben Uhr
4. Wochenende	4. Monat
5. Vater	5. Schwester
6. Englisch	6. haben
7. August	7. Tante
8. Januar	8. nicht
9. Chemie	
10. Bruder	

M. Was lernen Sie?
Answers will vary.

N. Student in Jena.

1.	kommt	5.	studiert, versteht
2.	wohnt	6.	lernt
3.	heißt	7.	beginnt, meint
4.	sprechen	8.	geht

O. Ein Dialog.

1. Wo wohnst du?
2. Ja, ich habe einen Freund/eine
   Freundin. *(or)* Nein, ich habe keinen
   Freund/keine Freundin.
3. Er/Sie heißt ...
4. *Answers will vary. Possible answers:*
   Wir lernen zusammen. Wir gehen
   einkaufen. Wir spielen Tennis.
5. Was studierst du?
6. Nein, ich verstehe kein Französisch.
   (or) Ja, ich verstehe Französisch.

7. Ja, ich habe morgen eine Prüfung. (or)
   Nein, ich habe keine Prüfung.
8. *Answers will vary.*

P. Hannos Tagesablauf.
1. Um halb elf steht er auf.
2. Um 11.30 kommt er an der Uni an.
3. Am Nachmittag ruft er Silke an.
4. Um 17.30 kommt er von der Uni
   zurück.
5. Um 21.30 geht er mit Freunden aus.

Q. Persönliche Fragen.
1. Ich stehe um ... Uhr auf.
2. Ich gehe normalweise um ... Uhr
   schlafen.
3. Ich komme normalweise um ... Uhr
   an der Uni an.
4. Ja, ich rufe meine Professoren oft an.
   (or) Nein, ich rufe meine Professoren
   nicht oft an.
5. Ja, ich gehe gern spazieren. (or) Nein,
   ich gehe nicht gern spazieren.

R. Schreiben Sie.
Answers will vary.

KAPITEL 3 (S. 25–36)

A. Untertitel.
1. Sie trägt bestimmt immer Shorts und
   ein T-Shirt.
2. Lächelt sie immer wie alle
   Amerikaner?
3. Sieht Anna wohl immer nur fern? Hat
   sie immer ein Stück Kaugummi im
   Mund?
4. Essen sie immer nur Schweinefleisch?
   Trinken sie immer nur Bier?

B. Stereotypen.
Answers will vary.

C. Komplimente machen.
Answers will vary. Possible answers:
1. Herr Klassen, Ihre Jacke ist sehr
   schön.
2. Annette, deine Jeans sind super.
3. Herr Herder, Ihr Pullover ist
   fantastisch.
4. Frau Steiner, Ihr Parfüm ist super.
5. Christina, dein Haar ist echt toll.
6. Martin, dein T-Shirt ist schick.
7. Jennifer und Julia, eure Tennisschuhe
   sind toll.

D. Keine Komplimente.
Answers will vary. Possible answers:
1. Siehst du Sabine? Ihr Haar ist
   furchtbar!
2. Siehst du Frau Krempelmann? Ihre
   Schuhe sind nicht schön!
3. Siehst du Markus? Sein T-Shirt ist
   unattraktiv!
4. Siehst du Dirk und Daniel? Ihre
   Tennisschuhe sind sehr langweilig!
5. Siehst du Tanja? Ihr Parfüm ist nicht
   schön!
6. Siehst du Herrn König? Sein Pullover
   ist furchtbar!

E. Keine Stereotypen.
Answers will vary. Possible answers:
Thomas: Mein Freund Thomas ist
   Deutscher, aber er isst keine
   Bratwurst, sondern vegetarisch, denn
   er isst gern vegetarisch.
Midori: Meine Freundin Midori ist
   Japanerin, aber sie trinkt keinen Tee,
   sondern Kaffee, denn sie hat Kaffee
   gern.
Jim und Susan: Meine Freunde Jim und
   Susan sind Kanadier, aber sie sehen
   kein Eishockey, sondern Fußball, denn
   sie haben Fußball gern.
Marie-Claire: Meine Freundin Marie-Claire
   ist Französin, aber sie fährt keinen
   Citroën, sondern einen Audi, denn sie
   hat Audis gern.
Janet: Meine Freundin Janet ist
   Amerikanerin, aber sie trinkt keine
   Cola, sondern Mineralwasser, denn
   sie trinkt Mineralwasser gern.
Ich: *Answers will vary.*

F. Karla und Karin.
1. Karla isst gern Hamburger, aber Karin
   isst lieber Pizza. Ich esse lieber Pizza.
2. Karla trägt gern Shorts, aber Karin
   trägt lieber Jeans. Ich trage lieber Jeans.
3. Karin trinkt gern Mineralwasser, aber
   Karla trinkt lieber Cola. Ich trinke
   lieber Cola.
4. Karin trägt gern Pullover, aber Karla
   trägt lieber T-Shirts. Ich trage lieber T-
   Shirts.
5. Karla liest gern Englisch, aber Karin
   liest lieber Französisch. Ich lese lieber
   Englisch.
6. Karla spricht gern Englisch, aber
   Karin spricht lieber Französisch. Ich
   spreche lieber Deutsch.

G. Beim Essen.
   Answers will vary. Possible answers:
   1. Olaf möchte Brot und Käse zum Abendbrot haben.
   2. Nancy möchte Salat zum Abendbrot essen.
   3. Ihr möchtet Fleisch zum Mittagessen haben.
   4. Sie möchte Suppe, Kartoffeln, Fleisch und eine Nachspeise zum Mittagessen haben.
   5. Wir möchten Hamburger zum Mittagessen haben.
   6. Frau Berger möchte ein Brötchen zum Frühstück haben.

H. Freiburg oder Karlsruhe?
   Answers will vary. Possible answers:
   1. Besuchen Sie Freiburg. Freiburg hat einen 18-Loch-Golfplatz.
   2. Besuchen Sie Karlsruhe. Karlsruhe ist eine familienfreundliche Stadt.
   3. Besuchen Sie Freiburg. Freiburg hat ein Planetarium.
   4. Besuchen Sie Karlsruhe. Karlsruhe hat einen Zoo.
   5. Besuchen Sie Freiburg. Freiburg hat eine Ski-Schule.
   6. Besuchen Sie Karlsruhe. Karlsruhe hat ein Schloss.
   7. Besuchen Sie Freiburg. Freiburg hat ein gotisches Münster.
   8. Besuchen Sie Karlsruhe. Karlsruhe ist am Rhein.

I. Meine Universität.
   Answers will vary.

J. Mannheim besichtigen.
   1. Ja, ich sehe ihn.
   2. Ja, ich sehe sie.
   3. Ja, ich kann sie sehen.
   4. Ja, ich kann es sehen.
   5. Ja, ich sehen ihn.
   6. Ja, ich kann es sehen.

K. Oma und Opa.
1. uns		5. euch
2. euch		6. dich
3. uns		7. mich
4. dich		

L. Eine Konferenz.
1. meine		3. Meine
2. kenne		4. Kennen

5. Kennen	9. Kennen
6. meine	10. ihren
7. kenne	11. Ihr
8. Ihr	

M. Was gibt es in Heidelberg zu sehen?
   4, 6, 5, 2, 3, 7, 1

N. Kreuzworträtsel.

Waagerecht →	Senkrecht ↓
1. Klavier	1. Fußball
2. Butter	2. Pute
3. Tomaten	3. Kino
4. Kaffee	4. Käse
5. Bier	5. Kartoffeln
6. spazieren	6. Erbsen
	7. Wein
	8. Trauben
	9. Ei
	10. saft
	11. isst

O. Einkaufen.
   Obst: Tafeltrauben, Kiwi-Früchte, Pfirsiche
   Gemüse: Wachsbrechbohnen, Mischgemüse, Erbsen sehr fein und Karotten, Paprika
   Fleisch: Schweinebraten, Nußschinken, Steaklets, Rostbratwürstchen
   Geflügel: Putenunterkeule, Schlemmerpoularde, Hähnchenfilets
   Getränke: Supermilch, Orangenfruchtsaftgetränk, Jacobs Kaffee „Swing"
   Anderes: Regenbogenforellen, Weichkäse, Elsässer Weißbrot, Brekkies Katzennahrung

P. Ein Besuch in Bern.
   1. a bear
   2. a driving tour
   3. 2 hours
   4. 15 Swiss francs
   5. *Possible answers:* Rosengarten, Altstadt, Museen, Aare, Münster, Zeitglockenturm, Bärengraben
   6. at the **Direktion Schilthornbahn** in Interlaken

Q. Schreiben Sie.
   Answers will vary.

KAPITEL 4 (S. 37–48)

A. Untertitel.
Answers will vary.

B. Einkaufen bei Kleider Bauer.
Possible answers:
1. Jürgen, du sollst einen Anzug kaufen.
2. Sabine, du sollst ein Kleid und Strumpfhosen kaufen.
3. Kurt und Maria, ihr sollt Shirts und Jeans oder Cordhosen kaufen.
4. Jürgen, du sollst Pullover und Jeans kaufen.
5. Monika, du sollst Pullover und Jeans oder Baumwollhosen kaufen.
6. Gerda, du sollst einen Wollmantel oder einen Lederparka kaufen.
7. *Answers will vary.*

C. Nach Minnesota fahren.
Possible answers:
1. Nein, trag kein Shorts. Trag Jeans.
2. Ja, pack deine Handschuhe.
3. Ja, bring deine Jacke mit.
4. Ja, nimm deine Stiefel mit.
5. Vergiss deine Tennisschuhe.
6. Ja, pack deinen Wintermantel.

D. Kinder!
1. Singt nicht so laut! Singt bitte leise!
2. Tragt nicht nur Unterhosen! Tragt bitte Hosen!
3. Trinkt keine Cola! Trinkt bitte Saft!
4. Öffnet nicht die Tür! Schließt bitte die Tür!
5. Nehmt nicht alle Spielzeugautos aus dem Regal! Räumt bitte auf!
6. Vergesst eure Jacken nicht! Sucht bitte eure Jacken!

E. Besuch von Freunden.
Possible answers:
1. Gehen wir ins Kino und sehen wir einen Film!
2. Machen wir einen Spaziergang!
3. Gehen wir in ein Studentenlokal.
4. Besuchen wir Freunde!
5. Machen wir eine Party!
6. Spielen wir Volleyball!

F. Wer kann was?
Possible answers:
1. Luciano Pavarotti und Placido Domingo können ausgezeichnet singen, und ich kann auch gut singen.
2. Eric Clapton kann sehr gut Gitarre spielen, aber ich kann nicht Gitarre spielen.
3. Michael Schumacher kann super Auto fahren, aber ich kann nicht so gut Auto fahren.
4. Julia Child kann fantastisch kochen. Ich kann auch gut kochen.
5. Michail Barischnikow kann super tanzen, aber ich kann nicht sehr gut tanzen.
6. Tiger Woods und Bernhard Langer können ausgezeichnet Golf spielen, aber ich kann gar nicht Golf spielen.

G. Mini-Dialoge.
1. Möchtest
2. möchte
3. Magst
4. mag
5. Möchten
6. mag
7. möchte
8. Möchten
9. möchten
10. möchte
11. mag

H. Plus und Minus.
1. +
2. -
3. +
4. +
5. -
6. +
7. -
8. +

I. Familie Nibbe.
1. dürfen
2. dürfen
3. darf
4. darf
5. darfst
6. darf
7. dürfen
8. dürfen

J. Was dürfen Sie (nicht) machen?
Possible answers:
Ich darf nicht spät ins Bett gehen. Ich darf keinen Alkohol trinken. Ich darf nicht mit meiner Freundin zusammenwohnen.

K. Was wollen sie?
Possible answers:
1. Wollt ihr lesen?
2. Wollen Sie Spanisch lernen?
3. Willst du Moskau besuchen?
4. Wollen Sie einkaufen?
5. Willst du schwimmen?

L. Neue Freunde.
Possible answers:
1. Martin ist faul und sportlich.
2. Hilde ist schüchtern und unsicher.
3. Marlene ist klug und musikalisch.

4. Ingrid ist unfreundlich und unsympathisch.
5. Horst ist dumm und unsicher.
6. Oli ist selbstsicher und offen.
7. Andreas ist freundlich und gesellig.

M. Annas Reise.

1. durch
2. um
3. für
4. ohne
5. durch
6. für
7. Ohne
8. durch

N. Ordnen Sie.

3, 2, 1, 5, 4 *(or)* 3, 2, 1, 4, 5
2, 1, 4, 5, 3

O. Kreuzworträtsel

Waagerecht →
1. Jeans
2. langweilig
3. Unterwäsche
4. Ski
5. Zahnpasta
6. Rock
7. Stiefel
8. lustig
9. locker
10. gesellig
11. sicher

Senkrecht ↓
1. Hosen
2. Jacke
3. klug
4. mal
5. neu
6. neun
7. Pullover
8. Wörterbuch
9. stift
10. heiter
11. lich
12. CD-Player
13. für
14. Geschenk

P. Eine Fahrschulbroschüre.

1. 04102/55854 *(or* 04102/55554)
2. Rüdiger Zimmer
3. a motorcycle
4. a car
5. Golf Diesel, Ford Fiesta, Suzuki Vitara
6. young teenagers
7. six days, 9:00 - 12:00, the meaning of traffic signs, etc.
8. *Answers will vary.*

Q. Schreiben Sie.
Answers will vary.

KAPITEL 5 (S. 49–60)

A. Untertitel.
Answers will vary.

B. Familiengeschichte.

1. habe
2. habe
3. ist
4. hat
5. hat
6. hat
7. hat
8. hat
9. haben
10. hat
11. sind
12. haben
13. hat
14. haben
15. bin
16. haben
17. sind
18. hat
19. haben
20. haben

C. Katjas Tagebuch.

1. kennen gelernt
2. gesehen
3. gearbeitet
4. getrunken
5. gegessen
6. gesprochen
7. gesagt
8. verbracht
9. verstanden
10. gegangen
11. eingeladen
12. gehabt
13. gegeben
14. gefragt
15. genommen
16. gesagt
17. gewusst
18. gedacht
19. ausgesehen
20. eingekauft
21. ausgegeben
22. gemacht
23. diskutiert
24. verliebt

D. Wie ist das Wetter?
Answers will vary. Possible answers:
1. Es ist warm.
2. Es regnet oft.
3. Es ist nicht sehr kalt.
4. Es ist heiß und schwül.
5. Es ist kühl.
6. Es ist schön.
7. Es ist sehr heiß und schwül.
8. Es ist sonnig.
9. *Answers will vary.*

E. Dirk und Michaela.

1. kennen gelernt
2. ausgesehen
3. gedacht
4. angesprochen
5. getanzt
6. gegangen
7. gegessen
8. gefallen
9. ausgegangen
10. gehabt
11. verliebt
12. verlobt
13. gewesen

F. Das Fotoalbum.
Answers will vary.

G. Katja und Roland.

1. Weißt du, ob Roland nett ist? Ich weiß nur, dass Katja ihn gern hat.
2. Weißt du, ob sie in einander verliebt sind? Ich weiß nur, dass sie sich mögen.

3. Weißt du, ob sie sich verlobt haben? Ich weiß nur, dass sie die Verwandten kennen gelernt haben.
4. Weißt du, ob sie später heiraten möchten? Ich weiß nur, dass sie eine große Heirat möchten.

H. Warum fährt Anna Rad?
1. Ich fahre Rad, weil ein Auto viel Öl und Benzin braucht.
2. Ich fahre Rad, weil Radfahren umweltfreundlich ist.
3. Ich fahre Rad, weil ein Auto viel Platz braucht.
4. Ich fahre Rad, weil Radfahren gesund ist.
5. Ich fahre Rad, weil es nicht viele Parkplätze gibt.
6. Ich fahre Rad, weil Radfahren Spaß macht.
7. Ich fahre Rad, weil ich auch als Kind gern Rad gefahren bin.

I. Lars' Geschichte.
1. Für mich war Angelika sehr wichtig.
2. Sie hat mich sehr oft angerufen.
3. Ich habe sie auch oft angerufen.
4. Drei Jahre sind wir zusammen gewesen.
5. Du weißt schon, dass wir uns getrennt haben.
6. Warum, weiß ich nicht.
7. Ich habe sie sehr geliebt.
8. Ich weiß nicht, ob sie mich geliebt hat.
9. Für mich war die Trennung sehr schwer.
10. Zu der Zeit habe ich viel mit dir und Nils gesprochen.
11. Ich bin froh, dass ich eine neue Freundin habe.

J. Welche Sendungen?
1. FUXX '95, Die Fußball-XXL-Party
2. Entführung aus der Lindenstraße, Weihnachten mit Willy Wuff
3. Geschichten aus der Gruft: Ball der einsamen Herzen
4. um 22.00 Uhr
5. *Answers will vary.*

K. Wie lange?
1. Sie kennen sich seit der Schulzeit.
2. Sie kennen sich seit drei Jahren.
3. Sie sind seit 1 1/2 Jahren verlobt.
4-8. *Answers will vary.*

L. Was möchten Sie wissen?
Answers will vary.

M. Kreuzworträtsel.
Waagerecht →
1. Schnee
2. Frau
3. umarmen
4. küsst
5. mies
6. Liebeskummer
7. nass
8. Nebel
9. Krach
10. Winter
11. verloben
12. donnert
13. sonnig

Senkrecht ↓
1. Regen
2. Frühling
3. ruft
4. heiraten
5. schmusen
6. bedeckt
7. attraktiv
8. Mann
9. Herbst
10. Deo
11. Hemd

N. Sommer in Hamburg.
3, 5, 4, 7, 10, 6, 1, 8, 9, 2
1. Hotel Hafen Hamburg
2. Witthüs
3. Strandperle
4. Strandcafé, Schuldt's Café
5. Café Eisenstein
6. Schöne Aussichten
7. Bolero

O. Schreiben Sie ein Liebesgedicht.
Answers will vary.

KAPITEL 6 (S. 61–70)

A. Ergänzen Sie.
1. zieht, ein
2. hilft
3. Tür, Schlüssel
4. Schlafen, Stuhl, Klamotten
5. Klo, Waschbecken
6. Gemeinschaftsbad
7. automaten

8. Telefonzellen
9. Korridor
10. Hilfe
11. leiht, schreibt, auf

B. Geschenke.
Possible answers:
1. Ich schenke ihm einen Pullover.
2. Ich schenke ihr eine Musikcassette.
3. Ich schenke ihr einen Kalender mit Bildern von Indiana.
4. Ich schenke ihr eine CD.
5. Ich schenke ihnen ein Fotoalbum.
6. Ich schenke ihm Bilder von den USA.
7. Ich schenke ihm eine Krawatte.

C. Geschenke für Prominente.
Answers will vary.

D. Ein neues Haus.
1. Ich glaube, er ist in der Garage.
2. Ich glaube, sie sind im Esszimmer.
3. Ich glaube, er ist in der Waschküche.
4. Ich glaube, sie ist im Bad.
5. Ich glaube, sie sind im Wohnzimmer.
6. Ich glaube, er ist im Arbeitszimmer.
7. Ich glaube, er ist in der Diele.
8. Ich glaube, sie sind im Kinderzimmer.
9. Ich glaube, es ist im Keller.
10. Ich glaube, es ist im Klo.

E. Fragen am Kopierer.
Answers will vary.

F. In einer Wohngemeinschaft.
1. Wenn ich keine Kleider mehr habe.
2. Wenn meine Eltern mich besuchen.
3. Wenn ich Geld habe.
4. Wenn ich Hunger habe.
5. Wenn ich mein Fahrrad repariere.
6. Wenn das Wetter warm ist.
7. Wenn ich Zeit habe.

G. Anna lernt Karl kennen.
1. aus
2. aus
3. außer
4. von
5. bei
6. nach
7. seit
8. mit
9. mit
10. nach

H. Cornelia hat ihre Großeltern besucht.
1. ihm
2. ihm
3. mir
4. ihm
5. mir
6. ihr

7. dir
8. mir
9. ihr
10. ihnen
11. ihr
12. ihr

I. Was sagen sie?
1. Mir ist heiß.
2. Mir ist langweilig.
3. Mir ist kalt.
4. Mir ist schlecht.
5. Mir ist warm.

J. Die Jugend von heute!
1. Jeder
2. jede
3. Dieser
4. Diese
5. diese
6. jeder
7. jede

K. Karl beschreibt Anna.
Possible answers:
1. Sie heißt Anna.
2. Ich habe sie in der Gemeinschaftsküche gesehen.
3. Sie kommt aus Indiana. Sie ist Amerikanerin.
4. Ja, sie ist sehr nett.
5. Ja, sie kann gut Deutsch sprechen.
6. Nein, sie kauft jetzt ein.

L. Kreuzworträtsel.
Waagerecht →
1. Waschküche
2. Küche
3. Stereo
4. Finger
5. Spiegel
6. Gang
7. Stirn
8. Gesicht
9. Wecker
10. Keller
11. Lampe
12. Gäste
Senkrecht ↓
1. Fuß
2. Zeh
3. Sessel
4. Arm
5. Flur
6. Kinn
7. Klo
8. Fernseher
9. Teppich
10. Treppe
11. Kleider

M. Mit welchem Körperteil?
1. mit den Augen
2. mit den Ohren
3. mit der Nase
4. mit dem Mund / der Zunge
5. auf den Füßen / den Beinen
6. mit dem Kopf
7. mit den Zähnen / dem Mund
8. auf dem Bauch / dem Rücken
9. mit den Lippen / dem Mund
10. auf dem Hintern

N. Lesen Sie.
1. (1) in the kitchen, (2) in bed, (3) in the living room, (4) in the bathroom
2. *Possible answer:* They are very popular.
3. *Possible answer:* not very popular
4. *Possible answer:* They seem accepted in the context of sexual relationships, but not as close relationships.
5. *Answers will vary.*

O. Schreiben Sie.
Answers will vary.

KAPITEL 7 (S. 71–82)

A. Ergänzen Sie.
1. Bushaltestelle
2. Weg
3. Stadt
4. abheben
5. Buchhandlung
6. Bank
7. immer
8. Semesterkarte
9. besorgen
10. Kiosk
11. Sparkasse
12. gegenüber

B. Barbara fährt in die Stadt.
1. die
2. der
3. die
4. der
5. den
6. dem
7. die
8. die
9. die
10. der
11. den
12. der

C. Wo war Petra?
Possible answers:
1. Um Viertel nach zehn ist Petra auf der Bank gewesen.
2. Um halb elf ist Petra auf der Post gewesen.
3 Um elf Uhr ist Petra im Museum gewesen.
4. Um Viertel nach eins ist Petra am Zeitungskiosk gewesen.
5. Um ein Uhr dreißig ist Petra im China-Restaurant gewesen.

6. Um drei ist Petra in der Kirche gewesen.
7. Um drei Uhr fünfundvierzig ist Petra in der Bäckerei gewesen.
8. Um vier Uhr zehn ist Petra an der Bushaltestelle gewesen.

D. Wohin fährt die Straßenbahn?
1. Die S-Bahn fährt hinter die Kirche.
2. Die S-Bahn fährt über die Brücke.
3. Die S-Bahn fährt unter die Brücke.
4. Die S-Bahn fährt vor den Bahnhof.

E. Katze und Maus.
1. die
2. der
3. die
4. einen
5. den
6. das
7. das
8. dem
9. das
10. das
11. die
12. den
13. den
14. den
15. die
16. die
17. den

F. Ergänzen Sie.
1. dreht
2. Werk
3. jüdisch
4. erklärt
5. bereit
6. Preis
7. Bericht
8. Rechtsradikalismus
9. ostdeutschen
10. Szene
11. Droge
12. Seiten

G. Die Wahrsagerin.
Answers will vary.

H. Ein Stadtplan von Hamburg.
1. mit der U-Bahn, mit dem Bus
2. zu Fuß
3. mit einem Boot
4. mit dem Taxi
5. mit der U-Bahn

I. Wann, wie, wo?
Possible answers:
1. Sie fährt am Samstag mit dem Bus zum Kiosk.
2. Er fährt im Januar mit dem Auto nach Spanien.

3. Sie fährt morgen mit der Straßenbahn zur Sparkasse.
4. Er geht jetzt zu Fuß in die Bäckerei.
5. Sie fährt heute mit dem Rad in die Buchhandlung.
6. Er fährt im Sommer mit dem Zug nach Moskau.
7. Sie fliegt im Juli nach Kanada.

J. Eine Klassenfahrt nach Freiburg.
1. Siegesdenkmal
2. Rathausplatz
3. Platz der weißen Rose

K. Literatur.
Clarissa liest einen Liebesroman, weil sie romantisch ist.
Derek lernt Deutsch, damit er deutsche Gedichte im Original lesen kann.
Frieda kauft einen Zeichentrickfilm auf Video, damit die Kinder am Samstagmorgen nicht so laut spielen.
Gerhard sieht einen Dokumentarfilm über die Politik in Südafrika, weil er in der Schule über Nelson Mandela lernt.
Irene kauft eine Kurzgeschichten von Ingrid Noll, damit sie etwas im Zug lesen kann.

L. „Die Abrechnung" ist ein Bestseller.
1. Neonazi
2. hochaktuell
3. Europa
4. Bestseller

M. Kreuzworträtsel.
Waagerecht →
1. Reformhaus
2. Kirche
3. Rad
4. Theaterstück
5. Gedicht
6. Bahn
7. Roman
8. Oper
9. markt
10. Bank
11. Bibliothek
12. Zug
13. Flugzeug
14. Zeitungs
Senkrecht ↓
1. Haltestelle
2. Fuß
3. Bäckerei
4. Stadion

5. Taxi
6. Horror
7. Autobiographie
8. Trick
9. Biographie
10. Kneipe
11. Fleischerei
12. Wagen
13. Konditorei
14. Liebes

N. Lesen Sie.
1. Das Ende
2. Chronik
3. Chronik
4. Das Ende
5. Chronik
6. Das Ende
7. Chronik
8. Das Ende
9. Chronik
10. Das Ende

O. Schreiben Sie.
Answers will vary.

KAPITEL 8 (S. 83–96)

A. Ergänzen Sie.
1. Dozentin
2. herein
3. erinnern
4. genau
5. Wichtigste
6. kopiert
7. freut
8. angefangen
9. schaffen
10. fühlt

B. Referat.
Answers will vary.

C. Ausreden.
Answers will vary.

D. Im Badezimmer.
1. Wenn Christa eine Bürste in der Hand hat, will sie sich die Haare bürsten.
2. Wenn Harold unter die Dusche geht, will er (sich) duschen.
3. Wenn Sylvia das Badetuch hält, will sie sich abtrocknen.

4. Wenn Sabine und Udo Zahnpasta und Zahnbürste in die Hand nehmen, wollen sie sich die Zähne putzen.
5. Wenn Fritz die Seife sucht, will er sich waschen.
6. Wenn ich ... *(Answers will vary.)*

E. Ein hektischer Morgen.
Possible answers:
Karl hat sich die Haare nicht geföhnt. Er hat sich keine Schuhe angezogen. Stefan hat sich die Haare nicht gekämmt. Er hat sich auch nicht rasiert. Barbara hat sich nicht angezogen.

F. Was sagen Sie?
1. Du hast dir die Haare nicht geföhnt.
2. Du hast dich nicht abgetrocknet.
3. Du hast dir die Zähne nicht geputzt.
4. Ihr habt euch die Hände nicht gewaschen.
5. Ihr habt euch nicht angezogen.

G. Ergänzen Sie.
1. gebiet
2. lecker
3. Konzerte
4. rechnen
5. pro Stunde
6. außerhalb
7. Wartezeit
8. Glück
9. problemlos
10. Zahl

H. Wie ist Ihre Uni?
Answers will vary.

I. Wann ...?
Possible answers:
1. Sie wäscht wohl übermorgen die Wäsche.
2. Er kauft wohl heute Nachmittag ein.
3. Sie lernt wohl heute Abend.
4. Er arbeitet wohl im Sommer.
5. Sie bekommt wohl ihr Geld in zwei Wochen.

J. An welcher Uni möchten Sie studieren?
1. In Nordrhein-Westfalen
2. Ich will an der Uni Kiel (Rostock, Greifswald) studieren.
3. Ich studiere an der TU Dresden (TU Chemnitz-Zwickau).
4. Ich studiere an der Uni Freiburg.
5. *Answers will vary.*

K. An die Zukunft denken.
Answers will vary.

L. Das Geburtstagskind.
1. auf
2. über
3. über
4. von
5. auf
6. auf
7. auf
8. an
9. über
10. an
11. von
12. um
13. für
14. vor
15. vor

M. Was meinen Sie?
Answers will vary.

N. Eigentlich eine ganz gute Party.
Answers will vary.

O. Kreuzworträtsel.
Waagerecht →
1. übergeben
2. Muskelkater
3. dose
4. hin
5. krank
6. ausziehen
7. steht
8. Schnupfen
9. Fieber
10. Gute
11. Hals
Senkrecht ↓
1. Kamm
2. rasieren
3. Seife
4. beeilen
5. Haken
6. Badetuch
7. Kopfschmerzen
8. dir
9. Zahnschmerzen
10. abtrocknen
11. ruht
12. badet
13. schminke

P. Lesen Sie.
1. a
2. c
3. b
4. a
5. c
6. b
7. c
8. *Answers will vary.*

Q. Schreiben Sie.
Answers will vary.

Kapitel 9 (S. 97–106)

A. Barbara erzählt.
1. angerufen
2. passiert
3. Stelle
4. Vorstellungsgespräch
5. Stadtteilbibliothek
6. Mitarbeiterin
7. Kinderliteratur
8. Job
9. bewerben
10. Trinkgeld
11. dorthin

B. Ein Rätsel.
1. Sie kommt aus Bremen.
2. Er wohnt im Studentenwohnheim.
3. Sie hat ein Vorstellungsgespräch.
4. Er wohnt in seinem Auto.
5. Sie wohnt bei ihren Eltern.
6. Er ist 23.

C. Definitionen.
Possible answers:
1. Ein Automechaniker ist ein Mann, der Autos repariert.
2. Eine Köchin ist eine Frau, die das Essen in einem Restaurant macht.
3. Ein Bäcker ist ein Mann, der Brot und Brötchen bäckt/backt.
4. Ein Krankenpfleger ist ein Mann, der kranken Leuten hilft.
5. Eine Apothekerin ist eine Frau, die Medizin verkauft.
6. Eine Ingenieurin ist eine Frau, die Gebäude plant.
7. Ein Programmierer ist ein Mann, der Computerprogramme schreibt.
8. Eine Maklerin ist eine Frau, die Häuser verkauft.
9. Ein Lehrer ist ein Mann, der in einer Schule unterrichtet.
10. Eine Beamtin ist eine Frau, die für die Regierung arbeitet.

D. Ratschläge geben.
Possible answers:
1. Zeig Interesse.
2. Verschließ dich nicht.
3. Geh früh ins Bett.
4. Informiere dich über den Betrieb.
5. Stell viele Fragen.

E. Ergänzen Sie.
1. abbauen
2. Personalchef
3. informiert
4. am liebsten
5. Jugendliche
6. Weiterbildung
7. Bewerber
8. fragt nach
9. Abschluss
10. Verständnis

F. Das deutsche Schulsystem.
1. praktische
2. fünfjährige
3. mittlere
4. technische
5. disziplinierter
6. interessante
7. motivierter
8. guten
9. akademische
10. gründliche
11. begabter

G. Was ich gern habe.
Possible answers:
1. ein Glas heiße Schokolade
2. einen alten Film
3. ein modernes Buch
4. einen langen Brief
5. eine heiße Wurst
6. laute Musik
7. ein neues Auto
8. ein kaltes Bier
9-10. *Answers will vary.*

H. Norberts Vorstellungsgespräch.
Possible answers:
1. blöde
2. alten
3. langsamen
4. dumme
5. unsympathischer
6. unfreundlichen
7. erste
8. kurzen

I. Zwei Familien.
Possible answers:
1. Familie Ketzels Haus ist billiger als Familie Daspels Haus.

2. Familie Ketzel ist glücklicher als Familie Daspel.
3. Familie Daspels Haus ist größer als Familie Ketzels Haus.
4. Frau Ketzel ist jünger als Frau Daspel.
5. Familie Ketzels Auto ist kleiner als Familie Daspels Auto.
6. Familie Ketzels Garten ist schöner als Familie Daspels Garten.
7. Familie Daspels Auto ist teurer als Familie Ketzels Auto.
8. Familie Daspels Auto ist neuer als Familie Ketzels Auto.
9. *Answers will vary.*

J. Wer ist wer?
Answers will vary.

K. Frau Müller schreibt eine Postkarte.
Answers will vary.

L. Kreuzworträtsel.
Waagerecht →
1. Auto
2. Programmiererin
3. Kellner
4. kontaktfreudig
5. Chef
6. Sekretärin
7. Lehrerin
8. Berater
9. Tier
10. gabt
11. Apotheker
Senkrecht ↓
1. Arzt
2. Koch
3. Maklerin
4. gründlich
5. pünktlich
6. zuverlässig
7. Krankenpfleger
8. Ingenieur
9. Fleischer
10. analytisch
11. Kaufmann
12. Rechts

M. Lesen Sie.
1. B
2. team-oriented, friendly, self-confident, trustworthy, work independently
3. A, C
4. B

5. B
6. C
7. *Answers will vary.*

N. Schreiben Sie.
Answers will vary.

KAPITEL 10 (S. 107–116)

A. Ergänzen Sie.
1. Herd
2. Grab
3. wünschte
4. Silber
5. Zehe
6. Ferse
7. erkannte
8. Braut

B. Die Bremer Stadtmusikanten, Teil 1.
1. arbeitete
2. sagte
3. fragte
4. antwortete
5. sagte
6. sagte
7. marschierten
8. hörten
9. miaute
10. fragte
11. antwortete
12. sagte
13. sagte
14. marschierten
15. hörten
16. legten
17. kletterte

C. Die Bremer Stadtmusikanten, Teil 2.
1. flog
2. sah
3. gingen
4. fanden
5. saßen
6. aßen
7. stand
8. stand
9. stand
10. stand
11. fingen an
12. liefen
13. gingen
14. aßen
15. kamen

D. Interpretation.
Possible answers:
1. Sie wollten nicht sterben.
2. Das Wetter war kalt.
3. Die Musik war schlecht. Die Räuber waren erschrocken und überrascht.
4. *Answers will vary.*
5. *Answers will vary.*

E. Teenager sein.
Answers will vary.

F. Ergänzen Sie.
1. Tal
2. Wunder
3. Schlitten
4. Schock
5. Angst

6. Anfänger
7. Herzlichkeit
8. Massen

G. Die tollen Tage.
1. angefangen hatte
2. abgeschnitten hatten
3. erzählt
4. gesprochen hatte
5. getanzt hatte
6. gesehen hatte
7. gegessen
8. getrunken hatte

H. Ein schlechter Tag.
Possible answers:
1. trank ich saure Milch
2. hatte ich Kopfschmerzen
3. war mein Auto kaputt
4. hatte ich kein Geld
5. bekam ich keinen Sitzplatz
6. funktionierte der Fernseher nicht richtig
7. fiel ich aus dem Bett

I. Eine Ferienreise planen.
1. wann
2. ob
3. Wann
4. Wenn
5. ob
6. wenn
7. ob
8. Als
9. wann

J. Meine Heimat.
Answers will vary.

K. Feste und Feiertage.
1. Das Ende der Karnevalssaison ist am Aschermittwoch.
2. Der Tag der Arbeit ist am 1. Mai.
3. Der Tag der Einheit ist am 3. Oktober.
4. Das größte Fest der Stadt München ist das Oktoberfest.
5. Die Spezialität des Bierzeltes ist eine Maß Bier.
6. Das Ende der Fastenzeit ist Ostern.
7. Das Ende des Jahres ist an Silvester.
8. Der Anfang des Jahres ist an Neujahr.

L. Ergänzen Sie.
1. Tourismus
2. zum Teil
3. zunächst
4. doch mal
5. Speisesaal
6. entweder
7. Katastrophe
8. Reiseleiter
9. Betreuer
10. Planung

M. Kreuzworträtsel.
Waagerecht →
1. Gipfel
2. Stadt
3. Insel
4. Zwerg
5. König
6. Pass
7. Wald
8. giftig
9. Stiefmutter
10. Frosch
11. Berg
12. See
13. spiegel
Senkrecht ↓
1. Fluss
2. Königstochter
3. Hexe
4. Landschaft
5. Tal
6. Hauptstadt
7. Grenze
8. Fee
9. Kanton
10. Jäger

N. Lesen Sie.
Answers will vary.

O. Schreiben Sie.
Answers will vary.

KAPITEL 11 (S. 117–126)

A. Ergänzen Sie.
1. entschuldigen
2. frustrierend
3. wegen
4. Tor
5. warnen
6. Mitte
7. Regierungsviertel
8. Wunsch
9. lebendiger
10. ahnen

B. Was würden Sie in Berlin machen?
Possible answers:
1. Ich würde (nicht) gern auf dem Kurfürstendamm einen Bummel machen.
2. Ich würde mir (sehr/nicht) gern die Kunst auf der Museumsinsel anschauen.

3. Ich würde mich (nicht/besonders) gern mit neuen Bekannten für einen Theaterabend verabreden.
4. Ich würde mich (nicht/sehr) gern mit anderen Ausländern treffen.
5. Ich würde (nicht) gern im Wannsee schwimmen gehen.
6. Ich würde (nicht) gern in Kreuzberg ein türkisches Lokal aufsuchen.
7. Ich würde (nicht) gern in Ost-Berlin nach Resten des kommunistischen Regimes suchen.
8. Ich würde (überhaupt/nicht) gern die Nacht in einem Techno-Club durchmachen.

C. Das wäre prima!
Possible answers:
Das wäre faszinierend. Ich habe keine Lust dazu. Ich habe Lust dazu. Das wäre langweilig. Das wäre uninteressant. Das wäre zu teuer. Das wäre super. Ich habe kein Interesse dafür.

D. Gute Ratschläge geben.
Possible answers:
1. Du könntest sie anrufen. Du könntest einen Brief schreiben.
2. Du könntest weniger essen. Du könntest mehr Sport treiben.
3. Du könntest weniger ausgehen. Du könntest mehr lernen.
4. Du könntest am Tag mehr schlafen. Du könntest mit den drei anderen Studentinnen darüber reden.
5. Du könntest weniger einkaufen gehen. Du könntest dir einen Job suchen.

E. Höfliche Bitten.
Possible answers:
1. Ich würde gern dort drüben sitzen.
2. Könnten Sie mir bitte die Speisekarte bringen?
3. Ich würde gern ein kaltes Bier trinken.
4. Würden Sie mir bitte das Rindfleisch mit Kartoffelpüree bringen?
5. Ich wollte gern bezahlen.

F. Ich hätte das anders gemacht!
Possible answers:
1. Ich hätte mein Geld nicht zu Hause vergessen. Ich wäre nicht hinausgelaufen.

2. Ich hätte nicht versucht, das Auto selber zu reparieren. Ich hätte bis morgen gewartet. Ich hätte kein neues Auto gekauft.
3. Ich hätte nicht geweint. Ich hätte mein Frühstück gegessen. Ich wäre nicht zum Arzt gegangen.
4. Ich wäre nicht zu Caroline gegangen. Ich wäre nicht tanzen gegangen. Ich hätte Biologie gelernt.

G. Was passierte zuerst?
3, 2, 5, 1, 4, 6

H. Annas Besuch in Berlin.
1. Das neue Regierungsviertel wird gebaut.
2. Blumen werden im Park Sanssouci gepflanzt.
3. Viele Straßen werden repariert.
4. Neue Straßenbahnschienen werden gelegt.
5. Eine neue U-Bahn-Station wird geöffnet.
6. Viele neue Clubs werden im Ostteil der Stadt aufgemacht.

I. Meine Stadt.
Answers will vary.

J. Die Geschichte meines Landes.
Answers will vary.

K. Ergänzen Sie.
1. fiel
2. Unteroffizier
3. Gift
4. heulen
5. verlassen
6. schlug

L. Widerstand in der Nazi-Zeit.
1. Während
2. Trotz
3. Anstatt
4. innerhalb
5. wegen
6. außerhalb

M. Bundesrepublik oder DDR?
Possible answers:
1. Berlin war die Hauptstadt der DDR.
2. In der DDR musste man oft mit zwei Zungen sprechen.
3. Die BRD hatte eine Marktwirtschaft.
4. Bonn war die Hauptstadt der BRD.
5. Die DDR hatte eine Sozialistische Einheitspartei.

N. Kreuzworträtsel.

Waagerecht →		Senkrecht ↓	
1.	Königtum	1.	Main
2.	Spree	2.	Prenzlauer-
3.	Tor		Berg
4.	Thüringen	3.	Führer
5.	Kurfürstendamm	4.	Nord
6.	kanzler	5.	Wider
7.	Kaiser	6.	Mosel
8.	Potsdam	7.	Mauer
9.	Berlin	8.	Humboldt
10.	Bürger	9.	Philharmonie
11.	Republik	10.	Neiße
12.	Weser	11.	Elbe
13.	Abgeordneten	12.	Oder
14.	Donau	13.	Linden
15.	regierung	14.	Rhein
16.	Hessen		

O. Lesen Sie.
1. the area between **Schönhäuser Allee** and **Prenzlauer Allee,** approx. between **Dimitroffstr.** and **Metzer Str.**
2. Husemannstraße / Restauration 1900, Budicke
3. Senefelderplatz
4. Duncker-Club
5. Knaack-Club, Franz-Club
6. Schönhäuser Allee / Franz-Club
7. blue-collar, working people

P. Schreiben Sie.
Answers will vary.

KAPITEL 12 (S. 127–136)

A. Ergänzen Sie.
1. Nachrichten
2. angenommen
3. Gelegenheit; Erfahrungen
4. Chancen
5. seitdem
6. toll
7. Wahnsinn
8. bitten

B. Anna ruft ihre Eltern an.
Possible answers:

Ja, ich habe hier einen sehr netten Jungen kennen gelernt. Er ist Deutscher und ich möchte deshalb länger in Deutschland bleiben.

Er heißt Stefan. Kannst du mir die Unterlagen für das Bundestag-Programm schicken?

Ich kenne ihn schon seit September. Er wohnt hier im Wohnheim.
Ach, das ist eine sehr gute Idee. Stefan wird sich auch freuen.

C. Was wäre, wenn ...?
Possible answers:
1. Wenn ich jeden Tag geschlafen hätte, würde ich jetzt nichts verstehen.
2. Wenn ich in Deutschland das Abitur gemacht hätte, würde ich jetzt an einer deutschen Uni studieren.
3. Wenn ich Japanisch gelernt hätte, würde ich nach Japan und nicht nach Deutschland fahren.
4. Wenn ich keine Hausaufgaben gemacht hätte, hätte ich jetzt eine sehr schlechte Note.
5. Wenn ich nicht zur Uni gegangen wäre, würde ich jetzt einen Job haben.

D. Was Eltern wünschen.
1. Meine Mutter wünschte, ich könnte tanzen, aber ich kann singen.
2. Meine Eltern wünschten, ich wäre verheiratet, aber ich bin ledig.
3. Meine Eltern wünschten, ich hätte Kinder, aber ich habe einen Hund.
4. Meine Mutter wünschte, ich käme oft nach Hause, aber ich komme selten nach Hause.
5. Mein Vater wünschte, ich spielte Football, aber ich spiele Tennis.

E. Was ich wünsche.
1. Ich wünschte, ich wäre nach Hawaii gefahren.
2. Ich wünschte, ich hätte meine Großeltern öfter besucht.
3. Ich wünschte, ich wäre nach Europa geflogen.
4. Ich wünschte, ich hätte mehr gearbeitet.
5. *Answers will vary.*

F. Schreiben Sie die Sätze zu Ende.
Answers will vary.

G. Ein Besuch in Österreich.

1. Fast alle Touristen in Österreich besuchen Wien, um dort Beethovens Wohnungen zu besichtigen.
2. Viele Leute fahren nach Salzburg, um dort Mozarts Geburtshaus zu besichtigen.
3. Jedes Jahr besuchen viele Musiker Salzburg, um mit den Orchestern der Salzburger Festspiele zu spielen.
4. Die Touristen gehen in die Kaffeehäuser, um dort Zeitungen zu lesen.
5. Viele Politiker fliegen nach Wien, um auf Konferenzen die internationale Politik zu diskutieren.
6. Progressive Architekten besuchen Wien, um sich dort das Hundertwasserhaus anzusehen.

H. Es wäre schade ...

1. Es wäre schade, Wien zu besuchen, ohne ein Schauspiel im Burgtheater zu sehen.
2. Es wäre schade, Österreich zu besuchen, ohne eine Dampferfahrt auf der Donau zu machen.
3. Es wäre schade, Österreich zu besuchen, ohne durch Innsbruck zu bummeln.
4. Es wäre schade, Wien zu besuchen, ohne das Hundertwasserhaus und die vielen Jugendstil-Gebäude zu sehen.
5. Es wäre schade, Wien zu besuchen, ohne in einem Kaffeehaus zu sitzen.
6. Es wäre schade, Salzburg zu besuchen, ohne ein Konzert zu hören.

I. Vieles muss noch gemacht werden.

1. Die Müll-Lawine soll gestoppt werden.
2. Die Entwicklung von Windenergie und Sonnenenergie kann weiter entwickelt werden.
3. Weniger Erdöl muss verbraucht werden.
4. Der Treibhauseffekt soll beendet werden.
5. Die Wegwerf-Gesellschaft muss verändert werden.
6. Der Umweltschutz muss weltweit durchgeführt werden.

J. Was ist auf dem Campus erlaubt?
Answers will vary.

K. Was denken Sie?
Answers will vary.

L. Kreuzworträtsel.
Waagerecht →
1. Klima
2. Wegwerf
3. Lawine
4. Treibhauseffekt
5. Sammelstelle
6. karte
7. amt
8. Ozon
9. Arbeits
10. Stempel
11. Steuer
12. behörde
13. Sonnen

Senkrecht ↓
1. Personalausweis
2. Abgabe
3. Abgase
4. Atom
5. Staats
6. Spraydosen
7. quelle
8. sortieren
9. welt
10. verschmutzen
11. Windenergie
12. Erdöl
13. Mitglied

M. Lesen Sie.
1. Man sagt „Grüß Gott".
2. Die Donau ist ein Fluss.
3. Die Wachau ist ein Tal.
4. Man fährt eineinhalb Stunden.
5. Es ist eine Autostunde von Wien.
6. Es gibt Rotwein.
7. Man kann sie im Burgenland hören.
8. Man fliegt eine Stunde.
9. Ja.
10. *Answers will vary.*

N. Schreiben Sie.
Answers will vary.

Answer Key for Lab Manual

KAPITEL 1 (S. 143–148)

A. Der Professor im Albtraum.

1.	b	4.	b
2.	b	5.	b
3.	a	6.	a

B. Der Professor im Traum.

1.	b	4.	c
2.	c	5.	b
3.	b		

C. Mein Professor / Meine Professorin ist ...
Answers will vary.

D. Ein Krimi.
These words should be circled or checked:
eine Frau, klein, mollig, 40-50, rot, dunkel, lang, wellig, grün, attraktiv

E. Wie sieht er oder sie aus?
1. *Answers will vary.*
2. Suspect number 4.

F. Befehle und Fragen.

1.	b	5.	c
2.	a	6.	a
3.	c	7.	b
4.	a	8.	a

G. Fragen.

1.	b	4.	b
2.	a	5.	b
3.	a	6.	a

H. Das Alphabet.
Listening only.

I. Was fehlt?
1. Haare
2. Tübingen
3. Buch
4. Gehen Sie!
5. setzen
6. Traum
7. öffnen
8. klein
9. groß
10. Woher kommen Sie?

J. Wer bin ich?

1.	a	3.	b
2.	c		

K. Logik.

1.	4	vier
2.	7	sieben
3.	8	acht
4.	40	vierzig
5.	25	fünfundzwanzig
6.	71	einundsiebzig
7.	28	achtundzwanzig

L. Im Klassenzimmer von Frau Stein.
Drawings of the following should be circled:
1. window
2. chalk
3. electrical socket
4. wastebasket
5. pencil
6. blackboard

KAPITEL 2 (S. 149–153)

A. Wer bin ich?

1.	a	3.	c
2.	c	4.	b

B. Anna lernt einen deutschen Studenten kennen.
The following should be circled: Tom, Natalie, Detlev, Anna, Rom, Deutschland, Tübingen, Cambridge, Amerika

C. Hören Sie noch einmal zu.

1.	c	5.	b
2.	a	6.	b, c
3.	c	7.	a
4.	b, c, d		

D. Was? Wann?
The following should be circled:
Mozartstunde mit Klaus Braun: Freitag, 20.00-21.30
Tennis-Tipps mit Boris Becker: Samstag, 11:00-11:30
Berliner Philharmonisches Orchester: Samstag, 19.30
Exklusivinterview mit Helmut Kohl: Sonntag, 9:00-10.30
Diskussion: Computer und Kommunikation: Sonntag, 14.00
Rhythmen der Karibik: Sonntag, 16.00

E. Logisch oder unlogisch?

	logisch	unlogisch
1.	✔	
2.		✔
3.	✔	
4.	✔	
5.		✔
6.	✔	
7.	✔	
8.		✔

F. Was hören Sie?
Teil 1

1.	c	4.	b
2.	d	5.	a
3.	f	6.	e

Teil 2
Possible answers:
1. Ja, ich spiele Tennis. / Nein, ich spiele nicht Tennis.
2. Ja, ich habe ein Auto. / Nein, ich habe kein Auto.
3. Ja, ich habe Hunger. / Nein, ich habe keinen Hunger.
4. Ja, ich habe Durst. / Nein, ich habe keinen Durst.

G. Was studiere ich?

1.	b	3.	a
2.	b	4.	b

H. Ein Roman.
1. um 7.00 Uhr
2. Janus
3. (die) Mutter
4. b, d
5. *Order of answers may vary:*
   Er (Janus) geht schlafen.
   Er (Janus) steht auf.
   Er (Janus) geht spazieren.
   Er (Janus) kommt nach Hause.

Other possible answers:
Er hat Hunger.
Er trinkt Kaffee und schaut fern. (Er trinkt Kaffee. Er schaut fern.)
Er liest ein Buch.
6. *Possible answer:* die Freundin

KAPITEL 3 (S. 155–160)

Wortdetektiv.

1.	e	6.	i
2.	g	7.	f
3.	b	8.	d
4.	h	9.	a
5.	c		

A. Katja und Erika machen Pläne.

1.	falsch	4.	falsch
2.	falsch	5.	falsch
3.	richtig		

B. Katja spricht mit ihrer Mutter.

	Katja	Uschi
1.		✔
2.		✔
3.	✔	
4.	✔	✔
5.	✔	
6.		✔
7.	✔	
8.		✔
9.	✔	
10.	✔	

C. Noch einmal: Katja und ihre Mutter.

1.	a	3.	b
2.	b	4.	a

D. Katja ruft Erika an.

1.	denn	4.	sondern
2.	oder	5.	und
3.	aber		

E. Was kaufen wir?
The following should be circled: the head of lettuce, the tomatoes, the carrots, the apples, the cherries, the chicken, the loaf of dark bread, the cheese, the bottles of mineral water, the beer

F. Einkaufen gehen.
150 g Schweizer Käse, 200 g Blauschimmelkäse, DM 7,30; etwa 1000 g Hähnchen, DM 9,30; 100 g Schinkenwurst, DM 3,20

G. Ein Roman.
1. *Possible answer:* (mit) Gerhardt
2. Sie spielen Fußball.
3. Bier trinken und Karten spielen.
4. zum/ins Restaurant
5. *Possible answers:* Janus spricht wenig/nicht. Er lacht nicht. Er vergisst, wer den Ball hat. Er vergisst alles.

H. Wer hat meine Zeitung?
1. a   4. a
2. a   5. b
3. b   6. a

I. Zwei Freunde.

		Inges Familie	Monikas Familie
1.	Klaus	✔	
2.	Uli	✔	
3.	Sabine	✔	
4.	Enkelkinder	✔	
5.	Carlos		✔
6.	Max		✔
7.	Eltern		✔

J. Noch einmal: zwei Freunde.
1. Klaus
2. Klaus
3. Sabine
4. Sabine
5. Uli
6. Max
7. Monika
8. Monikas Eltern
9. Max
10. Uli, Sabine und Max

KAPITEL 4 (S. 161–166)

A. Wer ist die Diebin?
Die Diebin ist <u>klein</u> und ein bißchen mollig. Sie hat <u>lange</u>, <u>dunkelrote</u>, <u>wellige</u> Haare und <u>grüne</u> Augen. Sie trägt einen dunkelblauen <u>Rock</u>. Sie trägt eine beige <u>Bluse</u> und flache, blaue <u>Schuhe</u>. Sie trägt auch einen <u>Mantel</u>. Der Mantel ist auch <u>beige</u>. Sie trägt <u>keine</u> Handtasche, aber einen <u>Rucksack</u>. Sie sieht sehr <u>selbstsicher</u> und <u>intelligent</u> aus. Sie ist <u>40</u> bis <u>50</u> Jahre alt.

Wortdetektiv.
1. b   7. h
2. c   8. e
3. a   9. k
4. f   10. j
5. d   11. i
6. g

B. Modeschau in Düsseldorf.
Claudia:	a
Dannielle:	b
Anke:	b
Yoshiko:	a

C. Ein Film.
The following should be checked or circled:

Janus	Seine Mutter
steif	unsportlich
unsicher	laut
sportlich	einfallslos
klug/intelligent	nie lustig
kreativ	fleißig
unmusikalisch	unsympathisch
ernst	
faul	
sympathisch	

Janus: *Descriptions will vary.*
Seine Mutter: *Descriptions will vary.*

D. Was trägt Janus im Film?
white boxer shorts: 1
black socks: 1
jeans: 2
black pullover sweater: 2
tennis shoes: 2

E. Noch einmal: Manfred Manfred.
1. a
2. b
3. a

F. Nur Katja oder Katja und Georg?

	du-Imp.	ihr-Imp.
1.		✔
2.		✔
3.	✔	✔
4.	✔	
5.		✔
6.		✔
7.	✔	
8.	✔	

G. Jetzt spricht Onkel Hannes.

	du-Imp.	ihr-Imp.	wir-Imp.
1.			✔
2.		✔	
3.	✔		
4.	✔		
5.	✔		
6.	✔		
7.			✔
8.		✔	

H. Familie Günther fährt zum Flughafen.

Familie Günther fährt zum Flughafen, denn Anna kommt gegen (<u>um</u>) acht Uhr an. Sie fahren auf der Autobahn und nicht <u>durch</u> die Stadt. Frau Günther möchte aber <u>durch</u> die Stadt fahren. Sie will <u>für</u> Anna Blumen kaufen. Am Flughafen ist es schwer, einen Parkplatz zu finden. Wenn sie keinen Parkplatz finden, müssen Frau Günther und die Kinder Anna <u>ohne</u> Herrn Günther treffen. Aber dann fahren sie <u>um</u> die Ecke, und sie finden einen Platz. Der Platz ist ein bisschen klein <u>für</u> das Auto. Die Günthers müssen <u>durch</u> den Flughafen laufen. Sie kommen aber nicht zu spät an, denn die Passagiere kommen noch nicht <u>durch</u> den Zoll.

Possible answers:
1. Es ist spät.
2. Es gibt zu viele Autos.
3. Ja.

KAPITEL 5 (S. 167–174)

A. Michael Kaluders Roman: Kapitel drei.
3, 1, 4, 5, 2, 8, 6, 9, 7, 10

B. Was haben sie gemacht?

	T. Uschi	Katja	Anna
1.	✔		
2.			✔
3.		✔	
4.	✔		
5.	✔		
6.			✔
7.		✔	
8.			✔
9.		✔	
10.		✔	
11.	✔		
12.			✔
13.			✔

	T. Uschi	Katja	Anna
14.		✔	
15.	✔		
16.		✔	
17.			✔

C. Noch einmal: Katja, Anna und Tante Uschi.

1. a	5. b
2. b	6. a
3. a	7. a
4. a	

D. Fragen.
1. b
2. Voom Voom: 2; Das Kleine Café: 1
3. c
4. b
5. a
6. b
7. c

E. Radio Vorsprung bringt den Wetterbericht.

Kopenhagen	Dienstag	Mittwoch	Donnerstag
das Wetter	*heiter*	*heiter*	*heiter bis wolkig*
Höchsttemperatur	*12*		
Tiefsttemperatur	*-1*		

London	Dienstag	Mittwoch	Donnerstag
das Wetter	*(stark) bewölkt + Regen (schauer)*	*Regen (schauer)*	*Regen*
Höchsttemperatur	*13*		
Tiefsttemperatur	*8*		

Madrid	Dienstag	Mittwoch	Donnerstag
das Wetter	*Regen (schauer)*	*wolkig*	*heiter*
Höchsttemperatur	*22*		
Tiefsttemperatur	*8*		

Paris	Dienstag	Mittwoch	Donnerstag
das Wetter	*heiter*	*Regen*	*wolkig*
Höchsttemperatur	*18*		
Tiefsttemperatur	*3*		

Wien	Dienstag	Mittwoch	Donnerstag
das Wetter	*sonnig und warm*	*(weiterhin) sonnig*	*wolkig und Regen*
Höchsttemperatur	*17*		
Tiefsttemperatur	*4*		

F. Wann? Wo?
1. a. im Frühling
   b. im Café
2. a. im Winter
   b. beim Skilaufen
3. a. im Sommer
   b. am Bahnhof
4. a. im Herbst
   b. vor der Bibliothek
5. a. im Sommer
   b. im Plattengeschäft

G. Wann? Wo? Was?
Answers may vary. Possible answers:
1. Das Gespräch findet im Herbst statt.
2. Sie fahren nach Rom.
3. Das Wetter soll dort sehr schön sein.
4. Er nimmt eine Hose, (einige) Hemden, Unterwäsche, gute Schuhe, einen Regenmantel und einen Pulli mit.
   Sie nimmt Blujeans, einen Rock und ein paar Blusen mit.

H. Fragen beantworten.
1. a		4.	a
2. a		5.	c
3. b			

I. Logisch oder unlogisch?
	logisch	unlogisch
1.	✔	
2.	✔	
3.		✔
4.	✔	
5.		✔

KAPITEL 6 (S. 175–180)

Wortdetektiv
1. d		6.	h
2. a		7.	i
3. b		8.	e
4. c		9.	f
5. g			

A. Anna packt aus.
	Ja, das stimmt.	Nein, das stimmt nicht.
1.	✔	
2.		✔
3.	✔	
4.	✔	
5.		✔

	Ja, das stimmt.	Nein, das stimmt nicht.
6.	✔	
7.		✔
8.		✔
9.		✔
10.		✔

B. Bei Fabio.
Answers will vary. Possible answers:
1. Ja, das Zimmer von Fabio gefällt Anna.
2. Sein Zimmer sieht bequem aus.
3. Fabio hört gern Jazz, Rock und klassische Musik.
4. b
5. Er studiert Architektur./Fabio hat viele Kunstbücher, weil er Architektur studiert.
6. Der Keller ist nicht immer abgeschlossen./Fabio stellt sein Fahrrad nicht im Keller ab, weil der Keller nicht immer abgeschlossen ist.

C. Drei Brüder.
1. a		4.	a
2. b		5.	a
3. a			

D. Geburtstagsgeschenke.
1. ihr		4.	ihr
2. ihm		5.	ihnen
3. ihm			

E. Was schenken wir wem?
Anna: ein neues deutsch-deutsches Wörterbuch
Katja: ein Radio
Jeff: einen Fußball
Georg: einen Rucksack
Hannelore: eine Handtasche
Uschi: einen Pulli
Bob: ein paar CDs
Hannes: ein Blitzlicht für seine Kamera

	Ja, das stimmt.	Nein, das stimmt nicht.
1.	✔	
2.		✔
3.		✔
4.		✔
5.	✔	
6.		✔
7.		✔

F. Wo sind diese Leute?

1.	c	4.	b
2.	b	5.	a
3.	b		

G. Frage und Antwort.

1.	a	6.	b
2.	b	7.	a
3.	a	8.	b
4.	b	9.	a
5.	a	10.	a

H. Logisch oder unlogisch?

	logisch	unlogisch
1.		✔
2.	✔	
3.	✔	
4.		✔
5.		✔
6.	✔	
7.		✔
8.		✔

I. Im Klassenzimmer (von) Frau Stein.

1.	c	5.	b
2.	e	6.	g
3.	a	7.	d
4.	f		

J. Ein Interview mit Aydin Yardimci.

	Ja, das stimmt.	Nein, das stimmt nicht.
1.	✔	
2.		✔
3.	✔	
4.		✔
5.	✔	
6.		✔
7.		✔

KAPITEL 7 (S. 181–186)

A. Die Diebin und der Detektiv.

	Ja, das stimmt.	Nein, das stimmt nicht.
1.	✔	
2.		✔
3.		✔
4.		✔
5.	✔	
6.		✔
7.	✔	

B. Die Ereignisse.

3	a.	9	f.
6	b.	5	g.
1	c.	7	h.
4	d.	8	i.
2	e.		

C. Noch einmal: die Diebin und der Detektiv.

an:	X, X
auf:	X, (X: Pass auf), X, X
hinter:	X
in:	X, X, X, X, X, X
neben:	X
über:	X, X, X
unter:	X, X
vor:	X
zwischen:	X, X

D. Zum letzten Mal: die Diebin und der Detektiv.

1.	der	dative of location
2.	einem	dative of location
3.	den	accusative of destination
4.	der	dative of location
5.	der	dative of location
6.	die	accusative of destination
7.	der	dative of location
8.	der, dem	dative of location
9.	dem, dem	dative of location
10.	der	dative of location
11.	die	accusative of destination
12.	die	accusative of destination
13.	dem	dative of location
14.	den	accusative of destination
15.	die	accusative of destination
16.	die	accusative of destination
17.	die	accusative of destination
18.	der	dative of location
19.	dem	dative of location

E. Anna schreibt einen Brief.

	Ja, das stimmt.	Nein, das stimmt nicht.
1.		✔
2.		✔
3.		✔
4.	✔	
5.	✔	
6.	✔	
7.		✔
8.		✔
9.	✔	
10.	✔	
11.	✔	

F. Fragen und Antworten.

1. a	4. b	7. b
2. b	5. a	8. a
3. a	6. a	9. b

G. Der Roman von Michael Kaluder.

1. c	4. b	7. b
2. a	5. a	8. a
3. c	6. a	

9. in die Bäckerei: b, d
auf den Markt: e
wieder nach Hause: c
in das Blumengeschäft: b, d
zu seiner Mutter: a
10. Janus fährt am Nachmittag mit dem Fahrrad zu seiner Mutter.
11. *Answers will vary. Possible answers:* Rote Rosen bedeuten Liebe, und er ist sich nicht sicher, ob er ihr sagen soll, dass er sie liebt.
12. *No written answer required. Answers may vary.*

H. Wie komme ich am besten dahin?
(See map on page 359.)

KAPITEL 8 (S. 187–194)

A. Das Referat planen.

	Ja, das stimmt.	Nein, das stimmt nicht.
1.		✔
2.		✔
3.		✔
4.	✔	
5.	✔	✔
6.	✔	
7.		✔
8.	✔	
9.	✔	
10.	*Answers will vary.*	

Thematische Fragen.
No written answers required. Answers may vary.

Satzdetektiv.

1. d	5. b	9. f
2. c	6. i	10. h
3. e	7. g	11. j
4. a	8. k	

B. Den Eltern geht es nicht gut.

1. a	4. b	7. a
2. a	5. b	8. b
3. b	6. a	

C. Logisch oder unlogisch?

	logisch	unlogisch	
1.		✔	Nein, ich kann mich nicht daran erinnern.
2.	✔		
3.	✔		
4.		✔	Er hat sich erkältet.
5.	✔		
6.		✔	Wir haben uns noch nicht entschieden.
7.		✔	Dann muss er sich auf Politik konzentrieren.
8.		✔	Gut, aber du sollst dich beeilen. (Gut, aber beeil dich.)

D. Die Morgenroutine.

Barbaras Morgenroutine	Stefans Morgenroutine	Karls Morgenroutine
1	3	1
8	1	3
6	4	2
3	2	
5	5	
2	6	
7		
4		

E. Eine Lösung.

Barbaras neue Morgenroutine	Stefans neue Morgenroutine
4	1
2	4
1	3
3	2

1. Vielleicht, aber sie sagt, sie ist kein Morgenmensch.
2. *Answers will vary.*

F. Die Siegener Uni.

1. c	3. a, b
2. a	4. a, b

G. Eine Geschäftsreise nach Prag.

	Präsens	Futur
1.	✔	
2.	✔	
3.		✔
4.		✔
5.	✔	
6.	✔	
7.		✔
8.	✔	

Fragen: 1. Seminar. 2. Im Mai.

H. Eine Autorenlesung.
1. Auf wen wartest du?
2. Worauf freust du dich?
3. Wofür interessierst du dich?
4. Worüber schreibt er?
5. Wovon versteht er viel?
6. In wen hat er sich verliebt?
7. Wovor haben die Eltern Angst gehabt?
8. Womit musst du (auch) leben?

I. Wohnheimplätze.

	Ja, das stimmt.	Nein, das stimmt nicht.
1.		✔
2.	✔	
3.	✔	
4.		✔
5.		✔
6.		✔
7.	✔	
8.		✔
9.		✔
10.	✔	

KAPITEL 9 (S. 195–200)

A. Der Roman von Michael Kaluder.

1. a	3. b	5. a
2. c	4. b	6. b

B. Die Geschichte geht weiter.

1. c	2. a	3. c

C. Noch einmal: Janus und Susanne.
1. a, c
2. a, b, d, *also possible:* c
3. c, d
4. a
5. b

D. Ein Blick auf Dresden.

1. b	5. k	9. j
2. c	6. i	10. f
3. g	7. d	11. a
4. h	8. e	

E. Relativsätze.
No written answers.

F. Barbara bei der Arbeit.

	Ja, das stimmt.	Nein, das stimmt nicht.
1. ihre, erste	✔	
2. alten		✔
3. tollen, klimatisierten	✔	

	Ja, das stimmt.	Nein, das stimmt nicht.
4. kleinen, engen	✔	
5. kleines		✔
6. höflichen, kontaktfreudigen		✔
7. derselben		✔
8. leichte, ganzen		✔
9. schlechten		✔
10. lauten, rauchigen		✔

G. Lernen oder tratschen Sie?
1. **München** ist **groß**. Hamburg ist **größer**. **Berlin** ist am **größten**.
2. **Barbara** ist nicht so **alt** wie Inge, aber sie ist **älter** als **Anna**. **Inge** ist die **älteste**.
3. Die **Transamerica Pyramide** ist **hoch**. Das **Empire State Building** ist **höher**. Der **Sears Tower** ist am **höchsten**.
4. **Stefan** ist **intelligenter** als Karl, aber **Fabio** ist am **intelligentesten**.
5. Fabio ist **flexibel**. **Stefan** ist **flexibler** als Karl.
6. Die Vorlesung bei Professor Fritsche ist **gut**. Das Seminar bei Professor Lenz ist aber **besser**, und das Seminar bei Professor Adamek ist am **besten**.

KAPITEL 10 (S. 201–206)

A. Die sieben Raben.

	Ja, das stimmt.	Nein, das stimmt nicht.
1.		✔
2.	✔	
3.		✔
4.		✔
5.		✔
6.		✔
7.	✔	
8.		✔
9.		✔
10.	✔	

B. Eine böse Hexe?

1. c	4. b	7. a
2. b	5. b	8. b
3. a	6. c	9. c

10. Sie ist Vegetarierin. Sie isst kein Fleisch.

C. Wieder Unterwegs! – Eine Reise nach Liechtenstein.
1. 62 Quadratmeilen, 160 km²
2. ungefähr 29.000

3. der Rhein
4. mit Österreich, mit der Schweiz
5. Skilaufen
6. der Naalkopf
7. Vaduz
8. der Schweizer Franken
9. 0
10. Industrie, Tourismus
11. neutral
12. Deutsch, Alemannisch
13. katholisch
14. ein Prinz

D. Weihnachten in Deutschland.
The following verbs should be checked:

aßen	(essen)
begann	(beginnen)
bekam	(bekommen)
brachten mit	(mitbringen)
freuten sich	(sich freuen)
gab	(geben)
ging	(gehen)
kam an	(ankommen)
kamen	(kommen)
kaufte	(kaufen)
konnte	(können)
sah aus	(aussehen)
sangen	(singen)
schmückte	(schmücken)
war	(sein)
waren	(sein)

E. Noch einmal: Weihnachten in Deutschland.

	Ja, das stimmt.	Nein, das stimmt nicht.
1.		✔
2.		✔
3.	✔	
4.		✔
5.	✔	
6.	✔	

F. Was meinen Sie?

1. a	4. a	7. b
2. a	5. b	
3. b	6. a	

G. Katastrophale Urlaubserlebnisse.

1. b	3. b	5. a
2. a	4. a	

KAPITEL 11 (S. 207–213)

A. Leipzig kennen lernen.
The following places should be circled:

Thomaskirche; Altes Rathaus; Auerbachs Keller; Mädlerpassage; Markt; Nikolaikirche; Universität, Uni-Hochhaus; Neues Gewandhaus

B. Die Geschichte Deutschlands.

	Ja, das stimmt.	Nein, das stimmt nicht.
1.		✔
2.	✔	
3.	✔	
4.		✔
5.	✔	
6.	✔	
7.		✔
8.	✔	
9.		✔
10.	✔	✔
11.	✔	
12.		✔

C. Die Nachkriegszeit in Ost-Berlin.

1. a, b, c	5. b
2. a, b	6. c
3. a, b, c	7. a
4. a, b	8. a, b

D. Das Leben in der ehemaligen DDR.
1. c, e, f
2. a, d, f, g, j

E. Anna und Katja in Leipzig.

	Indikativ	Konjunktiv
1.		✔
2.		✔
3.	✔	
4.		✔
5.	✔	
6.		✔
7.		✔
8.		✔
9.	✔	
10.		✔

Möchte is actually a subjunctive form.

F. Logisch oder unlogisch?

	logisch	unlogisch
1.		✔
2.	✔	
3.		✔
4.	✔	
5.		✔
6.	✔	
7.	✔	
8.	✔	

G. Tatsachen im Passiv.

1. a		4. a		7. b	
2. b		5. a		8. a	
3. a		6. b			

H. Annas Berlinbesuch.

	Hauptverb	Futur	Passiv
1.	✔		
2.		✔	
3.			✔
4.		✔	
5.			✔
6.	✔		
7.			✔
8.			✔

I. Eine kurze Reise nach Stuttgart.

1. (Sie wohnt) außerhalb der Stadt.
2. schlecht; nicht schön
3. Wegen des alten Schlosses. Weil es dort ein altes Schloss gibt.
4. Während ihres Besuches. Als sie dort auf Besuch war.
5. Wegen ihres Seminars. Weil sie am Montag ins Seminar musste.

KAPITEL 12 (S. 214–221)

A. Der Roman von Herrn Kaluder.

	Ja, das stimmt.	Nein, das stimmt nicht.
1.	✔	
2.		✔
3.		✔
4.	✔	
5.	✔	
6.		✔
7.		✔
8.		✔
9.		✔
10.	✔	
11.	✔	
12.		✔

B. Noch einmal: Janus und Susanne.

1. b		3. a		5. b	
2. b		4. a		6. a	

C. Radio Vorsprung unterwegs!

1. c
2. b
3. a, b, c, d, e, f, h, j
4. a

D. Die Sendung wird wiederholt.

1. c		6. a		11. b	
2. b		7. a		12. b	
3. b		8. b		13. b	
4. a		9. a		14. a	
5. c		10. a			

E. Das Ende des Romans.

	Ja, das stimmt.	Nein, das stimmt nicht.
1.	✔	
2.		✔
3.	✔	
4.		✔
5.		✔
6.		✔
7.	✔	
8.	✔	

F. Die Diebin und der Detektiv.

	Passiv	Zustandspassiv	Aktiv
1.	✔		
2.		✔	
3.			✔
4.			✔
5.			✔
6.	✔		
7.	✔		
8.			✔
9.			✔
10.		✔	

G. Was meinen Sie?

Possible answers:
1. Ja.
2. Susanne im Roman ist Claudia im Fall von Inspektor Prachner. Janus ist der Schriftsteller Michael Kaluder.

H. Ein Happy End?

	Ja, das stimmt.	Nein, das stimmt nicht.
1.	✔	
2.	✔	
3.		✔
4.		✔
5.	✔	
6.	✔	
7.	*Answers will vary.*	

I. Rainer Maria Rilke.

	Ja, das stimmt.	Nein, das stimmt nicht.
1.	✔	
2.		✔
3.	✔	✔
4.	✔	
5.	✔	
6.	✔	

J. Herbsttag.
No written answers.

KAPITEL 7

H. Wie komme ich am besten dahin? (Arbeitsbuch S. 184)

Answer Key for *Unterwegs!* Video Workbook

Szene 1: Willkommen in Tübingen (S. 225–226)

Aktives Zuhören

A. Ergänzen Sie: Diktat.
1. bin, ich, Wie
2. warum, sie, die, sie
3. ich, ihr

B. Wichtige Informationen.
1. Sie kommt jetzt aus Hamburg.
2. ... und sie sind hellbraun oder blond, ...
3. ... und sie ist ziemlich mollig.
4. Bist du sicher, dass ...?
5. Wie schön, dich zu sehen.
6. Du siehst ganz anders aus als vor fünf Jahren.

Schreiben Sie

C. Wie sehen sie aus?
Answers will vary. Possible answers:
Ist ...
Lisa ist klein / schlank / hübsch.
Sabine ist groß / jung / hübsch.
Julian ist groß / schlank / jung.
Hat ...
Lisa hat lange braune Haare.
Sabine hat lange(s) blonde(s) Haar(e) / wellige(s) Haar(e).
Julian hat glattes Haar / kurze(s) braune(s) Haar(e) / braune Augen.

Szene 2: Meine Familie (S. 227–228)

Aktives Zuhören

A. Ergänzen Sie: Diktat.
1. Eltern, sie, Sie, sie, sie, Opa
2. machst, interessiere, habe, spiele, Spielst, singe, bin, hast

3. machst, studiere, fotografiere, bist, kommst, komme, studiere, habe

B. Wichtige Informationen.
1. Es sind nur zwei Stück, aber ...
2. a. Das ist meine Stiefmutter.
   b. Das ist mein Vater.
   c. Das ist meine Schwester.
3. Ja, sie hat auch braune Augen.
4. Sag mal, was machst du eigentlich so gerne?

Schreiben Sie

C. Was machen sie?
1. Sie lernt Biologie. Sie spielt Klavier. Sie singt gern. Sie ist in einem Verein für Umweltschutz.
2. Er studiert Medienwissenschaft. Er fotografiert gern. Er studiert in Tübingen. Er hat ein Zimmer in Tübingen.

Szene 3: Ich möchte gern ... (S. 229–231)

Aktives Zuhören

A. Ergänzen Sie: Diktat.
1. Käse, Gemüse, lieber, möchte
2. Gramm, Äpfel, Äpfel, von, Kilo
3. Karotten, Ein, Wie viel, vier, sechzig, Danke, Bitte
4. hast, uns, kann, gehen

B. Wichtige Informationen.
1. Guck mal, die Kirschen sehen lecker aus.
2. Lieber Kirschen?
3. Gut, dann kauf ich alle drei. Ja?
4. Und 500 Gramm Erdbeeren bitte.

Schreiben Sie

C. Was kaufen sie?
1. *The following items should be checked:*
   Kirschen, Erdbeeren, Äpfel, Kopfsalat, Karotten
2. *Possible answers:*
   1. Sabine kauft ein Pfund Kirschen.
   2. Sie kauft 500 Gramm Erdbeeren.
   3. Sie kauft ein halbes Kilo Äpfel.
   4. Sie kauft ein bisschen Gemüse.
   5. Sie kauft ein Bund Mohrrrüben.

SZENE 4: DENK DRAN!
(S. 233–234)

Aktives Zuhören

A. Ergänzen Sie: Diktat.
1. weiß, kennt, kennt, weiß
2. Cafés, Warum, Geht, interessant

B. Wichtige Informationen.
1. ... und kauf aber nicht direkt am Marktplatz, ...
2. ... sondern geh ein bisschen außerhalb, in Richtung Stiftskirche.
3. Aber kauf dir keine Hose.
4. Und für deine Mutter kauf am besten ein Buch.
5. Ja, aber schaut euch nicht nur die Jazzkeller an und setzt euch nicht nur in die Cafés.
6. Geht auf den Hölderlinturm rauf.
7. Schaut euch das Stadtmuseum an.

Schreiben Sie

C. Was soll sie mitbringen?
1. *The following items should be checked:*
   eine Haarbürste, einen Regenschirm, den Schlüsselbund, einen Fotoapparat, Schecks, eine Sonnenbrille, das Portmonee
2. *Answers will vary. Possible answers:*
   1. Sie soll den Reisepass mitbringen.
   2. Sie soll eine Kreditkarte mitbringen.
   3. Sie soll einen Fotoapparat mitbringen.
   4. Sie soll einen Mantel mitbringen.
   5. Sie soll das Portmonee mitbringen.

SZENE 5: FREUNDSCHAFTEN
(S. 235–237)

Aktives Zuhören

A. Ergänzen Sie: Diktat.
1. Sonne scheint, bewölkt, Seit, hat, geregnet, Regenschirm, Weißt, noch
2. Freunde, ihn, nett, sympathisch, chaotisch
3. seine, Freundin, der, weiß, Monaten, Die
4. noch, schon da, die

B. Falsche Informationen.
Lisa und Sabine gehen **Julian** besuchen. Die Sonne scheint, aber **es ist noch stark bewölkt.** Es hat **seit Wochen** geregnet, und Lisa hat einen **Regenschirm** dabei. **Sabine** kennt Julian seit ungefähr einem Jahr. Sie haben zusammen **eine Fahrradtour an der Ostsee** gemacht. Dann sind sie einen Tag **auf der Insel Rügen** gewesen. An einem Tag war so schönes Wetter, dass Sabine unbedingt **surfen gehen** wollte. Keiner wollte mitgehen **außer Julian.** Auf dieser Reise **sind** sie näher **ins Gespräch gekommen.** Jetzt sind Julian und Sabine **lose** Freunde. Sabine findet ihn sehr nett. Sie findet ihn **chaotisch.** Lisa findet Julian schon recht sympathisch. Sabine und Lisa kommen endlich zu **Julians** Haus.

Schreiben Sie

C. Was haben sie zusammen gemacht?
1. (Sie kennen einander) seit ungefähr einem Jahr. Seit elf Monaten.
2. Sie haben zusammen eine Fahrradtour an der Ostsee gemacht.
3. Sie sind nach Rostock gefahren.
4. Nein, (sie sind) mit dem Zug (gefahren).
5. Das Wetter war schön.
Description of trip where students made a friend. Possible answers:
1. Wir haben einander letztes Jahr/vor zwei Jahren in Europa kennen gelernt.
2. Nein, ich habe mit Freunden eine Europatour gemacht.
3. Wir sind mit dem Flugzeug nach London geflogen und mit dem Zug

nach Paris, Rom und Madrid gefahren.

4. Nein, aber wir sind in vier Ländern gewesen.
5. Das Wetter war meistens warm, weil es Sommer gewesen ist. Es hat aber auch geregnet.
6. Wir sind spazieren gegangen und haben in Cafés französischen Wein getrunken.
7. Wir haben in Paris über Kunst, über das Essen und über unsere Familien in den USA geredet.

Paragraph: Descriptions will vary. Possible answers:

1995 habe ich mit meinen Freunden eine Europatour gemacht. Wir sind mit dem Flugzeug nach London geflogen und mit dem Zug nach Paris, Rom und Madrid gefahren. Wir sind in vier Ländern gewesen. Das Wetter war meistens warm und sonnig, weil es Sommer gewesen ist. Es hat aber auch geregnet. Ich habe in einem Museum in Paris einen amerikanischen Studenten kennen gelernt. Er hat in Paris seine Tante besucht. Mein (neuer) Freund und ich sind spazieren gegangen und haben in Cafés französischen Wein getrunken. Wir haben in Paris über Kunst, über das Essen und über unsere Familien in den USA geredet. Ich habe mich nicht in den Studenten verliebt, aber wir sind jetzt gute Freunde. Wir telefonieren oft und besuchen einander.

SZENE 6: BEI JULIAN (S. 239–240)

Aktives Zuhören

A. Ergänzen Sie: Diktat.
1. mir, lerne, den, der, Der, Kindern
2. mir, geschenkt, geschenkt, von meinem Bruder
3. dir, diesem, diesem, mir, dir

B. Falsche Informationen.
Sabine und Lisa besuchen Julian. Es ist früh **morgens** und Julian hat gerade sein **Frühstück** zu Ende gegessen. Er bietet Sabine und Lisa eine Tasse **Kaffee** an. Lisa und Sabine **haben schon** gegessen. Julians

Zimmer ist **total chaotisch**, weil er **keine Zeit** gehabt hat aufzuräumen. Er lernt **Türkisch**. Er hat einen **Computer** von seinem Bruder geliehen und eine **Stereoanlage von seiner ehemaligen Freundin**. Er hatte **noch keine Zeit**, sie ihr zurückzugeben. Alle Bücher im Regal gehören **ihm**. Sabine hat ihm **ein** Buch geliehen. Er findet **das Buch,** aber gibt es ihr **nicht zurück**. Sabine und Lisa müssen zur Uni. Sie **warten** auf Julian.

Schreiben Sie

C. Was hat Julian im Zimmer?
1. Julians Zimmer:
Er hat ... viele Sachen im Zimmer.
Im Zimmer hat er ... einen Schreibtisch, einen Computer, eine Stereoanlage, einen Fernseher, ein Poster, ein Waschbecken, ein Bett, ein Bücherregal mit einer Pflanze.
In der Küche gibt es ... einen Stuhl, einen Tisch, ein Spülbecken, Tassen und andere Dinge für die Küche.
Im Bücherregal ... sind Bücher und eine Pflanze.

2. Was hat Julian alles geliehen?
Von seinem Bruder hat er ... einen Computer geliehen.
Von seiner ehemaligen Freundin hat er ... eine Stereoanlage geliehen.
Von einem guten Freund hat er ... eine CD geliehen.
Von Sabine hat er ... ein Buch geliehen.

SZENE 7: IN DER ALTSTADT (S. 241–244)

Aktives Zuhören

A. Ergänzen Sie: Diktat.
1. den grünen, Rathaus
2. auf diesem, den
3. in der, dem Fahrrad
4. der, den, das, dieses, moderne
5. in der, in deine, zum
6. ihr, dich, mit zur

B. Falsche Informationen.
Julian und Lisa sind in der Altstadt. Das Schloss heißt „Hohentübingen" und ist

nicht das Gebäude mit den grünen Dächern. Die Uni-Kliniken sind auf dem Berg, und daneben sind die Fakultäten für **Naturwissenschaften, wie Chemie, Physik, Mathematik.** In der Altstadt fährt man normalerweise mit dem **Fahrrad.** Julian studiert in dem Brechtbau – einem **modernen, braunen Gebäude, das Lisa hässlich** findet. Die Bibliothek hat Lisa **gut** gefallen. Sie schauen sich einen Jazzkeller an, dann gehen sie in eine Buchhandlung. Lisa kauft **ihrer Mutter** ein Buch über **Tübingen.** Und Julian hat eine Biographie über **Uwe Johnson** gekauft. Sie treffen Sia, **eine Bekannte** von Julian, auf der Straße. Sia wird Lisa **morgen** zur Anatomievorlesung mitnehmen.

Schreiben Sie

C. Beschreiben Sie die Uni.
1. *Drawings will vary.*
2. *Descriptions will vary. Here is a fictious description of one university:*
Die Gebäude mit den roten Dächern sind die Kliniken. Sie sind hinter der Fakultät für Medizin – das ist das moderne Gebäude mit den vielen Fenstern. Da drüben ist die Fakultät für Naturwissenschaften. Das Gebäude ist viel älter als die Fakultät für Medizin. Vor der Fakultät stehen viele Fahrräder. Gleich um die Ecke ist die Bibliothek. In dieser Bibliothek lese und lerne ich jeden Tag viele Stunden. Unter der Bibliothek sind große Keller mit alten Büchern. Geradeaus ist der William-Faulkner-Bau, die Fakultät für moderne Sprachen. Dort studieren viele ausländische Studenten. An der Mauer hängen viele Poster. Die Fakultät für Sport steht zwischen der Fakultät für moderne Sprachen und der Mensa. Neben der Fakultät für Sport ist ein ganz neues Schwimmbad. Ich besuche Vorlesungen und Seminare im Faulkner-Bau und esse fast jeden Tag in der Mensa.

SZENE 8: AN DER UNI
(S. 245–247)

Aktives Zuhören

A. Ergänzen Sie: Diktat.
1. uns, mich

2. werde, machen, wird, sein
3. willst, machen, werden, drei, uns, Kindern
4. sich, tun werde, werde, Abitur, Wirst, schaffen
5. werde, mich

B. Falsche Informationen.
Lisa besucht Sias **Anatomievorlesung.** Es ist **acht** Uhr. Der Hörsaal ist **ziemlich** voll, weil der Professor **sehr beliebt** ist. Sia hat **noch kein** Praktikum gemacht. Ein Medizinstudium dauert **12, 13** Semester und danach gibt es **das Physikum.** Man hat **drei** Versuche, die Klausur zu schaffen. Sia wird **Kinderärztin** werden, weil sie gut mit **Kindern** umgehen kann. Lisa möchte gern **Medizin** studieren. Sie hat das Abitur **noch nicht** gemacht. Es ist **nicht** einfach, einen Studienplatz in Medizin zu bekommen. Lisa möchte sich für die Umwelt engagieren.

Schreiben Sie

C. In der Zukunft.
1. *Answers will vary. Possible answers:* Sia wird ein Praktikum machen. Sie wird nach 12, 13 Semestern das Physikum machen, das ist eine schwere Klausur. Später wird sie Kinderärztin, weil sie Kinder gern hat.
2. *Answers will vary. Possible answers:* Sie wird erst mal ihr Abitur machen müssen. Vielleicht macht sie dann Medizin. Vielleicht wird sie Biologie studieren. Als Biologin wird sie sich für die Umwelt engagieren. Vielleicht sieht sie irgendwann mal Sia als Medizinerin wieder.
3. *Answers will vary. Possible answers:* Ich möchte später Augenärztin werden. Zuerst werde ich viele naturwissenschaftliche Grundkurse besuchen. Dann werde ich mein Medizinstudium machen. Ich werde noch mehr Deutsch studieren, damit ich notwendige technische Ausdrücke lerne, denn Augenärzte müssen diese Ausdrücke kennen. Ich glaube, die Arbeit als Ärztin wird mir Spaß machen, aber das schwere Studium

wird mir vielleicht nicht so gefallen – besonders der Sezierkurs! Nächsten Sommer mache ich ein Praktikum in einer Klinik. Ich will wissen, ob mir die Arbeit in einer Klinik gefällt. Ich will aber auch andere Länder kennen lernen. Später in meinem Studium fahre ich als Austauschstudentin nach Deutschland oder in die Schweiz. Und nach meinem Studium gehe ich hoffentlich mit dem „Peace Corps" nach Afrika. Dort braucht man Augenärzte.

SZENE 9: IM BERUF (S.249–251)

Aktives Zuhören

A. Ergänzen Sie: Diktat.
1. einen, schönen, den, Kliniken, einer, Eine, tolle
2. keine, den, einem, eine, gute, dieser, einen, guten
3. Meine, einen, anständigen
4. einer, körperbehinderte, meine, erste, einer, sprachbehinderte, eine, erste, schwierige, Meine
5. einen, interessanteren, kulturellen, journalistischen, viele, viele, verschiedene, Kulturen

B. Falsche Informationen.
Gudrun und **Werner** reden von ihren Arbeitserlebnissen. **Sabine** und **Lisa** hören zu. Werner hat zuerst **eine kaufmännische Lehre gemacht** und dann hat er **die Schauspielschule gemacht.** Sein erstes Theaterstück war **auf einer Freilichtbühne.** Gudrun hat zuerst in einer Schule für **körperbehinderte** Kinder gearbeitet und dann in einer Schule für **sprachbehinderte** Kinder. Das hat ihr **unheimlich viel** Spaß gemacht. Heute ist sie **noch immer** an dieser Schule. Sabine möchte **am liebsten** im kulturellen **oder im journalistischen** Bereich arbeiten. Lisa interessiert sich für den Umweltschutz. Morgen hat Sabine ein Vorstellungsgespräch beim **Fremdenverkehrsbüro.** Werner und Gudrun haben viele Vorschläge. Sabine soll heute Abend **früh** ins Bett und soll sich morgen gut anziehen. Sie soll den Leuten sagen, dass sie im Sportverein aktiv gewesen ist, dass sie Skifreizeiten organisiert und geleitet hat und dass sie die Stadt Tübingen sehr gut kennt. Die vier trinken ein bisschen mehr und dann gehen sie **schlafen.**

Schreiben Sie

C. Was haben sie gemacht? Was haben Sie gemacht?
1. 1. Sie hat in einer Schule für körperbehinderte Kinder ein Praktikum abgeschlossen.
   2. Dann hat sie eine Anstellung an einer Schule für behinderte Kinder bekommen.
   3. Sie hat eine erste Klasse gehabt.
   4. Das hat ihr unheimlich viel Spaß gemacht.
   5. Sie hat jetzt nur noch einen halben Lehrauftrag.
2. 1. Er hat zuerst einen anständigen Beruf gelernt.
   2. Er hat eine kaufmännische Lehre gemacht.
   3. Er hat danach die Schauspielschule gemacht.
   4. Sein erstes Stück war ein Shakespeare.
   5. Danach war er in München, Schwabing und dann Tübingen.
3. 1. Sie möchte später einen interessanten Beruf haben.
   2. Sie möchte im kulturellen oder journalistischen Bereich arbeiten.
   3. Sie will viele Kulturen und Menschen kennen lernen.
   4. Vielleicht wird sie im Europaparlament arbeiten.
   5. Oder sie möchte als Managerin viel Geld verdienen.
4. *Answers will vary.*

SZENE 10: BEIM VORSTELLUNGSGE-SPRÄCH (S.253–254

Aktives Zuhören

A. Ergänzen Sie: Diktat.
1. lerne, kennen
2. bin, gewesen, sind, gewesen, haben, gewohnt, haben, Sehenswürdigkeiten gemacht

3. Freunden, habe, unternommen
4. habe, Restaurant, kenne, aus
5. gelernt, verstehen

B. Falsche Informationen.
Sabine ist nervös beim Vorstellungsgespräch. Sie interessiert sich für die
Arbeit, weil sie gern reist und gern andere
Leute kennen lernt. Sie ist mit den Eltern
viel gereist **und viel** mit den Freunden. Sie
hat in vornehmen **Hotels** übernachtet **und**
in **Jugendherbergen**. Sie war schon in
Spanien und hat in **Italien** gewohnt. Dort
hat sie in einem **Restaurant** gearbeitet. Sie
hat Fremdsprachenkenntnisse. Sie spricht
fließend **Englisch** und Französisch. Und
auch **Italienisch** durch den Aufenthalt in
Italien. Beim Fremdenverkehrsamt wird
Sabine ihre Fremdsprachenkenntnisse
nicht immer benötigen. Dort gibt es **viel**
Büroarbeit. Das Amt hat viel Betrieb im
Sommer. Der Interviewer wird jetzt die
Mitarbeiter vorstellen und wird sich in
einer Woche bei Sabine wieder melden.

Schreiben Sie

C. Was machte Sabine?
1. Außerdem lernte sie gerne andere
   Menschen kennen aus möglichst
   vielen verschiedenen Ländern.
2. Sie war einerseits mit ihren Eltern
   unterwegs, sie waren in den
   vornehmen Hotels, wohnten dort,
   guckten sich die Sehenswürdigkeiten
   an, machten also viele Städtetouren.
3. Andererseits war sie mit vielen
   Freunden unterwegs, unternahm
   sogenannte Rucksacktouren.
4. Sie arbeitete in einem Restaurant und
   kennt (kannte) sich dadurch auch viel
   mit anderen Kulturen aus.
5. Lernte, andere Bräuche und Sitten zu
   respektieren und auch zu verstehen.

Szene 11: Ich würde gern...
(S. 255–256)

Aktives Zuhören

A. Falsche Informationen.
Sabine und Lisa gehen am Fluss spazieren.
Sabine ist gerade von dem Vorstellungs-
gespräch gekommen. Sie war **sehr nervös**

und **sehr aufgeregt**. Die Arbeit würde ihr
viel Spaß machen. Sie würde Kontakt mit
vielen verschiedenen Menschen haben.
Diese Leute würden **aus vielen
verschiedenen Ländern** kommen. **Lisa**
würde am liebsten hier in Tübingen
bleiben, und Sabine würde gern viele
verschiedene Länder besuchen. Sabine
erzählt von der Geschichte Tübingens.
Tübingen wurde vor **1500** Jahren
gegründet, und eine Burg wurde im **elften**
Jahrhundert errichtet. Die Uni wurde **1477**
gegründet, **50** Jahre später das
Evangelische Stift. Viele berühmte
Menschen haben in Tübingen studiert.
Später reden die zwei Kusinen von ihren
Zukunftswünschen. Sabine würde gern
nach Australien fliegen und Lisa nach
Norwegen.

B. Was ist die richtige Reihenfolge?
6, 5, 1, 4, 2, 7, 3, 8

Schreiben Sie

C. Sabines Wünsche.
Answers will vary. Possible answers:
1. Ich guckte mir Sydney an.
2. Ich lebte (ein paar Wochen) mit den
   Aborigines zusammen.
3. Ich erfuhr, wie sie leben und denken.
4. Ich sah, wie ein Tag von ihnen
   aussieht.
5. Ich verbrachte auch ein paar Tage am
   Strand.

Szene 12: Und was sind die
Aussichten?
(S. 257–259)

Aktives Zuhören

A. Wiederholung von Verben.
1. **fand:** narrative past; **herumgeführt
   hast:** conversational past
2. **sagt:** imperative; **seht:** present tense
3. **hab überlegt:** conversational past
4. **bin:** present tense expressing future;
   könnte gehen: subjunctive, **gehen** =
   infinitive
5. **wär:** subjunctive
6. **hört sich an:** present tense
7. **weißt:** present tense; **finden würde:**

subjunctive, **finden** = infinitive;
schaffen könnten: subjunctive,
schaffen = infinitive; **verzichten:**
infinitive

8. **möchte gehen:** subjunctive, **gehen** =
   infinitive, **arbeiten** = infinitive
9. **wird haben:** future, **haben** =
   infinitive
10. **kommt:** imperative; **seid eingeladen:**
    present tense
11. **werden tun:** future
12. **wird:** present tense, **fährt:** present
    tense expressing near future; **müssen:**
    present tense
13. **lass uns zahlen: lass** = imperative,
    zahlen = infinitive

B. **Falsche Informationen.**
   Lisa und Sabine trinken Kaffee **mit Julian.**
   Lisa fährt bald nach Hamburg. Lisa wird
   bald wiederkommen. Sie wird in
   Hamburg das Abitur machen und dann in
   Tübingen Medizin studieren. Sie möchte
   Ärztin werden und **interessiert sich** für
   die Forschung. In der neuen Europäischen
   Union kann man einfacher reisen und im
   Ausland arbeiten. Julian würde gern nach
   London gehen und dort im **Filmgeschäft**
   arbeiten. Und Sabine wird vielleicht
   Karriere als **Geschäftsfrau** im
   Europäischen Parlament machen. Lisa lädt
   Sabine und Julian nach Hamburg ein.
   Dann zahlen sie, weil sie zum **Bahnhof**
   müssen.

Schreiben Sie

C. **Woran erinnern Sie sich?**
   Answers will vary. Possible answers:
   1. a. Lisa ist die Kusine von Sabine.
      b. Lisa hat braune Haare.
      c. Lisas Vater ist groß und schlank.
      d. Lisa wohnt in Hamburg.
      e. Lisa besucht die Stadt Tübingen.
      f. Lisa möchte Medizin oder Biologie
         studieren.

g. Lisa wird erst ihr Abitur machen.
h. Lisa war früher mollig.
i. Lisa hatte kurze Haare.
j. Lisa ist mit Julian durch die
   Altstadt gegangen.
k. Lisa hat mit Sia eine Vorlesung
   besucht.
l. Lisa würde gern wieder nach
   Tübingen kommen.
m. Lisa wurde von Sabine kaum
   erkannt.

2. a. Sabine ist hübsch.
   b. Sabine hat blonde wellige Haare.
   c. Sabines Vater ist Schauspieler.
   d. Sabine wohnt in Tübingen.
   e. Sabine besucht die Universität
      Tübingen.
   f. Sabine möchte im Sommer beim
      Fremdenverkehrsbüro arbeiten.
   g. Sabine wird dann Touristen in der
      Stadt herumführen.
   h. Sabine war im Sportverein aktiv.
   i. Sabine hatte früher viele
      Austauschschüler in der Stadt
      herumgeführt.
   j. Sabine ist im Interview auf dem
      Fremdenverkehrsbüro sehr
      freudlich.
   k. Sabine hat mit den Eltern und mit
      vielen Freunden Urlaub im
      Ausland gemacht.
   l. Sabine würde gern nach Australien
      reisen.
   m. Sabine wurde von Lisa nach
      Hamburg eingeladen.

TRANSPARENCY MASTERS:
ANLAUFTEXTE

TRANSPARENCY MASTERS: *ANLAUFTEXTE*

Using Overhead Transparencies

Transparency masters of all the **Anlauftexte** found in *Vorsprung* have been provided for the convenience of instructors. These introductory dialogues can be easily photocopied onto a transparency and projected onto a screen using an overhead projector. Using overhead transparencies in the introduction of new materials requires all students to focus on the instructor and enables the instructor to determine whether students are encountering comprehension difficulties or not, based on their facial expressions.

Using overhead transparencies is especially effective for the pre-viewing and post-viewing phases of work with the **Anlauftexte**. During the pre-viewing stage the instructor can clarify new vocabulary items or cultural information that is visually represented in the Anlauftexte. During the review of the texts on the following day the instructor may choose to blacken out the captions and speech bubbles in the text and encourage students to provide their own descriptions or dialogue. This can all be done in the target language.

Instructors may also want to make overhead transparencies of the **Wissenswerte Vokabeln** sections in each chapter and present this vocabulary using an overhead projector.

NOTE: **Kapital 1** has two **Anlauftexte**. **Kapitel 10** has no Transparency Master because the format of the **Anlauftext "Aschenputtel,"** with wrap-around art is unsuitable for a purely visual presentation.

Kapitel 1

Annas Albtraum

Anna hat einen Albtraum ...

Da ist die Universität in Deutschland: groß, grau, unpersönlich.

Anna sucht Hörsaal 20.

Anna fragt eine Studentin:

Entschuldigung! Bin ich hier richtig? Wo bin ich? Ist das hier Hörsaal 20?

Die Studentin sagt nichts.

Anna findet Hörsaal 20 und öffnet die Tür.

Aber die Tür knallt zu. Alle drehen sich um.

Annas Traum

Anna sucht den Hörsaal und fragt eine Professorin:

Ich suche Hörsaal 20. Bin ich hier richtig?

Da ist die Universität in Tübingen: romantisch, historisch, schön.

Die Professorin ist sehr freundlich und antwortet:

Ja, Sie sind hier richtig. Hörsaal 20 ist gleich da vorne.

Anna öffnet die Tür und geht hinein.

Der Professor begrüßt Anna.

Guten Morgen! Kommen Sie 'rein und nehmen Sie Platz. Setzen Sie sich, hier vorne.

Kapitel 2

Anna Adler stellt sich vor

Ich heiße Anna Adler. Ich bin 20 Jahre alt.

Ich fliege im August nach Deutschland.

Ich komme aus den USA, aus Fort Wayne. Ich bin Amerikanerin.

Ich spiele gern Softball.

Ich höre gern Musik, zum Beispiel Mozart.

Ich gehe auch gern wandern,

aber ich sehe nicht gern fern.

Mein Vater heißt Bob Adler. Er ist 48 Jahre alt.

Ich habe auch einen Bruder. Er heißt Jeff. Er ist 16. Er meint, er ist sehr klug und sehr sportlich. Naja ...

Meine Mutter, Hannelore Adler, ist 46 Jahre alt. Sie kommt aus Deutschland, aber sie ist jetzt Amerikanerin.

Ich habe keine Schwester.

Kapitel 3

Was halten wir von Anna? Was hält sie von uns? (fortgesetzt)

Kapitel 4

Mutters Ratschläge

Hannelore Adler hat viele Ratschläge für Anna, aber Anna interpretiert sie anders.

Frau Adler sagt:

Trinkt nicht so viel Cola!

Anna denkt:

Dann muss ich wohl Bier trinken, aber ich mag das nicht.

Nimm genug warme Kleidung mit!

Ich darf meine Handschuhe nicht vergessen.

Gib nicht zu viel Geld für Andenken aus!

Ich will aber Andenken kaufen.

Fahr nie per Anhalter!

Dann muss ich wohl ein Fahrrad haben.

Kapitel 5

ANLAUFTEXT (S. 175–177)

Die Geschichte von Tante Uschi und Onkel Hannes

Onkel Hannes und Tante Uschi erzählen Anna, wie sie sich kennen gelernt haben.

Uschi hat in Hamburg Pharmazie studiert und als Kellnerin in einer Studentenkneipe gearbeitet. Sie hat Geld fürs Studium verdient.

Ich bin oft in die Kneipe gegangen, weil mir die Uschi gut gefallen hat.

Ja, und er hat nie Trinkgeld gegeben. Wenigstens hat er gut ausgesehen ...

Und dann habe ich sie eines Tages ins Theater eingeladen, und nachher haben wir zusammen ein Bier getrunken. Wir haben leidenschaftlich diskutiert ...

Ja, aber nach dem zweiten Bier war ich etwas mutiger.

Leidenschaftlich diskutiert? Du warst so nervös, du hast keine drei Worte gesagt.

Und später haben wir einen romantischen Spaziergang an der Alster gemacht. Dort haben wir einander zum ersten Mal geküsst.

Romantisch, sagst du? Es hat die ganze Zeit geregnet, und du hast eine ganz schlimme Erkältung gehabt.

Aber du hast mich trotzdem geküsst!

Ich habe dich nur geküsst, weil du mir so Leid getan hast.

Die Geschichte von Tante Uschi und Onkel Hannes (fortgesetzt)

Kapitel 6

Kapitel 7

Kapitel 8

Kapitel 9

Ich habe morgen ein Vorstellungsgespräch

Kapitel 11

Kapitel 12

ANLAUFTEXT (S. 524–525)

Stefan und Anna sprechen über ihre Zukunft (fortgesetzt)